U0880433

国 家 出 版 基 金 项 目

湖北省社会科学基金重点项目
湖北省学术著作出版专项资金项目
湖北传承发展优秀传统文化重点项目
湖北省荆楚文化研究中心重点支持

荆楚文化史

先秦卷

湖北省荆楚文化研究会组织编写

总 主 编：刘玉堂
本卷主编：尹弘兵

长江出版传媒 | 湖北教育出版社

图书在版编目（CIP）数据

荆楚文化史. 先秦卷 / 刘玉堂主编 ; 尹弘兵本卷主编. -- 武汉 : 湖北教育出版社, 2022.12（2025.2重印）
ISBN 978-7-5564-5610-9

Ⅰ. ①荆… Ⅱ. ①刘… ②尹… Ⅲ. ①文化史－湖北－先秦时代 Ⅳ. ①K296.3

中国版本图书馆CIP数据核字(2022)第239257号

荆楚文化史.先秦卷 JINGCHU WENHUASHI.XIANQIN JUAN

出品人 方　平　　　策　划 刘　艺
责任编辑 许　梅　　　责任校对 李庆华
封面设计 李　枫　何亦明　　　责任督印 刘牧原

出版发行 长江出版传媒　430070　武汉市雄楚大道 268 号
　　　　 湖北教育出版社　430070　武汉市雄楚大道 268 号
经　销 新　华　书　店
网　址 http://www.hbedup.com
印　刷 武汉中远印务有限公司
地　址 武汉市黄陂区横店街货场路粮库院内
开　本 710mm×1000mm　1/16
印　张 36.25
字　数 500 千字
版　次 2022 年 12 月第 1 版
印　次 2025 年 2 月第 2 次印刷
书　号 ISBN 978-7-5564-5610-9
定　价 165.00 元

版权所有,盗版必究
（图书如出现印装质量问题,请联系 027-83637493 进行调换）

《荆楚文化史》编纂委员会

主　任： 王生铁

副主任： 武清海　李佑才

委　员（按姓氏笔画为序）：

王树华　尹弘兵　叶　植　任　放　刘玉堂　安向荣　杜建国

李德华　吴成国　邱久钦　张　武　张　硕　张继才　陈昆满

罗运环　胡嘉猷　柳菊兴　姚伟钧　袁北星　夏日新

主　编： 刘玉堂

副主编： 李德华　陈昆满　杜建国

总　序

刘玉堂

“地利西通蜀，天文北照秦。风烟含越鸟，舟楫控吴人。”诗圣杜甫笔下的荆楚大地，令多少人为之心驰神往！而这方神奇土地孕育的荆楚文化，又令多少人为之梦萦魂牵！

荆楚文化的空间范围大致与今湖北行政区划相当，时间范围从远古到当代。之所以称荆楚文化，是因为其源头和主干楚文化是以湖北为中心发展壮大的，而且荆、楚又往往互称并举。荆楚文化史研究的主要范畴是湖北文化诞生、发展和演变的历史。至于本书称《荆楚文化史》而不称《湖北文化史》，主要由于“湖北”的概念是宋代才有的，始于北宋初年以洞庭湖为界分荆湖南、北二路，其中荆湖北路即指湖北。“荆楚”的概念则始于先秦，有族类名和地域名之分，前者如《诗·商颂·殷武》：“维女（汝）荆楚，居国南乡。”后者如《楚辞·大招》：“自恣荆楚，安以定只。”无论是族类名还是地域名，其对应的空间范围虽略有出入，但基本上都是以今湖北为中心，鉴于本书的时间跨度为远古至当下，故名之为《荆楚文化史》更为切近。

《荆楚文化史》的编撰兹事体大，因而对相关问题的说明尤为必要。

一是荆楚文化的时间界限。当代人治国别史或地域史，一般止于晚清或民国，而本书则上起远古，下至当下，突破了史学界心照不宣的“当代人不治当代史”的传统。本书如是考量，无意于标新立异，只是想把荆楚文化的最新面貌展示出来，以增强现实感，突出时代性，进而坚定文化自信。

二是荆楚文化的空间界定。本书的空间范围固然是以今湖北行政区划为主，但现今的湖北省境，基本上是明清以来逐步规范形成的，在此前的数千年中，湖北与周边诸省之间的行政归属变动不居。因此，本书虽然明确强调研究的空间范围原则上不超出当今湖北行政区划，但如涉及思想影响、文化交流、人物迁徙、商旅流通乃至政治背景和经济状况等问题，尤其是牵涉到湖北局势发展的重要事象时，有关叙述或分析会越出今湖北省界的范围。

三是荆楚文化的内容定位。一般文化史研究，视角有宏观和微观之分，也即通常所谓广义文化与狭义文化之别，前者包括物质文明成果和精神文明成果的总和，后者仅限于精神文明成果。如采取宏观视角，难免失之于宽泛，而且极易与《湖北通史》一类著述雷同；如采取微观视角，则未免失之于狭窄，以致某些重要的文化内容不能得到应有的反映。有鉴于此，本书采取了介于宏观与微观之间的“中观”视角，即除重点考察微观层面的思想、学术、文学、艺术、教育、科技、宗教、民俗之外，还涉及时代变迁的社会背景和生态、移民、城建、商旅、交通等文化事象。当然，由于各个时代的文化状貌不尽相同，故允许各卷在保持基本内容一致的前提下合理取舍。

概而言之，《荆楚文化史》旨在经由多维度和全方位的考察，梳理出荆楚文化发生、成长和演变的线索，揭示出荆楚文化的基本特征、分衍状态和流迁趋势，勾勒出荆楚文化与其他区域文化乃至外域文化间多向的碰撞、交流和融合的轨迹，进而客观地评价荆楚文化在中华文化发展过程中所起的强大而持久的作用与影响。

一、荆楚的自然环境与民族氛围

在人类生存的地球上，有一条神奇的纬线——北纬 30° 线。它既是旧大陆古代文明的中轴线，又是长江流域的中轴线。中国的荆楚地区，埃及的古都孟菲斯，号为“神之门”的巴比伦，波斯帝国极盛时期的首都苏萨，以及南亚最早的两座古城之一哈拉巴，都无一例外地聚集在这一纬线附近。

从自然环境来看，荆楚正好处在东西之中、南北之间。说荆楚处在东西之中，这是因为中国的地势从西到东由高变低，呈三级阶梯之状：青藏高原为第一阶梯，南起云贵高原、中经四川盆地和黄土高原、北至内蒙古高原为第二阶梯，华中迤东的丘陵和平原为第三阶梯。荆楚正好处在第二阶梯与第三阶梯交接地带：鄂西在第二阶梯的东部，鄂中迤东在第三阶梯的西部。说荆楚处在南北之间，这是因为鄂北连接着秦岭、大巴山、桐柏山和大别山，鄂中迤南则为江汉平原和江南低山丘陵。荆楚整个地貌呈箕形：中部的江汉平原既平又低，西部、北部、东部是山地，只有南部向洞庭湖敞开。山环水绕的自然环境，温暖湿润的气候特征，不仅使荆楚的山郁郁葱葱，而且在境内形成不同流量的河流，汇入横穿其腹地的中国第一大河长江，众多水系如银练飘舞在广袤的荆楚大地上，构成纵横交错的水网，古云梦泽淤积遗留的大小湖泊，似明镜镶嵌于辽阔的江汉平原，调节着长江中游的旱涝。得中独厚的自然环境，不能不说是天赐荆楚。

就民族氛围而言，荆楚也恰好位居东西南北之中。汉藏语系的四大语族，最迟在周代已具雏形。汉语族的先民在北，壮侗语族的先民在东，苗瑶语族的先民在南，藏缅语族的先民在西。四个语族相互接触、彼此交错的中心，就在荆楚。北来的姬、姜等姓和殷人的遗民是汉语族的先民，东部的扬越属于壮侗语族的先民，南方的楚蛮多数应是苗瑶语族的先民，西部的巴人属于藏缅语族的先民。正是在这壮丽的民族景观中，蕴含着盎然勃兴的历史机缘。

荆楚独特的自然环境和民族氛围，既有利于接纳来自四面八方的文化信息，又能保持强大的定力，外求诸人以博采众长，内求诸己而独创一格，从而在某种程度上形成了大同小异的风气，其主体居民沉浮与共、休戚攸关，桀骜多于驯顺，狂放多于拘谨，独创多于固守，喜游心于天人之际，驰骋于艺文之间，不乏苦志慧心和奇思丽想。

二、荆楚文化的演进轨迹

居东南西北之中，当四通八达之会，荆楚历史波谲云诡，荆楚文化异彩纷呈，令人兴“大江东去，浪淘尽，千古风流人物”之叹。

属于“人猿相揖别”的旧石器时代遗址，在今湖北郧阳、郧西、丹江口、长阳、五峰、宜都、枝江、建始、大冶等县市区及荆州、神农架、襄阳、咸宁、武汉等地共发现200多处，涵盖了旧石器早、中、晚三个不同的发展阶段，其中最有代表性的是建始直立人和江陵鸡公山遗址。建始直立人距今215万年至195万年，早于元谋人、蓝田人、北京人，填补了中国人类发展史上从猿到人进化史中“直立人”这一关键环节的空白，对于探索人类的起源与演化具有重要价值。江陵鸡公山遗址下层的上限为距今5万年，其上层的下限为距今1万年。先前所发现的旧石器文化遗址大多在洞穴内，江陵鸡公山旧石器文化遗址却处于弥迤平原和汪茫水乡中。我们可以确信，江陵鸡公山旧石器文化的主人，只要没有因遭遇特别严重的天灾人祸而灭绝，应该属于后世荆楚人的远祖之列。

在“只几个石头磨过”的新石器时代，荆楚地区的文化遗址近3000处，更重要的是文化谱系相对完整：年代最早的是距今8000年的城背溪文化，继之大溪文化兴起，其后是屈家岭文化和石家河文化相继勃兴。屈家岭遗址是我国长江中游地区发现最早、最具代表性的大型新石器时代聚落遗址，也是长江中游地区第一个以遗址发现地命名的新石器文化。比屈家岭稍晚的石家河文化，不仅出现了初具规模的城址，而且发现了冶金的遗迹，代表了长江中游地区史前文化的最高水平，成为探索中华文明起源的一个重要标本。据《战国策·魏策》记载：“三苗之居，左彭蠡之波，右洞庭之水，文山在其南，而衡山在其北。”尽管关于文山和衡山的地望古今学者多所稽考而莫衷一是，但对于荆楚地区曾为三苗部落的腹地，则是学术界比较一致的见解。因此，荆楚地区先后诞生的大溪文化、屈家岭文化和石家河文化，庶几可以视作三苗部落的文化遗迹。

夏禹执政前后，一度效法尧舜对三苗实行的怀柔政策，却未能产生预期效果，三苗仍不愿服从夏王朝的统治，一场征伐三苗的战争不可避免，而双方实力的悬殊早已注定了三苗失败的结局。禹在征服三苗后，同样采取了尧舜流徙三苗之君的方式，迁徙三苗上层统治集团于西北边陲的“三危”，历经变服从俗，很可能成为后世羌族的祖先。对于三苗故地的遗部，禹则委派夏族人前往统治，意在对其实行严密的监控，达到巩固夏王朝统治地位的目的。涉及夏代荆楚地区经济社会状况的文献寥若晨星，仅有《尚书》《墨子》《世本》《帝王世纪》的相关零星记载，使我们依稀获得以上并非完整的信息。

殷商之世，以荆楚为中心的长江中游一带被殷人称作“南土”或“南乡”，前者见之于《左传·昭公九年》，后者见之于《诗·商颂·殷武》。从商汤起，经太甲到太戊的三代六王，是商王朝的巩固时期，统治者致力于内政，对方国部落则以羁縻为主，局势相对平静，荆楚地区也未见重大战争发生。从商王中丁开始，内患频生，中丁被迫迁都于隞。可能是荆人趁商都新迁而发难，也可能是中丁出于长治久安的考虑，总之在中丁都隞不久，荆楚东部的今武汉北部黄陂出现了商朝移民，继而建立了长江流域已知最早也是最大的早商城邑——盘龙城。盘龙城的建立，促进了中原商文化与荆楚文化的交流与融合，考古发现的江陵荆南寺遗址和沙市周梁玉桥遗址的商代文化层，就是以土著文化为主体并吸收中原商文化及其周边地区同时期文化因素而形成。尽管后来商王武丁曾大举征伐荆楚，商王朝与荆楚地区的文化交流则未曾中断，早熟的中原青铜文化南下，激活了荆楚固有的文化因子，促进了荆楚地区铜的采冶和铸造，以及城邑设置和农业区域经济中心的萌芽。

跌宕起伏的周代，从周初楚人嫡祖季连后裔鬻熊因辅佐周文王有功被徙“居丹阳”，至公元前 278 年秦将白起拔郢止，今荆楚地区一直是楚国的腹地。虽说春秋早期以前荆楚地区也曾诸国林立，其中不乏殷商遗民建立的权国和周王的同姓姬姓随国（曾国）这类颇有影响的封国，以及罗、卢、鄀、邓、谷、庸、麇（微）、鄂、唐、厉、绞等国，但权国春秋早期已被楚灭国改设为县，随国约春秋中期已成为楚国的附庸，其他国家要么亡于楚国，要么望风归附。从某种程度上说，周代荆楚地区的文化即楚文化。楚人在八百年的漫长岁月中，创造了震古烁今的文化，不啻与中原文化并肩而立，甚至与西方的古希腊文化难分轩轾。东西方文化各自从不同的方向出发，分别登上了人类文明轴心时代的巅峰，楚文化对中华文明乃至世界文明的贡献，足以令世人称奇。如果将中华文明比作浩瀚无垠的宇宙，那么，作为荆楚文化源头和主干的楚文化，就是宇宙中一条璀璨夺目的星河，澎湃于其中的“筚路蓝缕”的进取精神、“大象无形”的开放气度、“一鸣惊人”的创新意识、“上善若水”的和谐理念、“九死未悔”的爱国情怀和“一诺千金”的诚信品格，以其巨大的能量，穿越时空，生生不已！

“秦王扫六合，虎视何雄哉！”在秦王朝的统治下，荆楚文化惨遭洗劫，创巨痛深。先前济济多士，此时流失殆尽，自由活泼的文化气氛，被秦朝的坚甲利兵和严刑峻法扫荡一空。幸有云梦睡虎地秦简出土，才使人们得以了解秦代荆楚文化的些许信息。这批秦简包括《语书》《为吏之道》《秦律十八种》《效律》《秦律杂抄》《法律答问》《封诊式》《日书》《编年记》，尽管内容涉及秦朝政治、经济、法律、文化诸方面，仍然留下了荆楚文化的烙印。其中《为吏之道》作为一部官吏指南，吸收了源于荆楚的道家思想，如“强良不得”，与马王堆帛书《老子》甲本“强良者不得其死”如出一辙。从艺术风格来看，《为吏之道》与荀子“成相辞”毫无二致，而荀子曾任楚兰陵县令，其著作当受楚文化浸润，从《荀子·成相》到《为吏之道》，似可寻绎楚地民歌的传承脉络。通过秦简《编年记》，我们得以掌握秦始皇南巡经过故楚地安陆的确切时间和路线。秦简《日书》中的“秦楚月名对照表”，表明秦代荆楚地区因国家强制官方不得不使用秦历，但民间仍习惯沿用楚国旧历。从秦简展示的秦代隶书原貌观察，其“蚕头燕尾”“一波三折”的特征，显然受到战国中期荆门包山楚简书法艺术的渗透。

文化多承楚制的汉代，伴随着经济社会的恢复发展，荆楚文化也逐渐复苏，在思想与学术、文学与艺术、科技与教育等领域都获得长足的进步。西汉时荆楚地区的经学如“离离原上草”，虽荣枯无常，却绵延不绝，至东汉时马融任南郡太守，荆州的经学已蔚然成风。东汉末年刘表任荆州刺史期间，养士抚民，推崇学术，遍注群经，广求遗书，荆州成为全国最大的学术中心，官府藏书甲于天下。汉代是“铺采摛文”的文学体裁——赋的鼎盛时期，荆楚虽少见汉赋名家，但汉赋的名篇佳作无不同荆楚有千丝万缕的联系。它们或搁笔于荆楚，或从内容和形式上“拓宇于楚辞”，或直接以描绘荆楚山川之美和人文之胜为题材，此即《文心雕龙·辨骚》所谓“枚、贾追风以入丽，马、扬沿波而得奇”。汉代乐舞广纳博采，荆楚地区独领风骚，崔骃《七依》描绘的“振飞縠以舞长袖，袅细腰以务抑扬”，分明是楚舞“长袖细腰”的再现。当阳汉墓的画像石和老河口汉墓的画像砖，其雕刻技艺相较于南阳画像石毫不逊色。在当阳、襄阳、云梦等地东汉墓中发现的陶楼，展示了汉代官僚豪族风格各异的庭院式建筑。汉代荆楚学校教育“庠序盈门”，科技尤其是数学和医学成果丰硕，江陵张家山汉墓出土竹简《算数书》是比《九章算术》更早的数学专著，而《脉书》和《引书》则堪称汉代荆楚医学的上乘之作。

魏晋南北朝是中国历史上一个战乱频仍、朝代迭更的特殊历史时期，荆楚地区先后处于孙吴、东晋和南朝宋、齐、梁、陈的统治之下，其文化冲突中有交融，碰撞中有演进。东汉末年至三国时期最著名的三大战役，就有两大战役即赤壁之战和夷陵之战都发生于荆楚；西晋灭吴的战略谋划，也是在荆州襄阳形成。真可谓“一部三国史，半部荆州书”。释道安襄阳弘法、习凿齿撰《汉晋春秋》和盛弘之《荆州记》的编撰，象征着荆楚学术于乱世中别开生面。与之相映生辉，“清新庾开府”“俊逸鲍参军”均为荆楚文学奉献出扛鼎之作，前者《哀江南赋》把骈赋创作推向了巅峰，后者《登黄鹤矶》开创了山水诗派峻厉奇矫的新风。被称为“清商曲辞”的西曲歌《石城乐》《襄阳乐》《江陵乐》，成为乐府诗中最能撞击人们心扉的歌曲。艺苑的盛事，不啻是儿童及女子歌舞“襄阳白铜鞮”舞动京华，更有宗炳的画论独步一时。南朝荆楚画家宗炳是著名的山水画家兼理论家，不仅创立了“应会感神，神超理得”的绘画美学理论，而且在技艺上提出了“竖划三寸”“横墨数尺”的山水画透视学原理。至于庾亮在武昌建立学舍和设置学官，无疑是东晋时期荆楚教育的一抹亮色。

隋唐是我国文化发展的黄金岁月，统一且相对稳定的政治格局，使社会经济得到了空前发展，政治中心的东移与经济中心的南移相互交织，共同演奏出波澜壮阔的盛世华章，混同南北的隋唐文化因之具有朝气蓬勃、兼容并收的恢宏气象。凭借独特的区位优势，荆楚大地成为南北、东西文化碰撞与融合的重要平台。在道教被视为国教的唐代，江陵已成为南北道教文化交流的中心。隋代智顗于当阳创建玉泉寺，其佛学理论也成熟于斯；分别以慧能和神秀为代表的禅学南北两宗，分流于荆楚蕲黄的东山，是隋唐时期荆楚文化的突出成就。在哲学和美学上，禅宗虽说未必超越道家，但常有突兀冷峻的奇想妙得，甚至使儒家瞠乎其后。如果说，段成式《酉阳杂俎》、余知古《渚宫旧事》、皮日休《皮子文薮》和孙光宪《北梦琐言》代表着荆楚博大精深的学术，那么“冲淡之中有壮逸之气”的孟浩然、“语奇体峻”的岑参、“不雕自饰”的张继和“酒隐安陆，蹉跎十年”的李白等人的诗篇，则交织出荆楚文学的万丈锦绣。唐代民间歌舞盛行，荆楚百姓在努力创造物质财富的同时，也尽情享受着“竹枝歌”、“郢中田歌”和“起舞激楚”的“采莲”舞带来的精神愉悦。“书中仙手”李邕和“落笔洒篆文，崩云使人惊”的李阳冰，则分别以其行书、篆书神品，成为书坛“示来者以轨则”的树立法度之人。荆楚唐代官学可考的有荆州州县学和襄阳州学，培养出的进士刘洎、岑文本、张柬之均官至相位。唐代竟陵陆羽撰写的世界第一部茶学专著《茶经》，不仅使饮茶成为朝野风尚，而且使得东西方“俱受其惠”。

宋元时期中国由南北分裂至天下一统，荆楚地区社会经济一直在曲折中前行。与之相应，学术包容、文学开新、书艺立宗、教育振兴、科技精进，无不浸染时代气息。经学上“学《易》醇深”的朱震、补程颐之缺失的项安世、传理学于北方的“隐君”赵复和“江汉同调”的砚弥坚等，营造了荆楚思想学术界云蒸霞蔚的景象。文学上张景力主文学革新、安陆“二宋”（宋庠、宋祁）为文“无一点尘气”，尤其是苏轼谪居黄州“驰骋翰墨，其文一变”，荆楚文坛新风劲吹；“江西诗派”中坚潘大临、北宋词人魏玩和僧仲殊以及南宋词人王质、杨冠卿等，在宋代词苑各擅风流；“填词不减宋人之工”的滕斌，使“渐于衰”的元词为之一振。艺术上，武昌湖泗窑把白瓷和青瓷分别向南北推移，在中国陶瓷发展史上的地位尤为重要。米芾书法如“天马脱衔，追风逐电”，米氏父子绘画“不取工细，善用水墨”，创造了被世人称之为“米氏云山”的独特表现手法。宋代荆楚官学的稳定发展和书院功能的演变，构成了荆楚教育的双璧。科技上庞安时“尤精于伤寒，妙得长沙（即张仲景）遗旨”，其《伤寒总病论》补张仲景《伤寒杂病论》之缺失。英山毕昇发明的活字印刷术，标志着印刷史上一项重大变革的完成，对中国乃至世界文化的影响既深且巨。

明清两朝，看上去似乎政治中心再度向北转移，经济中心继续向东倾斜，但荆楚地区毕竟处于绾毂中华的地位，仍不乏荦荦可观者。以学术观之，则有“嘉鱼二李”（李承芳、李承箕）和“黄安（或天台）三耿”（耿定向、耿定理、耿定力）傲然而立；特立独行的“异端”思想家李贽，在大别山麓的黄安、麻城写下了惊世骇俗的《藏书》。经学名宿则有“穷经巨擘”郝敬、“不为泛滥卮言”的陈士元和首倡“学统”的熊赐履，以及“根柢于诸经”的胡承诺。刘子壮的经世实学、熊伯龙的无神论和程大中、秦笃辉的“汉宋兼治”皆名重一时。史学方面也有章学诚的方志学和杨守敬的历史地理学风靡史林。以文学而论，不仅有“独抒性灵、不拘格套”的“公安派”和力倡“尖新幽冷”的“竟陵派”，而且有“触物感兴，陶写自如”的明初诗人魏观、王廷陈、吴国伦等人掀起的文学复古思潮。清代词曲盛行，荆楚虽未见自成一统的流派，但仍有杜濬、顾景星、徐石麟等感时伤怀的词人。就艺术而言，以画家吴伟为领袖的“江夏画派”名动天下，张裕钊和杨守敬的书法饮誉东瀛，而最突出者莫过于汉调同徽班进京促成了京剧的诞生。在教育领域，传统官学教育和私学教育两个体系已臻定型，义学的推行和宗学的发端也并行不悖。科技领域最突出的成就在医药学，李时珍呕心沥血撰成的《本草纲目》，无疑是荆楚对中国乃至世界医药学的杰出贡献。

近代伊始，长江中游地区经历了惨烈的战祸，南皮之学乘势而起。导致清朝覆灭的辛亥首义，爆发于湖北武昌。五四运动前后，荆楚大地成为新旧文化博弈的主要战场之一，恽代英创办的利群书社、董必武创立的武汉中学、中华大学主办的《光华学报》、华中大学开设的时政讲堂，已然成为传播新文化的重要阵地。此后南军北伐，先取长江中游，继取长江下游，荆楚始终得风气之先。以“朴诚勇毅”著称的荆楚子民，始终冲锋在新民主主义革命前沿：江岸铁路的风雷、汀泗桥头的硝烟、农讲所里的火种、“八七”会议的宣言，无一不是惊天动地的壮举；在红安七里坪、洪湖瞿家湾、阳新龙港、大悟宣化店……无不展现出荆楚儿女气壮山河的风范。抗日战争爆发，武汉一度成为全国的文化中心；解放战争的帷幕，在大别山南麓的鄂北拉开。无数事实证明，近代以来中国几乎所有重大变革的起点都在荆楚。一个有辉煌历史传统的省份，一个有深厚文化蓄积的地域，在革故鼎新之际，必有出类拔萃的思想学术和文学艺术。清代末年和民国期间的荆楚，就处在这么一个龙从云、虎从风的历史转折阶段，其文化呈两极发育的趋向：一极是政治与哲学思想的际会风云，其代表是张之洞的《劝学篇》和熊十力的《新唯识论》；一极是文学与艺术的异峰突起，其代表是闻一多的《红烛》和曹禺的《雷雨》。二者都是一流的水准，分别伫立于所处时代的高峰。近代荆楚的教育、科技，也在战火纷飞中勉力赓续，甚至出现了一些意想不到的成果。

自中华人民共和国成立至2018年，荆楚文化焕发出新的生命活力。坚持科学理论导航，以马克思主义为指导的哲学社会科学竞辉齐光：李达的马克思主义哲学研究、周鲠生和韩德培的国际法研究、黄焯的语言文字研究、唐长孺的中国历史研究、吴于廑的世界历史研究、张舜徽的中国历史文献研究和皮高品的图书馆学研究，以及《汉语大字典》的编纂、两届“荆楚社科名家”的学术成果，无不是站立在所在学科的前沿。紧扣时代脉搏，社会主义文艺园地鲜花怒放：依文学创作而论，小说有姚雪垠的《李自成》、报告文学有徐迟的《哥德巴赫猜想》、散文有碧野的《情满青山》、诗歌有曾卓的《悬崖边的树》，还有数位茅盾文学奖和鲁迅文学奖得主的作品，充分展示了文学鄂军的雄厚实力；就艺术创作而言，以高百岁为开山的京剧、以陈伯华为领军的汉剧、以沈云陔为旗手的楚剧、以王玉珍等主演的《洪湖赤卫队》为标志的歌剧和以夏雨田为代表的曲艺，以及以“杂技皇后”夏菊花为灵魂人物的汉派杂技和以中国画变革“三面旗帜”之一的周韶华为表率的荆楚绘画等，赢得了荆楚艺苑的满园春色。进入 21 世纪，荆楚文化在全国的影响力与日俱增：第八届中国艺术节、第六届中国京剧节、第二届中国歌剧节和第八届中国舞蹈大赛等大型文化活动相继在湖北举办，荆楚已然成为神州大地的一方文化高地。发挥资源优势，深入挖掘和大力整合荆楚文化资源，加强荆楚文化的保护与传承，《荆楚文库》这一迄今湖北规模最大的文献整理研究出版工程正顺利实施。与此同时，荆楚文化“走出去”的步伐铿锵有力，足迹遍及全球。立足创新驱动，致力于荆楚优秀传统文化的创造性转化和创新性发展，推动文化事业和文化产业快速前行，为实现全省经济社会发展提供思想保障、智力支持和道德滋养，让生生不息的荆楚优秀传统文化的文脉延续到文化创造中、血脉激活在生命智慧里、根脉滋长于社会生活间，为更加坚定文化自信、不断铸就中华文化新辉煌作出荆楚新贡献。

三、荆楚文化的主要特征

探讨荆楚文化的主要特征，离不开对楚文化特质的把握。由张正明先生率先提出并经众多学者不断完善的楚文化的“六大支柱”和“五种精神”，堪称楚文化特质的精练概括，前者即炉火纯青的青铜冶铸、绚丽精美的丝织刺绣、巧夺天工的木竹漆器、义理精深的老庄哲学、惊采绝艳的屈骚文学、恢诡谲怪的美术乐舞，后者即筚路蓝缕的艰苦创业精神、追新逐奇的开拓进取精神、兼收并蓄的开放融会精神、崇武卫疆的强军爱国精神、重诺贵和的诚信和谐精神。正是这“六大支柱”和“五种精神”，对荆楚文化特征的形成产生了重大而深远的影响。

在楚文化的根基上发展而来的荆楚文化，其鲜明特征最突出者有如下数端。

一是尊天重人。“天即自然”，尊天，即尊崇和顺应自然，这是源于楚地的道家思想的精髓，老子就力主“道法自然”，其名言就是“人法地，地法天，天法道，道法自然”。庄子也强调“毋以人灭天”，追求一种“天地与我并生，万物与我为一”的境界。荆门郭店出土楚简中有一部道家佚籍《太一生水》，比今本《老子》更为系统地表达了道家的宇宙生成论和生态文明观，主张“圣人无为，故无败……是以成辅万物之自然而弗敢为”，极力强调尊崇和顺应自然。重人，即尊重人的天性和重视民生。早期生息于湖北随州一带的炎帝神农为改善民生“播种五谷”“身亲耕，妻亲织”，为解除民疫“遍尝百草”“一日遇七十余毒”。早在春秋初期，随国大夫季梁就提出“民为神主”的观点：“夫民，神之主也。是以圣王先成民，而后致力于神”，“所谓道，忠于民而信于神也”。季梁的这一观点，比孟子的“民贵君轻”早300多年，虽誉之以石破天惊亦不为过。

二是尚和贵诚。《老子》极力推崇的“上善若水”的理念，既是老子万物“冲气以为和”的智慧结晶，又是荆楚文化崇尚和谐的绝妙象征。尚和的终极目标，在于实现社会和谐与人类和平。楚相孙叔敖断然中止造成市场混乱的“以小改大”的钱币的流行、撤销劳民伤财的“升高车厢”的政令，堪称力促社会和谐、维护国家稳定的明智之举。如果说，楚庄王大力倡导的“止戈为武”“禁暴戢兵”，代表了古代战争与和平关系的最先进的思想观念，那么，楚共王奉行的“抚有蛮夷，以属诸夏”，则是这种思想观念的有效践行，而为汉匈睦邻“和亲”异域的王昭君，更是致力于民族团结和人类和平的光辉典范。贵诚，以诚信为安身立命之本，这也是荆楚文化的一个优良传统。伯牙、子期“高山流水”的琴台知音典故，将人世间的诚信演绎到极致；在楚国边境昭关偷渡伍子胥的渔夫为解除其疑虑而投身江流，用血肉之躯见证了诚信至高无上的价值；楚人后裔季布“一诺千金”的故事，已成为中华民族诚信品格的经典表达；“中国考古学之父”李济对前辈学者学术观点的大胆质疑，充分显示出荆楚学人诚信处世、严谨治学的精神风范。

三是狂放达观。荆楚雄奇的高山峡谷、浩渺的江水湖光是狂放达观特征产生的地理因素，而崇尚个性的价值取向和狂野梦幻的原始巫风则是狂放达观的人文因素。如果说，狂放在楚狂接舆和伟大爱国主义诗人屈原以及闻一多身上体现得淋漓尽致，那么，达观则通过庄子“鼓盆而歌”和六祖慧能的偈语“本来无一物，何处惹尘埃”已见端倪。无论是释道安和习凿齿的襄阳晤对“弥天释道安”和“四海习凿齿”，还是以“醉吟先生”自号的皮日休的诗歌和呈“风樯阵马”之势的米芾的书法，乃至历代流寓荆楚的文坛巨擘笔下的诗词如以“我本楚狂人”自诩的李白的《七绝·黄鹤楼送孟浩然之广陵》、“老夫聊发少年狂”的苏轼的《念奴娇·赤壁怀古》，无不展露出狂放的天性和达观的襟怀。自许“楚人”的张之洞为奥略楼所题楹联“昔贤整顿乾坤，缔造多从江汉起；今日交通文轨，登临不觉亚欧遥”，则于欣慰中透出自信，达观中尽显超迈。

四是兼容并蓄。荆楚居神州之中，可谓“九省通衢”，人口交流的频率和规模远在其他地区之上，从而表现出多元混融的价值取向。夏商之际楚国的公族从中原南下“南土”，与江汉地区土著先民三苗遗裔融合，形成了具有独创精神的楚人。魏晋南北朝时期，大量北方移民夹杂着西域胡人以侨州郡县的形式居于荆襄之地，催生出胡音汉韵的西曲歌。元末明初和明末清初的先后两次“江西填湖广”和“湖广填四川”

大移民，更是激发了荆楚文化的活力，汉口镇因之从“天下四聚”之一一跃成为“驾乎津门，直逼沪上”的长江中上游地区最大都市。正是由于荆楚文化具有兼收并蓄的特质，所以，在晚清以来中西文化的激烈碰撞中，荆楚文化对西方文化显示出较强的兼容性，从而在中国近代文化转型中勇立潮头。

五是守正图新。守正指不忘初心、坚守信念、秉持正义、追求真理。秦将白起拔郢之时，屈原毅然纵身汨罗，以生命诠释其爱国恤民的赤胆忠心。楚国将亡之际，楚人南公发出惊天誓言：“楚虽三户，亡秦必楚。”言犹在耳，楚人陈胜、吴广揭竿而起，刘邦、项羽奋力亡秦。荆楚文化中这种坚守信念、不忘初心的基因，个性鲜明，薪尽火传。辛亥革命爆发前一周年，楚人后裔冯特民在《汉声》杂志上发出振聋发聩的呐喊：“我坚信，推翻封建帝制，只有推翻秦朝的楚人来完成！”一年后的辛亥武昌首义，验证了这位先哲的预言，这并非偶然的巧合，而是历史的必然。图新，指善开风气、敢为人先、开拓创新、追求卓越。荆楚文化凭借其区位优势和创新主体所特有的精神，在不同历史阶段的不同领域都不乏创新之举。春秋初年楚武王首创县制，是制度层面的重大创举；春秋五霸之一楚庄王“始为军政”，是军事体制的重大革新；禅学南北两宗在荆楚黄梅东山形成并分流，是学术文化领域的重大创造；被达尔文誉为“东方医药巨典”的《本草纲目》，属于科技文化领域内的重大创获；晚清张之洞督鄂期间大力实施的“办实业、兴教育、练新军、修铁路、通商贸”的“湖北新政”，更是一种全方位的创新。

四、荆楚文化在中华文明发展史上的地位与影响

习近平总书记 2018 年 4 月 27 日参观湖北省博物馆精品文物展时指出，“荆楚文化是悠久的中华文明的重要组成部分，在中华文明发展史上地位举足轻重”。这是对荆楚文化的精辟阐释和高度评价，是我们继承和弘扬荆楚优秀文化乃至中华优秀传统文化，促进其创造性转化和创

新性发展的自信之基、立足之本和动力之源。

荆楚文化在中华文明史上的地位与影响，在政治与伦理、思想与学术、文学与艺术、科学与技术等诸多领域都有突出表现。

首先看政治与伦理。

屈原风骨对中华民族精神锻造所起的巨大而深远的作用，是荆楚文化对中华文明最显著的贡献。楚国伟大的政治家、思想家、文学家屈原，堪称跨越时空而体现中华民族精神的光辉典范。他“志洁行廉”的政治品格、“九死未悔”的爱国精神、“上下求索”的创新意识、“哀民多艰”的民生情怀，在不同的时代、不同的社会、不同的国度，都具有异乎寻常的感染力和影响力。正是因为如此，1953 年世界和平理事会所倡议纪念的“世界四大文化名人”中，屈原赫然在列，是中国也是亚洲唯一的入选者，这是中华民族的荣光，也是荆楚儿女的骄傲!

楚国首创县制对中国行政建制设置的发凡起例作用，是荆楚文化对中华文明的重要赋能。春秋早期，楚武王熊通在灭掉位于江汉平原西部的权国后，在其基础上设立了权县，这是中国历史上第一次将县作为一级行政单位设置。自秦王朝统一以来，作为地方行政机构的州、郡、府、县等时有变易，唯有县一直保存至今（州之名虽存，但其政区意义已变，即仅用作少数民族地级行政区名称），成为中国行政建制中一个最关键的环节和最具标志性意义的文化符号，而其发明者正是极具开创精神的楚人。

“湖北新政”对中国近代社会转型的促进，是荆楚文化对中华文明的重大影响。在晚清“新政”中，湖广总督张之洞的“湖北新政”独树一帜，其内容主要有办实业、兴教育、练新军、修铁路，无一不是开中国近代社会转型风气之先，真可谓“缔造多从江汉起”。尤其是他组建的汉冶萍公司，是当时亚洲第一家大型钢铁联合企业，曾经得到毛泽东主席的高度评价：提起中国民族工业、重工业，不能忘记张之洞。“湖北新政”对中国近代社会转型影响之大由此不难想见。

被誉为“此复神州第一功”的辛亥武昌首义对中国制度变革的推

动，是荆楚文化对中华文明做出的一个十分突出的成就。辛亥革命推翻了中国两千多年的君主专制制度，以巨大的震撼力和深刻的影响力推动了近代中国社会变革。首义后颁布的第一个近代宪法性质的文件《鄂州约法》，在我国法制史上第一次公开承认人民民主权利，开启了民主共和建设的大门。这一破一立所体现的中国政体变革，对中国政治的影响十分深远，是中华民族伟大复兴征程中一座巍然屹立的丰碑。

荆楚文化对中华伦理的浸润，从荆楚“五孝”已足可寻绎。孝老爱亲是中华民族的传统美德，由此形成的孝亲文化是中华传统文化的重要组成部分。在我国广为流传的“二十四孝”中，就有“五孝”同荆楚密切相关，即老莱子“彩衣娱亲”、丁兰“刻木事亲”、董永“卖身葬父”、黄香“温衾凉席”和孟宗“哭竹生笋”。故老相传，老莱子是春秋晚期今湖北荆门人，丁兰是汉代今湖北南漳人，董永虽为汉代今山东人，但其卖身葬父则事发今湖北孝感。据文献记载，黄香是东汉时期今湖北云梦人，孟宗是三国时期今湖北孝昌人。毫无疑问，荆楚是中华孝文化典型最集中、底蕴最深厚、影响最深远的地区之一。

其次看思想与学术。

季梁“民为神主”学说和楚庄王“止戈为武”的理念，分别代表着荆楚文化在中国古代民本意识和人类和平思想形成过程中无可替代的地位。

季梁是春秋早期位于今湖北随州一带的随国的一位思想家、政治家和军事家。据《左传·桓公六年》所记，季梁的学说以“民为神主”为中心：“夫民，神之主也……故务其三时，修其五教，亲其九族，以致其禋祀，于是乎民和而神降之福，故动则有成。”“上思利民，忠也；祝史正辞，信也。”根据此前的认知，是神为民之主，民须忠于君而信于神。而按照季梁的理论，则是民为神之主，君须忠于民而信于神。这种意识出现在春秋早期，可谓空谷足音！战国中期孟子著名的“民贵君轻”的理论，很可能受到了季梁的启发。

如果说“民为神主”是民本意识的先声，那么，楚人“止戈为武”

的理念，则是人类和平思想的前导。“止戈为武”，是春秋五霸之一楚庄王的名言。“止”，即停止；“戈”，即干戈，指兵器，象征战争。“止戈为武”的字面意思是说“武”这个字由“止”和“戈”两个字构成，实际上是指使用武力的目的是停止战争，换言之，战争的目的不是挑起更大的战争，而是为了实现和平。楚庄王对战争与和平关系的认识，堪称人类和平思想的经典表达，不仅代表了中国古代战争与和平观念的最高认知水准，即使在当下乃至未来，仍然具有十分重要的世界性的理论意义和实践价值。

荆楚文化对中华学术的贡献，突出体现在茶文化和佛道文化两个方面。

虽说神农氏已发明茶饮，但将饮茶上升到学术层面则始于唐代竟陵人陆羽。陆羽醉心茶事，遍访神州，写下了世界上第一部茶学专著——《茶经》。其内容从茶的起源到种茶、制茶、烹茶之法，从饮茶器具到名茶产地和品茗之道，条分缕析，广博精深，标志着中华茶文化的形成，陆羽也因之被世人称为“茶圣”。《茶经》还被译成英、法、俄、日等多种文字出版，打开了中华茶文化海外传播的门户。19世纪前后，以蒲圻（今赤壁）羊楼洞砖茶为标志的湖北茶叶开始输往俄、英等国，中外“茶叶之路”正式开通，全国最大的茶叶贸易市场汉口也被称为“东方茶港”。

禅宗唐代初期正式形成于今湖北黄梅东山，因而又称“东山法门”。其始于四祖道信，兴于五祖弘忍，成于六祖慧能。唐玄宗时，慧能的弟子神会入洛阳大行禅法，禅宗因而成为中国佛教最大的宗派，以至有“天下禅林，皆出东山法门”之说，其影响及于宋明理学。武当山位于今湖北十堰市，自唐太宗李世民敕建五龙祠始，历代帝王极力推崇武当真武神。明成祖朱棣更是奉真武为护国之神，依“皇室家庙”的规格和法式广建宫观，武当山由此以“治世玄岳”的崇高地位成为全国道教中心。

再次看文学与艺术。

楚辞和“优孟衣冠”“汉调进京”，分别代表着荆楚文化对中国文学和艺术巨大而深远的影响。

以屈原、宋玉为代表的楚国作家群体所创作的楚辞，既是同《诗经》并峙的中国文学的两大高峰之一，又是中国文学的两大源泉之一。相比于《诗经》，楚辞的节奏韵律更善于变化，状物写景更富于想象，表情达意更趋于委婉。历代第一流的人文学者，几乎没有不受楚辞浸润的，用刘勰《文心雕龙·辨骚》的话说，是“气往轹古，辞来切今，惊采绝艳，难与并能”，“其衣被词人，非一代也！”

春秋时期，楚国乐人优孟以善于模仿人物声形表演而闻名于世，“优孟衣冠”因之成为中国戏曲表演艺术的代名词。清代乾隆时期，荆楚“汉调”偕徽班进京，京城流传的京剧“班曰徽班，调曰汉调”，正是指的京剧唱腔主要承袭汉调皮黄腔即西皮、二黄而来。京剧界享有盛誉的“荆楚三杰”，即崇阳米应先、罗田余三胜和江夏谭鑫培，对京剧的成熟和发展做出了举世公认的成就。不仅如此，与京剧、越剧、评剧、豫剧并称为中国五大剧种的黄梅戏，也因清代中晚期发源于鄂皖赣交界处的黄梅多云山而得名。荆楚文化对中国戏曲艺术的贡献由此可见一斑。

最后看科学与技术。

荆楚文化对中华科学与技术的贡献，集中体现在农耕、青铜、活字印刷术和医药几个方面。

炎帝神农氏是与黄帝轩辕氏并称于世的两位中华民族人文始祖之一，是海内外中华儿女景仰的我国原始社会氏族部落的杰出首领。众多文献记载表明，湖北随州是炎帝神农部落的发祥地，该部落正是以随州为中心，沿汉水向长江流域和黄河流域南北拓展的。相传炎帝神农有八大功绩，其中最重要的是制造生产工具和种植五谷，不愧为中华农耕文明的开创者，为中华民族和中华文明的绵延壮大做出了卓越的贡献。

湖北大冶铜绿山古铜矿上起商末，下至汉初，是我国迄今发现的开采时间最长、矿石品位最高、采冶技术最先进、炼炉保存最完整、青铜产量最大的古铜矿遗址。青铜是上古时期的头等经济资源和战略资源，大冶铜绿山古铜矿的开发，对楚国的迅速崛起和保障周王朝以及中原地区的用铜需求，尤其是古代中国青铜文明的繁荣发展，乃至近代汉冶萍公司的组建等，都发挥了十分关键的作用，在中华青铜文明发展史上的地位至关重要。

宋代今湖北英山人毕昇发明的活字印刷术，标志着印刷史上重大变革的完成，极大地促进了文化传播的速度。这一重大技术还相继传到日本、朝鲜和欧洲各国，对世界印刷业发展和文化传播与交流都产生了难以估量的影响，马克思称其变成科学复兴的手段，变成精神发展创造的必要前提和最强大的推动力。

明代荆楚蕲州（今蕲春）人李时珍穷尽毕生心血撰写的《本草纲目》，在海内外影响巨大，被达尔文誉为“中国古代百科全书”和“东方医学巨典”。宋代荆楚蕲水（今浠水）人庞安时所著《伤寒总病论》、明代荆楚罗田人“医圣”万全所著《万密斋医学全书》、清代荆楚广济（今武穴）人杨济泰所著《医学述要》等，无一不是中国医药史上的杰作，对中国医药学的贡献令世人瞩目。

五、结语

从某种意义上说，荆楚地域是南方的“中原”，早在春秋战国时期，就有作为长江文明表率的楚文化横空出世，不仅与中原诸夏文化竞相媲美，而且与西方古希腊文化争奇斗艳。秦汉以后，这里仍有丰厚的文化积淀、宽松的文化环境和应时的文化机缘，因而得以成为道家的摇篮、禅宗的温床、南学的中心和新学的重镇，在科技领域和艺文园地也不乏奇思妙想和佳构鸿篇。

体大思精、源远流长的荆楚文化，生于钟灵毓秀之地，长于人文荟萃之乡，成于风云际会之域，沐风栉雨，傲雪凌霜，含英咀华，明丽天然。其和以直，旷以逸，文而质，博而精，浩瀚若海，厚重如山，大而弥新，久而弥坚，傲然卓立于中国地域文化之林，摇曳多姿，纷华照眼！

人以文化，文以人兴。荆楚的灵山秀水、世风民情和人文氛围，塑造了荆楚历史上奇特的人才景观，所谓“惟楚有材”，就是对荆楚人才盛况的艳羡！拭净岁月的铅华，打开绚丽多姿的中华文明长卷，荆楚大地风华绝代的英雄豪杰、贤哲逸士、墨客骚人接踵摩肩：中华民族人文始祖之一炎帝神农氏，伟大的爱国诗人屈原，汉赋鼻祖宋玉，音乐家钟仪、钟子期，和平使者王昭君，政治家熊绎、熊通、季梁、孙叔敖、刘秀、张居正、杨涟，军事家熊侣、孟珙、熊廷弼、徐海东、王树声，边塞诗人岑参、山水田园诗人孟浩然和忧国恤民诗人皮日休，茶圣陆羽，著名宗教人物道信、弘忍、神会和胡紫阳、张君房，书画双绝的米芾和“江夏画派”开山吴伟，活字印刷术发明者毕昇，医圣李时珍，文学家“安陆二宋”“公安三袁”“竟陵钟谭”，历史地理学家杨守敬、曹廷杰，民主斗士闻一多，哲学大师熊十力、汤用彤，经济学家王亚南，语言文字学家黄侃，散文家兼书法家张裕钊，作家废名、聂绀弩、张光年、欧阳山，文艺理论家胡风，剧作家曹禺，思想家鬻熊、环渊、鹖冠子、朱震、赵复、徐复观、殷海光，历史学家习凿齿、宗懔、段成式，方志学家王葆心，考古学家李济、黄文弼，天文学家甘德，数学家李潢，地质学家李四光，气象学家涂长望和无产阶级革命家陈潭秋、李汉俊、董必武、李先念……荆楚的山水因他们而增色，荆楚的文化因他们而生辉，荆楚的历史因他们而丰满！

九万里风鹏正举，三千年楚风腾飞。试看今日之荆楚文化，正如庄子笔下的大鹏，乘天地之正，御六气之辩，“水击三千里，抟扶摇而上者九万里”，“绝云气，负青天”，雄姿英发，气冲河汉！

目　　录

绪　论

荆楚，最初是族群概念兼地理概念。上古时代，长江中游地区的居民是“古三苗”。三苗集团与中原的华夏集团之间曾发生过激烈的战争，最后禹利用三苗出现内乱、遭逢天灾之机大举进攻，三苗从此灭亡，不再见于文献。三苗灭亡后，其遗裔仍在江汉地区生息繁衍，夏商时期发展成人数众多、有一定势力的集团，这些南方居民在中原文献中被称为“楚蛮”“荆蛮”“荆楚”等，上古族名与地名往往合一，故“荆楚”亦指族群所居之地。

荆楚地区是中华文明的发源地之一。旧石器时代起即有人类活动，在新石器时代是中国新石器时代文化的起源地之一，新石器时代晚期的屈家岭、石家河文化已进入初期文明社会，在中华文明起源上占有重要地位。石家河文化解体后，荆楚地区的文化发展一度中断，夏、商、西周三代，中原王朝大力经营南方，将中原文化传播到长江中游。商末，芈姓祝融离开中原进入楚地，改变其族群属性，由华夏核心部族变成南方楚人，并与周人建立联系。西周初年，芈姓首领熊绎以“文武勤劳之后嗣”被封为诸侯，始建楚国于楚蛮之地。东周时期，楚国迅速强大起来，尽有江汉之地，并将长江中游地区来源不一、文化面貌各异的族群整合成为统一的楚民族。强大起来的楚国大力吸收中原文化、整合南土诸侯，融合南方土著文化和淮河流域东夷诸国的文化，形成了高度发达的楚文化。楚国成为后世荆楚地理概念和荆楚文化的主要来源。秦汉一统后，楚文化成为汉文化的来源之一，荆楚文化发展成为中华大一统文化之下的区域文化。

一、先秦时期荆楚文化发展的历史背景

荆楚大地从远古时代起即为生命繁盛之地，自新生代以来，长江中游地区气候适宜，雨量充沛，地貌多样，森林茂密，绿草成茵，果木丰富，在森林、草地、沼泽中生活着众多的动物，为古人类栖息、繁衍提供了优越的条件。因此从旧石器时代开始，荆楚大地就是中国远古居民生息的重要地域之一，发现有众多的旧石器文化遗址和早期人类化石点，古人类或居于旷野，或居于洞穴，在这块具有优越生态环境的地域里，进行着人类历史上的早期活动。

地球约在更新世晚期、距今约18000年，进入末次冰盛期，此时气候寒冷，降水较少。据学者研究，距今10000年前后，为冰后期的冷干期，在江汉－洞庭湖平原上，植被是以云杉、冷杉和松为主的针叶林，森林较为稀疏，树种单调，林下草本植物丰富。这种植被景观，反映了这一地区在末次冰期最盛时期，年平均气温在0℃左右，年降水量在500毫米上下；晚冰期，植被向温带针阔混交林演替，气温逐渐升高，年平均气温在10℃左右，年降水量在700毫米上下，仍属于干冷气候。[①] 距今约10000年，地球进入全新世，气温逐渐升高，人类文明经过旧石器时代的长期积累后有了爆发性的发展，走出旧石器时代，进入新石器时代。大致在距今10000年前后，长江中游地区出现了一批新石器时代初期文化。湖南道县玉蟾岩遗址，年代距今12000—10000年，发现有最早的水稻遗存，将水稻栽培历史提前到了一万年前，但稻作农业尚处于最初的萌芽状态。[②] 江西万年仙人洞、吊桶环遗址，年代距今10000—9000年，也发现有栽培稻和野生稻硅酸体，但生计形态仍

① 闾国年：《长江中游湖盆扇三角洲的形成与演变及地貌的再现与模拟》，测绘出版社，1991年。

② 中国社会科学院考古研究所编著：《中国考古学·新石器时代卷》，中国社会科学出版社，2010年，第94—96页。

以渔猎和采集为主。[1] 这些遗存是长江流域进入新石器时代的标志，但这些 10000 年前的新石器时代初期遗存，还带有较多的旧石器时代特征，具有从旧石器时代向新石器时代过渡的特点：人类居住在洞穴中，未见磨制石器，陶器极为简陋，栽培稻刚刚出现，陶器文化和稻作农业都处于萌芽阶段，生计仍以采集和渔猎为主，尚未形成村落。在距今 10000—7500 年的早全新世，气候温凉偏湿，降水增加、海平面上升，年平均气温在 18℃左右，年降水量在 1300 毫米上下，与现代相似或偏暖湿。这一时期，长江中游地区新石器时代文化进入早期发展阶段，在洞庭湖西北与武陵山脉之间的地区发展出了长江中游地区目前最早的彭头山文化和皂市下层文化，在三峡地区则发展出了城背溪文化。距今 7500—2500 年，进入全新世大暖期，在考古学上则称为仰韶高温期，气候温暖而湿润，年平均气温比今天高 2℃，降水丰沛，森林茂密，为全新世气候最适宜期，与之相应的是，早期的人类文明也在这一得天独厚的时期进入高速发展，发展起了高度发达的新石器时代文化，荆楚地区的新石器时代文化也由此进入了最为繁盛的时期。

新石器时代早中期，长江中游地区发展起了四大文化体系。汉江中游地区是北方仰韶文化系统的外围部分，为仰韶文化群中的下王岗文化分布区。汉江下游东北岸地区为边畈文化和油子岭文化的分布区，亦是后来屈家岭文化、石家河文化的发源地和核心区。在鄂西，江汉平原西南部及峡江地带，则分布着城背溪文化、柳林溪文化和大溪文化系统。在洞庭湖地区，主要是洞庭湖的西北岸，则是彭头山文化、皂市下层文化和汤家岗文化的分布区。四大文化体系虽然相互之间有较密切的联系和交流，但各有其独立的地理背景和文化渊源，由此形成了长江中游地区新石器时代早中期的文化地理格局。但屈家岭文化的兴起，打破了长江中游地区四大文化主体并立的格局，最终屈家岭文化几乎一统长江中

① 中国社会科学院考古研究所编著：《中国考古学·新石器时代卷》，中国社会科学出版社，2010 年，第 92—94 页。

游地区，实现了空前的文化统一，长江中游地区新石器时代文化发展到极盛。屈家岭文化的兴起与长江中游地区的文化统一，是长江中游新石器时代考古学文化演进的重大变革，对江汉地区的文化进程产生了深远的影响。

由于区域发展不平衡，长江中游地区在新石器时代，不同时期的文化重心是不一样的。长江中游地区在新石器时代文化初起之时，发展水平最高的是洞庭湖区，尤其是洞庭湖西北的澧阳平原一带，这里是彭头山文化及其后继皂市下层文化和汤家岗文化的分布区。彭头山文化的年代为距今 8500—7800 年[①]，该文化对同时代的周边地区文化有强烈的辐射作用。彭头山文化发现有栽培稻，说明已开始稻作农业；在八十垱遗址发现了彭头山文化的围壕和围墙，围墙内有成排布局的房基和高台建筑，且围壕和围墙经历了两次大的修筑过程，反映出彭头山文化的社会已能进行较大规模的组织活动，其经济生活与社会组织已有了一定程度的发展；一些造型复杂的支座可能与早期信仰活动有关。皂市下层文化则在彭头山文化的基础上有了进一步的发展，绝对年代为距今 7800—6900 年。[②]分布范围由洞庭湖西北的山前地带扩展到平原地带，文化空间的扩大与遗址规模、数量的增加，表明人口数量的增长、生存能力的提高及生活内容的丰富。皂市下层文化的制陶技术有了较大的进步，不仅器物的种类较多，型式变化复杂，而且装饰手法繁缛。器类的复杂，不仅说明技术的提高，也表明人类生活的多样化及生活资料的丰富，已有对不同食物分门别类的追求和分配。磨制石器的增多也表明石器制造技术比彭头山文化有了明显的进步。居住条件也比彭头山文化时期有所提高，房屋建筑已开始使用红烧土，可能已使用木骨泥墙，居住面保存较好。在信仰活动方面也比彭头山文化有所进步，复杂的、可能有信仰含义的器物有了进一步的发展。

---

① 孟华平:《长江中游史前文化结构》，长江文艺出版社，1997 年，第 107 页。

② 孟华平:《长江中游史前文化结构》，长江文艺出版社，1997 年，第 108 页。

彭头山文化和皂市下层文化的领先一步发展对邻近的峡江地区和江汉平原西南部有强烈的影响。城背溪文化时期，鄂西峡江地区和江汉平原西南部的新石器时代文化主要受彭头山文化影响。城背溪文化的年代相当于彭头山文化晚期和皂市下层文化时期，绝对年代为距今7800—6900年。[①] 城背溪文化早期的面貌与彭头山文化较为接近。城背溪文化的主要特征，如：釜、罐、钵与座的器类组合，泥片贴塑法的制陶技术，绳纹的装饰风格等，均源于彭头山文化。城背溪文化与皂市下层文化之间也有较紧密的联系，均以绳纹装饰为主要特点，流行釜、罐，城背溪文化的盘、凹沿罐、直口罐等器物与皂市遗址的同类器物相同或近似，少量的双耳罐可能直接受皂市下层文化的影响。因此彭头山文化、城背溪文化和皂市下层文化有紧密的联系，有较多相似的因素。至于相互之间的关系，考古学者或将城背溪文化与彭头山文化作为同一文化区系的两个不同类型来看待[②]，或认为彭头山文化是城背溪文化的主要渊源[③]。城背溪文化早期遗存多发现于峡江地区的山前地带，地理位置与环境与彭头山文化较为近似，晚期遗存分布则延伸到三峡的山间河谷地带，这似乎暗示了城背溪文化的发展过程，即从与彭头山文化相邻的山前地带向西北长江三峡谷地发展的轨迹。

城背溪文化之后为柳林溪文化，年代距今7000—6000年。此类遗存与城背溪文化有密切的联系，共同的特点是陶器纹饰都以绳纹为主，器类组合中都包含釜、罐、圜底钵、支座等，因以前资料较少，被归入城背溪文化的范畴。近年来随着柳林溪等遗址的发掘，学者开始意识到此类遗存与城背溪文化相比在陶系、纹饰和器类组合等方面有较大的区别，不见城背溪文化中的双耳壶、镂空圈足盘等器物，而且具有直身支座、篦纹碗、彩陶罐等富有自身特征性的典型器物，在器物的类别上已

---

① 孟华平：《长江中游史前文化结构》，长江文艺出版社，1997年，第108页。

② 严文明：《中国史前稻作农业遗存的新发现》，《江汉考古》1990年第3期；张绪球：《长江中游新石器时代文化概论》，湖北科学技术出版社，1992年，第21页。

③ 孟华平：《长江中游史前文化结构》，长江文艺出版社，1997年，第149页。

经发生了变化，数量巨大、花纹繁缛的直身支座昭示着文化面貌已经从量变发展到质变，超出了同一文化的范畴，因而提出了柳林溪文化的命名。[①] 柳林溪文化与大溪文化最早期有紧密的联系。

到大溪文化时期，在充分吸收洞庭湖区和北方仰韶文化区、汉东文化区的文化因素后，江汉平原西南部后来居上。在城背溪文化基础上经柳林溪文化发展而来的大溪文化，其年代下限为距今5100年。[②] 大溪文化具有很强的吸收周边文化因素能力，接受了北方仰韶文化、洞庭湖区彭头山文化、皂市下层文化、汤家岗文化和汉东地区油子岭文化的影响。大溪文化时期，北方高度发展的仰韶文化已南下到达宜城平原，与江汉平原西南部相邻，先进的中原文化丰富了大溪文化的内涵，催生了繁盛的大溪文化，长江中游地区的新石器时代文化由此进入了第一个高峰期。大溪文化的繁盛主要表现在六个方面：（1）出现了一批大型的遗址，如中堡岛、杨家湾、关庙山、江陵朱家台等，有的遗址发现有防护遗迹；（2）由于地理环境的不同，产生了区域差异，峡江地区的大溪文化以渔猎农耕生活为主，江汉平原西南部则以稻作农业为主；（3）生产技术得到了进一步的发展，制陶技术广泛使用泥条盘筑慢轮修整技术，玉器制作也达到很高水准，出现了精细的石器生产工具，促进农业生产向精细化方向发展；（4）出现了贫富分化，大溪文化的墓葬随葬品已出现明显的差异，表明大溪文化的社会内部已开始分化；（5）宗教祭祀活动要比以往丰富得多，大溪文化中出土的造型复杂的陶支座，还有刻画符号很可能是与祭祀活动有关；（6）社会分工有所发展，在大溪文化的遗址中可能已出现了某种专业制造的分工。

大溪文化形成后，对长江中游地区产生了强烈的辐射作用，洞庭湖区、汉东地区都受到了大溪文化的强烈影响，大溪文化的影响涵盖了长

---

① 罗运兵：《试论柳林溪文化》，湖北文物事业管理局、湖北省三峡工程移民局编：《2003三峡文物保护与考古学研究学术研讨会论文集》，科学出版社，2003年；国务院三峡工程建设委员会办公室、国家文物局编著：《秭归柳林溪》，科学出版社，2003年。

② 孟华平：《长江中游史前文化结构》，长江文艺出版社，1997年，第112页。

江中游的大部分地区，以至有很多考古学者将汉东地区和洞庭湖区的考古学文化均纳入大溪文化的范畴，由此形成了对屈家岭文化起源的长期争论。

当大溪文化发展到晚期时，汉东地区的考古学文化在继承自身传统的基础上充分吸收了中原文化、大溪文化和长江下游文化的影响，特别是在下游文化西进的强烈影响和冲击下，文化势力强劲上升，异军突起，加速并促使新的考古学文化——屈家岭文化脱颖而出。[①] 从油子岭文化晚期开始，长江中游地区的文化重心开始向汉东地区转移，在屈家岭文化和石家河文化时期，这里是长江中游地区史前文化的中心区域，其文化影响强烈地辐射整个长江中游地区，最后促使长江中游地区形成统一的文化区并确立了汉江下游地区的中心地位，甚至对长江中游的周邻地区产生明显的影响。

屈家岭文化形成后，迅速扩展到整个长江中游地区，取代了原来长江中游地区的大溪文化、汤家岗文化和仰韶文化，实现了新石器时代长江中游地区空前的繁荣和统一。主要表现为向北和向南的扩张，其北一直伸展到南阳盆地和陕西商洛地区，向南一直发展到沅水中上游。屈家岭文化虽然极为强势，文化的统一性很强，但各地原有的文化传统也或多或少地保留了下来，由此形成了屈家岭文化的不同地域类型。

在屈家岭文化的各地域类型中，起源于汉江东岸、江汉平原北部与大洪山南麓地区的屈家岭类型，是发展最为充分的。因此考古学界普遍认为，汉东地区是屈家岭文化的中心区，这里发展起来的屈家岭类型是最为典型、发展程度最高的屈家岭文化，对其他类型起着主导作用，周围地区的屈家岭文化都是在这个中心区的影响下逐渐形成的，所以在时间断面上多是晚期的遗存。

由于屈家岭文化存在中心区和中心类型，因此学者认为，屈家岭文化是首先在中心地区形成后才逐渐发展到周邻地区其他考古学文化分布

---

① 何介钧:《长江中游新石器时代文化》，湖北教育出版社，2004 年，第 344、345 页。

区的，这些分布区属于屈家岭文化的发展区，由于原有的文化传统的影响，在这些发展区形成了屈家岭文化的不同地域类型，这些类型合起来就构成了屈家岭文化的分布范围，在其外围，还存在一个受屈家岭文化影响但尚未发展为屈家岭文化类型的影响区。

屈家岭文化兴起后，以不可阻挡之势进入襄宜地区、南阳盆地、丹江流域和汉江上游，迅速取代了当地的原始文化，将汉江中游地区变成了屈家岭文化分布地域。而到了屈家岭文化晚期，屈家岭文化势力更以豫西南地区为据点，逐渐对周围地区施加影响，沿丹江到达丹江上游商县、庾原一带；向北则翻过伏牛山，由“方城缺口”到达中原的汝颍地区，进而向北到洛阳、郑州一线的伊洛地区和黄河中游两岸。接着，屈家岭文化因素渗入到晋南地区的曲村附近，但已明显微弱；而豫南地区的屈家岭文化则出现了大致三个走向，一是由大别山、桐柏山之间的缺口到达信阳、罗山、息县、淮滨等地，二是由豫西南传入确山、正阳一带，三是在晚期阶段接受了豫中地区的影响，由豫中反向影响至豫南。屈家岭文化的北渐主要是依靠陆路进行的，翻山越岭，穿过平原、盆地，沿河流向上传播，最终形成屈家岭文化的北部分布格局。[①]

屈家岭文化分布范围的急剧扩大，以至最后一统长江中游地区，打破长江中游地区传统的文化地理格局，形成由多个地域类型组成的统一文化体，是以其经济与社会的明显进展为基础的。主要表现在以下几个方面：

第一，制陶技术进一步提高，轮制技术得到普遍推广，陶器的制作比较程式化，器物造型比较优美朴实，同时可能出现了家庭式制陶业。如青龙泉遗址在房址内发现了陶窖，暗示了氏族集体所有制的进一步解体。

第二，出现了新的手工业种类——冶铜，在邓家湾遗址发现了铜渣和孔雀石，表明冶铜业已经产生，而冶铜是一门极为复杂的技术，既需

① 孟原召：《屈家岭文化的北渐》，《华夏考古》2011年第3期。

要有组织的劳动协作和熟练的技术工人，也要有丰富的社会财富和专门的劳动力来保证。

第三，出现了城址和中心聚落，长江中游地区发现的屈家岭文化古城已有多座，以特大型遗址为中心的遗址群也出现了，这表明屈家岭文化时期出现了权力中心，由少数有势力的首领来进行统治。

第四，出现了大型的祭祀活动和祭祀中心，在屈家岭文化中发现了大量制作极为特殊的红陶或黄陶筒形器，学者普遍认为这应是某种祭祀活动的遗物，说明屈家岭文化时期宗教活动已得到了空前的发展，可能已出现了专门从事宗教活动的巫觋，因为只有这些人才能保证宗教活动隆重而有规范地进行。

第五，贫富分化进一步加剧。目前屈家岭文化的墓葬中所反映的贫富分化似乎并不如油子岭文化晚期，但这并不能说明屈家岭文化时期的贫富分化不严重，因为我们从遗址中所看到的情形并不能全面反映当时整个社会的情况，从其他的方面来看，当时屈家岭文化的贵族阶层已然形成，社会已出现了平民和贵族两大阶层，两极分化已然开始，只是在下层尚未充分体现出来。

屈家岭文化生产力水平的迅速发展，导致了社会财富的大量积累，少数人利用手中的权力获取财富。权力中心和祖先崇拜的形成构成了维系屈家岭文化的政治基础。屈家岭文化时期社会结构的深刻变化正好从一个侧面说明了屈家岭文化对黄河流域影响扩展的内在背景。当屈家岭文化兴盛之时，黄河流域的庙底沟文化已然开始衰落，文化的统一性不断削弱，以至在郑洛地区都可见到屈家岭文化的踪迹。直到庙底沟二期文化之后，黄河流域的史前文化才重新发展起来，并重新取得了对江汉平原屈家岭文化后继者的优势地位。

屈家岭文化的后继者石家河文化，是江汉地区在屈家岭文化基础上发展起来的一种考古学文化。石家河文化已进入龙山时代，因此曾被称为“湖北龙山文化”。石家河文化早期，江汉地区的史前文化仍然维持着屈家岭文化时代的繁荣与强盛，在社会形态、经济发展、文化艺术等方面较屈家岭时代都有明显的进步，社会结构的复杂化与文明化进程有了长足的进展。石家河文化拥有较进步的农业和手工业。制陶技术有了新的提高和发展，轮制陶器的比例进一步扩大，出现了大型陶器，制陶业可能已突破了家庭手工业而成为一项独立的手工业，而且还可能出现了陶器种类方面的相对分工。手工业的专业分工不仅提高生产的效率和产品质量，而且必然促进交换行为的发展。聚落形态更进一步复杂化，社会分化较屈家岭时代有了更进一步的发展，主要体现为：聚落之间的分化更为明显，中心聚落与一般聚落之间有很大的差异，聚落内部也出现了明显的贫富差别和等级划分，玉器和家畜可能已成为私有财产，巫术和原始宗教盛行，铜器、城池等重要因素出现。因此，石家河文化正处于氏族社会的末期，氏族制度正在解体，文明时代即将到来，甚至可能已进入初期文明社会。石家河文化是研究江汉地区文明起源和文明化进程的重要对象，在探索中华文明起源上有重要意义。

但石家河文化晚期，形势突然逆转，中原地区的龙山时期文化日益强盛，对邻近中原的山东地区龙山文化和江汉地区石家河文化产生了强烈的影响。中原文化的大举南下对江汉文化系统产生了猛烈的冲击，导致石家河文化失去了原有的特征，江汉地区的文化传统被打破，石家河文化解体，中原文化大规模进入，在江汉地区形成了以中原文化因素为主体的后石家河文化①，江汉地区的古代文化传统中断。进入二里头时期，江汉地区更出现了文化发展中断的现象，后石家河文化消失，整个江汉地区一片荒凉，二里头文化遗址在江汉地区分布极为稀少，尤其是在江汉核心区，原屈家岭、石家河文化的中心地域，后石家河文化之后当地没有出现二里头文化遗存，此后一直到西周时期才有真武山类遗存出现，文化发展完全中断。

随着石家河文化的中断和后石家河文化的消亡，原来江汉地区文化

① 关于后石家河文化的性质参孟华平：《长江中游史前新石器时代文化结构》，长江文艺出版社，1997 年；王劲：《关于后石家河文化定名的思考》，《江汉考古》2007 年第 1 期。

最发达的核心地带呈现出荒凉的景象，而原来江汉的边缘地区则在中原文化的主导下开始了新一轮的文化发展进程。这是自屈家岭文化在江汉地区实现空前的繁荣与统一之后的江汉地区文化发展的最重要变化，对先秦时期荆楚文化的发展进程和地域特色的形成产生了深远的影响。

二、先秦时期荆楚文化的发展进程

龙山时代末期石家河文化性质的变化，江汉地区屈家岭、石家河文化的兴衰，与古史传说中三苗与华夏的战争有极大关系。考古学界认为，后石家河文化的形成及其文化性质的变迁，是古史传说中禹征三苗的结果。禹征三苗后，三苗解体，其余部接受了中原文化后形成了后石家河文化。但进入二里头时期（夏代中后期），江汉核心区的后石家河文化并未进一步发展，而是消失了，但原来江汉文化区的边缘地带则在中原文化的主导下开始发展，形成了中原文化的地方类型。

伴随着这种转换，江汉地区的重心也发生了变化：原来的核心区成为边缘地带，而原来的边缘地带则因靠近中原，成为新的核心区。夏商时期，由于中原中心地位的确立，原本是江汉边缘的汉东、汉北地区由于在地理上靠近中原，易受中原文化的影响，成为夏商时期江汉地区的重心，同时也是中原文化的边缘地区。在江汉地区西部，四川盆地文化系统向东扩展，沿长江而下出三峡进入鄂西地区，江汉西部成为四川盆地文化体系的边缘地带。因是，夏商时期的江汉地区不再具有文化上的主体性，而是成为一个大的边缘地带。

因此之故，夏商时期，江汉地区在人文地理上不再是一个整体性的区域，而是以汉水为界，出现了南北分隔的局面，汉水两岸在文化发展上是分道扬镳的。汉东中原文化占主导地位，汉西地区中原文化影响则较小，只有江陵荆南寺有较典型的中原夏商文化因素，但荆南寺遗址出现的中原文化因素是随着时间递减的，到了晚商时期就为一支地方文化——周梁玉桥文化所取代。在荆南寺以西的长江沿岸，分布着朝天嘴－路家河文化，这是四川盆地文化体系向东发展的结果。汉水中心地区则几乎成为空白地带。这一切导致汉水两岸缺乏直接的联系，汉水成了夏、商及西周时期的南北天堑。夏商两代，虽然中原文化处于强势地位，但中原政治与文化势力始终未能打通从南阳盆地直达长江沿岸的通道[①]，中原地区与长江流域的联系通道主要是汉东地区。

夏商时期，是荆楚文化特色初步形成及初期发展时期，以盘龙城为中心的鄂东及鄂东北地区，成为夏商王朝南下经营南方的核心地区，尤其商人南下后建立的盘龙城，成为商人统治长江中游广大地区的中心。在南下的中原王朝势力的直接统治及其带来的优势中原文化的笼罩下，原来石家河文化的遗民，开始将中原文化因素与本地的新石器时代文化传统结合起来，创造出了一种新的文化。

盘龙城文化总体而言是中原夏商文化的一个地方类型，但有较强的地方特色，如陶系中红陶比例较大，红陶大口缸较多见等。盘龙城文化中的红陶器虽与中原商文化中的同类器相似，但在陶质、陶色及局部器形上有一定的差异性，与典型商文化中的灰陶器不同，是当地文化在中原文化影响下产生的一种新因素，“这批器物本身就体现了两种文化因素”[②]。盘龙城文化中还有较多的红陶大口缸，为盘龙城文化的特色之一，这种红陶大口缸在江汉平原使用了很长时间，是来自屈家岭、石家河文化的江汉地区传统因素。[③]尤为重要的是，在盘龙城王家嘴遗址下层相当于夏代的文化遗存中出土的连裆鬲，是目前楚式鬲所能追溯到的最早的源头。[④]而早期楚文化的研究也发现，红陶正是早期楚文化的一

① 张昌平：《夏商时期中原与长江中游地区的文化联系》，《华夏考古》2006年第3期。

② 高崇文：《从夏商时期江汉两大文化因素的源流谈楚文化起源》，楚文化研究会编：《楚文化研究论集》第三集，湖北人民出版社，1994年。

③ 笪浩波：《湖北商时期古文化分区探索》；张万高：《江陵荆南寺夏商遗存文化因素简析》。均载湖北省考古学会选编：《湖北省考古学会论文选集（二）》，1991年。

④ 王光镐：《楚文化源流新证》，武汉大学出版社，1988年，第151、152页；杨权喜：《江汉地区楚式鬲的初步分析》，楚文化研究会编：《楚文化研究论集》第一集，荆楚书社，1981年。

个重要特征[①]，楚式鬲也可在盘龙城夏商文化中找到源头，因此学者认为这是荆楚地区早期楚文化的渊源[②]。这些在中原王朝统治下创造了夏商时期荆楚地域文化因素的居民，这种新的荆楚文化的创造者，是石家河文化和后石家河文化的遗民，他们在夏商时期发展成为南方族群——楚蛮。[③]

这种新的文化因素一出现就显示了强大的生命力，进一步发展下去的结果就是西周时期的早期楚文化。

西周时期，周势力和周文化进入江汉地区，西周在南方封邦建国，形成了西周的南土疆域。随着周人的进入，江汉土著居民也开始接受周文化，并将周文化与夏商时期所形成的荆楚地方文化因素结合起来，这样，西周时期的荆楚地方文化就成为周文化的地方变体。近年来在丹江库区的陕西商南县的过风楼遗址[④]、湖北郧县辽瓦店子遗址[⑤]、河南淅川下王岗遗址[⑥]等处，发现了周文化与江汉土著文化结合的最早源头，这是早期楚文化研究的重要突破，此类遗存目前一般称为过风楼类型。春秋时期楚式连裆柱足鬲等楚式器，在过风楼类型文化中找到了源头。因此这一被称为过风楼类型的考古学文化很可能就是西周时期的楚文化，

① 张天恩：《丹江上游西周遗存与早期楚文化关系试析》，氏著：《周秦文化研究论集》，科学出版社，2009年。

② 高崇文：《从夏商时期江汉两大文化因素的源流谈楚文化起源》，楚文化研究会编：《楚文化研究论集》第三集，湖北人民出版社，1994年。

③ 参尹弘兵：《商代的楚蛮与西周初年的楚国》，《华夏考古》2013年第1期；张硕、尹弘兵：《楚蛮的考古学观察》，《中国文化研究》2011年第3期；刘玉堂、尹弘兵：《楚蛮与早期楚文化》，《湖北大学学报》2010年第1期。

④ 张天恩：《丹江上游西周遗存与早期楚文化关系试析》，氏著：《周秦文化研究论集》，科学出版社，2009年。

⑤ 武汉大学考古与博物馆学系：《郧县辽瓦店子遗址》，湖北省文物局编：《湖北省南水北调工程重要考古发现Ⅰ》，文物出版社，2007年。

⑥ 中国社会科学院考古研究所山西队、河南省文物局南水北调办公室：《河南淅川县下王岗遗址西周遗存发掘简报》，《考古》2010年第7期。

在商代末年到西周早期崛起于狭小的陕鄂交界山地，西周中晚期时向东南扩展，占据了整个丹江库区西侧的三省交会地带，通过不断地吸收和整合周文化，显示了强劲的发展势头，至春秋早期，进一步发展到襄宜平原和沮漳河流域，逐渐形成了东周时期独树一帜的楚文化系统。[①]

西周时期，巴、濮、楚、邓和汉阳诸姬等西周南土诸侯构成了西周时期江汉地区人类社会的主体，西周的南土诸侯与楚蛮、百濮、扬越等江汉土著民族共同开发荆楚地区，周文化在江汉地区广泛传播，并与江汉土著文化结合起来，因其与楚文化有直接的渊源关系，学界通常将长江中游地区的西周文化称为早期楚文化。进一步说，西周时期的早期楚文化是由包括楚在内的周代南土诸侯、江汉小国及楚蛮、百濮等江汉土著居民共同创造的，其中既有与周室关系紧密的姬姓诸侯和周之姻亲诸侯，亦有与周室关系稍远一些的邓、鄀、楚等异姓诸侯，楚仅是创造早期楚文化的诸多国族中较小的一支。[②]春秋早期以后，迅速强大的楚国主导了这一支文化的发展，将早期楚文化发展成为东周时期的典型楚文化。而楚国与楚文化的高度发展，也将汉淮地区各种来源不同的居民融合成了楚人这一新型族群。[③]

在地理上，西周时期江汉地区的人文地理格局仍是夏商时期的延续，但又有了一些变化。西周时期江汉地区的重心仍然在汉北、汉东，与夏商时期并无区别。但在汉东，商代与西周的重心有别，商代时汉东的重心在偏南的鄂东盘龙城一带，西周时汉东的重心则在偏北的随枣走廊，这一地区的曾（随）、鄂等国成为周代南土的重心，近期的曾国考古发现与研究表明，曾、鄂两国在周代南土的地位，颇类似于齐、鲁两国在东土的地位。西周中期以后，随着南土诸侯的发展，原来在南土诸侯统治下的楚蛮等江汉土著民族，其经济、社会与文化发展水平也得到

① 高崇文、何晓琳：《试论“过风楼类型”考古学文化》，《江汉考古》2011 年第 1 期。

② 张硕：《早期楚文化的民族环境》，《江汉论坛》2010 年第 12 期；尹弘兵：《早期楚文化初析》，《江汉考古》2011 年第 3 期。

③ 尹弘兵：《早期楚文化初析》，《江汉考古》2011 年第 3 期。

较大提升，于是有部分楚蛮进入汉南、汉西地区。楚蛮在江汉核心区的发展，为楚国的兴起奠定了基础，但楚蛮在政治上是受歧视的，在文化上是边缘性的，汉水两岸仍是对立的格局，夏商时期江汉地区以汉水为南北分界这一人文地理格局并未因楚蛮进入汉南、汉西而得到改变。

需要注意的是，西周时期汉水两岸的对立与夏商时期有较大的不同。夏商时期，中原文化对汉水西岸的影响相当微弱，汉水两岸缺乏联系。楚蛮文化则是在中原文化的影响下发展起来的，实际上是中原文化的地方变体。因此西周时期汉水两岸的对立仅是政治上的对立，在文化上则有较大的一致性，汉水两岸在文化上有了较为紧密的联系。这表明中原文化体系开始越过汉水，开发夏商时期的蛮荒之地，进一步扩展则逐步占有了原来周梁玉桥文化和朝天嘴－路家河文化的分布地区。故而西周时期汉水两岸的对立是在统一性框架下的对立。

进入东周时期，楚国在汉西地区的崛起最终打破了夏、商及西周时期江汉地区的人文地理格局，楚国一统江汉地区，使得夏、商及西周时期的南北天堑不再存在，整个江汉地区重新联结成为一个整体，汉水两岸的对立从此结束。在区域重心方面，东周大部分时期，楚国都城及核心区均位于汉西，并且逐步南迁。楚国在汉水西岸的发展也改变了夏、商及西周时期南阳盆地与长江沿岸无直接联系的局面，打通了由南阳盆地直达长江的南北交通线。

楚国在江汉核心区的兴起，从根本上改变了荆楚大地自石家河文化解体之后的荒凉局面。在新石器时代晚期，以江汉为核心区的屈家岭文化、石家河文化是高度发达的古代文化，屈家岭文化影响力甚至一度超过同时代的中原文化。新石器时代，长江中游的屈家岭－石家河文化和长江下游的良渚文化、海岱地区的大汶口文化和山东龙山文化，与中原文化是并驾齐驱的，但此时的长江流域，各区域是独立发展的。

楚国崛起后，今湖北大部、河南西南部成为楚文化的中心地区。楚国不仅把江汉地区乃至长江以南的众多土著民族、小国和西周诸侯整合成为一体，而且进一步向长江下游、淮河流域发展。随着楚国疆域的扩展，楚文化区域向南、北两个方向扩展开来。在南方，湖南、江西成为楚文化覆盖区；在北方，南阳盆地和淮河上游成为楚文化的分布区域。到战国时期，楚国进一步整合了淮河下游和长江下游地区，极盛时期的楚国奄有南方之地，将整个长江中下游地区和淮河流域融为一体。战国晚期白起拔郢，楚国东迁于陈、寿春，淮河中游地区成为晚期楚文化的中心，楚文化的影响远及贵州、云南、广东等地的部分地区。

楚国将中原文化、南方各土著文化和淮河流域的东夷文化熔于一炉，创造了独树一帜、高度发达的楚文化，在政治、经济、科技、思想、文学、艺术等各方面都发展到了东周文化的高峰。需要指出的是，楚文化是作为华夏文化的一个有机组成部分发展起来的，随着楚国和楚文化、楚民族的发展，原来华夏文明的边缘地区，发展成为华夏文明的核心地带之一，并初步形成了以长江为轴心、整体性的南方华夏文化，造就了新石器时代末期以来荆楚文化发展的第二个高峰。

楚国和楚文化的高度发展，最终奠定了中华文化南方与北方、黄河与长江的二元格局。张正明概括出楚文化六大要素：其一，是青铜冶铸工业；其二，是丝织工艺和刺绣工艺；其三，是髹漆工艺；其四，是老子和庄子哲学；其五，是屈原诗歌和庄子的散文；其六，是美术和乐舞。[①] 在与中原文化、周边区域文化的碰撞摩擦中，楚文化具有了开放性与兼容性的特点。

三、先秦时期荆楚文化的发展特点

进入历史时期，荆楚文化的发展与史前时期是完全不一样的。史前时期尤其是当江汉文化系统发展到屈家岭、石家河时代时，整个江汉地区是一体的，以自身为中心发展，文化核心区在江汉腹地：江汉地区在文化上是具有自主性的文化主体，在政治上是具有独立性的政治主体，

① 张正明：《楚文化史》，上海人民出版社，1987 年，第 3 页。

在地理上是具有自主性的区域主体。而夏商时期江汉地区的人文地理格局与新石器时代判然有别。夏商时期，随着石家河文化的解体和中原文化的南下，江汉地区的古代文化结构发生了根本性的变化，不再是以自身为中心独立发展的文化主体、政治主体和区域主体。在文化上，江汉地区接受了中原文化，成为中原文化的一个地方类型；在政治上，江汉地区不再是一个独立的政治主体，而是中原王朝统治下的边缘区；在地理上，江汉地区也不再是一个独立的区域主体，而是与中原联成一体，成为中原的附属地。

因此先秦时期，荆楚地区的文化发展经历了较为复杂的演进。石家河文化晚期已进入或接近夏代，此时中原文化大举南下，江汉地区的文化性质发生突变，失去原有特征，石家河文化演变为后石家河文化。中原文化的南下基本摧毁了江汉地区的原有文化系统，中原文化在江汉地区占据了主导地位，由此发生了大规模的文化重组。这一文化重组的结果，是江汉地区原有的文明发展进程中断，开始在中原文化和中原王朝的主导下进入新的发展阶段。

夏人和夏文化的南下对江汉地区产生了强烈的影响，至二里头文化时期，长江中游地区主要表现出黄河中游二里头文化的特征[①]，成为二里头文化的南部边缘地带。进入商代后，中原王朝对南方的影响有较大的加强，商人在江汉之会建立了著名的盘龙城，商人带来的文化与江汉地区原有文化传统结合后发展起了商文化盘龙城类型，或称盘龙城文化。西周时期，周人自丹江南下或经成周进入南阳盆地，在汉水东北岸从南阳盆地至鄂东地区，封邦建国，形成了西周的南土，周文化进入江汉地区，并与夏商时期本地族群的文化结合起来，形成了周文化的南方变型，这一源于关中又与关中周文化有所差异的地方文化，现一般称为早期楚文化，春秋中期以后的典型楚文化与之有发展演变关系。而早期楚国亦是此考古学文化中的一支，至春秋中期以后，随着楚国的迅速强

① 孟华平：《长江中游史前文化结构》，长江文艺出版社，1997 年，第 165 页。

大，楚国主导了这一考古学文化的发展，将早期楚文化发展成为典型楚文化。[1]

四、相关说明

《荆楚文化史·先秦卷》的时间范围，因涉及与史前卷和秦汉卷的衔接，需要在此作一些特别说明。

一般而言，先秦是指秦统一以前的历史时代，广义上包括史前时期，但《荆楚文化史》的先秦卷之前有专门的史前卷，因此本书的先秦概念是狭义上的，仅指秦统一之前的历史时代。但这只是一般性的划分，在具体写作中，则不免有交叉的部分。

再具体到《荆楚文化史》的先秦卷与史前卷划分，史前卷下限止于后石家河文化，涉及荆楚地区的部分传说，这与先秦卷有少部分不可避免的交叉，但双方的关注重点是完全不同的。《荆楚文化史·先秦卷》叙述先秦时期的荆楚文化，一开始是从族群变迁与考古学文化发展两个方面来展开的。在族群部分，荆楚地区已知最古老的居民是古三苗，古史传说中，三苗集团曾与中原的华夏集团发生激烈冲突，最后三苗为大禹所灭，三苗灭亡后荆楚地区的古代居民为楚蛮（又称荆蛮、蛮荆、荆楚），目前学术界一般认为，荆楚地区的屈家岭文化和石家河文化即为古三苗所创造的文化的遗存，而历史叙述一般是从传说时代开始的，因此先秦卷对先秦时期荆楚文化的叙述也是从远古三苗开始的，但重点放在三苗与华夏的战争及其对古代荆楚文化发展的影响上。

至于先秦的下限，一般以秦统一为界。但从荆楚文化发展的角度来说，公元前278年秦拔郢，楚顷襄王东迁于陈，是荆楚文化发展史上的重要转折，具有标志性意义。秦拔郢之前，整个荆楚地区基本上都在楚的统治之下，湖北西部是楚国与楚文化核心区，文化上是典型的楚文

① 张硕：《早期楚文化的民族环境》，《江汉论坛》2010年第12期。

化。但秦拔郢后，今湖北西部的楚核心区为秦所占，大量楚人或随顷襄王东迁，或“遵江夏以流亡”，秦于故楚地置南郡以治之，大力推行秦文化，湖北西部成为秦国统治区和秦文化分布区，楚文化则退缩至鄂东地区，秦楚双方大致以滠水、澴水为界，滠水、澴水以西的湖北大部均为秦文化区。考虑到秦汉时期荆楚文化发展的整体性和荆楚文化自身发展的阶段性，经协商后决定《荆楚文化史 · 先秦卷》下限以公元前 278 年为界，以后则属《荆楚文化史 · 秦汉魏晋南北朝卷》的叙述范围。

第一章 族群与文化

荆楚地区地理环境优越，物产富饶，地貌多样，既宜于农耕又适合渔猎，为古人的生活、繁衍提供了得天独厚的条件，是我国古代文明的发源地之一。传说史料中，远古时代生活在荆楚地区的古代居民为古三苗，一般认为屈家岭－石家河文化即古三苗所创造的文化遗存。禹征三苗后，古三苗灭亡，荆楚地区的古代文化发展链条中断，但荆楚大地仍然生活着为数众多的土著族群，他们由三苗的余部发展而来，形成了夏商西周时期生活在南方的楚蛮族群。夏商王朝也极力开拓南方，在荆楚地区留下了丰富的文化遗存。进入西周，周人在南方封建诸侯，形成了周代的南土疆域，西周诸侯与江汉土著共同创造了荆楚地区的周代文化，为楚国的兴起奠定了基础。春秋早期，楚国崛起，将江汉地区各种来源不同、文化面貌各异的国族整合起来。楚国强大起来后大力吸收中原文化、南土诸侯和江汉土著的文化，并将之与自身的文化融为一体，形成了具有强烈自身特征的楚文化。强盛的楚国与高度发达的楚文化还将原有的各种族群整合为统一的楚民族。秦汉一统之后，楚文化与楚民族又融入大一统的汉文化与汉民族之中。

第一节 远古三苗

远古时代，长江中游地区的古代居民为古三苗，又称“苗蛮”，徐旭生将上古时代的居民划分为华夏集团、东夷集团和苗蛮集团，华夏集团分布于中原地区，东夷集团主要分布在山东地区，苗蛮集团分布在长江中游地区。[1]

一、三苗的分布范围与时代

三苗是生活在荆楚地区的远古族群，又称为苗民、有苗、南蛮，因苗与蛮古字同音同义，故徐旭生将其称为“苗蛮集团”。三苗的年代，大致与古史传说中尧、舜、禹的年代相当。

三苗居地大体在长江中游地区，其具体范围，吴起说是“左彭蠡之波、右洞庭之水，文山在其南，而衡山在其北”（《战国策·魏策一》）。洞庭当即今洞庭湖，历史时期洞庭湖的大小、范围屡有变化，但位置大体不变。古彭蠡则在今安徽宿松、望江间的长江河道及其以北的龙感湖、大官湖和泊湖等湖沼地区。[2]徐旭生认为三苗的范围在今湖北、湖南、江西一带，其北界大约在河南西部熊耳、外方、伏牛诸山脉间，邻于华夏集团，东以大别山脉为界邻于东夷集团，西则北越南阳一带。[3]徐旭生考定的这一区域大体与屈家岭文化和石家河文化的分布范围相当。

三苗与古史传说中的尧、舜、禹同时代，大致属于考古学上的龙山时代，荆楚地区年代相当的考古学文化为屈家岭文化和石家河文化。在地域上，徐旭生考定的苗蛮集团地域，与屈家岭文化和石家河文化的分布范围大致相合，其盛衰亦基本同步。因而考古学界普遍认为，屈家岭文化、石家河文化即三苗所创造的文化遗存。[4]

---

① 参见徐旭生：《中国古史的传说时代》，广西师范大学出版社，2003 年。

② 谭其骧、张修桂：《鄱阳湖演变的历史过程》，《复旦学报》（社会科学版）1982 年第 2 期。

③ 徐旭生：《中国古史的传说时代》，广西师范大学出版社，2003 年，第 65—67 页，第 75—76 页。

④ 参俞伟超：《先楚与三苗文化的考古学推测》，《文物》1980 年第 10 期；李龙章：《江汉新石器时代文化族属考》，《江汉考古》1988 年第 2 期；张绪球：《长江中游新石器时代文化概论》，湖北科学技术出版社，1992 年，第 318—323 页；孟华平：《长江中游史前文化结构》，长江文艺出版社，1997 年，第 240—244 页；何介钧：《长江中游新石器时代文化》，湖北教育出版社，2004 年，第 467 页。

三苗之“三”究竟是实指，还是泛指，有一些不同看法。在中国古籍中，“三”“九”等数字，常用来泛指多数。三苗之“三”，九黎之“九”，当是言其族类纷繁，部落众多。《墨子·兼爱下》引《禹誓》曰：“若予既率尔群对诸群以征有苗。”“尔群”指华夏，“诸群”指三苗，“诸”表明它并非单一族群。因此有学者认为，三苗当是由众多民族组成的一个部落联盟的总称。[①] 考之屈家岭文化的构成，其说当是。

在屈家岭文化兴起之前，江汉地区存在多个考古学文化系统：一是汉东地区的边畈文化、油子岭文化系统，为屈家岭文化的直接前身；二是鄂西地区的城背溪文化、大溪文化系统；三为洞庭湖区的彭头山文化、汤家岗文化系统；四为汉水中游地区的仰韶文化系统。这几个考古学文化系统各有不同的来源与地理背景，代表着不同的族群。屈家岭文化兴起后形成了涵盖整个长江中游地区、统一性很强的考古学文化体系。如果这反映的是一个大型族团，其结构当不是单一的，而是多个族群在强势的屈家岭文化下形成的统一体，因此三苗之“三”，或是泛言其多，乃其内部组成颇为复杂之故。

二、三苗与华夏的战争

在古史传说中，尧、舜、禹所领导的华夏集团与南方的三苗集团发生过大规模的战争。汉江中游地区最初为华夏集团分布地域。在考古学文化区系上，汉江中游至上游地区均为属于中原系统的仰韶文化。在文献记载上，尧子丹朱即活动在丹江地区。《世本》：“尧娶散宜氏子（女），谓之女皇，女皇生丹朱。”丹朱之名因丹水而得，古本《竹书纪年》：“放帝子丹朱于丹水。”可见尧舜时代，即有中原核心部族活动在丹江流域。

屈家岭文化兴起后，强势北进，占有了原为仰韶文化的汉江中游地区，由此爆发了华夏集团与三苗集团的激烈冲突。《吕氏春秋·召类》

① 吴永章：《湖北民族史》，华中理工大学出版社，1990年，第10页。

载，尧与三苗“战于丹水之浦，以服南蛮”，《淮南子·兵略训》也说“尧战于丹水之浦”。从考古学文化来看，屈家岭文化不但迅速取代了丹淅水、唐白河流域的仰韶文化，而且其影响力远达黄河沿岸，对豫中、豫西的华夏核心区构成了严重的威胁。唐尧时代华夏与三苗的战争，可能持续了很长时间，到虞舜时期，双方的局势稳定下来，因此文献中颇多舜对三苗采取德化政策的记载。《战国策·赵策二》：“昔舜舞有苗，而禹袒入裸国，非以养欲而乐志也，欲以论德而要功也。”《韩非子·五蠹》：“当舜之时，有苗不服，禹将伐之，舜曰：‘不可，上德不厚而行武，非道也。’乃修教三年，执干戚舞，有苗乃服。”《吕氏春秋·上德》：“三苗不服，禹请攻之，舜曰：‘以德可也。’行德三年而三苗服。”《淮南子·齐俗训》：“故当舜之时，有苗不服，于是舜修政偃兵，执干戚而舞之。”《淮南子·氾论训》：“舜执干戚而服有苗。”《韩诗外传》卷三：“以其（三苗）不服，禹请伐之，而舜不许，曰：‘吾喻教犹未竭也。’久喻教，而有苗民请服。”《说苑·君道》：“当舜之时，有苗氏不服……禹欲伐之，舜不许，曰：‘谕教犹未竭也。’究谕教焉，而有苗氏请服。天下闻之，皆非禹之义而归舜之德。”这些记载或有美化之嫌，但似可说明，经过战争后双方曾有较长时间的和平相处。

虞舜后期战争再次爆发。《淮南子·修务训》载舜晚年时亲驾“南征三苗”，结果“道死苍梧”。《史记·五帝本纪》则云：“（舜）南巡狩，崩于苍梧之野。葬于江南九疑，是为零陵。”《礼记·檀弓上》《大戴礼记·五帝德》皆言舜死后葬于苍梧之野。《山海经·海内南经》说舜葬于苍梧之阳，《山海经·海内经》又言舜葬于九嶷山。苍梧山即九嶷山，又名九疑山。[①]苍梧、九嶷，后世皆以为在今湖南零陵，文献中还有大量舜二妃死于湘江的传说，但这些传说可能是华夏地域扩大后的结果。[②]湖南地区原为百越所居，楚国于春秋中期进入湘北地区，春秋

① 张正明、刘玉堂：《湖北通史·先秦卷》，华中师范大学出版社，1999年，第177页。

② 于薇：《先秦两汉舜故事南方版本发展与潇水流域的政治进程》，《学术研究》2013年第7期。

晚期发展到湘中的长沙、湘乡、溆浦一带，战国时期开始全面开发湖南并进入湘南地区[1]，苍梧、九嶷等地名及舜的传说当是随着楚人的南下而进入湖南，并为汉文化所继承从而进入华夏话语系统的。而尧舜禹时期，华夏与百越之间是强大的三苗，尧舜时代华夏势力绝无可能越过三苗、渡长江进入今湖南南部。从考古学文化来看，石家河文化的北部区域则较屈家岭文化有明显的后退，退缩到南阳盆地的南缘。[2]若石家河文化的后退是此次战争的结果，则舜死葬之地的苍梧、九嶷当在今南阳盆地中北部一带。

到了禹时，战争更加激烈，最后禹利用三苗出现内乱、遭逢天灾之机大举进攻，取得决定性胜利，《墨子·非攻下》有详细记述：

> 昔者三苗大乱，天命殛之，日妖宵出，雨血三朝，龙生于庙，犬哭乎市，夏冰，地坼及泉，五谷变化，民乃大振。高阳乃命玄宫，禹亲把天之瑞令，以征有苗。四电诱祗，有神人面鸟身，若瑾以侍，搤矢有苗之祥，苗师大乱，后乃遂几。禹既已克有苗，焉磨为山川，别物上下，卿制大极，而神民不违，天下乃静。则此禹之所以征有苗也。

从《禹誓》来看，禹已颇有权威，表明中原文化在社会发展上的进步，这使得华夏集团的组织性更强，从而获得了相对三苗的军事优势。

三苗这一方，不但是在社会发展上已落后于华夏集团，而且遭逢天灾，在禹的进攻下“苗师大乱，后乃遂几”，三苗惨败并被彻底征服，从此退出历史舞台，后世屡见于文献的楚蛮、荆蛮、荆楚等夏商时期的南方居民，当为三苗的遗裔。

---

① 李海勇：《楚人对湖南的开发及其文化融合与演变》，武汉大学博士学位论文，2003 年。

② 中国社会科学院考古研究所编著：《中国考古学·新石器时代卷》，中国社会科学出版社，2010 年，第 657 页。

古史传说中尧、舜、禹对三苗的战争及三苗的灭亡，可得到考古方面的印证。屈家岭文化“不断向北扩展，原为下王岗文化的鄂西北、豫西南地区已成为屈家岭文化的活动领域”[①]，其文化影响则深入到了豫中和陕南地区。龙山时代晚期，在中原文化的强大冲击下，丹江地区受到强烈影响，中原文化因素占据主导地位，再往后，丹江地区成为二里头文化分布区。丹江地区考古学文化的变迁过程，正可与古史传说中尧、舜、禹对三苗的战争相印证，故《吕氏春秋》所记尧与三苗战于“丹水之浦”，当非虚言，可能是上古时期曾真实发生过的历史事件。

三、后石家河文化与禹征三苗

新石器时代末期，中原文化大幅向南扩张，南阳盆地的石家河文化被直接替代，江汉地区则形成了以中原文化因素为主的后石家河文化，打破了荆楚地区原有的文化传统，从根本上改变了长江中游地区的文化结构。后石家河文化已属于夏代初年，结合文献记载似可由此确认，这应是禹征服三苗后迫使三苗居民改宗中原文化的结果。

三苗与华夏集团的战争，主要是由于三苗的兴盛导致利益上的冲突，三苗强大后不断向北发展，占有了原属华夏集团的汉江中游地区，其势力和影响则直逼华夏核心区，于是三苗集团与中原华夏集团间发生了尖锐的矛盾和冲突。同时，双方在文化、宗教上的冲突也是一个重要的原因。《尚书·吕刑》有“苗民弗用灵”的说法，《淮南子·齐俗训》谓：“三苗髽首，羌人括领，中国冠笄，越人鬋鬓，其于服一也。”何谓“髽首”？以枲麻束发，“屈布为巾”或“去缅而紒”，总之不用簪笄，与中原不同。[②] 在湖北天门石家河遗址群发现过不少双手抱鱼的小陶人，

① 向绪成：《中国新石器时代考古》，武汉大学出版社，1993 年，第 305 页。

② 俞伟超：《先楚与三苗文化的考古学推测》，《文物》1980 年第 10 期。

头部似为束发，恰好与文献中“方捕鱼”和“鬈首”的记载相合。[①] 又石家河文化中与宗教活动相关的器皿多用红陶[②]，其所代表的习俗和宗教活动确与中原地区不同，中原地区以龟甲、兽骨作为通灵占卜的工具，这在屈家岭－石家河文化地区却鲜见，可见将“灵”释为“巫”确有合理之处[③]。因此徐旭生认为，当时苗蛮集团信奉的是原始的巫教，而中原地区采信了较进步、宗教性较浓厚的巫教，于是北方集团便以上天的名义前去征伐，这种文化、宗教上的冲突虽然不是战争的主要原因，但却可以增加冲突的激烈程度。[④]

由于三苗与华夏在宗教、习俗上格格不入，因此华夏与三苗的战争就带上了文化、宗教的背景。《吕氏春秋·召类》：“尧战于丹水之浦，以服南蛮；舜却苗民，更易其俗；禹攻曹、魏、屈骜、有扈，以行其教。”可见后石家河文化的重大变化，应当是华夏集团对苗民“易其俗”“行其教”的结果。

三苗灭亡后，荆楚地区不再是独立的区域主体和文化主体，而是作为中原文化和中原政治体系的附庸和边缘组成部分。

第二节 夏商时期的楚蛮

三苗遗裔到了商代，发展成人数众多、有一定势力的集团，文献中称之为“荆”或“楚蛮”“荆楚”，但并没有形成强大统一的政治体，只是一些分散的居民，文化上也较为落后。楚蛮一方面受中原王朝的统治，另一方面又叛服无常，受到中原王朝的征伐。

① 《山海经·大荒北经》：“颛顼生驩头，驩头生苗民，苗民厘姓。”表明三苗与驩头或为同族。《山海经·海外南经》又讲：“驩头国……其为人，人面，有翼、鸟咏，方捕鱼。”《山海经·大荒南经》说：“驩头……食海中鱼。”

② 宋豫秦：《石家河文化红陶杯与陶塑品之功用》，《江汉考古》1995年第2期。

③ 苗利娟、陈钦龙：《三苗来源考》，《江汉考古》2009年第4期。

④ 徐旭生：《中国古史的传说时代》，广西师范大学出版社，2003年，第121—124页。

一、楚蛮的源流

楚蛮最早出现于夏末商初。今本《竹书纪年》:“(帝癸)二十一年,商师征有洛,克之。遂征荆,荆降。”帝癸即夏桀。《越绝书·吴内传》则谓:“汤行仁义,敬鬼神,天下皆一心归之。当是时,荆伯未从也,汤于是乃饰牺牛以事,荆伯乃愧然曰:‘失事圣人礼。’乃委其诚心。此谓汤献牛荆之伯也。”这两条文献虽然年代较晚,但可以说明在后人的记忆中,荆蛮于夏商之际已存在。

楚蛮亦见于商代后期,今本《竹书纪年》:“(武丁)三十二年,伐鬼方,次于荆。”《诗经·商颂·殷武》:“挞彼殷武,奋伐荆楚。深入其阻,裒荆之旅。有截其所,汤孙之绪。维女荆楚,居国南乡。昔有成汤,自彼氐羌,莫敢不来享,莫敢不来王。曰商是常。”殷武即武丁,可知商代后期时荆蛮已较为强大,居于南方,占地广泛。后世荆、楚通用,因此荆蛮即楚蛮。[①]张正明[②]、伍新福[③]、刘玉堂[④]等均认为楚蛮为古三苗之后。

西周初年周封熊绎于楚蛮,西周早期“周昭王亲将征荆蛮”[⑤](《吕氏春秋·季夏纪》),西周晚期熊渠“皆在江上楚蛮之地”(《史记·楚世家》),周厉王时“召穆公帅师追荆蛮”(今本《竹书纪年》),周宣王时“方叔帅师伐荆蛮”(今本《竹书纪年》)。《诗经·小雅·采芑》:“蠢尔蛮荆,大邦为仇。方叔元老,克壮其犹。方叔率止,执讯获丑。戎车啴啴,啴啴焞焞,如霆如雷。显允方叔,征伐玁狁,蛮荆来威。”西周末年“当成周者,南有荆蛮、申、吕、应、邓、陈、蔡、随、唐”(《国语·郑语》),可知西周末年荆蛮分布于成周以南。东周初

---

① 传世文献中多称“荆蛮”,唯《楚世家》称“楚蛮”。

② 张正明:《楚史》,湖北教育出版社,1995年,第52页。

③ 伍新福:《荆蛮、楚人与苗族关系新探》,《求索》1988年第4期。

④ 刘玉堂:《夏商王朝对江汉地区的镇抚》,《江汉考古》2001年第1期。

⑤ 按:今本《吕氏春秋》荆下无蛮字,此据《左传·僖公五年》孔颖达《正义》引补。

“楚成王初收荆蛮有之，夷狄自置”（《史记·齐太公世家》）。此后楚蛮作为一个族群不再存在。

二、夏商王朝与楚蛮的关系

禹征三苗后，荆楚地区在政治上为中原王朝边缘区，在文化上是中原文化的地方类型。但夏商王朝对荆楚地区的统治很不稳定，楚蛮虽受夏商王朝的统治，但时叛时服，因而夏商王朝屡次发动对楚蛮的军事打击。

中原王朝对楚蛮的征伐最早是在夏末，上文引今本《竹书纪年》载商人曾奉夏桀的命令征“荆”，商汤灭夏后，此“荆”族又归服于商。

中商时期，商朝陷于“九世之乱”，国力衰微，至盘庚迁殷以后，商朝的统治稳定下来，到武丁时期，对脱离了商朝统治的四方各族群发动了大规模的战争，南方的楚蛮族群也在武丁的征伐之列。

武丁征伐荆楚，在《诗经·商颂·殷武》中有较详细的记载，《殷武》是商人及周代宋国歌颂殷王武丁的诗篇。武丁所征之“荆楚”，一般以为是楚国，但商代之时尚未有楚国[①]，清华简《楚居》亦载芈姓部族始有楚人之称是在丽季时（此时已为商末周初），而且商末时芈姓季连部族尚在中原地区，并与盘庚之子联姻，娶其女比隹[②]，此时正当武丁在位，可知武丁所伐之“荆楚”，只能是南方地区的楚蛮，而不可能是正与盘庚之子联姻的芈姓季连部族。

第三节　西周时期江汉地区的国、族

西周时期，江汉地区分布着为数众多的国、族，按与西周关系的远近，大抵可分为西周诸侯、江汉小国和土著族群三类。从西周中期开

---

① 王光镐：《商代无楚》，《江汉论坛》1984 年第 1 期。

② 清华大学出土文献研究与保护中心编、李学勤主编：《清华大学藏战国竹简（一）》，中西书局，2010 年。

始，西周诸侯和江汉土著陆续进入江汉腹地，初步改变了夏商两代江汉核心区的荒凉景象，为楚国在江汉地区的兴起打下了基础。

一、南土诸侯

江汉地区的西周诸侯，可分为周之同姓、姻亲和异姓三类。西周以同姓为尊，重要诸侯国皆周之子孙，姬姓诸侯国占了周初封国的大部分，所谓“封建亲戚以蕃屏周”（《左传·僖公二十四年》）。西周制度中，异姓诸侯地位低于同姓诸侯，公元前 712 年（鲁隐公十一年），滕薛两国在鲁国争长：“十一年春，滕侯、薛侯来朝，争长。薛侯曰：‘我先封。’滕侯曰：‘我，周之卜正也。薛，庶姓也，我不可以后之。’公使羽父请于薛侯曰：‘君与滕君辱在寡人。周谚有之曰：山有木，工则度之；宾有礼，主则择之。周之宗盟，异姓为后。寡人若朝于薛，不敢与诸任齿。君若辱贶寡人，则愿以滕君为请。’薛侯许之，乃长滕侯。”（《左传·隐公十一年》）可见异姓为后乃周之通则。但异姓诸侯中的周之姻亲诸侯，与周王朝有密切的联系，其政治地位要高于普通的异姓诸侯。这样，在西周王朝的统治下，周王室、周之同姓与姻亲诸侯形成了紧密的政治与文化联合，构成了西周政治架构的核心层，在西周的诸侯体系中，同姓与姻亲诸侯的政治地位是最高的。

江汉地区的西周同姓诸侯，即史籍所常称的“汉阳诸姬”，始见于《左传·僖公二十八年》所载晋大夫栾贞子之言：“汉阳诸姬，楚实尽之。”汉阳诸姬的分布范围，清人易本烺《春秋楚地答问》谓：“西自汉水以东，南自汉水以北，东至光、黄，北至于淮、汝。”[①] 今人也颇有持此说者，谓汉阳诸姬的分布范围包括汉江流域和淮水流域。[②] 但《左传·桓公六年》载斗伯比之言“汉东之国，随为大”，此汉东即汉阳，故“汉阳诸姬”应为汉东地区的姬姓诸侯之统称，其地域范围应为汉淮

---

① ［清］易本烺：《春秋楚地答问》，清光绪刻《湖北丛书》本，第 1 页。

② 杨东晨、杨建国：《汉阳诸姬国史述考》，《学术月刊》1997 年第 8 期。

之间，以随为首，核心地域为随枣走廊一带。

随州擂鼓墩1号墓发掘后，随州地区的古曾国为世人所知。曾国的历史可追溯至商代，在甲骨文中有“王次于曾”“克曾”等，于省吾《释曾》一文认为：“甲骨文曾字常见，每用为地名。”[①]商代曾国见于武丁时期的征伐卜辞。李学勤先生认为曾在今湖北枣阳、随县、京山到河南西南的新野这一范围内。[②]商代曾国与商王朝的关系，张昌平认为：“武丁时期应当是臣服于商，而廪辛、文丁时期则可能出现交恶的情况。”[③]西周晚期以后的曾国，多年来有大量的曾国铜器出土和确定的曾国墓葬发掘，这些发现大都位于随枣走廊特别是随州一带，尤其是曾侯乙墓的发现更为学术界所重视。由于有较为充分的资料和多年的研究，西周晚期至春秋战国时期，曾国的疆域是较为明确的。[④]至于西周早期的曾国，学者依据甲骨文、金文及考古学材料等相互之间的关联性，倾向于认为自商代晚期以后，曾国一直在汉水中游一带，未有大的位移。[⑤]而叶家山西周早期曾国墓地的发掘，证实西周早期时，曾国确在今随州以东浙河镇的叶家山附近。另据叶家山考古发掘队调查，在叶家山以南1千米处，有一处面积达30万平方米的庙台子聚落群遗址，1983年曾小规模发掘，发现新石器、商周和战国遗物，经局部勘探发现庙台子遗址有环濠遗迹和城墙的遗痕，该遗址群有可能是西周早期的曾国国都所在。[⑥]叶家山曾国墓地与安居羊子山一带的鄂国，相距仅25千米，表明

① 于省吾：《释曾》，氏著：《甲骨文字释林》，中华书局，1979年。

② 江鸿：《盘龙城与商朝的南土》，《文物》1976年第2期。

③ 张昌平：《曾国青铜器研究》，文物出版社，2009年，第360页。

④ 关于曾国铜器及曾国都城、疆域等，历年以来学界有大量的研究，较新的全面研究见张昌平：《曾国的疆域及中心区域》，徐少华主编、晏昌贵副主编：《荆楚历史地理与长江中游开发——2008年中国历史地理国际学术研讨会论文集》，湖北人民出版社，2009年；又见于张昌平：《曾国青铜器研究》，文物出版社，2009年。

⑤ 张昌平：《曾国青铜器研究》，文物出版社，2009年，第359—364页。

⑥ 黄凤春、陈树祥、凡国栋：《湖北随州叶家山新出西周曾国铜器及相关问题》，《文物》2011年第11期。

西周早期时，曾、鄂两国均在今随州地区。

然此曾国不见于文献，却与文献记载中的随国有高度的重合性，因此曾国与随国的关系及曾国的族属问题受到学者的高度关注，是为“曾随之谜”。李学勤先生首倡曾随一国说，谓曾国即随国①，后又依据1979年随州义地岗季氏梁墓地出土的“穆侯之子，西宫之孙，曾大工尹季怡之用”和“周王孙季怡孔臧元武元用戈”两件有铭铜戈，对曾国即随国说作了进一步的申述，并提出曾国为姬姓，与周王室有较近的血缘关系②。其后石泉③，舒之梅、刘彬徽④，何浩⑤等多位学者，分别从各个不同方面对曾、随一国异名说作了进一步的补充论证。但亦有大批学者认为曾国并非随国。2011年随州叶家山曾国墓地发掘后，给曾国研究带来新机遇，引起了曾国研究的高潮，曾国的族属及曾随关系等在学界长期争论而未有一致结论的问题，得到学界的热烈讨论。黄凤春等力主西周早期的曾与战国早期的曾是同一个国家，曾为姬姓。⑥很多学者亦认为叶家山墓地所见西周早期的曾侯、曾国与此前在这一地域出土过大量铜器的东周曾国属于同一国族，为姬姓。⑦但叶家山墓地中含有较多的商文化因素，如叶家山墓地出土很多带日名与族徽的青铜器，墓葬东西向，头向东、有腰坑等，甚至有许多铜器就是商器，这些与周文化墓葬明显不同，因而不少学者对曾国的族属有不同看法，认为曾国并非

---

① 李学勤:《曾国之谜》,《光明日报》1978年10月4日。

② 李学勤:《论汉淮间的春秋青铜器》,《文物》1980年第1期；李学勤:《续论曾国之谜》，张正明主编:《楚学论丛·江汉论坛专刊》，1990年，第1—7页。

③ 石泉:《古代曾国——随国地望初探》,《武汉大学学报（哲学社会科学版）》1979年第1期。

④ 舒之梅、刘彬徽:《论汉东曾国为土著姬姓随国》,《江汉论坛》1982年第1期。

⑤ 何浩:《从曾器看随史》,《江汉考古》1988年第3期。

⑥ 黄凤春、陈树祥、凡国栋:《湖北随州叶家山新出西周曾国铜器及相关问题》,《文物》2011年第11期。

⑦ 李学勤等:《湖北随州叶家山西周墓地笔谈》,《文物》，2011年第11期；张懋镕:《谈随州叶家山西周曾国墓地》，李学勤主编:《出土文献》第三辑，中西书局，2012年；王恩田:《随州叶家山西周曾国墓地的族属》,《江汉考古》2014年第3期。

姬姓。

关于叶家山墓葬中的商文化因素问题，周人不用日名和周人不用族徽说的提出者张懋镕先生曾作过较全面的解释，指出西周早期时周贵族也有使用日名和族徽的现象，叶家山墓地的族徽、日名铜器或来自赠予，或来自掠夺，也不排斥是两种文化相融后的产物，所以不能简单地根据族徽、日名铜器来判断墓葬族属，占主流地位的曾侯自作器以鼎、簋、甗为主，显示了周人重食文化的新风尚。①

2014年湖北省文物考古研究所发表了随州文峰塔一号墓出土的曾侯與钟铭文②，对认识和解决曾国的始封、族属、曾随关系、周初分封形势、南土诸侯格局及其历史文化演变等一系列学术界长期关注且多有讨论的疑难问题极为重要。曾侯與自叙其先祖曰："伯适上庸（用），左右文武，达（挞）殷之命，抚奠（定）天下。王遣命南公，营宅汭土，君此淮夷，临有江夏。"是说曾国的祖先伯适（南公）因为辅佐周文王、武王伐商，革除殷命，安定天下有功而被分封于南土，统治淮夷，监领江汉。这说明伯适就是南公，即曾国始封之君，遣命之"王"当为周成王，这与文献所载西周初年成王在周公的辅佐下平定三监之乱后，分封太公、周公、召公诸大臣立国于东土的齐、鲁，北土之燕，镇抚诸侯、藩屏王室的情形类似。目前学界已倾向认为南公即商末周初的周室名臣南宫括，为曾国始封之君。③曾侯與钟铭文还讲述了吴师伐楚，楚国惨败，而曾侯亲自率师建功，挽救了楚国命运并重新安定了楚王之位的史事："吴恃有众庶，行乱，西征南伐，乃加于楚，荆邦既扁，而天命将误。有严曾侯，业业厥圣，亲博武功。楚命是静，复奠（定）楚王。"

---

① 张懋镕：《周人不用族徽、日名说的考古学意义——从随州叶家山西周曾国墓地谈起》，《四川文物》2014年第4期。

② 湖北省文物考古研究所、随州市博物馆：《随州文峰塔M1（曾侯與墓）、M2发掘简报》；徐少华：《论随州文峰塔一号墓的年代及其学术价值》。均载《江汉考古》2014年第4期。

③ 黄凤春、胡刚：《再说西周金文中的"南公"——二论叶家山西周墓地的族属》，《江汉考古》2014年第5期。

此铭文可与《左传》《史记》所记吴师入郢之后楚昭王奔随，随人保护楚昭王并帮助楚昭王复国的史事相印证。另清华简《系年》也有类似记载“昭王归随，与吴人战于析。吴王子晨将起祸于吴，吴王阖庐乃归，昭王焉复邦”。与《左传》《史记》所载大同小异。

2019年出土的曾公畯编钟铭文则谓：“皇且（祖）建于南土，敝蔡南门，质应京社，适于汉东。南方无疆，涉征淮夷，至于繁阳。”[①]句意为庇守蔡国南门、应国都邑，至于汉水以东的广阔疆域。后文又谓“邵王南行，豫（舍）命于曾：‘咸成我事，左右有周，易（赐）之甬（用）钺，用政南方。’”学者认为曾国在昭王时期曾二次受命，进一步扩大了曾国在周代南土的权重和影响，昭王“易（赐）之甬（用）钺”确立了曾国在蔡国、应国以南、汉水以东的周人“南土”地区的核心地位，这大概是汉东之国随（曾）为大的渊源。[②]

此外，2012年在随州文峰塔墓地的发掘中，又在文峰塔M21曾孙邵墓中发现铭有“随大司马嘉有之行戈”的铜戈[③]，这是经科学发掘出土的第1件随国铜器，出于曾国墓葬中，为曾即随说增添了又一重要证据。另一件曾侯與钟铭文则载曾侯與自称“余稷之玄孙”，稷即后稷，周人之始祖。此铭文可与早年随州季氏梁出土戈铭曾穆侯之子、西宫之孙季怡又称“周王孙季怡”的史实相印证。叶家山墓地所出青铜器铭文记载曾国始祖为南公，其所代表的西周曾国与此前发现的大批青铜器所属的东周曾国一脉相承，前后相继。

可见，文献记载中的随国即铜器铭文中的曾国，始祖南公即商末周初的周室名臣南宫括，为周王室支系，属姬姓宗亲，曾为姬姓。目前学术界普遍认为曾侯與钟铭文基本可以确定曾、随是一个国家，曾、随一国二名，曾即随，曾随之谜至此已可得到基本解决。

---

① 郭长江、凡国栋、陈虎等：《曾公畯编钟铭文初步释读》，《江汉考古》2020年第1期。

② 田成方：《曾公畯钟铭初读》，《江汉考古》2020年第4期。

③ 湖北省文物考古研究所：《湖北随州文峰塔墓地考古发掘的主要收获》，《江汉考古》2013年第1期。

曾侯與钟、曾公畩钟铭文还表明曾国作为周室近亲诸侯，在周代南土政治体系中占有极为重要的地位，被周室赋予“君此淮夷，临有江夏”的重任，为南方诸侯之长。西周初年，成王在周公的辅佐下平定三监之乱后，分封太公、周公、召公诸大臣立国于东土、北土，镇抚诸侯、藩屏王室，而曾国的地位颇类于鲁、齐之于东土，燕之于北土、卫之于殷故地，为西周在南土的统治中心。此外，其他相关铜器铭文亦表现出曾国在昭王南征中有重要地位，为昭王南征时的前进基地，建有昭王的行宫，亦可印证传世文献中随（曾）为“汉阳诸姬”之长的说法。

除随国外，唐国亦是重要的姬姓诸侯，为“汉阳诸姬”之一。[①] 西周末年史伯曾说：“当成周者，南有荆蛮、申、吕、应、邓、陈、蔡、随、唐。”（《国语·郑语》）韦昭注：“应、蔡、随、唐，皆姬姓也。”另，出土于宋代的安州六器之“中觯”铭文“王大省公族于庚，振旅”，谓周昭王南征归来后，于庚地治兵。“庚”字，李学勤先生释为“唐”，即江汉之唐国，[②] 李说为学界所认同，可见西周早期时唐已立国于南土，为周之宗室、周在南方的重要诸侯，曾参与昭王南征。唐国地望旧有二说。《汉书·地理志》南阳郡“舂陵”县原注：“侯国，故蔡阳白水乡。上唐乡，故唐国。”舂陵侯国为元朔五年（前 124 年）武帝分封长沙定王子刘买，即据推恩令裂长沙国而封，初在长沙国附近，别属零陵郡，[③] 至其孙刘仁时，“以舂陵地势下湿，山林毒气，上书求减邑内附。元帝初元四年，徙封南阳之白水乡”（《后汉书·宗室四王三侯列传·城阳恭王祉传》）。《左传·宣公十二年》杜预注：“义阳安昌县东南有上唐乡”，晋安昌县即前汉舂陵县（《水经注·沔水中》“涢水”条），两者地望一致，则古唐国位于汉舂陵县（晋安昌县）之东南。《史记·楚世家》唐张守节《正义》引《括地志》：“上唐乡故城在随州枣阳县东南

① 徐少华：《周代南土历史地理与文化》，武汉大学出版社，1994 年，第 57—59 页。

② 江鸿：《盘龙城和商朝的南土》，《文物》1976 年第 2 期。

③ 马孟龙：《西汉侯国地理》，上海古籍出版社，2013 年，第 272、273 页。

百五十里，古之唐国也。《世本》云唐，姬姓之国。”其后地理志书均将上唐乡故城定在随州西北的唐城一带，即今随州西北约 40 千米的唐县镇，[①]近世学者亦颇从之。清人江永《春秋地理考实》则提出古唐国在唐之唐州、当时的河南南阳府唐县。[②]石泉先生经详细考证，亦认为古唐国不当在今随枣走廊内，而应在南阳盆地的今唐河县南境。[③]近期田成方综考文献、清人观点和出土唐国铜器、清华简《系年》等，提出唐县镇为古唐国始封地和早期居地，故文献中称为“上唐”，而唐河县则是春秋晚期唐国、楚唐县之所在。[④]今按，《国语》所载西周晚期史伯之言及《左传》所载春秋末楚大夫子谷之言“观丁父，鄀俘也，武王以为军率，是以克州、蓼，服随、唐，大启群蛮”（《左传·哀公十七年》），皆以随、唐并称，可见至少西周晚期至春秋早期时随、唐二国当较邻近，田说当是，早期唐国当在枣阳东南、随州西北的唐县镇一带。

南阳盆地的申、吕二国，均姜姓，为周宣王母舅之国。西周晚期，周宣王为加强南土防御，迁申、吕二国于南阳。申国在今南阳市，吕国在申国西面不远处，南阳以西 15 千米有吕城。姜姓诸侯是周王室最为重要的姻亲诸侯。

鄂国，为中原古国，姞姓，商代时与鬼侯、文王并为纣之三公，鄂国于西周晚期时因鄂侯驭方叛乱被周夷王伐灭。[⑤]2007—2009 年随州安

① ［清］顾祖禹：《读史方舆纪要》卷七七，德安府随州“唐城”条，中华书局，2005 年，第 3618 页。

② ［清］江永：《春秋地理考实》宣公十二年“唐”条，《皇清经解》卷二五三，《春秋战国史研究文献丛刊》第四册，国家图书馆出版社，2009 年，第 88 页。

③ 石泉：《从春秋吴师入郢之役看古代荆楚地理》，氏著：《古代荆楚地理新探》，武汉大学出版社，1988 年，第 355—416 页。

④ 田成方：《汉淮地区唐国铜器及其历史地理考论》，出土文献与中国古代文明研究协同创新中心中国人民大学分中心编：《出土文献的世界：第六届出土文献青年学者论坛论文集》，中西书局，2018 年。

⑤ 参徐中舒：《禹鼎的年代及其相关问题》，《徐中舒历史论文选辑》，中华书局，1998 年；徐少华：《周代南土历史地理与文化》，武汉大学出版社，1994 年，第 57—59 页。

居羊子山 4 号墓考古发现表明，西周早期的鄂国当在今随州安居一带。[①] 姞姓亦为周之重要姻族，《左传·宣公三年》：“姬、姞耦，其子孙必蕃。”但 2012 年又在南阳夏饷铺发现了鄂国贵族墓地，时代为西周晚期晚段[②]，不过此墓地出土“鄂侯作孟姬媵壶”[③]，表明西周末年的南阳鄂国应为姬姓，而随州鄂国为姞姓[④]，因此南阳鄂国当是西周伐灭姞姓鄂国后将鄂国余民封于姬姓宗亲并移置于南阳的结果。

谢国原在南阳，任姓，西周末，周宣王迁申、吕于南阳，封其母舅申伯于谢，谢国则南迁至今新野、唐河二县之间，古棘阳之谢城。[⑤]

蓼国，位于唐河县南的湖阳镇一带，蓼国族姓，早期文献无载，宋以后志书则谓其为已姓之嗣飂叔安之后。[⑥]

邓国，曼姓，周初封国，在今襄阳邓城遗址。[⑦] 邓国与周室有较为密切的关系，文化水平较高，传世的邓国铜器较多。[⑧]

谷国在今湖北谷城西北，今人进一步考订在汉水支流南河两岸。[⑨] 其族姓不明，谷伯绥与邓侯吾离曾一同前往鲁国访问，有周之封爵。

鄀国，允姓，传世鄀国铜器颇多，商代鄀器较为多见，表明鄀国在

---

① 随州市博物馆编：《随州出土文物精粹》，文物出版社，2009 年，前言第 3 页。

② 崔本信、王伟：《南水北调中线工程南阳夏饷铺鄂国贵族墓地发掘成果》，《中国文物报》2013 年 1 月 4 日第 8 版。

③ 河南省文物局南水北调文物保护办公室、南阳市文物考古研究所：《河南南阳夏饷铺鄂国墓地 M19、M20 发掘简报》，《江汉考古》2019 年第 4 期。

④ 黄凤春、王龙明：《鄂国由姞姓向姬姓转变及其迁徙的背景分析》，《中原文化研究》2020 年第 6 期。

⑤ 徐少华：《周代南土历史地理与文化》，武汉大学出版社，1994 年，上编第二章第五节《谢国》。

⑥ 徐少华：《周代南土历史地理与文化》，武汉大学出版社，1994 年，上编第一章第六节《（西）蓼国》。

⑦ 石泉：《古邓国、邓县考》，氏著：《古代荆楚地理新探》，武汉大学出版社，1988 年。

⑧ 徐少华：《周代南土历史地理与文化》，武汉大学出版社，1994 年，上编第二章第一节《邓国》。

⑨ 张正明、刘玉堂：《湖北通史·先秦卷》，华中师范大学出版社，1999 年，第 266 页。

商代已有较高的政治地位和经济文化水平。西周时鄀国在商密，今河南淅川县西南、淇水汇入丹水之处上游的寺湾西北一带。[①]鄀后迁于南郡鄀县，今湖北钟祥市汉水以西胡集镇东 10 千米处的罗山遗址。[②]鄀国历史悠久，文化底蕴较为深厚，鄀国不用周历，而是用“鄀正”，有自己的历法。

巴国，是一个古老的方国，曾参与武王伐纣之役，周初时即已列名南土诸侯之一，其地在汉水上中游、今陕东南的安康一带。[③]

厉国在随州附近，今随州市东北百余里的殷店一带[④]，此古厉国又见于太保玉戈和安州六器，安州六器铭文与周昭王南征有关，可知古厉国至迟西周初年时已存在，为南土较重要的诸侯，曾参与昭王南征。

夔国亦是一个古老方国，卜辞中有“归方”，归即夔，西周晚期，楚熊渠之后熊挚红因在国内政治斗争中失败，自窜于夔，代为夔君，是为芈姓夔国，其地在湖北秭归。

二、江汉小国

西周中期以后，江汉核心区重新得到开发，江汉地区出现了一系列的小国，大都列名《经》《传》，但无爵称，非周之封国，主要有罗、卢戎、鄢、郧、贰、轸、州、麇、权、南巴、庸、绞等。

罗国，据杜预注在“宜城县西山中，后徙南郡枝江县”。

卢戎，故地旧说在今南漳县东北 25 千米的中庐城，今改订于襄阳

---

① 徐少华：《鄀国铜器及其历史地理研究》，《江汉考古》1987 年第 3 期；徐少华：《〈水经注·丹水篇〉错简考订——兼论古析县、丹水县的地望》，《中国历史地理论丛》1988 年第 4 期。

② 徐少华：《古鄀国、鄀县及楚鄀都地望辨析》，武汉大学历史地理研究所编：《石泉先生九十诞辰纪念文集》，湖北人民出版社，2007 年；武汉大学历史地理研究所、钟祥市博物馆：《钟祥罗山遗址调查简报》，《江汉考古》2007 年第 3 期。

③ 童书业：《古巴国辨》，《童书业历史地理论集》，中华书局，2004 年；石泉：《古巫、巴、黔中故址新探》，氏著：《古代荆楚地理新探·续集》，武汉大学出版社，2004 年。

④ 徐少华：《古厉国历史地理考异》，氏著：《古代荆楚历史地理与考古探研》，商务印书馆，2010 年。

县西的泥嘴镇附近。[①] 楚武王时罗与卢戎联军曾大败楚军。

鄢，在今之宜城。[②]

郧国，郧又写为邧或云，族姓不详，两周之际郧国曾与楚国联姻，楚大夫斗伯比与其子令尹子文幼年均在郧国，其地旧说在安陆县城关一带[③]，石泉先生则考订古郧国在今湖北京山、钟祥两县之间[④]，二者皆在汉东。

贰、轸均为汉东地区的小国，族姓不详。

州亦江汉间小国，族姓不详，杜预以为其国在“南郡华容县东南”，然州国亦在楚武王时与楚国为敌，其时楚人活动范围尚在汉水中游一带及其以北地区。另从《左传》所记来看，州国当与贰、轸及郧、随、绞、蓼等国邻近，则州国当亦在汉东，去郧、随等国不远。

麇，族姓不明，楚穆王十年，因麇君逃离厥貉之会遭楚师讨伐。楚庄王三年（前 611 年）麇人率百濮叛楚，其地在今襄阳市东，随枣走廊西口外，今滚河西入唐白河后的唐白河下游东岸。[⑤]

权，春秋初为楚武王所灭，族姓不明，杜预谓权城在南郡当阳县东南，汉晋当阳县在今沙洋县岳飞城遗址[⑥]，则权国当在今荆门东南。

南巴，楚文王时一度攻入楚都，此巴与汉水中上游之巴应不是同一

① 石泉主编:《楚国历史文化辞典》，武汉大学出版社，1996 年，第 105 页。

② 刘玉堂、李安清:《西周时期湖北地区的封国与方国》，《襄樊学院学报》2000 年第 4 期。

③ 石泉主编:《楚国历史文化辞典》，武汉大学出版社，1996 年，第 296 页。

④ 石泉:《云杜、绿林故址新探》，氏著:《古代荆楚地理新探》，武汉大学出版社，1988 年，第 158—173 页。

⑤ 石泉:《从春秋吴师入郢之役看古代荆楚地理》，氏著:《古代荆楚地理新探》，武汉大学出版社，1988 年，第 388、389 页；又见石泉:《春秋“百濮”地望新探》，氏著:《古代荆楚地理新探·续集》，武汉大学出版社，2004 年，第 10 页。

⑥ 王琢玺:《汉晋当阳县小考》，中国地理学会历史地理专业委员会等编:《历史地理》第三十三辑，上海人民出版社，2006 年；李润晨:《秦汉当阳补证》，刘玉堂主编:《楚学论丛》第七辑，湖北人民出版社，2017 年。

国，故谓之南巴。[1]

除江汉腹地外，鄂西北地区亦有一些小国，或因其与巴、楚、邓、谷等国较为邻近、受其影响而得以独立建国，主要有庸、绞等国，在本文中，因其并无周朝封爵，故将其与江汉间诸小国并列。

庸为“牧誓八国”之一，其族属不明，但与濮、蛮有较密切的关系，史载其地在今竹山县。今人则认为，庸国早期居地在鄂西北的汉水南岸，鄂西北山区竹山县的庸是庸国在楚人进攻下败退的结果。[2]

绞，地在今谷城县境[3]，《左传》中有“绞人”，可见其未有周爵，族属不明，但其与庸、谷等国相邻，曾于鲁桓公十一年（前701年）参与随、州、蓼、郧的伐楚联盟。

三、江汉土著族群

西周时期，江汉地区的土著族群主要是楚蛮和百濮，社会发展程度较低，尚未建立邦国。在长江以南，则主要是百越中的扬越族群。

（一）楚蛮

周初时，周成王封熊绎于楚蛮，后周昭王南征荆蛮；西周晚期周夷王时，熊渠时楚国活动地区所居住的土著，亦为楚蛮。至楚成王时，楚蛮主体为楚国所并。楚成王之后，楚蛮作为一个族群不再存在，但其余脉在文献中仍有所反映。《左传·文公十六年》载庸国率群蛮叛楚，春秋时的庸国在今湖北竹山县一带，这里是周代楚蛮的边缘地带，因此庸国所率之群蛮，应为楚蛮。群蛮又见于《左传·哀公十七年》楚大夫子

---

① 石泉：《古代荆楚地理新探·续集》，武汉大学出版社，2004年，第14页注②；《石泉文集》，武汉大学出版社，2006年，第358页。

② 叶植：《试论楚熊渠称王事所涉及到的历史地望问题》，楚文化研究会编：《楚文化研究论集》第四集，河南人民出版社，1994年，第401页。

③ 石泉：《楚都何时迁郢》，氏著：《古代荆楚地理新探》，武汉大学出版社，1988年，第354页；李海勇：《古绞国地望蠡测》，《江汉考古》1997年第4期。

谷之言："观丁父，鄀俘也，武王以为军率，是以克州、蓼，服随、唐，大启群蛮。"子谷所叙为楚武王时之事，则观丁父所启之"群蛮"，可能亦是楚蛮。文公十六年（前611年）群蛮叛楚一事，在楚国取得胜利后，以"群蛮从楚子盟"而告终，其后再不见群蛮活动之记载，应是楚国加强了对群蛮的统治，将楚蛮余部完全融合。

《左传·哀公四年》又记有楚昭王灭蛮子国、俘蛮子赤之事。蛮子国在汝水上游，今河南临汝至汝阳一带[①]，此蛮子国已脱出楚蛮之地的范围，但《春秋》哀公四年（前491年）"晋人执戎蛮子赤归于楚"句下杜预注："赤本属楚，故言归。"可见蛮子国原属楚蛮，后因不愿受楚国统治而退至汝水上游。蛮子国为楚蛮之绝响。

（二）百濮

濮，是一个古老的部族，为"牧誓八国"之一，但濮并没有形成统一的政权，直到春秋时期，濮还处在各自"离居"的状态，因此又被称为"百濮"。两周之际，楚君蚡冒始启濮，《国语》视之为周天子失权、诸侯代兴的标志（参《国语·郑语》"史伯为桓公论兴衰"章）之一；春秋早期，楚武王"始开濮地而有之"（《史记·楚世家》）。可知濮是楚国较早兼并的江汉土著民族。

商周时期濮地所在，顾颉刚认为是武当、荆、巫诸山脉中。[②]童书业以为濮地应近汉水[③]，徐中舒认为濮在均、郧、房三县的汉水流域，即由郧、均、房至襄、樊一带之地[④]，石泉认为百濮其地当在今枣阳市境桐柏、大洪两山间的山区丘陵地带[⑤]。段渝则据"百濮离居"认为百濮居地当不限于一处，而是在西周时代的南土有广泛的分布，襄阳以西

① 徐少华：《周代南土历史地理与文化》，武汉大学出版社，1994年，第272页。

② 顾颉刚：《牧誓八国》，氏著：《史林杂识初编》，中华书局，1963年，第31页。

③ 童书业：《春秋时濮族所在》，《童书业历史地理论集》，中华书局，2004年，第361页。

④ 徐中舒：《巴蜀文化续论》，《徐中舒历史论文选辑》，中华书局，1998年，第1086页。

⑤ 石泉：《春秋"百濮"地望新探》，氏著：《古代荆楚地理新探·续集》，武汉大学出版社，2004年，第10—11页。

到竹山以南和襄阳以东汉水东北岸及滚河下游一带，均为西周时代百濮离居之地。[①] 虽各家说法不一，但西周春秋时的濮，大体当在汉水中游至上游部分地，就区域而言，各家的意见基本一致。又濮字从水，《左传·昭公十九年》亦载"楚子为舟师以伐濮"，则濮必与水有关，此水必为汉水或其支流，故濮当在汉水中上游两岸地区居住。

楚国强大起来后，濮由于近楚且处于"离散"状态，成为楚国首先要兼并的对象，楚之启濮被视为周天子失权、诸侯兴起的标志性事件之一，《国语·郑语》对此总结说：

> 及平王之末，而秦、晋、齐、楚代兴，秦景、襄于是乎取周土，晋文侯于是乎定天子，齐庄、僖于是乎小伯，楚蚡冒于是乎始启濮。

蚡冒之时，楚地尚"土不过同"，可见濮与楚紧邻，且濮为西周末年叔堪避难之地，则双方必有较为密切的联系。又楚始启濮，《楚世家》系为楚武王时，但古代文献对同一事有不同记载未必是二者必有一误，或有可能是因不同视角而产生的差异。颇疑楚之启濮，始于蚡冒而成于武王。

楚国"启濮"，似是经历了较长的过程，另楚庄王初年即发生了庸率群蛮、麇率百濮叛楚的重大事件，看来直到春秋中期时，楚对百濮的统治尚不稳固，春秋晚期楚平王时尚"为舟师以伐濮"，此后濮不见于记载，当是濮人于此之后完全融入楚人之中。

（三）扬越

越是我国古代华夏或楚人对长江以南地区居民的统称，并非统一的民族或族群。[②] 其分布甚广，来源复杂，内部各有种姓，因此又称百越。

---

① 段渝：《西周时代楚国疆域的几个问题》，《中国史研究》1997 年第 4 期。

② 鲁西奇：《"越"与"百越"：历史叙述中的中国南方"古族"》，《东吴历史学报》2014 年第 32 期。

林惠祥曾谓："百越所居之地甚广，占中国东南及南方，如今之浙江、江西、福建、广东、广西……或至安徽、湖南诸省。"①

楚人和诸夏是从江北沿岸地区开始认识越人的。《吕氏春秋·恃君览》："扬汉之南，百越之际"，高诱注："扬州、汉水之南。""越有百种。"但现代学者认为高注不妥，扬越与扬州（长江下游地区）无涉，且扬州与汉水并列，文例、文意均不通，因此扬汉当指扬水与汉水，而高诱注"百越之际"为"越有百种"亦不通，实为望文生义，《吕氏春秋》原意当为扬水、汉水以南，为与百越交界地带或百越北部边缘地带。②吴永章亦认为百越生活的最北界可至汉水之南。③可见先秦时期部分越人已越过长江，进入汉水流域，生活在汉水、扬水以南地区。而扬越之得名，亦当是因扬水之故。

《史记·楚世家》载熊渠江汉间拓地征伐："乃兴兵伐庸、杨粤，至于鄂。"唐司马贞《索隐》："有本作'杨雩'，音吁，地名也。今音越。谯周亦作'杨越'。"是杨粤即杨越，亦即扬越。熊渠的活动地区"江上楚蛮之地"大抵为汉水中游一带④，不可能远至江南，因此熊渠所伐之杨粤，当位于汉水下游、长江北岸。罗香林早已主张："楚人略地，本循汉水顺流而南，故先庸，后扬越，后至鄂。扬越界庸鄂之间，则其最早地望，当在汉水流域中部。"⑤或说"其地非汉水中游一带莫属"⑥。扬越的北界越过长江至汉水中下游地区，由此汉水中下游地区成了"百越之际"，为百越的最北界。随着楚国扩境至整个长江中游地区，楚人

① 林惠祥：《中国民族史》，商务印书馆，1939年，第111页。

② 刘玉堂：《楚国与扬越》，张正明主编：《楚学论丛·江汉论坛专刊》，1990年，第203、204页。

③ 吴永章：《楚与扬越、夷越、于越的关系》，《中南民族学院学报》1986年专刊。

④ 参石泉、徐德宽：《楚都丹阳地望新探》，《江汉论坛》1982年第3期，又载于石泉：《古代荆楚地理新探》，第190、191页；段渝：《西周时代楚国疆域的几个问题》，《中国史研究》1997年第4期；叶植：《试论楚熊渠称王事所涉及到的历史地望问题》，楚文化研究会编：《楚文化研究论集》第四集，河南人民出版社，1994年，第395—405页。

⑤ 罗香林：《越族源出于夏民族考》，《青年中国季刊》1卷3期，1940年4月。

⑥ 罗香林：《中夏系统中之百越》，独立出版社，1943年，第106页。

将其南境乃至所有南部土著居民均称为扬越。今湖北东南部的大冶铜绿山铜矿，其开采者学者认为即扬越先民①，另学者据考古学文化分析，鄂东地区的两周时期考古学文化，具有明显的古越族文化特征②。而鄂东南一带以鼎式鬲、刻槽足、长方形镂孔豆、附耳甗为特征的商周时期考古学文化，具有鲜明的地方特色，自阳新大路铺遗址发掘后被命名为大路铺文化，这支地方性文化具有长期的矿冶传统，从新石器时代起即开始掌握采矿及金属冶炼、铸造技术。③大路铺文化年代为晚商至西周中期，主体年代为西周中期，分布集中于鄂东南地区，对外辐射相当有限，整体的文化影响力并不突出，楚文化兴起后其文化传统完全中断，为楚文化所取代。④大路铺文化的年代范围、分布地区与矿冶传统，正好与开采大冶铜绿山的古代居民相对应。

到秦汉时期，扬越概念一路往南发展，由西周时用指汉水中游以南的土著族群、东周时用指楚国南境及其以南的土著族群，发展到秦汉时期用指岭南地区的土著居民，故扬越又常与百越混用。吴永章亦主张："扬越是指江汉流域往南经洞庭湖越五岭直达南海这一广阔地区的古代越人。"⑤

第四节　东周时期的楚族

东周时期，楚国在江汉地区迅速扩张，灭国拓地，突破了原来较为狭隘的部族界限，最后发展成为地域国家。楚国的发展与壮大，是政治、文化与族群上的全面发展与壮大。

---

① 张正明、刘玉堂：《大冶铜绿山古铜矿的国属》，张正明主编：《楚史论丛》初集，湖北人民出版社，1984年。

② 刘玉堂：《论湖北境内古越族的若干问题》，《民族研究》1987年第2期。

③ 湖北省文物考古研究所等：《阳新大路铺》，文物出版社，2013年。

④ 罗运兵、陈斌、丁伟：《大路铺文化土著因素的形成与传播》，《江汉考古》2014年第6期。

⑤ 吴永章：《楚与扬越、夷越、于越的关系》，《中南民族学院学报》1986年增刊。

一、楚先祖的族群属性

楚直系先祖季连，出自上古时代的祝融部族，祝融则出自更为远古的帝颛顼高阳，《史记·楚世家》叙楚之远祖曰：

> 楚之先祖出自帝颛顼高阳。高阳者，黄帝之孙，昌意之子也。高阳生称，称生卷章，卷章生重黎。重黎为帝喾高辛居火正，甚有功，能光融天下，帝喾命曰祝融。共工氏作乱，帝喾使重黎诛之而不尽。帝乃以庚寅日诛重黎，而以其弟吴回为重黎后，复居火正，为祝融。吴回生陆终。陆终生子六人，坼剖而产焉。其长一曰昆吾。二曰参胡。三曰彭祖。四曰会人。五曰曹姓。六曰季连，芈姓，楚其后也。

此一楚先祖族谱，又见于《国语·郑语》《大戴礼记·帝系》及《世本》，亦见于楚人之自称，如《左传·僖公二十六年》载："夔子不祀祝融与鬻熊。楚人让之，对曰：'我先王熊挚有疾，鬼神弗赦而自窜于夔。吾是以失楚，又何祀焉？'"屈原赋《离骚》："帝高阳之苗裔兮，朕皇考曰伯庸。"伯庸，学者以为即祝融。饶宗颐《楚辞地理考》："'皇考'，即'太祖'，原与楚同姓，则原之皇考，当亦楚之太祖，诚无疑也。伯庸者何人，以予考之其殆祝融乎！"[①] 长沙子弹库出土帛书本祝融之"融"，字亦作"螗"[②]，王引之《经义述闻》云："庸与融同。"[③] 王光镐、赵炳清亦持此说。[④] 屈原为楚之同姓，其自叙祖先称祝融为皇

① 饶宗颐：《楚辞地理考》，商务印书馆，1946年，第7页。

② 字形见《江汉考古》1985年第1期所附帛书图。说见李学勤：《谈祝融八姓》，《江汉论坛》1980年第2期。

③ ［清］王引之：《经义述闻》卷二十"服物昭庸采饰显明文章比象周旋序顺"条，江苏古籍出版社，2000年，第482页。

④ 王光镐：《楚文化源流新证》，武汉大学出版社，1988年，第8页；赵炳清：《楚人先民渊源溯论》，《民族研究》2005年第1期。

考，可见楚人的确出自祝融，为帝高阳苗裔。又《左传·昭公十二年》载楚灵王之语："昔我皇祖伯父昆吾，旧许是宅。"昆吾为祝融长子，季连为祝融幼子，故楚灵王称昆吾为伯父。这一传世文献所记楚先祖世系，得到了出土文献的证实，在包山楚简、新蔡楚简和望山楚简中屡见楚先祖名号可见楚先祖出自中原，为上古时期中原华夏集团核心部族，已是不刊之论。

祝融与夏的关系更为紧密，是夏王朝的重要支柱。祝融部族形成之初，即与夏有特殊关系，《国语·周语上》载周内史过曰："昔夏之兴也，融降于崇山。"韦昭注："融，祝融也。崇，崇高山也。夏居阳城，崇高所近。"崇高即嵩高，后世之嵩山，在今河南登封之北。今本《竹书纪年》："夏道将兴，草木畅茂，青龙止于郊，祝融之神降于崇山。"[①]可见祝融部族与夏王朝关系之密切，其对夏的支持甚至于被视为夏王朝得以建立的关键因素。陆终之后，祝融部族演化为以昆吾为首的祝融族团，总称为祝融八姓。夏代开国时昆吾即因善于制陶而在夏王朝中颇受重用，至夏代后期，昆吾更主持夏政，成为夏王朝的最重要支柱，《国语·郑语》谓"昆吾为夏伯"，《风俗通义》则载"夏后太康，娱于耽乐，不循民事，诸侯僭差，于是昆吾氏乃为盟主，诛不从命，以尊王室"，并将昆吾与商之大彭、豕韦，周之齐桓、晋文并称为"五伯"。

祝融之居地，据《左传·昭公十七年》："郑，祝融之虚也。"《汉书·地理志下》："郑国，今河南之新郑，本高辛氏火正祝融之虚也。"郑国于西周末年东迁于济、洛、河、颍之间，更名新郑，地在今河南新郑，春秋为郑国，早年则为祝融故居。祝融各支早期居地可考者大致在今河南省中部的新郑、密县、许昌一带，因此陆终六子独立之初，可能都居住在新郑周围。[②]至于祝融八姓后来的分布，李学勤先生概述说：

① 方诗铭、王修龄：《古本竹书纪年辑证》，上海古籍出版社，2005年，第232页。

② 罗运环：《楚国八百年》，武汉大学出版社，1992年，第57页。

“北起黄河中游、南至湖北北部，可以说是环处中原。”[①] 徐少华教授则对祝融八姓的分布与流变作过全面探讨：东至今山东西部、江苏西北，南未过淮河、方城，西未及关中，北至山西南部和河南北部，基本未出黄河中游地区。[②]

可知祝融及其后裔祝融八姓，均为中原核心部族，其族群属性为华夏。商代末年，芈姓季连的族群属性发生变化，从华夏变为楚蛮。清华简《楚居》明确记载：“丽不从行，溃自胁出，妣瞉宾于天，巫戕赅其胁以楚，抵今曰楚人。”[③] 这里的楚人，当是指楚蛮，因此时尚无楚国，可见在熊绎受封之前，丽季时芈姓即因进入楚地而被视为楚蛮。而熊绎之国得以称为楚国，亦是因其族群早已由华夏变成楚蛮。这种由于迁徙而导致族群属性变化的例子，历史上并不鲜见，如杞国，《左传·僖公二十七年》：“杞桓公来朝，用夷礼，故曰子。”杜预注：“杞，先代之后，而迫于东夷，风俗杂坏，言语衣服有时而夷，故杞子卒，传言其夷也。”杞的经历，正是商周时期族群迁徙及族群属性变化的例证。此类情形，徐旭生称为“从深化人民出去，跑到浅化人民中间去作首领”[④]。

二、楚族的形成

楚族的发展过程，大概可以分为部族、国族与民族三个阶段。

西周以前，是楚先祖季连、鬻熊、熊丽、熊狂的时代，此时楚尚处于部族发展阶段。部族是在部落基础上形成的，是民族共同体发展过程中的一种历史类型，一般指历史上于部落之后、民族形成之前存在的，

① 李学勤：《谈祝融八姓》，《江汉论坛》1980年第2期。

② 徐少华：《论祝融八姓的流变及分布》，湖北省考古学会选编：《湖北省考古学会论文选集（三）》，1998年。

③ 清华大学出土文献研究与保护中心编、李学勤主编：《清华大学藏战国竹简（一）》，中西书局，2010年，第181页。又，为便于阅读理解，所引《楚居》释文尽量用假字。

④ 徐旭生：《中国古史的传说时代》，广西师范大学出版社，2003年，第75页。

具有不甚稳定的共同地域、语言、文化和经济等特征的族体。部族内部已出现阶级对抗，在共同地域、独特语言和特定经济影响下，形成了特殊的文化结构，从而产生了共同体意识。这种具有内部认同而尚保有部落结构的社会共同体，一般自称或他称均为“族”，此类“族体”，尚不能称为民族，而是从部落到民族之间的一种发展形态。在部落演变为国家后，随着国家的发展，众多的族体被国家整合成为统一的族群共同体，即民族。而原来的部落或部族的名称，就成为民族的名称。在楚先祖的时代，芈姓祝融均处于部族的形态。

熊绎始建楚国，但西周时期，楚位卑国小，直到西周晚期熊渠时，楚国才开始强大起来，在江汉间开疆拓土，出现向地缘国家转化的发展趋势。但熊渠强盛的时间不长，且熊渠之后，楚国陷入较长期的内乱，直到两周之际若敖、蚡冒时，楚国还处在“筚路蓝缕，以启山林”的阶段。可见整个西周时期，楚国国势甚弱，还没能发展成为地缘国家。因此西周时期的楚国仍留在部族即国家的时代，此时的楚人，从族群的角度来讲，处在部族与国家相结合的阶段，或可称为国族。

熊通称王以后，楚国迅速强大起来，楚武王时已基本一统江汉地区，击败最大对手随国，确立了楚在江汉地区的统治地位。文献记载的江汉诸小国及楚蛮、百濮等土著居民，全部消失，可见在发展成为地缘国家的过程中，楚国不仅在政治上建设了强大的国家，而且在文化上发展起了高度发达、具有鲜明特色的楚文化，其内部的族群融合亦在政治的主导和文化的整合之下有了较为充分的发展，形成了具有共同地域、共同经济生活和共同文化特征的楚民族。在楚国的统治之下，江汉地区的各类族群已尽数融入楚国，成为楚人，统一的楚民族至此基本成形。而随着战国时期楚国疆域的进一步扩展，不仅是江汉地区，南方广大地区被纳入楚国统治之下的各种族群，几乎全数转化成为楚人，经历秦灭楚和秦末大动荡之后，秦、楚、齐、燕及三晋，又完全融合成为统一的汉民族。

第五节　从石家河文化到后石家河文化

屈家岭－石家河文化是江汉地区远古文化的高峰，从屈家岭文化开始，江汉地区统一在一个整体性的考古学文化之下，并且向北扩张，占有了原属中原文化系统的襄宜平原和南阳盆地，其影响远达黄河沿岸。随着中原地区龙山文化的兴起，石家河文化后期，江汉地区考古学文化性质发生了质变，或称“后石家河文化”。

一、后石家河文化与江汉地区文化结构的转变

石家河文化时期，在屈家岭文化的基础上，社会结构的复杂化与文明化进程有了长足的进展。但石家河文化晚期，形势突然逆转，中原地区的龙山文化日益强盛，对邻近中原的山东地区和江汉地区产生了强烈影响，石家河文化中出现了大量中原文化因素，“黄河流域龙山时代诸考古学文化深刻地影响了石家河文化”[①]。

中原文化因素的大量进入，导致江汉地区的考古学文化性质发生了质变，其陶器群体失去石家河文化的共性特征，江汉地区的本地特征越来越少，除少量因素如红陶杯、钵有所保留外，主体部分与石家河文化并无关系，“倒几乎涵盖了中原地区煤山类型几乎全套的器物组合”[②]。因此考古学界普遍认为，这应是不同于石家河文化的另一支考古学文化，应从石家河文化中独立出来。对于此类遗存，学者有不同的称呼，孟华平称为“后石家河文化”[③]，杨权喜则称为“石板巷子文化”[④]，王劲则称为“三房湾文化”[⑤]。本书暂用“后石家河文化”的名称。

后石家河文化只有部分因素源自石家河文化。据王劲统计，在后石

① 孟华平：《长江中游史前文化结构》，长江文艺出版社，1997年，第165页。

② 杨宝成主编：《湖北考古发现与研究》，武汉大学出版社，1995年，第67页。

③ 孟华平：《长江中游史前文化结构》，长江文艺出版社，1997年，第173页。

④ 杨权喜：《关于鄂西六处新石器时代晚期遗存的探讨》，《考古》2001年第5期。

⑤ 王劲：《后石家河文化定名的思考》，《江汉考古》2007年第1期。

家河文化中，源于石家河文化的因素不足二分之一，新的文化因素已占主导地位，文化性质已由量变发展到质变。后石家河文化与石家河文化有质的不同，大部分因素来自中原龙山文化，尤其是王湾三期文化煤山类型。王湾三期文化是二里头文化的直接前身，以嵩山为界分为两个地方类型，嵩山以北为王湾类型，嵩山以南为煤山类型。有学者认为嵩山南北的差异已到了可以单独划分考古学文化的程度，因此煤山类型又常被称为煤山文化。后石家河文化因其与煤山类型的密切关系，被视作煤山文化江汉地区的一种变体，其成因是中原华夏文化的南下。①“来自中原的后石家河文化逐渐向长江中游地区渗透，从根本上改变了长江中游地区的传统文化结构。”②

后石家河文化的成因，虽不排除石家河文化自身的发展演变和改进创新，但大部分是外来文化的渗入，尤其是北面中原同期文化南下的冲击与融合，打破了本地区原有的文化传统，使这一区域传统的新石器时代文化发生了断层现象。③

后石家河文化有较为发达的玉器和陶塑工艺品。上古艺术品多与社会信仰的发展有密切关系，因而这些艺术品也反映了当时社会中已出现了专业的神职人员，亦是社会结构从简单走向复杂化的一个重要方面。

后石家河文化的出现，表明江汉地区的文化传统被打破，江汉地区的文化结构发生了根本性的变化。此后，历史时期的江汉地区不再像新石器时代那样是一个独立的区域主体、文化主体和政治主体，而是作为中原文化的附庸和边缘组成部分而存在。这一文化地理格局的形成，对历史时代江汉地区文化的发展，产生了极为深远的影响。

二、荆楚地区史前文化发展进程的中断

新石器时代末期，在中原文化南下的浪潮中，南阳盆地首当其冲，

① 白云:《关于“石家河文化”的几个问题》,《江汉考古》1993 年第 4 期。

② 孟华平:《长江中游史前文化结构》，长江文艺出版社，1997 年，第 173 页。

③ 王劲:《后石家河文化定名的思考》,《江汉考古》2007 年第 1 期。

邓州八里岗、唐河寨茨岗、茅草寺等遗址上的石家河文化被煤山文化代替，进入夏代后又演变为二里头文化。这种文化取代可能意味着大规模的战争和人口流动，创造石家河文化的古代人群退出了南阳盆地，来自中原文化的人群成为南阳盆地的新居民。

在丹江下游及汉江沿岸的均县乱石滩、郧县大寺、淅川下王岗等遗址，则出现了后石家河文化，属后石家河文化中的乱石滩类型。自此以南至长江，为后石家河文化的分布地区。

后石家河文化是以中原文化为主体的文化融合体，与南阳盆地的文化取代相比较，似乎意味着原来的人群在中原文化南下的浪潮中，并没有像南阳盆地人群那样被取代，他们仍然继续生活在原地，但是文化属性发生了改变，应是原来的石家河文化人群放弃了原有文化传统，接受了中原文化。但各地的后石家河文化走向大不相同。在较偏北的地区，是直接演进到二里头文化。而在较偏南的地区，特别是在原屈家岭－石家河文化的核心区，文化发展出现了中断现象，后石家河文化消失了，并未延续发展为二里头文化。

汉丹地区是后石家河文化乱石滩类型的分布地区，后石家河文化之后就是二里头文化。郧县辽瓦店子遗址发现有从新石器时代到夏商时期的丰富遗存，其新石器时代遗存属石家河文化范畴①，夏商一期遗存相当于二里头文化一期，以中原煤山文化或二里头文化因素占主导地位，器物组合基本一致，本地因素仅体现在陶系和某些陶器形的特色（如罐形鼎、盉、器座等）上，典型二里头文化因素已经出现在该地区，由此可见此时该地区已纳入二里头文化版图②。

在随枣走廊，随县西花园遗址出有大型粗圈足盘、盆形鼎、罐形鼎等后石家河文化典型器。孟华平将之归入后石家河文化乱石滩类型。③

① 辽瓦店子考古队：《湖北郧县辽瓦店子遗址考古获重要发现》，《中国文物报》2008年1月9日。

② 王然、傅玥：《湖北郧县辽瓦店子遗址夏商时期文化遗存研究》，武汉大学历史地理研究所编：《石泉先生九十诞辰纪念文集》，湖北人民出版社，2007年，第190、192页。

③ 孟华平：《长江中游史前文化结构》，长江文艺出版社，1997年，第135页。

枣阳墓子岗遗址是襄阳地区仅有的两处二里头文化遗址之一（另一处为汉水以南的法龙王树岗遗址），此遗址未经发掘，采集陶器有鼎、鬲、尊、罐、盆等[①]，从陶器来看，文化面貌总体上与二里头文化较为接近，但也有一些自身的特点。

襄宜地区与汉丹地区、随枣走廊地理上接近，均属汉江中游，此地区目前尚未发现后石家河文化遗存，应是考古工作有所不及，但发现有二里头文化遗存。襄阳王树岗遗址位于辽瓦店子下游的汉江南岸，其二里头文化因素较为典型，某些陶器如大口尊、深腹罐、鼎的特征与二里头文化同类器基本一致。[②]钟祥乱葬岗遗址的陶器种类与二里头较为一致，但器物特征与二里头文化存在一定差异，不出某些二里头文化的常见器类。[③]故有学者认为，王树岗、墓子岗等遗址所体现出的文化特征可以认为是二里头文化的地方变体。[④]

汉水以东，大洪山南麓、江汉平原中北部，今天门、京山、钟祥一带，原屈家岭文化、石家河文化的核心区，亦是后石家河文化的重要分布地区。但这一地区的文化发展在后石家河文化之后完全中断，此后一直到西周时期的真武山类型遗存出现，中间出现了巨大的文化断层。在石家河遗址群，据石家河考古队的调查和发掘，石家河文化晚期之后（实为后石家河文化），当地文化衰微，直到西周时期才出现土城遗址[⑤]，且土城遗址的规模远远不能与整个石家河遗址群相比。类似的情形普遍出现在江汉核心区。如天门笑城遗址，原为新石器时代城址，废

---

① 叶植主编：《襄樊市文物史迹普查实录》，今日中国出版社，1995 年，第 131—132 页。

② 襄石复线襄樊考古队：《湖北襄阳法龙王树岗遗址二里头文化灰坑清理简报》，《江汉考古》2004 年第 2 期。

③ 荆州市博物馆等：《钟祥乱葬岗夏文化遗存清理简报》，《江汉考古》2001 年第 3 期。

④ 张昌平：《夏商时期中原与长江中游地区的文化联系》，《华夏考古》2006 年第 3 期；拓古：《二里头文化时期的江汉地区》，《江汉考古》2002 年第 1 期。

⑤ 北京大学考古系等：《石家河遗址群调查报告》，四川大学博物馆等编：《南方民族考古》第五辑，四川科学技术出版社，1993 年。

弃后直到西周晚期才重新得到利用[①]；钟祥六合遗址，西周文化遗存叠压在石家河文化遗存之上[②]；孝感吴家坟遗址，打破龙山文化层的是东周墓葬[③]。这种情形意味着江汉地区曾经高度繁荣，发展到很高程度，已进入初期文明阶段的人类社会在二里头时期完全消失了。

鄂西地区情形也大体类似，后石家河文化石板巷子类型也没有得到延续，而是中断了。整个地区仅有江陵荆南寺[④]、沙市李家台[⑤]两处遗址有二里头文化遗存，年代大致为二里头文化晚期。鄂西地区与襄宜地区在二里头文化时期似乎没有什么联系，钟祥乱葬岗遗址已位于襄宜地区的南部边缘，距长江边上的江陵荆南寺遗址已然不远，但二者的文化面貌却存在较大的差异。因此有学者认为，二者之间并未发生直接的联系，荆南寺遗址夏商遗存与盘龙城有更多的联系，夏商文化可能是由盘龙城溯江而上至荆南寺遗址的，二里头文化在南下时并未打通从襄宜地区到长江沿岸的通道。[⑥]这种情形表明，鄂西地区虽然分布有二里头文化遗存，但只是一些分散孤立的居民点，人口稀少，彼此之间缺乏联系，与新石器时代的繁荣景象有天壤之别。

在峡江地区，后石家河文化白庙类型也没有得到持续发展，而是为朝天嘴－路家河文化所取代，这一支考古学文化分布在鄂西三峡至江汉平原西部边缘的沿江地区，其文化影响的最东端在江陵的荆南寺遗址。朝天嘴－路家河文化很早就被考古学者识别出来，是成都平原的三星堆

---

① 湖北省文物考古研究所、天门市博物馆：《湖北天门笑城城址发掘报告》，《考古学报》2007年第4期。

② 荆州地区博物馆、钟祥县博物馆：《钟祥六合遗址》，《江汉考古》1987年第2期。

③ 孝感市博物馆：《湖北孝感吴家坟遗址发掘》，《考古学报》1998年第3期。

④ 荆州地区博物馆、北京大学考古系：《湖北江陵荆南寺遗址第一、二次发掘简报》，《考古》1989年第8期。

⑤ 沙市市博物馆：《湖北沙市李家台遗址发掘简报》，《考古》1995年第3期。

⑥ 张昌平：《夏商时期中原与长江中游地区的文化联系》，《华夏考古》2006年第3期。

文化系统向东扩张的结果。[①]

在鄂东的滠水、涢水流域，文化面貌较为复杂，石家河文化和中原文化大致以桐柏山－大别山为界，涢水中下游地区为典型石家河文化，而靠近河南的澴水、滠水上游，受中原文化较大影响。在土城遗址和吕王城遗址，石家河文化因素和河南龙山文化因素都相当明显，石家河文化因素可能只略占上风。[②]由于这里的石家河文化势力不强且受中原影响较大，这里尚未发现后石家河文化遗存，而是直接为南下的二里头文化所取代。二里头文化形成后，强势的二里头文化由豫东南越过桐柏山和大别山进入大悟、孝感一带，并进一步南下至盘龙城。[③]大悟土城遗址的第二层已具有二里头文化的特点，年代应在龙山晚期。[④]另在大悟县墩子畈、孝感聂家寨等处发现有少量的二里头文化时期的遗存。[⑤]黄陂盘龙城也有二里头文化遗存，相当于二里头文化二至四期或偏晚。[⑥]盘龙城二里头文化遗存的显著特征是二里头文化因素和本地新石器时代文化因素共存的结果。[⑦]

综上，石家河文化晚期，中原文化的南下基本摧毁了江汉地区的原有文化系统，中原文化在江汉地区占据了主导地位，江汉地区成为中原

① 林春：《宜昌地区长江沿岸夏商时期的一支新文化类型》，《江汉考古》1984年第2期；林春：《长江西陵峡远古文化初探》，长江流域规划办公室库区规划设计处编：《葛洲坝工程文物考古成果汇编》，武汉大学出版社，1990年。

② 张绪球：《长江中游新石器时代文化概论》，湖北科学技术出版社，1992年，第242—243页。

③ 张昌平：《夏商时期中原与长江中游地区的文化联系》，《华夏考古》2006年第3期。

④ 参见熊卜发三篇文章：《浅谈鄂东北地区古代文化》《鄂东北地区新石器时代文化试探》《大悟县土城古遗址探掘简报》，均载熊卜发编著：《鄂东北地区文物考古》，湖北科学技术出版社，1995年。

⑤ 熊卜发：《浅谈鄂东北地区古代文化》，氏著：《鄂东北地区文物考古》，湖北科学技术出版社，1995年；熊卜发：《鄂东北地区古代文化发展序列概述》，熊卜发等编著：《鄂东北考古报告集》，湖北科学技术出版社，1996年。

⑥ 湖北省文物考古研究所：《盘龙城：1963—1994年考古发掘报告》，文物出版社，2001年。

⑦ 陈树祥：《试析盘龙城的兴衰》，湖北省考古学会选编：《湖北省考古学会论文选集（二）》，1991年。

文化和中原王朝的边缘组成部分，江汉地区的原有文化结构被打破，由此发生了大规模的文化重组。进入夏代后，原来江汉文化区最为核心的汉东地区完全变成了蛮荒之地，考古学文化的发展链条突然断裂，其余地区虽非蛮荒，但人口也极为稀少，只有一些分散孤立的居民点，文化与社会发展大为倒退，呈现出一片荒凉的景象，峡江地区则为四川盆地的三星堆文化系统占据。总体而言，江汉地区的文化与社会发展在文明的门口突然中断，整个地区仅有汉江中游地区和鄂东地区维持了一定程度的发展，但也非复新石器时代的繁荣景象。

第六节　二里头文化

后石家河文化已进入夏代纪年，与之同时代的为王湾三期文化，如果按王湾三期文化晚期遗存已属于夏文化的观点，后石家河文化中的中原文化因素即夏人南下的结果。夏人和夏文化的南下对荆楚地区产生了强烈的影响，至二里头文化时期，长江中游地区主要表现出黄河中游二里头文化的特征。[①] 但各地的情形有较大差异，邻近中夏核心区的南阳盆地，受到了二里头文化较强的影响，虽有一定的地方特色，但仍属二里头文化二里头类型。襄宜地区则较为荒凉，较南阳盆地的地方特色更浓厚一些，遗址的社会等级也很低。汉丹地区则表现出较强的地域性，汉江下游地区以盘龙城为中心形成盘龙城夏商文化，并沿长江而上将其影响传至荆沙地区。

一、汉江中游地区

汉江中游地区主要包含南阳盆地和襄宜地区两个区块。以南阳盆地为中心，受二里头文化强烈影响的遗址主要有方城八里桥[②]，邓州陈

① 孟华平：《长江中游史前文化结构》，长江文艺出版社，1997 年，第 165 页。

② 北京大学考古学系等：《河南方城县八里桥遗址 1994 年春发掘简报》，《考古》1999 年第 12 期。

营[①]、穰东[②]，湖北丹江口熊家庄[③]，襄阳王树岗[④]，枣阳墓子坡[⑤]等，以方城八里桥的资料较为丰富。

方城八里桥遗址位于河南省方城县西南约 4 千米处的潘河西岸，地处南阳盆地的东北部，长江水系与淮河水系的分界处。1984 年发掘，其第二、三层为二里头时期堆积，遗物主要为石器和陶器。陶器以夹砂灰陶居多，其次为黑陶，还有一些褐陶。纹饰以绳纹居多，其他有附加堆纹、弦纹、压窝纹、鸡冠耳、花边口、刻槽等。器类有鼎、罐、盆、甑、豆、簋、大口尊、瓮、缸、爵、杯等，主要特征与伊洛地区的二里头文化基本一致，年代相当于二里头文化第三期。

邓州穰东遗址 1989 年发掘，是一处较为单纯的二里头文化遗址，遗迹发现 15 个灰坑和 1 座墓葬，遗物只发现石器和陶器。陶器以夹砂灰陶和泥质灰陶为主，纹饰以绳纹为主，其他为弦纹、附加堆纹、花边纹、篮纹、方格纹等。陶器以平底器为大宗，三足器、圜底器较少，主要器形有中口罐、圆腹罐、花边罐、捏口罐、盆、擂钵、鼎、豆、三足盘、大口尊、缸、瓮、器盖、爵、鬶、甑、盆形钵、带流罐、小罐等。年代为二里头文化二、三、四期，有一定的地域特征，但尚不足以构成地方类型，仍属二里头类型。

熊家庄遗址位于丹江口，据报道为典型的二里头文化二里头类型。

王树岗遗址陶器以罐、盆、大口尊较多，其他见鼎、簋、豆、杯、高领罐等，某些陶器如大口尊、深腹罐、鼎特征与二里头文化同类器基本一致，是长江中游地区同时期诸遗址中二里头文化因素较典型的一

---

① 袁广阔：《邓州市陈营二里头文化遗址》，中国考古学会编：《中国考古学年鉴：1990》，文物出版社，1991 年，第 244 页。

② 河南省文物考古研究所：《邓州穰东遗址的发掘》，《华夏考古》1999 年第 2 期。

③ 国家文物局主编：《中国考古 60 年（1949—2009）》，文物出版社，2009 年，第 352 页。

④ 襄石复线襄樊考古队：《湖北襄阳法龙王树岗遗址二里头文化灰坑清理简报》，《江汉考古》2002 年第 4 期。

⑤ 叶植主编：《襄樊市文物史迹普查实录》，今日中国出版社，1995 年，第 131、132 页。

处，年代为二里头文化三、四期，但上限可能更早一些。

枣阳墓子坡遗址未经发掘，采集器类有鼎、鬲、尊、盆、罐，鬲的时代特征可定至二里岗文化时期。该遗址遗物总的特征与二里头文化接近，但陶器中鼎的按窝纹作法较特别，一些器形特征亦与二里头文化有所不同。

乱葬岗遗址出土陶器主要有鼎、大口尊、盆、盘、豆等，几乎在二里头文化中都可以找到可比器，但又与二里头文化存在一定区别，如陶色呈浅灰色、罐类器少见、器口多卷沿侈口、尊长颈折腹不明显、不出某些二里头文化常见的器类，该遗址社会等级应当较低。

由以上遗址的情形来看，南阳盆地因与中夏核心区毗邻，故其文化面貌与伊洛地区的二里头文化较为一致，虽有一定的地方特色，但总体而言仍属二里头类型，基本上属于较为典型的二里头文化。襄宜地区则已属于二里头文化的边缘地带，这里的二里头文化遗址分布数量很少，遗存亦不丰富，社会等级较低，文化面貌上地方特色较南阳盆地更为浓厚。王树岗等遗址应是二里头文化经由南阳盆地、顺汉水向南传播的结果。乱葬岗遗址可能是中原二里头文化经南阳盆地向南发展传播的极限。

二、汉丹地区

南阳盆地西侧，丹江流域和丹江口以上的汉江上游部分地区，合称汉丹地区，这里是中原、关中、江汉等文化系统的交流碰撞区。夏代时，这一地区受二里头文化强烈影响，但有较强的地方特色，与南阳盆地较为典型的二里头文化有所差异。主要的遗址有河南淅川下王岗[①]，

① 河南省文物研究所等：《淅川下王岗》，文物出版社，1989年，第264—306页。

陕西商洛东龙山[①]、商州紫荆[②]，湖北均县乱石滩[③]、郧县辽瓦店子[④]等遗址。

淅川下王岗遗址发掘于1971年至1974年，有仰韶文化、屈家岭文化、龙山文化（石家河文化）、二里头文化和西周文化遗存。下王岗的二里头文化遗存，学界对其年代和性质尚有不同看法：樊力将其与龙山时代遗存合称为“乱石滩文化”[⑤]，多数学者如赵芝荃[⑥]、李龙章[⑦]、董琦[⑧]等均认为其属于二里头文化的地方类型。《中国考古学·夏商卷》以其中的“二里头文化三期”遗存作为二里头文化豫西南地区的地方类型——“下王岗类型”的典型材料[⑨]。

下王岗二里头文化一期遗存，陶器以夹砂灰陶居多，泥质黑陶数量较少，主要器型有罐、鼎、钵、杯、豆、甑、盆、壶、瓮、盉等，器表多饰篮纹、绳纹，少量为方格纹和弦纹，个别器物上有刻画符号。典型器如鸡冠形扁足鼎、圜底罐、双耳篮罐、浅盘竹节豆、盆形活箅甑等与河南偃师二里头文化一期和郑州洛达庙遗址二期出土的同类器相近。下王岗二里头文化三期遗存，陶器与偃师二里头文化三期的同类器相同或相似，而其垂腹罐、刻槽罐则独具特色。

淅川下王岗遗址在汉江流域的二里头文化中处于非常重要的地位，

---

① 陕西省考古研究院、商洛市博物馆：《商洛东龙山》，科学出版社，2011年。

② 王世和、张宏彦：《1982年商县紫荆新石器时代遗址的发掘》，《文博》1987年第3期。

③ 中国社会科学院考古研究所长江工作队：《湖北均县乱石滩遗址发掘报告》，《考古》1986年第7期。

④ 武汉大学考古与博物馆学系：《郧县辽瓦店子遗址》，湖北省文物局编：《湖北省南水北调工程重要考古发现Ⅰ》，文物出版社，2007年。

⑤ 樊力：《乱石滩文化初论》，《江汉考古》1998年第4期。

⑥ 赵芝荃：《试论二里头文化的源流》，《考古学报》1986年第1期。

⑦ 李龙章：《下王岗晚二期文化性质及相关问题探讨》，《考古》1988年第7期。

⑧ 董琦：《虞夏时期的中原》，科学出版社，2000年，第121—122页。

⑨ 中国社会科学院考古研究所：《中国考古学·夏商卷》，中国社会科学出版社，2003年，第96、97页。

该遗址位处汉江支流丹江的下游，处于汉江中游地区的北部边缘地带，是汉江流域最早接受中原夏文化的地区。一般认为，中原夏文化的南传，其主要的线路之一即通过丹江、汉江而逐渐向南移动。

东龙山遗址位于丹江上游，秦岭东南麓，1997 年至 2002 年进行了发掘，二里头文化相关遗存分布于Ⅰ区和Ⅲ区。Ⅲ区发现的为夏代早期遗存，相当于二里头文化一、二期。考古报告认为东龙山夏代早期遗存在年代上与二里头文化一、二期大致相当，文化面貌上也有一定联系，但差别是主要的，与二里头文化一、二期是大异而小同，不是同一种考古学文化，同类遗存也分布于关中东部及丹江上游地区，因此主张可以考虑将其作为一种新的考古学文化单独命名为“东龙山文化”。Ⅰ区则为夏代晚期遗存，考古报告认为这批遗存与河南偃师二里头遗址第三、四期为代表的文化遗存之间有较多的共同因素，从陶器群所代表的文化面貌来看，东龙山夏代晚期遗存与二里头文化同期遗存之间的文化关系基本上可概括为大同小异，依大同可以视作同一文化，依小异可以视为二里头文化的一个地方类型，并提议将其视为二里头文化的一个地方类型——“商洛类型”。王力之则认为应将东龙山夏代遗存与下王岗二里头文化遗存归入同一类型，即“东龙山类型”。①

辽瓦店子遗址的二里头文化遗存颇为丰富，遗迹、遗物众多，陶器有单耳罐、双耳罐、高领罐、釜、鼎、盆、豆等，其中高领罐、釜、鼎、盆等与本地新石器时代晚期同类遗物相同，细柄浅盘豆、釜形鼎等与二里头文化同类器相似，而带耳罐明显受到了陕南地区同期文化影响。辽瓦店子夏商遗存分三期六段，夏商一期分两段，属于二里头时期，主要器物均为二里头文化的典型陶器，年代相当于二里头文化一期；夏商二期遗存的年代为夏末或夏商之际，文化面貌上夏文化衰弱，本地文化及周边其他文化兴起。辽瓦店子遗址夏商一期遗存中二里头文化因素占主导地位，二期遗存中本地文化因素占主导地位，表明二里头

① 王力之：《试论商洛地区的夏商文化》，北京大学硕士研究生学位论文，1999 年。

文化已退出该地区，同时辽瓦店子夏商遗存亦受峡江地区影响。[①]

1958年至1959年，发掘者对均县城东7.5千米处的汉江北岸进行了发掘，其上层遗存被称为“乱石滩文化”。乱石滩上层新石器时代末期文化和河南龙山文化及青龙泉文化均有一些关系，但有本质的区别，文化内涵与下王岗二里头文化较为一致，同属二里头文化早期的文化遗存。[②]

总体而言，丹江流域及汉江上游地区因地处文化交汇地带，夏商遗存以二里头文化因素为主，也表现出较强的地域性，如除灰陶外，可见到部分黑陶、红陶和红胎黑皮陶，器类常见本地石家河文化晚期的釜、高领罐等，带耳器物较多，为关中及其西部地区的文化传统。可见汉丹地区的二里头文化遗存含有多种不同来源的文化因素，使其文化面貌异于东侧的南阳盆地。

三、汉江下游至长江沿岸

在汉江下游以至长江沿岸地区，二里头文化的分布可以分为两种情形。在汉东地区，盘龙城遗址发现有二里头文化遗存[③]，但二里头文化时期，盘龙城聚落的规模并不大，另以盘龙城为核心，在鄂东北地区分布着少量二里头文化遗存，主要地点有大悟墩子畈、聂家寨，还曾在滠水、澴水流域采集到一些类似二里头时期的遗物，在孝感城郊徐家坟H1曾发现年代相当于二里头一期的陶器[④]。但除了盘龙城外，资料均未发表。在汉江以南至长江沿岸地区，荆州荆南寺[⑤]、沙市李家台[⑥]等遗址发

① 王然、傅玥：《湖北郧县辽瓦店子遗址夏商时期文化遗存研究》，武汉大学历史地理研究所编：《石泉先生九十诞辰纪念文集》，湖北人民出版社，2007年。

② 万全文：《长江中游先秦考古学文化》，湖北教育出版社，2006年，第22页。

③ 湖北省文物考古研究所：《盘龙城：1963—1994年考古发掘报告》，文物出版社，2001年。

④ 熊卜发：《鄂东北地区古代文化发展序列概述》，熊卜发等编著：《鄂东北考古报告集》，湖北科学技术出版社，1996年。

⑤ 荆州博物馆：《荆州荆南寺》，文物出版社，2009年。

⑥ 沙市市博物馆：《湖北沙市李家台遗址发掘简报》，《考古》1995年第3期。

现有二里头文化性质的遗存，但这里的夏商时期文化性质颇为复杂，包含多种文化因素。

盘龙城遗址以商时期文化遗存为主体，但也有明显的二里头文化遗存，主要在南城垣、王家嘴等地点发现。其陶器以夹砂灰、灰黑陶为主，器类中鬲、鼎、深腹罐、豆、大口尊数量略多，至较晚阶段已有鬲、鼎、罐、甑、爵、盉、杯、簋、盆、豆、壶等。陶器的陶系、器类、纹饰均与二里头文化遗物近似，但也有一些个性特征，如陶系中红陶的数量略多，器形上鬲口沿较平而唇部较尖，鬲裆较平甚至下垂，大口尊的肩部不甚明显，等等。这些个性有的还为同一地区的二里岗文化所继承。

对于盘龙城遗址二里头文化遗存的性质，目前有不同看法。湖北地区的学者一般认为是二里头文化直接传播的结果，它应是二里头文化在长江中游的一个地方类型。[①] 但《中国考古学·夏商卷》则有不同看法，该书认为盘龙城遗址二里头文化遗存究竟是二里头文化南下至长江沿岸形成的一个地方类型还是吸收二里头文化因素的一支当地土著文化，还有待今后进一步讨论。[②]

荆南寺遗址夏商一期遗存仅一个灰坑，年代相当于二里头文化二期；二期遗存较为丰富，年代为二里头四期或二里岗下层一期。这两期遗存文化面貌很复杂，陶器中有二里头文化常见器类，其特征与二里头陶器极为接近，但也包含大口红陶缸、米粒纹釜、小平底凸肩罐、连裆鬲等地方因素，这些因素既有本地新石器时代文化传统，也有来源于四川盆地文化系统的因素。荆南寺遗址与乱葬岗遗址相距很近，但文化面貌差异很大，反而是与盘龙城之间存在文化上的联系。因此学者推测二里头文化应当是由豫东南经大悟、孝感一带传播至盘龙城，而后逆江而

---

① 张昌平:《夏商时期中原与长江中游地区的文化联系》,《华夏考古》2006年第3期。

② 中国社会科学院考古研究所:《中国考古学·夏商卷》，中国社会科学出版社，2003年，第88页。

上至荆南寺遗址。[①]

沙市李家台遗址早期遗存年代相当于二里头文化晚期至二里岗下层偏早阶段。陶器可辨器形有深腹罐、卷沿垂腹釜、凸肩小平底罐、大口尊、深腹盆、算珠柄豆、圜底钵等，其中深腹罐、大口尊、算珠柄豆、深腹盆等与二里头文化有渊源，余为地方因素，在秭归朝天嘴、宜昌路家河等遗址出土较多，其文化面貌与荆南寺较为接近。

第七节 盘龙城文化

进入商代，在夏代的基础上，商人对南方的经营大为加强。商人沿夏人的足迹南下，由豫东越过桐柏山，顺澴水、滠水等河流进入江汉之汇，建立了著名的盘龙城。盘龙城商城是长江中游地区首次发现的商代早期城址，距今约 3500 年，是我国同时期保存最为完好的城址之一。位于武汉市黄陂区滠口镇叶店村境内的盘龙湖畔、府河之边，南距中心市区 5 千米，遗址保护区面积约 4 平方千米。1954 年发现，1963 年至 1994 年曾进行多次发掘。[②]

盘龙城地理位置优越，地处江、汉、涢交汇处，水陆交通极为便利，为长江中游地区的水陆交通枢纽。近代以前，涢水具有重要的航运功能，船舶可直通随州，是当时鄂东北交通的主要通道，并且是沟通鄂东北与河南的重要交通线。由随州往西北，经随枣走廊可联系南阳盆地，进而沟通中原和关中。由涢水和滠水往北经桐柏山与大别山交界处的通道（义阳三关），可北通中原，连接商朝核心区，夏商时期，中原势力正是经此而南下江汉。由盘龙城溯江而上可进入鄂西，并远达三峡，入洞庭湖可联系湘北地区。顺江而下可达鄂赣铜矿区，或经九江进入鄱阳湖，或沿长江直下吴越。因此盘龙城以长江、汉水、涢水、滠水

① 张昌平：《夏商时期中原与长江中游地区的文化联系》，《华夏考古》2006 年第 3 期。

② 湖北省文物考古研究所：《盘龙城：1963—1994 年考古发掘报告》，文物出版社，2001 年。

为主要航线，连接江汉湖泊，在长江中游地区处于枢纽地位。

盘龙城遗址的文化遗存分为七期，其中盘龙城一至三期相当于二里头文化二至四期或偏晚，即夏代晚期至商代初期；盘龙城四至七期相当于郑州二里岗下层二期至二里岗上层。盘龙城始建时代相当于二里岗文化上下层之交，毁废于二里岗上层二期晚段，使用时代基本相当于二里岗上层文化时期。[①]《中国考古学·夏商卷》则认为盘龙城始建年代为早商二期，废弃年代为中商二期。[②]这样，盘龙城便属早商后期和中商时期的城邑。

一、盘龙城的文化面貌与性质

盘龙城一至三期在文化面貌上属于夏代的二里头文化或延至商初的二里头文化，应是夏代至夏商之际中原势力南下所留下的遗迹；四至七期属早商时期的二里岗文化，是盘龙城文化遗存的主体。

经过长期的考古发掘，盘龙城遗址出土了大量的遗物，有石器、陶器、铜器、玉器等，以铜器和陶器最能反映盘龙城的文化面貌。

青铜器有礼器、兵器、工具等。礼器的种类有鼎、鬲、甗、簋、卣、斝、觚、爵、罍、盉、盘。其中铜食器簋为目前同类遗存中所仅见。青铜器的特征和二里岗文化基本相同，除了甗、簋等少数几种尚未见于二里岗类型外，其余均和二里岗类型的同类器比较接近，和郑州二里岗文化青铜容器有基本相同的器类、组合和器形；装饰以兽面纹为主的，使用种类与结构基本相同的纹饰；可能使用相同的铸造技术。但盘龙城青铜器的独特之处也很明显，例如有的觚细腰外鼓，有的斝足断面为圆形，有学者将两地出土青铜器进行细致比较后发现，二者无论是器

① 湖北省文物考古研究所：《盘龙城：1963—1994年考古发掘报告》，文物出版社，2001年，第441—449页。

② 中国社会科学院考古研究所：《中国考古学·夏商卷》，中国社会科学出版社，2003年，第233、234页。

形还是纹饰上都存在一些细微差异。[1]另外，虽然迄今为止盘龙城遗址一直没有发现直接证据证明当地可能铸造青铜器，但学者认为盘龙城青铜器个性特征的存在，无疑为这一铜器群为当地所产的结论提供了重要依据。[2]盘龙城出土的兵器数量大、种类多，主要有戈、矛、钺、刀、镞等，工具有锸、斨、斧、锛、凿等，其中的矛和锸尚未见于二里岗类型。盘龙城的玉器有柄形饰、戈、笄、雕刀及各种饰物。石器有斧、锛、铲、镰、勺等。

陶器的器类、形制基本特征亦与二里岗文化同类器相同，但也表现出较多的地方特征，二者共性和差异都很明显。盘龙城的鬲、甗、爵、斝、簋、豆、深腹盆、中腹盆、刻槽盆、单把圈足杯、大口尊、小口瓮等器类的形态与二里岗类型的同类器相似。这组陶器约占盘龙城已复原陶器的60%，在整个陶器群中占主导地位。

盘龙城陶器与二里岗陶器的差异主要在于：第一，从陶系来看，红陶偏多、占总数的50%—60%；陶器的制法以手制为主。第二，二里岗类型的若干器类罕见或不见于盘龙城，如深腹罐、盆形鼎、平口瓮、捏口罐等。第三，一些器类的器形有所变异，如有些陶鬲裆部较平，形制接近于鼎等。第四，红陶大口缸数量特多，而这类器物源于江汉地区的屈家岭－石家河文化，是长江中游夏商时期最为流行的一种器物。[3]第五，有较多的硬陶和原始瓷器等南方文化因素，占陶器总数的6%以上，有些器类未见于二里岗类型。[4]

在遗迹方面，盘龙城商文化与中原商文化在城垣的夯筑方法与技术、城内大型宫室基址二进院落和三进院落的格局、四阿重屋的建筑风

---

① 张昌平:《盘龙城青铜容器初步考察》,《江汉考古》2003年第2期。

② 张昌平:《夏商时期中原与长江中游地区的文化联系》,《华夏考古》2006年第3期。

③ 熊传新、郭胜斌:《长江中游商时期大口缸的探讨》,《中国考古学会第七次年会论文集》，文物出版社，1992年。

④ 中国社会科学院考古研究所:《中国考古学·夏商卷》，中国社会科学出版社，2003年，第200页。

格、木椁墓及埋葬习俗中的熟土二层台、殉人、腰坑内殉狗，以及葬式中的仰身葬还是俯身葬等方面，都有极大的一致性，就连盘龙城在宫室建筑中所采用的木骨泥墙技术，近年在偃师商城中也有发现。

总之，盘龙城的文化面貌与郑州二里岗商文化有较大的一致性，邹衡先生在研究商文化分区时将其称为早商文化盘龙城类型。[①] 盘龙城发掘报告将陶器遗存分为四组，甲组代表中原商文化，乙组反映当地文化的特征，丙组体现长江下游湖熟文化的影响，丁组具有江西吴城文化风格。其中甲组占有显著地位，“以具有中原商文化特征的甲组陶器数量最多，具有江汉土著文化特征的乙组陶器为次，具有江南商文化及印纹硬（釉）陶文化因素的丁组陶器占少量，具有长江下游湖熟文化因素的丙组陶器，仅具有微量。由此认为，盘龙城遗址的商代文化性质属商文化系统”[②]。应该说，盘龙城文化是商文化在长江中游地区的一个地方类型，文化遗物特别是陶器带有较多的地方特点，并有南方文化因素，应是以南下的中原商文化为主体，融合本地石家河文化，并吸收了某些南方文化因素而形成的一种独具特色的文化。

关于盘龙城的性质，学界有两种观点：一种看法认为盘龙城是中原商人南下建立的军事据点，另一种看法则认为其是商王朝的南土方国都邑。从城址、宫殿、贵族墓葬的存在及文化面貌的性质来看，盘龙城应是商人南下所建的直系方国的都邑所在。[③] 从考古发掘资料及盘龙城的重要性来看，盘龙城拥有一支用先进武器装备起来的强大军队，因此其统治者很可能是商王朝直接派来的。“方国”一词，从广义上说既含称“方”的国，也含不称“方”的国，商代的“方”，绝大多数与商的关系在时叛时服之间，而不称“方”的国始终臣服者占绝大多数，因此

---

① 邹衡：《试论夏文化》，邹衡：《夏商周考古学论文集》，文物出版社，1980 年。

② 湖北省文物考古研究所：《盘龙城：1963—1994 年考古发掘报告》，文物出版社，2001 年，第 498 页。

③ 徐少华：《从盘龙城遗址看商文化在长江中游地区的发展》，《江汉考古》2003 年第 1 期。

商代称“方”的国与不称“方”的国是有区别的。[①] 因此盘龙城不太可能是方国，而是与商王室有直接统属关系的直系诸侯。盘龙城发掘报告认为，盘龙城当是商朝在南方的军事据点，也是商王朝掠夺南方矿产资源的中转站，更是商王朝统治南方地区的政治中心。[②]《武汉通史·先秦卷》更进一步认为，盘龙城是商代南方的青铜文化中心。[③]2012年至2017年又对盘龙城进行了系统的考古勘探与发掘工作，工作成果表明，盘龙城各阶段高等级墓葬，其青铜礼器器形、器类与组合、埋葬习俗等都一直与中原政治中心保持基本一致，而未出现地方化的倾向。这说明，盘龙城的最高首领应该一直都是由中央政府任命，而不是在当地世袭。换言之，盘龙城应该是纳入中原王朝政治系统控制之下，而非政治独立的地方方国。盘龙城城市从初起、兴盛到衰落的变化，应该是中原王朝对长江流域不同经营策略的反映。[④]

二、盘龙城与商人对南方的开发

与夏代相比，商朝经营南方的力量大为加强：在以盘龙城为中心的鄂东北地区，商人沿涢水、澴水、滠水等重要河流分布，留下了大量的遗址，已知的有40余处，较为重要的遗址有安陆晒书台，孝感聂家寨、殷家墩、云梦好石桥等[⑤]，这些遗址的文化面貌、延续时间与盘龙城相同，由此形成盘龙城类型早商文化。商人在盘龙城周围似乎还设立一些次一级的重要据点：新洲阳逻香炉山出土商代铜器；黄州下窑嘴发现二

---

① 孙亚冰、林欢：《商代地理与方国》，中国社会科学出版社，2010年，第254页。

② 湖北省文物考古研究所：《盘龙城：1963—1994年考古发掘报告》，文物出版社，2001年，第502—503页。

③ 刘玉堂、王本文、张硕：《武汉通史·先秦卷》，武汉出版社，2006年，第181页。

④ 武汉大学历史学院等：《2012—2017年盘龙城考古：思路与收获》，《江汉考古》2018年第5期。

⑤ 熊卜发：《鄂东北地区古代文化发展序列概述》，熊卜发等编著：《鄂东北考古报告集》，湖北科学技术出版社，1996年。

里岗上层阶段墓葬，随葬鬲、觚、爵、斝、瓿等16件青铜器[①]；随州庙台子遗址商文化面貌与盘龙城相似[②]；距庙台子遗址不远的淅河也出有商代铜器[③]。武汉大学考古系曾在云梦发现与盘龙城相似的早商城址，可见商人对鄂东地区的大力经营。

中商是商朝的动乱时期，政局动荡，都城屡迁，诸侯不朝。但文化与政治并非同步的，中商时期商朝虽在政治上动荡，但在文化上仍然极为强势，中商文化的分布地域比早商有进一步的扩大。在南方，盘龙城商文化进一步向长江南岸的湘江、澧水下游，以及赣江下游发展，在这些地方出现了商文化的若干据点。"盘龙城类型中商文化虽然是对盘龙城类型早商文化的继承发展，但其影响已大大超过了其前身。"[④]

早商时期盘龙城类型商文化已在长江以北、汉江以东地区站稳了脚跟，中商时期商人以盘龙城为据点，商文化在长江中游地区进一步传播，其影响达到高峰，长江中游大部分地区都可见商文化的影响。商文化由盘龙城向东发展至黄梅[⑤]，在东南方向发展到江西九江地区，江西瑞昌铜岭[⑥]、九江神墩[⑦]等处应是伸入赣江下游的商文化据点。瑞昌铜岭是迄今为止发现的年代最早的铜矿采冶遗址，其年代上迄早商晚期或中商早期。神墩遗址商代遗存年代相当于中商二至三期，既有以陶鬲为主的中原商文化因素，又有硬陶、原始瓷罐、尊等当地文化因素，体现出

① 黄冈地区博物馆等：《湖北省黄州市下窑嘴商墓发掘简报》，《文物》1993年第6期。

② 武汉大学历史系考古教研室等：《西花园与庙台子》，武汉大学出版社，1993年。

③ 随州市博物馆：《湖北随州发现商代青铜器》，《文物》1981年第8期。

④ 中国社会科学院考古研究所：《中国考古学·夏商卷》，中国社会科学出版社，2003年，第266页。

⑤ 黄梅意生寺遗址发现有堆积丰富的商文化遗存，见湖北省文物考古研究所纪南城工作站：《湖北黄梅意生寺遗址发掘报告》，《江汉考古》2006年第4期。

⑥ 江西省文物考古研究所铜岭遗址发掘队：《江西瑞昌铜岭商周矿冶遗址第一期发掘简报》，《江西文物》1990年第3期。

⑦ 江西省文物工作队、九江市博物馆：《江西九江神墩遗址发掘简报》，《江汉考古》1984年第4期。

地方特点。商文化在九江地区虽未像在盘龙城那样占有绝对优势，但商势力的存在可能与铜矿资源相关，瑞昌铜岭矿冶遗址 11 号竖井是南方地区首个年代明确属于二里岗时期的矿冶遗存。

大约在早商文化二期时，商文化开始进入洞庭湖区，岳阳铜鼓山遗址揭示了商文化越过长江南进的情形。铜鼓山遗址可分为五期，其一至二期相当于早商二、三期，第三期相当于中商一期，第四期相当于中商二期，第五期则已非商文化。① 另据报道，铜鼓山遗址还曾发掘墓葬一座，出土铜鼎、觚、爵各 1 件，其组合方式与中原商墓完全相同。不过，铜鼓山遗址的文化面貌颇为复杂，含有明显的地方因素，既有江汉地区常见的红陶缸，又有当地文化特有的盘口鼎、折肩釜，还有来自澧水流域的釜鼎和长江下游的硬陶，商文化的鬲、大口尊、簋、豆等文化因素占有相当大的比例。商人在当地的地位，可能与九江地区的形势相似。另据近年的考古调查，商文化进入岳阳地区后，似未再向南发展，但对湘江中上游地区曾产生过影响，浏阳樟树塘上层可见到某些接近铜鼓山遗址的商文化因素②，学者认为铜鼓山遗址为盘龙城类型商文化向湘江流域推进的前哨据点③。商人退出长江中游地区后，晚商时期岳阳地区出现费家河文化，与商文化、赣江流域、鄂西南等地商时期遗存表现出强烈的文化差异，虽然受到了一定程度外来因素的影响，但外来因素很快就融入该文化之中，故而该文化显示了较多的本地特色④，向桃初也认为费家河文化是一支受中原商文化影响的土著文化⑤。在岳阳地区以南的宁乡地区，因出土带商文化特征的宁乡铜器群而受考古学者关

① 湖南省文物考古研究所、岳阳市文物工作队：《岳阳市郊铜鼓山商代遗址与东周墓发掘报告》，《湖南考古辑刊》第 5 辑，1989 年。

② 湖南省文物考古研究所：《湖南浏阳樟树塘遗址发掘的主要收获》，《考古》1994 年第 11 期。

③ 何介钧：《试论湖南出土商代青铜器及商文化向南传播的几个问题》，中国社会科学院考古研究所编：《中国商文化国际学术讨论会论文集》，中国大百科全书出版社，1998 年。

④ 豆海峰：《长江中游地区商代文化研究》，吉林大学博士学位论文，2011 年，第 131 页。

⑤ 向桃初：《湖南湘江流域古文化初论》，《南方文物》1994 年第 1 期。

注，这里出现了一支炭河里文化，其年代晚于费家河文化，主体年代已不属于商时期范围。关于炭河里文化，学者争议较大，但豆海峰认为，炭河里文化与商文化的关系并不大，其主要是本地因素与鄂东南、赣湘西北及周文化因素混合而成的。[①]因此费家河文化和炭河里文化所反映的正是商势力退出湖南北部地区后当地文化的发展态势。

至于商文化势力向西的发展，依然是溯长江而上，接着夏人的脚步再次到达荆州荆南寺及邻近区域。荆南寺遗址的文化面貌颇为复杂，包含中原夏商文化、本地新石器时代文化、由于三星堆文化东扩而形成的朝天嘴－路家河文化、澧水流域青铜文化、吴城文化，以及本地不同性质的文化因素。[②]荆南寺遗址各类文化因素都颇为典型，而距离荆南寺遗址不远且年代与之相当的沙市李家台遗址[③]，遗物以当地文化的米粒纹釜、红陶缸和三星堆文化的小平底罐等为主，商文化因素只占极小的比重。荆南寺为多种文化的交汇点，因此学者推测荆南寺遗址在当时似乎是一处自由贸易港之类的地点。[④]

总之，盘龙城不仅是夏商王朝在南方的据点和统治中心，更是中原文化向南方地区传播的窗口，是中原与长江流域进行文化交流的枢纽。通过盘龙城，南方一些文化因素也传播至中原，如郑州商城发现的红陶缸、硬陶与原始瓷等。盘龙城也是商代南方的青铜文化中心，由于青铜文明长时间的发展，当地应当已经掌握青铜铸造技术。近年来越来越多的学者开始注意到殷墟文化时期南方地区青铜器具有与殷墟青铜器不同的特征，这些个性特征的形成以及南方地区较发达青铜文明的出现应当与商文化在南方的传播有关，盘龙城作为青铜文化中心在其中起到了极为重要的作用。

上述情形表明，当时商人在长江中游地区的经营并不仅是一个孤立

---

① 豆海峰：《长江中游地区商代文化研究》，吉林大学博士学位论文，2011年，第161页。

② 荆州博物馆：《荆州荆南寺》，文物出版社，2009年。

③ 沙市市博物馆：《湖北沙市李家台遗址发掘简报》，《考古》1995年第3期。

④ 张昌平：《夏商时期中原与长江中游地区的文化联系》，《华夏考古》2006年第3期。

的据点，而是以盘龙城为中心，分布有一批相互联系、依存的网点。商人向南是沿着二里头人的足迹前行的，其重点区域主要在长江以北的鄂东北地区，但随着商人势力的扩展，长江中游水道也极有可能为商人所控制，因此我们可以说长江以北地区当时属于商王朝的疆域范围。除了商文化向南的传播之外，富有江汉地区文化特色的大口红陶缸在长江中游分布普遍，长江下游的硬陶文化通过吴城文化传播到盘龙城并进一步向西传至荆南寺，这两种文化因素又都为商人所接受并在二里岗遗址中有明显的反映，这些都说明了当时文化之间的互动关系。

不过中商也是商文化盛极而衰的转折点，中商晚期商文化突然衰落，到中商三期前后，商文化由长江以南向北收缩。至晚商早期，即相当殷墟一期阶段，长江流域广大地区已基本为地方性考古学文化所覆盖。[①] 殷墟一期之后商文化前沿由长江沿岸退缩至大别山北麓的河南罗山一带，盘龙城被废弃，由辽瓦店子遗址可知此时商文化也退出了汉江上游地区，南阳盆地的情形尚不清楚，但就目前所知南阳地区晚商文化遗存分布稀少的情况[②]，可知到殷墟时期，商文化几乎退出了整个的汉江流域。而在商文化的影响下产生的各种土著青铜文化则空前活跃，填补了商文化退潮后的空白，商代晚期时商文化的衰退和各地的土著文化的兴起及其对商朝的冲击，正是晚商时期战争频繁的历史与文化背景。

第八节　早期楚文化与典型楚文化

夏商两代，江汉核心区颇为荒凉，襄宜平原及汉水中游地区的夏商遗存几乎是空白，普遍的情形是西周遗存直接迭压在新石器遗存上，没有中间的夏商遗物。西周中期以后，江汉平原的荒凉景象有了转变，周

① 中国社会科学院考古研究所：《中国考古学·夏商卷》，中国社会科学出版社，2003年，第266页。

② 中国社会科学院考古研究所：《中国考古学·夏商卷》，中国社会科学出版社，2003年，第320页。

人进入江汉地区后，周文化与江汉地区的土著文化结合起来，从而形成了一支颇具特色的考古学文化，不仅继续开发夏商两代已有基础的鄂东、鄂北地区，更进一步对襄阳－大洪山以南，新石器时代屈家岭－石家河文化核心区进行重新开发。这一支考古学文化是春秋中期以后的典型楚文化的前身，目前学术界称之为早期楚文化。而西周至春秋早期的楚国，是早期楚文化中的一支。到春秋中期以后，楚国迅速崛起，一统江汉地区，大力吸收中原文化，融合江汉地区各种文化因素，将早期楚文化发展成了强势的典型楚文化。

一、江汉地区的早期楚文化遗存

在早期楚文化研究中，对楚式鬲的探讨是核心问题。就目前所知，连裆鬲起源于鄂东地区。在盘龙城遗址的王家嘴下层，相当于夏代的文化遗存中，出土有目前最早的连裆鬲[①]，已初具楚式鬲的基本特征。由此可知，早期楚文化的时间范围，最早可以追溯至夏，其下限则在楚文化特征形成之前的春秋早期，其主体部分在西周时期。

鄂东和鄂东北地区的早期楚文化遗存是目前最早的。盘龙城遗址发现有大量的平裆鬲和罐形鼎，罐形鼎主要见于盘龙城一至三期，大致为二里头文化时期，平裆鬲和连裆鬲则在盘龙城七期遗存中都有发现。[②]盘龙城的罐形鼎和平裆鬲、连裆鬲一般为夹砂红陶或夹砂红胎黑陶、黑灰陶，锥足较高，有很浅的足窝。发掘报告将器底略下弧者称为罐形鼎、器底略上凹或平底者称为平裆鬲，后又出现连裆鬲。这类罐形鼎和平裆鬲、连裆鬲是由南方的鼎与北方的鬲融合而成的，为南北文化融合的产物，是鬲与鼎融合的最初形态，可称之为鼎式鬲。这种陶鬲亦见于鄂东南的阳新大路铺遗址。大路铺遗址商代遗存中的A型鬲，其特征亦是夹砂褐红陶、连裆、高锥足，饰绳纹，与盘龙城的平裆鬲和罐形鼎如

---

① 王光镐：《楚文化源流新探》，武汉大学出版社，1988年，第151—153页。

② 湖北省文物考古研究所：《盘龙城：1963—1994年考古发掘报告》，文物出版社，2001年。

出一辙。[①] 蕲春毛家嘴遗址，年代为西周初年，许多器物保留有殷末的风格。[②] 另在毛家嘴遗址西 600 米处，发现有铜器窖藏[③]，年代为商末。其中的盂方鼎，作器者盂为殷王文丁之子、帝乙的兄弟。[④] 学者认为毛家嘴遗址的性质为商亡后南逃于此的殷王族成员的遗存。[⑤] 毛家嘴遗址陶器皆有柱足，分为分裆柱足鬲、连裆柱足鬲、平裆柱足鬲三种，其中平裆柱足鬲明显是从夏商时期的平裆高锥足鬲发展而来的。

此类融合南北文化的陶器遗存于夏商时期被创造出来，西周时期，更进一步与周文化结合。黄陂鲁台山所出西周早期遗物，年代较早的Ⅱ式鬲明显具有周文化的瘪裆、锥足风格，较晚的Ⅲ式鬲则已变为柱状足，裆虽仍为瘪裆，但开始向弧裆发展。[⑥] 在鄂东北的大悟吕王城遗址，西周早期陶鬲亦多具周文化风格，与沣西较为一致，但吕王城 T2⑦：160，已初具楚式小口鬲作风，较晚的吕王城 T2⑥：147、T2⑤B：118，虽仍为瘪裆鬲，但已与楚式鬲风格较为一致。[⑦] 武汉新洲阳逻镇的香炉山遗址分为南北两区，其南区第 2 层和北区第 11 层属商代遗存，南区商代遗存年代为二里岗上层，北区大体为殷墟时期，但南、北两区商代遗存文化面貌迥异，南区商代遗存与中原接近，北区则与香炉山早周遗

① 湖北省文物考古研究所、阳新县博物馆：《阳新大路铺遗址东区发掘简报》，《江汉考古》1992 年第 3 期。

② 中国科学院考古研究所湖北发掘队：《湖北蕲春毛家嘴西周木构建筑》，《考古》1962 年第 1 期。

③ 湖北黄冈市博物馆、湖北蕲春县博物馆：《湖北蕲春达城新屋塆西周铜器窖藏》，《文物》1997 年第 12 期。

④ 李学勤：《谈盂方鼎及其他》，《文物》1997 年第 12 期。

⑤ 程平山：《蕲春毛家嘴和新屋塆西周遗存性质略析》，《江汉考古》2000 年第 4 期。

⑥ 黄陂县博物馆、孝感地区博物馆、湖北省博物馆：《湖北黄陂鲁台山两周遗址与墓葬》，《江汉考古》1982 年第 2 期。

⑦ 孝感地区博物馆：《大悟吕王城重点调查简报》，《江汉考古》1985 年第 3 期；熊卜发：《大悟吕王城遗址》，氏著：《鄂东北地区文物考古》，湖北科学技术出版社，1995 年；熊卜发：《鄂东北地区两周时期陶器分期与文化特征初探》，熊卜发等编著：《鄂东北考古报告集》，湖北科学技术出版社，1996 年。

存有相似性，以红陶为主，部分器物与早周同类器难以区分，西周时期，周文化进入，锥足瘪裆鬲出现并演变为柱足鬲，最后在西周晚期出现楚式鬲。[①]武汉放鹰台遗址西周遗存，年代大抵为西周早中期，文化面貌与大悟吕王城、黄陂鲁台山、新洲阳逻香炉山等遗址属同一类型，而与香炉山遗址最为接近，所出鬲、甗、盆、盂、豆、罐，为早期楚文化基本组合，器型亦大体相类，鬲足采用包制，这是楚式鬲的基本特征之一，CaⅢ式陶鬲，夹砂褐陶，圆唇、束颈、弧裆，柱足较高，与真武山、郭家岗等地所出陶鬲器型风格一致，C型侈口折壁豆盘亦与真武山同类器较为一致，Aa型鬲（T3②：1）造型奇特，上部为直口、带盖、管状冲天流，下部为分裆，稍平，柱足较高，与江汉地区周式鬲较为一致，应是南北文化交融的产物。[②]罗田庙山岗遗址西周遗存，年代约为西周中晚期，陶系以夹砂红陶和红褐陶为主，器类有鬲、甗、罐、瓮、缸、盂、钵、豆等，纹饰以绳纹为主，与均县朱家台和大悟吕王城西周遗存关系密切，鬲分大口和小口两类，均为长方体、卷沿、侈口、弧裆，柱足较高，A型鬲有较明显的瘪裆风格，并有扉棱，B、C型鬲则为弧裆微瘪型，与襄宜地区出土的早期楚式鬲一致。[③]汉川乌龟山亦出有少量西周晚期遗存，文化面貌与上述遗存基本一致。[④]上述鄂东及鄂东北地区西周时期遗存都有一个共同特点，就是有较为明显的、来自北方的姬周文化与江汉土著文化融合的趋势。

丹江流域亦有较广泛的早期楚文化遗存。丹江上游地区，商南县过风楼遗址所出西周遗存年代约为西周中期，其陶器特征与关中周文化相去甚远，而与江汉楚文化有较为明显的亲缘关系，另东龙山、巩家

---

① 香炉山考古队：《湖北武汉市阳逻香炉山遗址考古发掘纪要》，《南方文物》1993年第1期。

② 湖北省文物考古研究所：《武昌放鹰台》，科学出版社，2003年。

③ 湖北省文物考古研究所、黄冈地区博物馆、罗田县文物管理所：《湖北罗田庙山岗遗址发掘报告》，《考古》1994年第1期。

④ 湖北省文物考古研究所：《汉川乌龟山西周遗址试掘简报》，《江汉考古》1997年第1期。

湾、陈塬等遗址亦有类似遗存，年代大抵为西周中晚期。[①] 丹江下游地区，淅川下王岗遗址西周早期遗存大抵与沣西无异，但其中的Ⅳ式鬲，侈口、圆唇、鼓肩、收腹，连裆圆柱状足，与早期的楚式鬲颇有类似之处。[②] 均县朱家台遗址西周遗存出有较典型的楚式陶鬲和较完整的鬲、甗、盆、罐、豆组合[③]，文化面貌和年代与真武山、郭家岗等遗址所出西周晚期遗存基本一致。郧县辽瓦店子遗址则发现了有关楚文化起源的重要线索。

襄宜地区发现的早期楚文化遗存较多，汉水以南年代一般较晚，基本为西周中期以后的遗存。襄樊真武山遗址年代早至西周中期[④]，宜城郭家岗遗址年代早至西周晚期偏晚或两周之际[⑤]，由于地处楚文化核心地区，两遗址的两周时期遗存序列完整，陶器组合齐全，其西周至春秋早期遗存与春秋中期以后的典型楚文化陶器有直接的逻辑演变关系，故通常被学术界视为早期楚文化的代表性遗存。钟祥六合遗址出有少量西周时期遗存，陶系以红陶为主，器物组合有鬲、甗、豆、罐、钵、缸等，陶鬲与真武山西周中期陶鬲较为接近。[⑥] 汉水东北地区则有年代较早的遗存，枣阳毛狗洞 H1，出土遗物与黄陂鲁台山较为近似，器类以鬲、缸为主，陶系以红陶为主，红陶比重略小于鲁台山，鬲的基本特征是侈口、尖唇、束颈、连裆、裆上内瘪、裆高中等，器形较粗大，截锥足或柱足，年代为西周早期。[⑦] 襄樊小马家遗址，年代为西周早中期，

---

① 杨亚长、王昌富、曹玮：《近年来陕西境内新发现的楚文化遗存》，楚文化研究会编：《楚文化研究论集》第五集，黄山书社，2003 年；张天恩：《丹江上游西周遗存与早期楚文化关系试析》，氏著：《周秦文化研究论集》，科学出版社，2009 年。

② 河南省文物研究所等：《淅川下王岗》，文物出版社，1989 年。

③ 中国社会科学院考古所长江工作队：《湖北均县朱家台遗址》，《考古学报》1989 年第 1 期。

④ 湖北省文物考古研究所、襄樊市博物馆：《湖北襄樊真武山周代遗址》，《考古学集刊》第九集，1995 年。

⑤ 武汉大学历史系考古教研室：《湖北宜城郭家岗遗址发掘》，《考古学报》1997 年第 4 期。

⑥ 荆州地区博物馆、钟祥县博物馆：《钟祥六合遗址》，《江汉考古》1987 年第 2 期。

⑦ 襄樊市博物馆：《湖北枣阳毛狗洞遗址的调查》，《江汉考古》1988 年第 3 期。

其西周早期遗物与关中近似度较高，如鬲近空袋状分裆柱足，盆宽沿深腹，均与关中同类器相近，西周中期遗存则明显具有楚文化特征，出现了二次包制鬲足，以柱足鬲为主，盂一般为外翻沿、圆凸肩，与沣西地区斜折沿、折肩的风格有较大差异，此外陶系中红陶比重较大，鬲、甗、罐等器物较为粗大，这些特征与枣阳毛狗洞 H1 遗物十分接近。① 枣阳周台遗址有较丰富的西周中晚期至春秋早期遗存，其文化面貌与郭家岗、真武山遗址相近而又有自身的特点，主要是陶系中灰陶比例较大，红陶较少，器物组合虽然大体相同，但某些器类更接近于关中，如周台遗址的陶盆与真武山差距较大，其斜折沿、折肩的风格更接近于关中周文化。② 另河南内乡黄龙庙岗遗址商代晚期遗存中发现有一种二次包制的矮柱足鬲，为该遗址的特征性器物，这类鬲折沿、腹微鼓、深袋足，分裆，裆较浅，截锥足较矮，与枣阳毛狗洞、新洲阳逻香炉山等遗址出土的西周早期的柱足鬲很相似。③

在西陵峡地区，庙坪遗址发现了几件较完整的西周陶鬲④，除纹饰为方格纹外，其余特征与真武山、郭家岗等地所出陶鬲基本一致，具有早期楚式鬲的特点，其年代，原报告定为西周中期，此年代明显偏早，应为西周晚期后段。此外，西陵峡区的宜昌上磨垴⑤、秭归柳林溪⑥等遗址，均出有与早期楚文化有关的周代遗存，这批遗物的年代，大抵为两周之际。

---

① 襄樊市文物考古研究所、襄阳区文物管理处：《襄阳黄集小马家遗址发掘简报》，襄樊市文物考古研究所编：《襄樊考古文集》第一辑，科学出版社，2007 年。

② 襄樊市文物考古研究所、枣阳市文物考古队：《枣阳周台遗址发掘报告》，襄樊市文物考古研究所编：《襄樊考古文集》第一辑，科学出版社，2007 年。

③ 杨宝成：《论西周时期汉东地区的柱足鬲》，楚文化研究会编：《楚文化研究论集》第四集，河南人民出版社，1994 年。杨宝成：《内乡县黄龙庙岗商代遗址及战国秦汉墓葬》，中国考古学会编：《中国考古学年鉴：1989》，文物出版社，1990 年。

④ 国务院三峡工程建设委员会办公室、国家文物局：《秭归庙坪》，科学出版社，2003 年。

⑤ 湖北省文物考古研究所：《湖北宜昌县上磨垴周代遗址的发掘》，《考古》2000 年第 8 期。

⑥ 国务院三峡工程建设委员会办公室、国家文物局编著：《秭归柳林溪》，科学出版社，2003 年。

在长江北岸，荆州荆南寺遗址出土了鬲、盂、豆、罐的完整组合，年代约为西周晚期，属典型的早期楚文化。[①]另盘龙城出土的平裆鬲与罐形鼎（发掘简报中均称之为A型鬲）亦见于荆南寺夏商遗存，但只见于较早的地层中，年代约为二里头晚期至二里岗上层一期。[②]江陵梅槐桥遗址未见有西周时期地层，但在扰乱层中出土一件完整的陶鬲，鬲体较瘦长，折沿近平、高直颈，肩微弧，瘪高裆，柱足较高，经刮削略呈疙瘩状[③]，与真武山所出西周陶鬲较为近似，年代应为西周晚期。潜江龙湾遗址亦出有西周晚期遗存，陶系以红褐陶和红陶为主，多饰绳纹，陶器有楚式鬲、盂、豆、罐的完整组合。[④]湖南地区亦发现了一些与早期楚文化有关的西周遗存，澧县文家山遗址乙区灰坑出有一鬲一豆，鬲的形态为弧形连裆浅空足，足尖乳突状，拍绳纹，外侧再包制较高的截锥足，束颈卷沿圆唇，这是较典型的楚式鬲形态，稍晚的澧县周家湾、周家坟山遗址则出土了楚式鬲、盂、豆、罐的完整组合。[⑤]岳阳阎家山、骆坪遗址也出土了西周时期的楚式鬲、盂、豆、罐组合。[⑥]

综上可见，早期楚文化的分布地域，夏商时期仅限于鄂东盘龙城一带，西周时期东至鄂东和鄂东北，北至丹江流域，西至西陵峡，南至长江沿岸，基本上涵盖了整个江汉地区。

---

① 荆州地区博物馆、北京大学考古系：《湖北江陵荆南寺遗址第一、二次发掘简报》，《考古》1989年第8期

② 荆州博物馆：《荆州荆南寺》，文物出版社，2009年。

③ 荆州地区博物馆、北京大学考古系：《湖北江陵梅槐桥遗址发掘简报》，《考古》1990年第10期。

④ 湖北省潜江博物馆、湖北省荆州博物馆：《潜江龙湾：1987—2001年龙湾遗址发掘报告》，文物出版社，2005年。

⑤ 湖南省文物考古研究所等：《湖南澧县商周时期古遗址调查与探掘》，《湖南考古辑刊》第四集，岳麓书社，1987年。

⑥ 岳阳市文物工作队：《湖南省岳阳市郊毛家堰－阎家山周代遗址发掘简报》，《文物》1993年第1期。

二、早期楚文化的时空进程

粗略分析，江汉地区早期楚文化遗存可分为三期：

第一期为夏代至商前期，即二里头文化至二里岗文化时期。主要的代表性遗存有盘龙城外的王家寨、李家嘴等遗址及荆南寺遗址部分夏商遗存。这一时期是早期楚文化的萌芽阶段，也是北方的鬲文化与南方的鼎文化开始融合的时期。陶器遗存以鼎式鬲为代表，已初步具有楚式鬲的基本特征，如陶系以红陶和红褐陶为主，空足极浅，锥足较高，足为二次包制等，鄂东地区夏商时期出现的鼎式鬲，虽然还不能称之为楚式鬲，但我们可以确定，其是楚式鬲在江汉地区最早的起源，是江汉地区的土著民族融合中原文化与原有文化传统的结果。盘龙城遗址中鼎式鬲与鬲式鼎基本上是同时出现，但总的发展方向是向鬲演变，盘龙城的罐形鼎主要盛行于盘龙城一至三期，而平裆鬲的发展则贯穿了整个盘龙城文化，盘龙城二期时又从平裆鬲发展出连裆鬲，延至盘龙城七期。萌芽时期的早期楚文化，器物组合有平裆鬲、连裆鬲、罐形鼎、甗、斝、尊、大口缸、盆等器物，陶系以红褐陶和红胎黑陶为主。陶器部分来源于江汉地区新石器时代文化，如红陶大口缸；部分来源于中原商周文化，但与中原同类陶器在陶质、陶色和器形上有一些差异，显然是经过了当地土著民族的改造。高崇文认为，这批红陶器是在中原商文化影响下产生的一种新文化因素，本身就体现了两种文化因素。[①]这一时期或可称为鼎式鬲时期。

第二期为商代晚期至西周早期。代表性遗存有蕲春毛家嘴西周遗存，黄陂鲁台山 H1，枣阳毛狗洞 H1 及Ⅰ、Ⅱ式陶鬲，武汉新洲阳逻香炉山北区第 11 层，河南内乡黄龙庙岗晚商遗存等。这一时期的主要特点，是柱足鬲成为主流。上期的高锥足平裆鬲（鼎式鬲）和连裆鬲本期均发展成为柱足，上期的商式分裆鬲本期亦发展成为柱足分裆鬲，陶鬲

① 高崇文：《从夏商时期江汉两大文化因素的源流谈楚文化起源》，楚文化研究会编：《楚文化研究论集》第三集，湖北人民出版社，1994 年，第 25 页。

的柱足作风成为早期楚文化最重要的特征。从毛家嘴遗存来看，商末周初时，平裆柱足鬲、连裆柱足鬲及分裆柱足鬲并存，但到西周早期时，平裆鬲消失，分裆鬲也极罕见，截锥足连裆鬲成为主流，并在周文化的影响下出现瘪裆作风。陶系仍以夹砂红陶、红褐陶或夹砂红胎黑陶为主，器型普遍较大。陶器组合为鬲、甗、罐、盆、缸等，尚未出现早期楚文化典型的陶器组合。这一时期的典型特征是高锥足鼎式鬲发展成为柱足鬲（截锥足），虽然这一时期尚未出现早期楚文化的典型陶器组合，但柱足鬲的出现，标志着早期楚文化发展到了一个新阶段，因此这一时期是早期楚文化的发展期，以柱足鬲为代表，或可称为柱足鬲时期。

第三期为西周中晚期到春秋早期。主要的代表性遗存有襄樊真武山H36、H39、H85、H79、H81、G3，宜城郭家岗H109、H187，肖家岭H22，以及荆州荆南寺西周遗存等。这一时期的主要特点：一是柱足鬲发展成为楚式鬲，上一期较短的截锥足发展成较高的圆柱足，虽仍保留周式的瘪裆作风，但已具备楚式鬲的基本特征，与春秋中期以后楚式大口绳纹陶鬲有直接的演变关系，可以认为，这种带瘪裆的红陶绳纹高柱足鬲就是楚式鬲的早期形态。二是出现了较完整的鬲、盆（或盂）、豆、罐陶器组合，此组合与春秋中期以后的典型楚文化陶器组合一致。从以上两方面看来，到了这一时期，真正出现了具有成熟器形和完整陶器组合的早期楚文化遗存。因此，这一时期可视为早期楚文化的形成时期，其最具代表性的器物是楚式鬲，或可称为楚式鬲时期。

由上简单分析可知，早期楚文化在江汉地区经历了较为复杂的发展历程，其最初的创造者是江汉地区的土著民族，这些江汉土著民族在中原王朝的统治下接受了中原文化，将中原文化与江汉地区原有的文化传统融合起来，形成了一种新的、具有强大生命力的鬲文化，到后来即演变为早期楚文化。夏代至商前期，是早期楚文化的萌芽阶段，鬲与鼎开始融合，出现了鼎式鬲或鬲式鼎；晚商至西周早期，是早期楚文化的发展阶段，商末周初时，平裆柱足鬲、连裆柱足鬲和分裆柱足鬲并存，这些器物基本是上期陶鬲的发展形态，至西周早期，带瘪裆作风的截锥足连裆鬲成为主流，柱足成为江汉陶鬲最主要的共性特征；西周中晚期至春秋早期，则是早期楚文化形成时期，出现带瘪裆作风的高柱足红陶绳纹鬲，也就是早期楚式鬲，并出现了鬲、盂（盆）、豆、罐的完整陶器组合。

在空间结构上，夏商时期，江汉地区的鼎式鬲遗存出现在鄂东地区，在鄂东地区有较为广泛的分布，向西则分布到了江陵荆南寺遗址，此时的南北文化融合还处在很初级的阶段。

晚商至西周早期，商文化退出江汉地区，周文化开始影响江汉土著民族。汉水东北一线，由南阳盆地至长江北岸，出现柱足鬲遗存。此时早期楚文化遗存的分布局限于汉水东北，尚未进入江汉核心区，而汉水西南的考古学文化与汉水东北的早期楚文化有着完全不同的来源和面貌。[①]

西周中期以后，早期楚文化完全形成。这一时期早期楚文化大举南下，进入夏商时期尚较为荒凉的江汉核心地区，并直达长江沿岸。这一时期的早期楚文化遗存遍及江汉地区，但重心明显在鄂西地区，其发展态势是从北向南，北部襄宜地区的早期楚文化遗存年代较早，最早可早至西周中期，南部荆沙地区则较晚，不超过西周晚期。而原来早期楚文化最早发端的鄂东及鄂东北地区，虽然仍可在广义上归入早期楚文化，但其文化面貌与自身的发展进程与鄂西地区较为典型的早期楚文化有差异，在文化面貌上有更强的周文化特征，如陶系中灰陶比重远大于鄂西地区，某些器型如盂、盆等类器物更接近于关中。出现这种变化的原因，当是汉东地区成为西周嫡系的汉阳诸姬封地，而鄂西地区则为楚蛮及其他江汉土著所居[②]，故西周中晚期时，汉东地区在文化发展上与鄂西地区拉开了一些距离。

---

① 参杨权喜：《湖北商文化与商朝的南土》，湖北省文物考古研究所编著：《奋发荆楚探索文明》，湖北科学技术出版社，2000 年；杨宝成：《论西周时期汉东地区的柱足鬲》，楚文化研究会编：《楚文化研究论集》第四集，河南人民出版社，1994 年。

② 刘玉堂、尹弘兵：《楚蛮与早期楚文化》，《湖北大学学报》2010 年第 1 期。

三、蛮河、沮漳、荆山与春秋楚文化

春秋早期，楚国在汉水中游的江汉核心区迅速崛起，开始征服江汉地区的诸小国，收服江汉土著族群，并征伐西周在汉水之阳的诸封国，统一江汉地区。到春秋中期，迅速强大起来的楚国将早期楚文化发展成具有自身强烈特征的典型楚文化，并且随着楚国不断灭国设县，楚文化也走出江汉地区，在整个中国南部扩展开来。而楚国和楚文化的扩展过程，也是楚文化不断发展的过程。从春秋中期以后，湖北全境已尽是楚文化的分布范围。但楚文化在湖北的分布并不均衡，整个东周时期，楚文化的核心地区始终在鄂西地区，形成了三处规模巨大的东周聚落群。第一处是沮漳河下游地区，今湖北荆州、荆门所属，以纪南城为核心的东周聚落群；第二处是沮漳河中游一带，今湖北当阳、枝江所属地区，以当阳季家湖古城为核心的东周聚落群；第三处是蛮河流域，今湖北宜城南部及南漳东部，亦有一处规模巨大的东周聚落群。这是楚国在鄂西地区所留下的遗迹，也是楚国和楚文化的核心区。

蛮河中下游平原主要有宜城、南漳两地，主体是宜城平原。在汉水南岸、荆山山脉以东，有一块不大的平原，长约40千米、宽11—16千米，蛮河贯流其中，分布着密密麻麻的遗址和墓葬。[①]蛮河流域的东周墓地，大体上以宜城平原西北部和东南部两地居多。在宜城平原西北部地区，蛮河北岸的宜城与南漳交界处，地势上是一列近南北向的岗地，此岗地上分布着大片的墓地。宜城方面，由北至南，有弥陀寺、张家湾、白土岗、李家堰、高家洼、小陈家湾、杨家台等墓地。1987年在此地东侧不远处的朱市砖瓦厂曾出土“蔡大膳夫”鼎、簠[②]，年代为春秋早期偏晚。此墓地西侧即南漳的安乐堰墓地，面积达1.5平方千米，1958年曾出土铭文铜器“蔡侯朱之缶”，由这两件蔡器推测，安乐堰–

① 国家文物局主编:《中国文物地图集·湖北分册》，西安地图出版社，2002年，上册第146—147页，下册第127—138页。

② 襄樊市博物馆:《湖北宜城出土蔡国青铜器》,《考古》1989年第11期。

朱市墓地的年代应可早至春秋时期，为当时的楚高级贵族墓地。

蛮河流域的另一处东周早期墓地，在宜城平原南部的孔湾和郑集镇一带，主要有四处：凤凰山、蒋湾、罗岗、肖家洼。其中凤凰山墓群的年代较早，位于孔湾台子岗，面积约 2 万平方米。1979 年当地农民在挖渠时曾发现铜鼎、盏、戈各一件，经调查为一小型土坑墓所出，时代为春秋晚期至战国初年。①1988 年在凤凰山与骆家山一带发掘了数座东周墓葬，出土了一批青铜礼器和陶器，时代大约从春秋中期晚段至战国早期。② 可知凤凰山墓群的年代大致为春秋至战国早期。蒋湾墓群位于郑集镇蒋湾村，面积约 2 万平方米，曾暴露出多座土坑墓，采集有铜鼎、剑、簠、缶、盘、匜、勺、车軎、骨马镳等，年代为东周。③ 罗岗墓群位于郑集镇的护洲村一带，面积 2.6 万平方米，1989 年曾勘探出 16 座墓葬，清理一座车马坑和一座墓葬，车马坑长 22.2 米，南端宽 4.95 米，北端宽 4.1 米，坑深 0.6—0.75 米，坑内有 7 辆车、18 匹马，墓葬的年代为战国中期晚段。④ 而孔湾、郑集以南的丘陵地带，据郭德维考证可能为楚先王墓夷陵所在。⑤

蛮河流域的东周遗址，分布极为密集。据文物普查资料分析，这些东周遗址大致可分为四个等级：第一等级为楚皇城遗址、小湖岗遗址和郭家岗遗址，面积分别为 2.2 平方千米、1.8 平方千米和 1 平方千米。第二等级遗址面积在 10 万平方米以上，共有 9 处。第三等级遗址面积 1 万—10 万平方米不等，共有 45 处。第四等级遗址面积在 1 万平方米以下，共有 9 处。

---

① 张吟午、李福新：《湖北宜城骆家山一号墓出土青铜器》，《江汉考古》1983 年第 1 期。

② 徐少华：《从南漳宜城出土的几批蔡器谈春秋楚郢都地望》，楚文化研究会编：《楚文化研究论集》第六集，湖北教育出版社，2005 年。

③ 国家文物局主编：《中国文物地图集·湖北分册》，西安地图出版社，2002 年，下册第 132 页。

④ 湖北省文物考古研究所、襄樊市博物馆、宜城县博物馆：《湖北宜城罗岗车马坑》，《文物》1993 年第 12 期。

⑤ 郭德维：《试论秦拔郢之战——兼探夷陵之所在》，《江汉论坛》，1992 年第 5 期。

这些遗址的年代，上限可早至西周晚期偏晚至春秋早期，而下限则可至战国晚期。由此看来，从西周晚期至战国，蛮河流域存在一个规模巨大的、由墓地和遗址组成的东周聚落群，此聚落群结构完整，体系整齐，内部有明显的层级差异，与春秋时期的蔡国曾发生过政治联系，是蔡侯朱和蔡哀侯客居之地。这表明，西周末至战国，在蛮河流域有着繁荣的人类社会，聚居着众多的人口，组成了一个秩序严格的政治组织，拥有强大的政治、军事力量。有确切的证据表明，春秋时期，这里的势力曾大举对外扩张，远在河南的蔡国曾是这一势力的征伐对象，并且这里是蔡国贵族的避难之地，由此看来，至少春秋时期，蛮河流域有可能是同类遗存所反映的人类社会的核心地域。

今蛮河发源于湖北保康县境，为汉水最大支流之一，流经南漳、宜城，在钟祥胡集镇附近注入汉水，其上游正在南漳的荆山山区。据石泉先生考证蛮河及其支流清凉河（又名王家河），即古之沮、漳二水。[①]古沮漳与荆山有密切关系，沮、漳二水均发源于荆山。《淮南子·地形训》谓："雎出荆山。"《汉书·地理志上》南郡临沮县原注："《禹贡》南条荆山在东北，漳水所出。"《水经注·漳水》："漳水出临沮县东荆山。"《水经·沮水》"沮水出汉中房陵县景山"，郦道元注："沮水出汶阳郡沮阳县西北景山，即荆山首也，高峰霞举，峻竦层云。《山海经》云：'金玉是出，亦沮水之所导。'故《淮南子》曰：'沮出荆山。'"杨守敬疏："沮作雎，景山为荆山首，则与荆山连麓而异名，虽二山，实一山也。"[②]此荆山在今南漳县西北，《元和郡县图志》："荆山，在（南漳）县西北八十里。三面险绝，惟东南一隅，才通人径。"[③]清齐召南《水道提纲》："《禹贡》荆州之荆山在（南漳）县西北八十里，漳水之所出，

① 石泉：《齐梁以前古沮（雎）漳源流新探——附荆山、景山、临沮、漳（章）乡、当阳、麦城、枝江故址考辨》，氏著：《古代荆楚地理新探》，武汉大学出版社，1988 年。

② 杨守敬、熊会贞：《水经注疏》，江苏古籍出版社，1989 年，第 2695 页。

③ 《元和郡县图志》卷二一，山南道二，襄州"南漳县"条，中华书局，1983 年，第 530 页。

即今之清凉河也。”[1] 而宜城、南漳两县的蛮河中下游平原，正是春秋时期的楚文化核心区，由此春秋时期的楚国与荆山及沮、漳二水构成了一个完整的地理空间体系，这一地理空间体系正合于古人所言“国必依山川”。

“国必依山川”一语出自《国语·周语上》，后世学者多以历史理性来解之，但有学者指出，古人认为，山为神灵之居所，川则通达于山之涂，大邑国都是承天命之处，而天子则以事神祭祀恪谨天命为主任，为本职，故大邑国都须依山傍水，以便于君主上通于神明，以神道政教天下。[2] 上古时代以神道设教，祭祀天地祖先神灵是天子、诸侯最重要的职责，“国之大事，在祀与戎”（《左传·成公十三年》）。祭祀何以如此重要？上古时代在颛顼之前，“夫人作享，家为巫史”（《国语·楚语下》），人人皆可通神于天，自颛顼命重、黎绝地天通之后，只有专业的巫觋才可通神于天。张光直指出：“天地交通断绝之后，只有控制着沟通手段的人，才握有统治的知识，即权力。”[3] 国家、政治权威也由此而生——对天地沟通手段的占有，也就意味着对知识和权力的控制。主祭祀者因此成为沟通天地神人的中介，这种对沟通手段的独占就成为政治权力的来源，也是政治权力的象征，祭祀对上古文明的极端重要性就在这里。祭祀的对象是祖先神灵，而祖先神灵居住在哪里？由“绝地天通”可知，在早期文明的世界体系里，世界是分为天、地两个层次的，天是神灵的世界，地是人间的世界，这种把世界分成天、地两个不同层次的体系，张光直称之为“萨满式的文明”，并认为这是中国古代文明最主要的一个特征。[4] “绝地天通”的意思即断绝天与地、神与人之间的交通，而由某些特殊人群来垄断沟通天地神人的手段。但天又是虚无

① ［清］齐召南：《水道提纲》卷十三《入江巨川三·汉水》，早稻田大学藏清乾隆四十一年传经书屋刻本，第11页。

② 陈晓云、陈立柱：《说“国必依山川”》，《史学月刊》2005年第8期。

③ 张光直：《美术、神话与祭祀》，辽宁教育出版社，2002年，第29、58页。

④ 张光直：《考古学专题六讲》，文物出版社，1986年，第4页。

缥缈的，需要给一个实体，这个实体就是山。《诗经·大雅·崧高》："崧高维岳，骏极于天。维岳降神，生甫及申。"毛传："骏，大。极，至也。"就是说嵩山之高可至于天，因此可称"岳"，"山岳"降下神灵，于是才有申、吕二国。《左传·庄公二十二年》："山岳则配天。"《山海经》中常言某某山为某某神所居，可见神灵所居名义是在天上，实际是在山上，尤其是高山，是谓"天在山中"①。此类有神所居之山其专名为"岳"，故曰"山岳"。而在神灵所居的祖山、神山（山岳）与实际的部族居地之间，则有河流相通，《礼记·礼运》："山川，所以傧鬼神也。"因为河必源于山，河流把祖山与平原上的部族居地联结起来，于是就被想象成为神灵往来的道路，沟通祖山与人间居地。故周人有"国必依山川"之说，而祖山一旦因地震崩坏，或联结祖山与国都的河流堵塞，就被视为亡国之兆。②

春秋时代尚未进入理性时代，处于所谓轴心时代的前夜，社会与文明的基本逻辑仍是"神道设教"。蛮河中下游平原的楚文化核心区，其主体年代正在春秋时期，蛮河及其支流清凉河（王家河），即古沮、漳二水，二水均源出南漳附近的荆山山区。这样，三者所构成的地理空间体系就与"国必依山川"完美契合：荆山为楚人之神山、祖山、宗山，为祖先神灵之居所，楚人则聚居于宜城、南漳两县交界处的平原上，此平原与荆山之间正有沮、漳二水可通，此二水就将荆山上的祖宗神灵与河流下游平原上的人间居地联结起来，成为联结神山与都邑的通道。

四、沮漳河流域与战国楚文化

今天的沮漳河中游地区包括当阳、枝江两地，北至荆山山脉南麓，

① 陈立柱：《说"天在山中"》，《文史》2002年第2辑，中华书局，2002年。

② 《国语·周语上》"伯阳父论周将亡"章："昔伊、洛竭而夏亡，河竭而商亡。今周德若二代之季矣，其川源又塞，塞必竭。夫国必依山川，山崩川竭，亡之征也。川竭，山必崩。若国亡，不过十年，数之纪也。夫天之所弃。不过其纪。"

南至枝江境长江边上，分布着大量的东周遗址和墓葬。[①]20世纪70年代，考古学界在此地做了大量的工作，此地有规模较大的季家湖楚城，城内遗物可早至春秋中期，是这一东周聚落群的中心聚落[②]，1980年的考古调查中发现9处东周遗址[③]。季家湖城址西北8千米为青山古墓群，大型楚墓林立；以北10余千米是当阳赵家湖楚墓，20世纪70年代发掘，墓葬数量仅次于江陵楚墓，春秋墓较多。在沮漳河东岸，是江陵的马山墓区，或称双冢－川店墓区，大型楚墓也很多。总的来说，沮漳河中游地区有规模较大的城址作为中心聚落，有大型的楚墓地，年代普遍偏早（早于江陵楚墓），有较高规格的楚墓，如曹家岗5号楚墓，年代为春秋中期偏晚，虽被盗但仍出土铜器10件，其中一件有铭文“王孙雹乍蔡姬食簠”，当为大夫以上的贵族用器。[④]因此沮漳河中游地区可能是一处早于江陵地区的楚文化核心区。

在今沮漳河下游地区，今荆州、荆门交界地区，还分布着一处以纪南城为核心的东周聚落群。这里是楚文化考古最重要的地区，楚墓分期的标尺就是依靠对纪南城周围发掘的大量楚墓进行分期排队后确立的。在纪南城周围25千米范围内，分布着八岭山墓群、马山墓群、望山墓群、纪山墓群、雨台山墓群、天星观墓群、包山墓群、子陵岗墓群、严仓墓群等大量楚墓，形成一个规模巨大的东周聚落群。据郭德维统计，纪南城周围的大中型贵族墓葬，有高大封土的楚墓，总数达1260多座，这些大型贵族墓一般距纪南城较远，下层贵族墓和平民墓则分布在距纪南城较近的地区，据郭德维1999年统计，已发现的有5000余座，已发掘的近3000座。[⑤]

---

① 国家文物局主编：《中国文物地图集·湖北分册》，西安地图出版社，2002年，上册第172—175页。

② 湖北省博物馆：《当阳季家湖楚城遗址》，《文物》1980年第10期。

③ 湖北省博物馆：《沮漳河中游考古调查》，《江汉考古》1982年2期。

④ 宜昌地区博物馆：《当阳曹家岗5号楚墓》，《考古学报》1988年第4期。

⑤ 郭德维：《楚都纪南城复原研究》，文物出版社，1999年，第255、270页。

纪南城遗址位于湖北省荆州市荆州区北隅，南距荆州城约 5 千米。新中国成立初期即开始地面调查，1956 年被定为湖北省文物保护单位，1961 年被国务院公布为第一批全国重点文物保护单位。1975 年，成立了湖北省纪南城文物保护和考古发掘工作领导小组，邀请北京大学、吉林大学、南京大学、四川大学等七所高校考古专业师生和北京、天津、湖南、河南等七个省市文博单位的考古工作者和文物考古短训班的学员一起开展了大规模的考古工作，对纪南城遗址进行了全面的考古勘探，并先后发掘了西垣北门、松柏 30 号台基、新桥陈家台遗址、东垣外毛家山遗址等，发掘面积 7000 多平方米，同时，清理了春秋战国至秦汉时期的墓葬 600 多座，取得了重大收获。城内有宫殿区、贵族区、平民区、冶铸区、商业区的划分，现存高出地面的台地有 300 多处，经过勘探可以确认为当时建筑基址的夯土台基有 84 座，其中宫殿区内就有 40 座，宫殿区的夯土台基分布很有规律，基本上是沿着中轴线布局。纪南城内发现了 400 多口水井，还发现有窑址、冶炼作坊遗址等。

八岭山位于湖北省荆州市荆州区西北部，总面积 43 平方千米，平均海拔 39.6 米，最高海拔 109 米，位于北纬 30° 23′ 57″—30° 28′ 58.8″，东经 112° 04′ 14.9″—112° 06′ 23″。八岭山属丘陵地形，其山势宛若八条蛟龙，呈西北东南走向，因此又称“龙山”，山上有规模巨大的八岭山古墓群。现有大中型有封土堆古墓葬 467 座，其他无封土古墓不计其数。在八岭山上，最大的封土古墓有平头冢、冯家冢等。荆州博物馆已对这两座楚墓进行勘探和局部发掘工作。目前冯家冢的陵园布局已较为清楚，与熊家冢大体类似而小有差异，可以确认是一座战国中期的楚王墓，对于探讨纪南城的性质、年代等有重要意义。[①]

① 荆州博物馆：《湖北荆州八岭山冯家冢墓地考古勘探简报》；荆州博物馆：《湖北荆州八岭山冯家冢楚墓 2011—2012 年发掘简报》。均载《文物》2015 年第 2 期。

第二章　城邑与建筑

城市是人类文明的标志之一。[①] 荆楚地区（以今湖北省行政区域为主）的城邑在新石器时代晚期就已产生。先秦时期荆楚地区的城邑发展，经历了夏商时期的衰落期、西周时期的复兴期及东周时期的繁盛期三个阶段。

夏代，荆楚地区极少见到二里头文化遗址，更不用说城邑。商代前期荆楚地区出现了著名的盘龙城，为商王朝控制荆楚地区的中心，但商代后期盘龙城废弃，此后荆楚地区又没有了城邑文明。

西周时期，周王朝在荆楚地区分封有诸多同姓和异姓诸侯，形成了西周的南土，一般情况下诸侯国的国都就是一处城邑，荆楚地区的城邑出现复兴局面。

东周时期，楚国崛起，各诸侯国或为楚国所灭，或成为楚国的附庸，原先的蛮荒之地因楚国的控制与经济发展出现了许多城邑，荆楚地区在东周时期迎来了城邑发展的繁盛期。

考察先秦时期荆楚地区的城邑，由于传世和出土文献资料较少，且缺乏城邑内部结构形态的描述，我们在利用这些文献资料的基础上，将主要依据考古资料，来观察这些城邑的地理环境与内部形态，进而总结先秦时期荆楚地区城邑的时代特点与类型特点。

---

① 先秦时期，人们称呼较多的是“城”和“邑”。夏、商、西周时期，“城”是有城墙的聚落，“邑”是有沟树之固的聚落，并无城墙。到了春秋、战国时期，随着越来越多的“邑”筑起城墙，“城”和“邑”渐混而为一。但是“邑”还是有大小之别，如包山楚简所见的“邑”即一种基层居民组织，无法和加筑城墙的大邑相提并论。我们这里采用当时的“城邑”一词，来指称周代筑有围墙的聚落，以及规模较大但不一定有城墙的聚落。考虑到现代的习惯性称呼，有时也称之为“城市”。

第一节　先秦时期荆楚地区的城邑与诸侯国都

夏商时期，荆楚地区确定的城邑仅有盘龙城。盘龙城作为商王朝的军事据点与铜矿资源控制中心，其城邑既有商代核心区偃师商城、郑州商城的特点，如墓葬区与居住区混合，又具有自身的鲜明特点，如宫城外分布数量众多的冶铸作坊。

西周时期，周人在荆楚地区分封有数量较多的诸侯国，目前经过考古研究可以确定为诸侯国都邑且资料较充分的有鄂、邓两国的安居城址和邓城，还有二者之间的军事堡垒襄阳楚王城。安居城址目前的调查资料显示其为双重城垣结构，周围有西周早期鄂国墓地。邓城形制非常规整，军事防御能力极强，虽然有后期修筑的现象，仍可反映其地处南北军事要地的性质。襄阳楚王城规模小，形制不甚规整，显然是西周时期的一处军事堡垒。

一、商代盘龙城

（一）盘龙城的位置与环境

盘龙城位于武汉市黄陂区滠口街道叶店村境内，地理坐标东经114° 15′ 58.51″，北纬30° 41′ 41.74″。

从宏观而言，盘龙城地处长江中游地区的交通枢纽：向北通过澴水、滠水河谷穿越大别山与中原地区相联系，或通过随枣走廊，连接南阳盆地，沟通中原地区；向南通过长江水道，联系洞庭湖水系和鄱阳湖水系，进而沟通广大南方地区。

从中观来讲，盘龙城与大冶铜绿山等矿冶基地关系密切。一般认为，盘龙城的发展与商王朝获取长江中下游的铜矿资源有关。

从微观而论，滠水自红安、黄陂南流至滠口汇入长江，府河（涢水下游）自随州、孝感由东南流，至武汉谌家矶处入长江，盘龙城即位于府河北岸低矮的丘陵与湖泊交错地带。府河以南为冲积平原，古时为沼泽，盘龙城遗址坐落在岗丘前的盘龙湖西侧，城址的东、南、北三面环水，仅西北部有陆地相连，直达西部及西北部的甲宝山和横山等岗地。据考古工作者分析，当代盘龙湖一带水位较夏商时期高出 5—8 米，盘龙城遗址现各遗迹点之间的湖汊在夏商时期可能是连成一片的陆地，地理景观自早商以来变化很大，遗址原面积较现在更大。

（二）盘龙城的形态与功能分区

目前发现的盘龙城面积较小，考古工作者推断其性质为宫城，可分成四个区域，东北部为宫殿，西南部为池塘，其他部分功用暂时不清楚。宫城周边西侧、北侧可能为铸铜作坊，稍远处王家嘴、李家嘴主要是墓葬区，杨家湾、杨家嘴为居住、铸铜、制陶和墓葬混合区，楼子湾为铸造和墓葬混合区。盘龙城居住区与墓葬区混合分布，这与偃师商城、郑州商城的情况很相像。此后两周的墓葬区一般分布在城邑周边，仅有部分瓮棺葬等特殊墓葬分布在城内。另外，城周边有较多铸造作坊是盘龙城最鲜明的特点。（图 2–1）

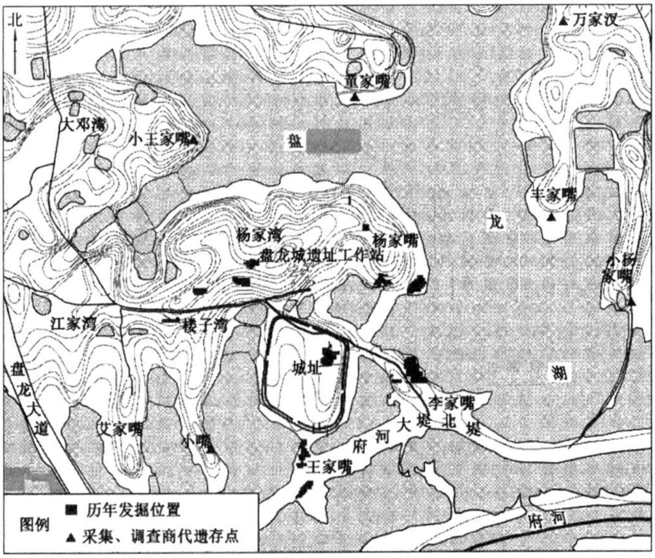

图 2–1　盘龙城遗址遗迹分布平面图[①]

① 采自张昌平、孙卓：《盘龙城聚落布局研究》，《考古学报》2017 年第 4 期。

1. 宫城区

平面近方形，南北长 289 米，东西宽 284 米，面积 83988 平方米。城内地势东面及东北部高，西面及西南部低，东北部与西南部高差约 6 米。东北隅地形呈三级台地状，向南、向西地势逐渐下降。东北部第一级台地的高程为 43.2—43.7 米；第二级台地的高程为 41—43.2 米；第三级台地的高程为 38.3—38.9 米。经发掘得知，城内东北部是人工填土平整加高形成的台地，为大型建筑群所在的基地。西南为低洼地，地表之下多为淤积层，古时西南面洼地可能是城内的一个池塘。1989 年在西城垣南段残垣东侧发现了青铜器，发掘一座墓葬（编号 89HPCYM1）。墓葬打破城墙，其时代应晚于城垣的使用年代。城垣时代相当于盘龙城六期，此墓打破该期堆积，其埋葬时代约在盘龙城七期。

（1）城垣

盘龙城城垣为夯土筑成，墙体外坡陡，内坡缓，城垣周长 1211 米。

东垣：墙体已毁，仅存城垣基底内坡边缘，基底走向较直，全长 293 米，高出城外地表 1—2 米。

南垣：南垣西段墙体较直，东段略向北斜弧，墙体内壁最高处高出城内地面近 4 米，全长约 280 米，墙体宽为 25—30 米，距城外地面残高 2—6 米。南垣中段经过发掘，整个墙基宽度为 21 米。揭露出的墙体最高部位，夯层共有 12 层，其夯层上半部基本水平，每层较薄，厚 0.05—0.1 米。其下半部夯层较疏，每层较厚。主墙体夯层顶面发现不甚明显的圆形夯窝，夯窝直径约 0.05 米。

西垣：西垣墙体北段较直，南段微内弧，内坡呈二层坡状，全长 297 米，残宽 27—30 米，距城外地面残高 2—4 米。

北垣：残存墙垣基部，走向较直，全长 298 米，墙体宽 27—30 米，垣基残面中部以西稍高于城内地面，东段已低于城内现东北部高地。

盘龙城四角仅东北角破坏较甚，其余三个城角，地面形制清楚可见。西北角外缘近方角形，东南角、西南角外缘略呈圆角形。盘龙城四角内部除西南角破坏外，其他三角内部都有大小不一的夯土台基，可能与城垣防御有关。

盘龙城的营筑和使用年代，上限相当于二里岗上层一期偏晚，下限在二里岗上层二期晚段，之后，城址即废弃。

（2）城门

现存城垣的南、北、西三面，残垣中段各有一个豁口，均是原城门遗迹，每个城门两侧基部皆置有方石，今西城门外侧石块尚存。东垣基底中部有凹痕残迹，当为东门所在。经勘探，四门的形制较为清楚。

南城门：西距西南角约156米，现存门道宽5—6米，进深约27米。门道西侧城垣向外凸出，形成夯土平台。

西城门：北距西北角约153米，现存门道宽5—6米，进深约28米。西门北侧城垣明显外凸，形成弧形夯土平台。

北城门：东距东北角约153米，现存门道宽7—8米，进深约30米。北门东侧城垣明显外凸，形成弧形夯土平台。

东城门：南距东南角约118米，现存门道宽约6米，进深约28米。

四座城门除东城门不明显，其他城门一侧都有城垣凸出现象，可能与城墙防御相关。

（3）道路

在近城垣东南角处，从城脚坡直通城壕的线路上，有一条石铺路，石路宽约1米，由大小不等的石块平铺而成，这条石路应是东城门进出的要道。

（4）城壕

城壕平行于城垣四周，周长约1180米。城壕内侧距城垣约3米，壕沟口宽约5米，深2.7—3米。城壕内文化堆积厚达3—4米，年代为盘龙城四至七期。城壕为盘龙城四期开挖，壕底打破生土层，开挖年代同于城壕的建筑期，说明开挖城壕和修筑城垣是同期进行的，其年代为盘龙城四期晚段，城壕使用至盘龙城六期晚段至七期时已经淤塞。

（5）宫城内大型宫殿建筑基址

城内东北部的高地是人工堆筑的大型土筑台基，宫殿建造在此台基上。大型台基北距城垣内坡基脚 10 米，台基南缘尚未探明，东缘紧接东城垣内坡。台基南北长约 100 米，东西宽约 60 米，台高约 1 米。已发掘上层二座宫殿基址（F1、F2）。上层宫殿基址之下叠压着下层建筑基址，再下叠压有早期的文化堆积。

F1，一号宫殿基址，北距北城垣内基脚 36.6 米，东距东城垣内坡基脚 36.5 米。F1 所在高程为 42.61 米。方位坐北朝南，方向 20°，与城垣走向一致。平面呈长方形，是建筑在夯土台基上的一座四周有回廊、中为并列四室的大型宫殿建筑。用红土铺筑的台面东西长 39.8 米，南北宽 12.3 米。整个建筑面阔 38.2 米，进深 11 米。台基高出当时地面 0.2 米。四室位于台基的中部，东西向排列于一条直线上。四室以木骨泥墙相隔，其面积以墙中心计，面阔 33.9 米，进深 6—6.4 米。

F2，二号宫殿基址，位于 F1 南面，北距 F1 约 13 米，东距东城垣内基脚 47 米。高程为 42.46 米，方位坐北朝南，方向 20°，与 F1 方向同。宫殿建筑在一个长 29.95 米，宽 12.7 米的夯土台基上。台基用红土铺筑台面，是一座四周有 28 个大檐柱穴，中部呈空间式的殿堂建筑。面阔 27.25 米，进深 10.8 米。其结构有大檐柱础穴、础石、柱洞、擎檐柱穴、门道、散水和排水管等。

盘龙城上层宫殿基址均始建于盘龙城四期偏晚（二里岗上层一期偏晚），兴盛于盘龙城五、六期，到盘龙城七期（二里岗上层二期晚段）已沦为废墟。

（6）宫城内早期文化遗迹

城垣基部之下存在盘龙城二期文化遗迹，已发现的有台基遗迹和灰坑。在一号宫殿基址（F1）下，叠压着相当于盘龙城三期的黄土台基建筑遗迹。

2. 宫城外遗迹

宫城外四周分布的商代遗址和墓地主要有：城外西面的楼子湾、小嘴，北面的杨家湾、杨家嘴，东面的李家嘴，南面的王家嘴等。

（1）王家嘴（二、三期制陶作坊区，四、五期平民居住区，六期墓地，七期荒废）

王家嘴遗址位于盘龙城遗址的西南部，北隔南城壕与城址相连，南临府河河床。整个半岛形遗址南北长250米，东西宽140米，面积35000平方米，海拔36.2—39.7米。

王家嘴遗址文化堆积与出土遗物都很丰富。文化堆积主要包括盘龙城一期至五期遗存。遗址分南、北两区，盘龙城一期仅见于南区部分探方，二期、三期为王家嘴遗址最兴盛期，有两座长窑（PYZY1、Y2），一座圆窑（PYZY2）及大量遗物，分布范围遍及整个发掘区，此时这里应是规模较大的手工业作坊。盘龙城四、五期时王家嘴成为城外的平民居住区，发现有小型建筑（F3、F7）、灰坑（H1、H2、H4）、水井（H3）和祭祀灰坑（H6、H7）等。进入盘龙城六期，王家嘴遗址上仅发现一座铜器墓（PWZM1），此外未发现其他遗迹，说明在六期时，王家嘴部分地区已变为墓地。至盘龙城七期时，王家嘴地区几近荒废，未见到遗迹、遗物。

（2）李家嘴（二期居住区，四、五期贵族墓地）

李家嘴遗址位于盘龙城遗址的东南部一个半岛状台地上，南临府河，北与杨家嘴遗址、西与王家嘴遗址隔湖汊相望，四面原为盘龙湖所环绕。今有一湖堤与城垣东北角相连。遗址西南坡较陡，东北坡略缓，东西长460米，南北宽150米，海拔41—44.6米。

李家嘴遗址出土有盘龙城二、四、五、六、七期遗物，遗迹有灰坑和墓葬。灰坑的用途，推测多与窖藏相关。PLZH1可能是水井。李家嘴墓地发掘的4座墓葬属于与城址同时的盘龙城四、五期。PLZM2墓室规模较大，有棺、椁，有殉人、殉狗，随葬器物70多件，仅随葬青铜器就有50件，大型铜锥足鼎和爵、簋、盉、甗、盘、钺等皆为盘龙城青铜器中的精品。PLZM1出土青铜器22件、陶器7件、玉器6件，5套酒器组合（觚3、爵4、斝5）是盘龙城已发掘墓葬中最高级别的组合。

PLZM3 虽已遭毁，但其腰坑中放置的一件大玉戈（长达 94 厘米）却是同时代玉戈之最。上述情况表明，李家嘴在建城之前就有人类活动，建城以后成为贵族墓地。几座大墓的墓主，应是盘龙城最高统治集团成员。

（3）杨家湾（居住、铸造、墓葬混合区）

杨家湾位于盘龙城遗址的北部，是横卧于盘龙城北面的一个小岗丘，东连杨家嘴，西接楼子湾，岗地东西长 500 米，南北宽 350 米，海拔 45.9—49.1 米。地层堆积最厚处达 2 米，出土物比较丰富，均为商代文化遗存，可分五期，即盘龙城第三至第七期。

杨家湾遗址发现的文化遗迹主要有灰烬沟、灰坑、房基、墓葬和祭祀坑等。房子基本为长方形，面积不大，多为平地起建，应为梁架结构。第四期的 F1，柱洞分布在房子居住面的边缘，多圆形和椭圆形，有的柱洞内置柱础石。居住面用较纯的黄色黏土夯筑而成。居住面上还保存有长方形和椭圆形的灶坑各一个。第七期的两座房址（F2、F3），柱洞大都置有柱础石，黄色夯土台基平整结实，室内表面铺有一层白灰面，门朝东。灰坑发现 3 个，当是人们为储存物品而修建的窖穴，里面出土的遗物均为陶片、残石、玉器及动物遗骸。祭祀坑发现一个（H6），平面为不规整的长方形，剖面为口小底大的袋状，坑口至坑底较浅，未经修整。坑内分上下两层，放置一批铜、玉、陶和石器。这些器物中既有成组礼器，又有实用器，有的青铜器周围还铺有朱砂。坑内填有黑灰土。此坑的性质当与祭祀有关。第六期的灰烬沟遗迹，其东西两端分别被第七期的 F3 和 F2 的叠压、打破。灰烬沟平面为不规则长条形，沟内堆积主要为黑灰土夹大量的木炭屑，沟底保存三处成组的陶缸群，尽管沟面局部被第七期遗迹破坏，但结构基本完整，从沟内外出土的一些熔渣及零星铜片推断，该遗迹可能与铸造作坊有关。墓葬分布在发掘区之外，共 11 座，主要分布在杨家湾遗址岗坡的西南和北坡。分布不甚密集，排列不很规则，皆为小型长方形土坑竖穴墓。墓室面积不大，均为成人墓，墓主仰身直肢，头向北。4 座墓有腰坑，坑内殉狗。11 座墓皆有随葬品，多寡不一，有3座墓无青铜器，有的仅随葬陶器，多数墓随葬有一套铜礼器（觚、爵、斝），其中M11随葬铜、陶、玉和石等质地的器物多达57件。该墓还出土了象征权力的铜钺，反映了墓主人显赫的地位。

（4）杨家嘴（二期墓葬区，四期居住、墓葬区，五期居住、铸造、墓葬区，六期居住、墓葬区）

杨家嘴位于盘龙城遗址的东北面，东南与城址隔湖相望，西与杨家湾岗地相连，其余三面为盘龙湖所环抱，是一片伸向盘龙湖的半岛状岗地，其东西长400米、南北宽300米。发掘区位于杨家嘴西南侧坡地，海拔35.6—44.7米。遗迹分布遍及湖边。

杨家嘴遗址文化堆积包括了盘龙城三期至六期，未发现盘龙城第一、二期和七期文化层。第二期发现两座墓葬，第四期发现房基（F1）和墓葬，第五期发现灰坑（H1）、灰烬沟遗迹、墓葬，第六期发现房基（F2）、灰坑（H2）、柱础遗迹和墓葬。第五、六期为杨家嘴遗址鼎盛期。发掘的10座墓葬分布比较密集，一般间距数米或10余米，皆为小型土坑竖穴墓。墓葬面积一般在3平方米以下，墓室结构个别有熟土二层台和腰坑，有棺无椁，墓主头向多向北，葬式有仰身、俯身等，随葬器物多为陶器，少数墓葬随葬有铜斝和玉柄形器，推测为平民墓地。灰烬沟遗迹坐落在遗址南区的一片北高南低的坡地上，南北高差1.5米，倚山濒湖，形制呈长条沟槽状，沟内发现有两个不规则的椭圆形坑，坑内出土有较完整的坩埚及陶缸，坩埚放置有序，其底部均用大小不等的石头支垫，显然是起稳定作用。坑内还出土有铜刀、铜残片、熔渣、孔雀石等，沟外东侧灰层堆积场也发现一些残铜片、铜渣等。此二坑应与铸造青铜器有关。

（5）楼子湾（五期铸造区、墓地）

楼子湾遗址位于盘龙城城址西约250米的一处岗丘，东与西城垣仅有湖汊相隔，西与江家湾毗邻，东北与杨家湾相接，北隔盘龙湖汊与小王家嘴岗地相望，南临小嘴。地势从北向南倾斜，遗址位于岗地南坡，东西长300米，南北宽200米，海拔44.3—47.1米，面积约72000平方米。

楼子湾遗址文化层平均厚度约1米，主要有盘龙城四、五、六、七期的文化遗存，以第五期最丰富。发现一处坑形遗迹（由G1、G2、G3组成），面积仅10平方米左右，G1发现石头18块，G2发现石头15块，推断是一处建筑遗迹，属工棚性质。G2坑口出有铜渣数块，陶缸片中其中一块附有铜渣痕，说明此工棚遗迹可能是与铸造有关的作坊。楼子湾发现墓葬10座，墓葬间距仅数米，分布比较密集，是一处中小型墓地。

（6）宫城外围的作坊遗迹

在西城垣与楼子湾之间，北城垣与杨家湾之间的一片湖汊，也分布着许多作坊遗迹。在西城垣之西的一片湖沼地，今鱼池所在，暴露出一片黑灰烬土，内置三五成群的陶缸，推断为作坊所在。杜家塘位于北城垣和今盘龙城工作站之间，暴露黑木炭烬土，并夹杂有红烧土，出土三五成群陶缸，推断为作坊所在。在杨家湾岗地东部的一个水塘周边，断面暴露了一层厚达0.3米的陶片层，疑为制陶作坊，时代属盘龙城七期。

（三）盘龙城聚落的变迁

从历时性观察，盘龙城遗址作为一处大型遗址，大致经历了三个时期的演变。

第一阶段是盘龙城大型基址出现之前的时期，包括盘龙城一、二期，是盘龙城聚落的形成时期。盘龙城一期，聚落在王家嘴及南城垣一带开始形成。盘龙城二期，聚落范围扩大，李家嘴、杨家嘴、王家嘴都出现了等级稍高的遗迹。

第二阶段是盘龙城宫殿基址使用时期，包括盘龙城三期至五期，是盘龙城聚落繁荣时期。宫殿基址、宫城的兴建及使用、李家嘴贵族墓地表明盘龙城是这一阶段聚落的核心。王家嘴、李家嘴、小嘴、杨家湾岗地，都是这一阶段的生活区，王家嘴、小嘴等地点还有手工业作坊的存在。

第三阶段是宫殿基址转移到杨家湾的时期，包括盘龙城六、七期，是盘龙城的衰落时期。这一阶段宫殿区被废弃，新的大型建筑、高等级墓地转移到杨家湾，杨家湾成为聚落的核心，文化堆积最为丰富，聚落活动最为频繁，杨家湾岗地附近的杨家嘴、楼子湾此时较为兴盛，但在盘龙城七期时这里已显现衰落迹象。[①]

（四）盘龙城的性质

盘龙城一期的年代，相当于二里头文化二期或三期偏早；盘龙城二期的年代相当于二里头文化三期；盘龙城三期的年代，相当于二里头文化四期偏晚或二里岗下层一期偏早；盘龙城四、五期的年代相当于二里岗上层一期偏晚阶段；盘龙城六期的年代相当于二里岗上层二期偏早；盘龙城七期的年代，相当于二里岗上层二期偏晚段。

盘龙城的文化性质，从总体来看，是以南下的中原商文化为主体，融合本地域石家河文化，吸收了江南印纹陶和湖熟文化因素而形成的商文化边缘地区的新类型，即商文化盘龙城类型。一般认为盘龙城为商人南下的军事据点，且控制着鄂东南铜矿的采冶，后期发展为城市。

二、安居城址与鄂国都邑

（一）安居城址的位置与环境

安居城址，位于随县安居镇王家楼村八组，坐标东经113° 12′ 4.81″，北纬31° 45′ 9.14″。坐落在一片较平缓的冲积平原上，南临涢水，西接溠水。城址周围的安居遗址大体分布于安居镇及其北面的安居中学之间，中心范围在安居镇与北邻的杨家湾一带。遗址大约南起涢水北岸的河漫滩，北止安居中学所在的岗地，西不逾溠水，东或终于詹家湾、钱家湾一线。它东西宽约800米，南北长约1000米。这里

---

① 武汉大学历史学院等：《2012—2017年盘龙城考古：思路与收获》，《江汉考古》2018年第5期。

平均高程约 76 米，高出河面约 5 米。遗址北面的山岗下，另有一东西向洼槽经遗址东北端南向通到溳水。城外周边分布有羊子山墓群、砖瓦厂墓地及桃花坡墓群。

（二）安居城址的形态与功能分区

1. 台地

安居遗址中心偏北部有一处正南北向的台地，大体呈规则长方形，东西宽约 130 米，南北长约 150 米，高程约 78 米，现高出周围遗址地面 1—2 米。在台地中部偏南，有当地居民挖掘的直径约 0.8 米、深约 2 米许的现代袋状地窖一口，窖底至地表 1.8 米以下的位置，是一层夹杂着大量木炭的文化堆积，其中包含少量的板瓦残片。又向上至距地表 1—2 米处可见一层密集的板瓦堆积层，平均厚度约 10 厘米。再向上至地表下 40 厘米处，则是不规则的板瓦、筒瓦堆积层，内含少量器物残片。此台地的西南，原来也有一处情况大体相仿的台地，后为平地改田所毁。

遗址南部，有一条人工沟渠，始于溠水，由西南向东北延伸，终于台地前部东南侧。终端处系一水塘，当地人称“朝天堰”。此水沟在 20 世纪 60 年代 1 ∶ 50000 的地形图上，尚连贯成线，经多年铺路建房，已渐拥塞割裂。现存的零星部分宽 7—40 米不等，深 3—5 米。

2. 大城及小城

1997 年下半年，湖北省文物考古研究所委托中国社会科学院考古研究所科技中心对安居遗址进行遥感分析，1998 年 1 月又对遥感结果进行勘探核实。结果表明，该遗址的确存在小型城址，而且在小城之外还可能有较大城垣。遗址北部安居砖瓦厂东至安居中学一线、西部安居砖瓦厂南至镇西一线可能分布有古城垣，其范围南北约 1300 米，不过在对这些地带的勘查中，不能确认其为城址。在以上范围中部偏南，今安居至新街公路东侧，发现有保存较好的小型城址，城址呈规则的长方形，南北长约 190 米，东西宽约 170 米。城墙夯土底部宽约 10 米，保存较好处墙体高出地面近 1 米。在东、北墙体外 5—10 米处有护城壕，壕沟上部宽约1米。小城内分布有厚约0.8米的春秋时期文化层，城东南有一处夯土台基。小城的使用年代可判定在春秋前后。

目前尚不清楚东西宽约130米、南北长约150米的长方形台地与南北长约190米、东西宽约170米的小城及其内部夯土台基的关系。

（三）安居城址的性质

考古调查认为安居遗址的上限不迟于两周之际，是一处贯穿整个东周及两汉的遗址，下限很可能在汉代末年或稍晚。安居小城的使用年代可判定在春秋时期前后。从距离安居城址不远的羊子山墓地发现的鄂侯墓地判断，安居城址或安居遗址在西周早期为鄂国都城。

羊子山墓群位于随县安居镇王家沙塆村四组，地处涢水东北岸一处东西走向的岗丘上。新中国成立初期的农田改造中就曾有青铜器出土，1976年出土有4件青铜器，其中爵鋬有铭文“鱼父乙”“噩侯弟厤季乍（作）旅彝”，时代属西周早期。1980年在羊子山发现一座竖穴土坑残墓，出土青铜器有鼎1、簋1、爵1、尊1、觯1、卣2、戈4、兽面4、铜泡3件，时代属西周早期，有铭文“戈父辛”“子父癸”。2007年11月抢救清理了一座竖穴土坑墓（M4），出土青铜器27件，器类有方鼎、圆鼎、簋、甗、罍、盉、盘、提梁卣、尊、斝、觯、爵、方彝等，时代属西周早期。有铭文“噩侯乍厥宝尊彝”“噩中乍宝尊彝”，表明墓主为鄂侯，故羊子山墓地应是西周早期鄂国墓地。

与羊子山墓地不远的安居城址，一般认为即西周早期鄂国都城。

三、邓城与邓国都邑

（一）邓城的位置与环境

邓城，位于襄阳市樊城区西北，地理坐标东经112° 05′ 50.2″，北纬32° 05′ 19.4″。地处南阳盆地南部，汉江北岸冲积平原，地势平坦。邓城以东4.5千米为汉江支流小清河，小清河支流大李沟流过邓城西南侧500米。邓城以南5千米处为汉江，北部约5.2千米处为丘陵岗地，平均海拔70米。城址外围分布有20余处同时期的文化遗存，是周代至

南北朝时期文化遗存分布的集中区域。（图 2–2）

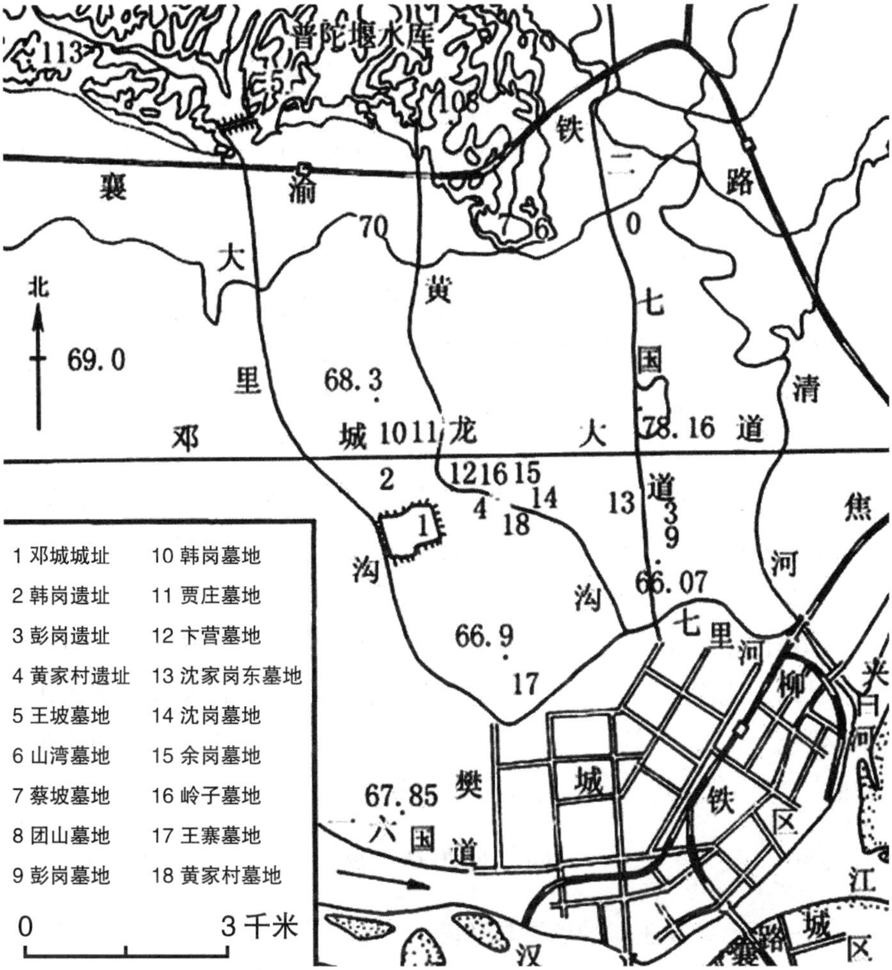

图 2–2　邓城周围遗址、墓地分布图[①]

（二）邓城的形态与功能分区

邓城平面形态为较为规整的东西向长方形。防御设施齐备，瓮城、

① 采自王先福：《襄樊邓城区域楚墓地考析》，《江汉考古》2006 年第 4 期。

角楼、护城河齐全。通过四面城垣中部的城门可推知城内布局亦规整，分为四个部分。城外北部和东部较高处分布同时期墓葬。

1. 城垣

大体为方形，北偏西 11.3°。其中东、西、南、北分别长 766 米、713 米、896 米和 858 米。城垣底宽 10—15 米，残高 2—5 米，面积 0.64 平方千米。据墙体夯土内发现的遗物残片分析，现有墙体在汉魏时期曾进行过整修。

2. 城门与角楼

邓城四面城墙中部开门，城门外侧尚存向外凸出数米的土坡，似属瓮城的设施。邓城四角突出，似为角楼遗址。

3. 护城河

城外四周有护城河环绕，河宽 18—35 米。东、西河段分别利用黄龙沟和普陀沟而修。除南、北城河部分河段保存较好外，其余均濠淤成田。由于邓城未进行发掘，尚不清楚内部布局以及城垣修筑具体时间。

（三）邓城的性质

邓城的始建年代不详，从城墙暴露的遗物看，从春秋一直沿用到南北朝时期，地面暴露有较多的东周至汉代的器物残片以及少量南北朝时期的残瓷片。关于邓城城址的性质，一般认为即西周至春秋早期的邓国都城，春秋至战国、秦汉直到刘宋时的邓县。①

四、襄阳楚王城

（一）襄阳楚王城的位置与环境

襄阳楚王城位于襄阳市襄州区黄龙镇高明村油坊湾自然村东约 200 米处，地理坐标为东经 112° 31′ 18.0″，北纬 31° 55′ 54.0″。地处汉水

① 参石泉：《古邓国、邓县考》，《江汉论坛》1980 年第 3 期；周永珍：《两周时期的应国、邓国铜器及地理位置》，《考古》1982 年第 1 期；徐少华：《邓国铜器及其历史地理与文化》，《华夏考古》1996 年第 1 期；王先福：《周代邓国地望考》，徐少华主编：《荆楚历史地理与长江中游开发——2008 年中国历史地理国际学术研讨会论文集》，湖北人民出版社，2009 年。

支流淳河上游（即许家河）西岸的台地上，东西两侧不远为岗地，南部为大洪山，北部为滚河冲积平原，东北部为滚河支流熊河。襄阳楚王城正好处在淳河流域与熊河流域分水岭西侧的淳河西岸。（图 2–3）

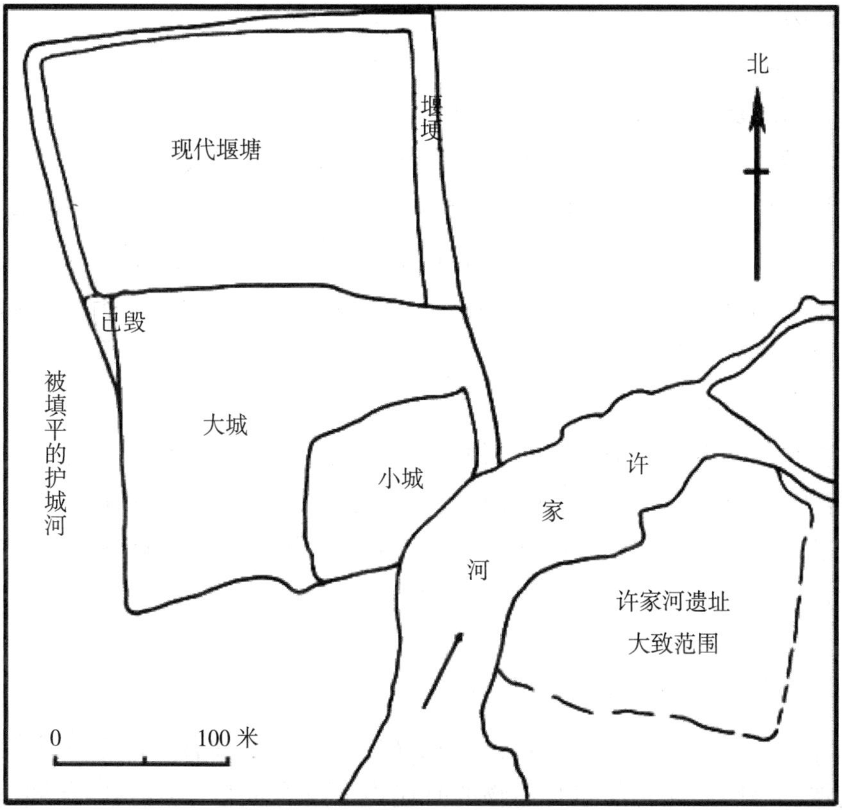

图 2–3　襄阳楚王城城址现状平面图[①]

（二）襄阳楚王城的形态与功能分区

城平面呈不规则东西向长方形，东南部有菱形小城，面积很小。东南以许家河为护城河，西、北侧又挖有人工护城河，构成完整的防御体

① 采自王先福、范文强、王洪兴：《湖北襄阳楚王城西周城址调查简报》，《江汉考古》2012 年第 1 期。

系。东南隔河有许家河同期遗址，应为楚王城附属码头或防御城垒。

1. 城垣

襄阳楚王城建在一处新石器时代遗址上。新石器遗址分布范围较城址大，为屈家岭和石家河文化遗存。城址位于新石器时代遗址的西北部，方向基本呈正南北向。城址分为大、小两城。大城平面略呈梯形，现存部分东边复原长约 135 米，西边长约 175 米，南北边长均约 218 米，城址现有面积约 3.4 万平方米。大城城西现地表高出外地面 2.8 米。小城位于大城东南部，现地面较大城地面高出约 2 米，平面略呈菱形，东垣复原长约 90 米，西垣长约 85 米，南、北垣均长约 100 米，东垣高出现河面 6.6 米。城垣上部基本被挖平，但从外围东、南、西侧断面看，有明显的夯筑层，其中东南段城垣断面清晰，现存部分高约 5 米。城垣是直接建造在生土层上的。

2. 护城河

城东、南以许家河为护城河；西侧为地势较低的洼地，当地人称为“壕子”，这里在 20 世纪 50 年代为一条河港，后因造田被填平，应为该城的西护城河，宽约 130 米；北侧因挖掘现代堰塘，护城河情况不明，但从地势看，其与西护城河被填平地面持平。

3. 城内文化层堆积

城内文化层堆积较厚，一般在 3 米以上，多处发现夯筑层，有的地方发现柱础。从小城东南部被河水冲刷暴露的断面看，其内地层可分七层。该断面文化层包含器物的时代均为西周时期，不见新石器时代遗物。

4. 城外遗址

襄阳楚王城东隔许家河与同时期的许家河遗址相望。许家河遗址分布范围略呈直角三角形，东直边长约 150 米，南直边长约 170 米，面积约 1.3 万平方米，遗址文化层厚约 1.5 米。

（三）襄阳楚王城的性质

楚王城的时代推断为西周中晚期，其性质初步推测为西周时的诸侯城邑，或许就是楚熊渠所封之鄂王城。联系楚王城面积较小，防御设施较为完整，我们推测襄阳楚王城为西周中晚期的军事堡垒，这里是襄宜平原势力对抗随枣走廊势力的南部桥头堡。周夷王时熊渠兴兵伐鄂，封子红为鄂王，周厉王时熊渠去其王。禹鼎铭文载鄂侯被周王俘虏，一般认为在厉王时，此前鄂甚强大，故熊渠所伐之鄂不当为鄂都，或为鄂的边缘城邑。

第二节　东周时期的楚国都城与别都

进入东周时期，楚国的飞跃发展带来了楚国都城的大发展。春秋时代的楚都丹阳目前尚不能确认其具体位置，战国时期的郢都，目前较为明确其故址为当阳季家湖楚城与荆州纪南城。季家湖楚城规模较大，城内 1 号台基发现的铜甬钟与铜构件和周围楚王级别的墓葬显示其为楚国都城。纪南城则为战国中晚期的都城，规模宏大，功能分区明确。楚皇城一般认为是楚的陪都——鄢，其规模也较大。

一、关于楚都探索

在论述楚都的形制、格局、建筑等问题之前，需要先对楚都的问题略作说明。楚都探索是楚文化研究中长期悬而未决的重大疑难问题，也是楚国历史地理的核心问题。楚国历时八百余年，从“土不过同”发展成“地方五千里，带甲百万”的大国，拥有“半天下”的地位，对中国南方的统一和文化交融作出了重要贡献。随着楚国疆土的扩展，楚国都城及中心地域经历过多次重大的变迁。西周初年，周成王封熊绎为诸侯，立国于楚蛮之地，建立芈姓楚国，“居丹阳”（《史记·楚世家》）。至春秋早期楚武王时，楚都迁郢。公元前 278 年，秦将白起拔郢，楚顷襄王东迁于陈，是为陈郢。公元前 241 年再迁寿春，此为楚国最后的都城。至公元前 223 年，秦灭楚，虏楚王负刍，楚国的历史到此终结。

历史上由于秦的焚书，六国史籍遭到毁灭，楚国的历史文献也未能保存下来。由于文献匮乏，楚国不同时期的都城，只有东迁后的陈、寿春较为明确，而大部分时期的都邑，尤其是丹阳和春秋郢都所在，则聚讼千年，纷纭不决，至今尚无定址，也没有一个令人信服的结论，成为楚文化研究的重大难题。

解决楚都问题需要多学科结合的长期研究，在各种探索手段中，考古工作是最终解决楚都问题的关键。而楚都探索本身也是楚文化考古的关键节点，对推进楚文化考古的研究具有重要且不可替代的作用。20世纪70年代，文物考古部门对纪南城遗址进行了大规模的集中探索，取得了丰富的成果，奠定了楚都探索和楚文化考古的重要基础，此后的楚都探索，基本上是在此次考古工作成果基础上进行的。

随着考古发掘与研究的进展，现已建立起可靠的楚墓年代学标尺，早期楚文化的探索也取得了重大进展，现在学界对楚文化考古的认识已远非20世纪可比，简牍资料的大量出现及其整理与研究，也澄清了不少楚史上的迷雾，大大补充了传世文献中极为简略的楚史记载，同时也极大深化了我们对楚史与楚文化的认识。尤其是清华简《楚居》的出现[①]，给我们提供了许多前所未有的信息，为楚都探索提供了全新资料。同时，《楚居》的出现也让我们认识到楚都的问题远比我们以前所想象的要复杂，如楚王并不是固定居于某处，楚王所居并不一定就是都邑所在，《楚居》中并无丹阳之名，等等，这些问题在以前是完全无法想象的。

在这些学术成果的基础上，楚都探索这一千年难题也取得了重大进展，过去的一团迷雾渐次得到澄清，综合田野调查、发掘与研究及文献分析、出土文献整理与研究，楚都探索这一楚文化研究的重大难题虽尚未最终解决，但也面临前所未有的机遇，相信随着考古工作和相关研究工作的进展，这一千年难题将最终得到解决。

---

① 清华大学出土文献研究与保护中心编、李学勤主编：《清华大学藏战国竹简（一）》，中西书局，2010年。

（一）早期楚都丹阳探索

楚国早期都城丹阳，从商末鬻熊居丹阳到春秋早期楚武王徙郢，其作为楚之政治、经济与文化中心达三百余年，但丹阳地望至今未有明确的意见，较大地限制了楚国历史与文化研究的深入进展。

丹阳地望，自东汉班固以来，主要有以下几种说法：

1. 当涂说

《汉书·地理志》班固原注谓楚丹阳在今安徽当涂县。[①]此说当为班固之误笔，已被否定，可置而不论。

2. 秭归说

最早的依据是东晋时的《山海经》郭璞注[②]及袁山松《宜都记》，至北魏郦道元《水经注》形成比较完整的体系。此说后世影响颇大，唐代著作如《括地志》《元和郡县志》《晋书·地理志》《通典·州郡》，宋代著作如《太平寰宇记》《舆地纪胜》《路史·国名纪》，明代著作如《七国考》，清代著作如《读史方舆纪要》《水经注疏》等，均作是说。现代学者主"秭归说"者亦较多[③]，《中国历史地图集》先秦部分亦定丹阳于秭归[④]。

3. 枝江说

最早出自东汉颖容《春秋释例》："楚居丹阳，今枝江县故城是也。"其后，汉末三国时人宋衷注《世本·居篇》亦云："丹阳在南郡枝

---

① 《汉书·地理志》"丹阳"县原注："楚之先熊绎所封，十八世。文王徙郢。"汉丹阳县即今安徽当涂。

② 今本《山海经》内常被引作秭归说依据的郭璞注文来历可疑，自相矛盾，学者多疑之，未可信据。

③ 文必贵：《秭归鲢鱼山与楚都丹阳》，《江汉论坛》1982年第3期；刘彬徽：《试论楚丹阳和郢都的地望与年代》，《江汉考古》1980年第1期；杨宽：《西周时代的楚国》，《江汉论坛》1981年第5期。

④ 谭其骧主编：《中国历史地图集》第一册，中国地图出版社，1982年，图17—18"西周时期中心区域图"、图29—30"楚吴越"。

江县。”[①]东晋末刘宋初人徐广也说：“在南郡枝江县。”[②]枝江附近还有地名曰“丹阳聚”[③]，为枝江说提供了地名学上的直接支持。汉晋以后，枝江说影响较大。枝江附近有一整套与楚国相关的地名系统，因而近世持枝江说者颇众。随着当阳、枝江一带考古工作的进展，尤其是赵家湖楚墓和一批有铭铜器及当阳季家湖古城与磨盘山遗址的发现，枝江说得到了有力的支持和响应。[④]季家湖古城曾被确指为丹阳故址[⑤]，磨盘山遗址亦曾被认为是丹阳所在[⑥]。总的来说，枝江说有较早的文献依据，有与楚都相关的一套地名系统，有较多的考古学支持，在地理上邻近秭归和江陵，因此枝江说至今仍有较大的影响，近期牛世山等亦发表文章重申此说。[⑦]

4. 丹淅说

认为楚都丹阳在今河南省淅川县境丹江与淅水江流处的丹水之阳。丹淅说最早的依据是《史记》所载公元前312年的秦楚丹阳之战，表明战国时此地犹称丹阳，这是史籍中最早的有确指的丹阳地名，唐司马贞《史记索隐》云：“故楚都，在今均州。”[⑧]《通典・州郡七》南阳郡“内乡”县原注：“本楚之丹邑，有丹水、淅水。”这个楚国的丹邑亦可能与楚故都丹阳有关，此亦丹阳在丹淅之旁证。至清代，经宋翔凤力倡

① 《左传・桓公二年》“楚始也”孔颖达《正义》。

② 《史记・楚世家》“居丹阳”句下裴骃《集解》。

③ 《后汉书・郡国四》南郡“枝江”县司马彪原注。

④ 参黄盛璋、纽仲勋：《楚的起源和疆域发展》，《地理知识》1979年第1期；俞伟超：《关于楚文化发展的新探索》，《江汉考古》1980年第1期；高应勤、程耀庭：《谈丹阳》，宗德生：《楚熊绎所居丹阳在枝江说》，均载《江汉考古》1980年第2期。

⑤ 黄盛璋、纽仲勋：《楚的起源和疆域发展》，《地理知识》1979年第1期。

⑥ 高应勤：《再谈丹阳》，湖北省楚史研究会、武汉师范学院学报编辑部合编：《楚史研究专辑》，1982年。

⑦ 牛世山：《西周时期的楚与荆》，北京大学中国考古学研究中心等编：《古代文明》第5卷，文物出版社，2006年，第285—300页。

⑧ 《史记・韩世家》“败楚将屈丐，斩首八万于丹阳”句下司马贞《索隐》。

后[①]，后世信从者渐多。由于丹淅说有较早的文献依据，其地理位置又邻近关中，与楚国早期历史比较符合，并有相应的考古学支持，因此它在丹阳诸说中声势渐盛。

丹淅说除其本身外，还相继派生了商县说和南漳说两个支系。

商县说是在丹淅说基础上的进一步扩展，石泉先生根据对大量文献资料的梳理，认为商末周初时楚人与周联系紧密，彼此应较为邻近，且古文献记载中，丹水上游地区有一系列的楚山、楚水存在，因而提出西周早期时熊绎所居丹阳应当在今丹江上游的商县盆地，至熊渠时，迁至丹江下游、今淅川县境的丹淅地区。[②]近年东龙山等遗址的发掘及丹江上游地区考古工作的进展，为商县说提供了考古学方面的支持。

南漳说认为鬻熊时所居丹阳在丹淅，熊丽时开始向南漳东北部的荆山地区发展，熊绎受封时迁居今南漳西北八十里的古荆山东麓一带。[③]该说最早的文献依据为《墨子·非攻上》："昔者楚熊丽始讨此雎山之间。"另古本《竹书纪年》云："周昭王十六年，伐楚荆，涉汉，遇大兕。"[④]南漳说认为其时楚已在汉南。南漳说亦由丹淅说发展而来，有利于解决丹淅说的一些矛盾，与楚郢都宜城说可相协调。近期则有学者提出季连族最初居住在中原，后南迁江汉，殷末周初时季连族分支鬻熊一族在沮漳河上游建立楚国[⑤]，可以视为南漳说的最新发展。

综上所述，关于楚都丹阳的地望，东汉至唐代文献中先后有当涂、枝江、秭归和丹淅四种不同的说法。汉晋学者中，主枝江说者为多；

---

① 宋翔凤：《楚鬻熊居丹阳·武王徙郢考》，《过庭录》卷九。

② 石泉：《楚都丹阳地望新探》及《楚都丹阳及古荆山在丹淅附近补证》，均载氏著：《古代荆楚地理新探》，武汉大学出版社，1988年，第174—210页。

③ 张正明：《楚都辨》，《江汉论坛》1982年第4期；张正明、喻宗汉：《熊绎所居丹阳考》，张正明主编：《楚学论丛·江汉论坛专刊》，1990年第8—21页；王光镐：《楚文化源流新证》，武汉大学出版社，1988年，第280—376页。

④ 方诗铭、王修龄：《古本竹书纪年辑证》，上海古籍出版社，2005年，第45页。

⑤ 参笪浩波：《清华简〈楚居〉与楚国都城探研》，武汉大学出版社，2022年。

《水经注》之后，秭归说后来居上，成为学界主流。《通典》为照应枝江说的传统优势，提出先秭归后枝江的看法以作调和，但其实质仍是秭归说。

目前，在丹阳诸说中，当涂说已被学界所放弃。秭归说随着田野考古，尤其是三峡考古的发展也被否定，秭归一带的楚文化遗存皆不早于西周晚期，且直到春秋中期才占据主导地位，20 世纪 80 年代中期以后，很少再有学者申论此说了，先秭归后枝江和先丹淅后秭归的说法亦随之淡出学术舞台。

经过大浪淘沙，楚都丹阳的探索从早先“四系八说”逐渐收缩为枝江、丹淅二说并立的局面。[①] 虽然枝江说所期望的季家湖、磨盘山等重要遗址的楚文化内涵相对偏晚，与鬻熊或熊绎所居丹阳的时代存在较大的差距，但诸遗址所在的沮漳河中下游地区仍然是探索楚文化的中心之一。丹淅地区方面，虽然丹江口水库一期工程将龙城等重要遗址和大量墓葬淹没于水下，使考古工作遇到较大困难，但南水北调中线工程带来了新的机遇，考古部门在丹江口库区进行了大规模的调查与发掘并取得了一系列成果，使该地区西周文化序列和面貌日渐明确，这为早期楚都的探索提供了最新考古资料，带来了新的曙光。在丹淅之外，蛮河流域和沮漳河中游地区也不应忽视，这两地与楚都丹阳和早期郢都的探索关系密切，相关的考古工作有一定的积累。

可以相信，随着研究范围的逐渐缩小、研究重点的日渐明确、田野考古的全面开展和研究工作的不断深入，关于楚都丹阳的探索，近期当有重要突破，这是我们大家所期待的。

（二）楚郢都探索

郢都是楚国后期的都城，从春秋早期楚都徙郢至公元前 278 年秦将

---

① 参阅何琳仪：《楚都丹阳地望新证》，《文史》2004 年第 2 辑；孙华：《楚国国都地望三题》，《华中师范大学学报》（人文社会科学版）2005 年第 4 期；王红星：《楚都探索的考古学观察》，《文物》2006 年第 8 期；牛世山：《西周时期的楚与荆》，北京大学中国考古学研究中心等编：《古代文明》第 5 卷，文物出版社，2006 年，第 285—300 页。

白起拔郢，楚以郢为都长达400余年，占楚国历史的一半左右。楚都迁郢的具体时间，有文王、武王二说。自清代以来，宋翔凤、童书业等力主武王说[①]，石泉先生通过一系列的比较研究，认为楚武王晚年迁郢更可凭信[②]。清华简《楚居》发表后，楚武王迁郢已成定论。

关于楚郢都的地望，学术界一直有较大争议，也是楚文化研究中长期悬而未决的疑难问题。归纳而言，大抵有4种看法。

1. 江陵纪南城说

传统看法认为楚郢都在今江陵纪南城[③]，仅在昭王时有过短暂的迁徙。考古学界早年亦认为："根据已经获得的考古资料，可以肯定纪南城就是楚之郢都。"[④]但纪南城的年代较晚，其始建和使用年代均为战国，周围也没有发现春秋时期的贵族墓地。因而纪南城可能是战国时代的楚都，即白起所拔之郢，但不可能是楚文王或武王始都之郢。

2. 先枝江后江陵说

此说最早见于杜佑《通典·州郡十三》荆州江陵郡"江陵""枝江"两县下原注，杜佑认为楚都原在秭归丹阳，楚文王时迁枝江郢都，但亦称丹阳，后再迁江陵郢都。杜佑此说，从某种意义上解决了纪南城年代偏晚的问题，同时提出了楚郢都本身也有迁移的过程，这对探讨楚都有重要启发。由于纪南城难以定为春秋郢都，亦有学者主张春秋时楚郢都在当阳季家湖古城，战国时迁至江陵纪南城。[⑤]此论正可与杜佑之说呼应。但此说主要为配合楚丹阳秭归说而提出，在早期文献中缺乏明确的

---

① 宋翔凤：《楚鬻熊居丹阳·武王徙郢考》，《过庭录》卷九；童书业：《春秋左传研究》，上海人民出版社，1980年，第231页。

② 石泉：《楚都何时迁郢》，氏著：《古代荆楚地理新探》，武汉大学出版社，1988年，第352—353页。

③ 《史记·货殖列传》："江陵，故郢都。"《汉书·地理志上》南郡江陵县原注云："故楚郢都。"

④ 湖北省博物馆：《楚都纪南城的勘查与发掘（下）》，《考古学报》1982年第4期。

⑤ 郭德维：《楚郢都辨疑》，《江汉考古》1997年第4期；高应勤：《春秋楚郢与季家湖古城》，《华中建筑》1992年第1期。

依据。

3. 宜城说

沈括《梦溪笔谈》云“或曰楚都在今宜城界中”，表明在沈括以前已有人提出郢都在宜城。至近世，童书业先生明确提出宜城说，指出楚郢都应在“淅川之南、宜城之北、荆山之东、汉水之西，今湖北省西北部”[①]。对于宜城说，石泉先生有全面、系统的研究，认为从春秋到战国郢都一直在江陵，但并非今江陵，而在今宜城。[②]

4. 先宜城后江陵说

由于纪南城年代偏晚，周围所发掘的楚墓葬年代也都不早，为解决其为郢都的矛盾，一些学者提出了先宜城后江陵说。张正明先生认为始都之郢在宜城，后迁江陵。[③]郭德维更进一步提出：春秋始都之郢在今宜城楚皇城，吴师所入之郢在今当阳季家湖古城，战国郢都在今纪南城。[④]迁移说在一定程度上调节了矛盾，但亦存在文献上的缺环，也有待深入研究和考古资料的证实，而且迁移说需要结合楚国历史发展进程来加以解释。

由于从文献分析中难以取得一致意见，于是一些学者试图通过确定早期楚文化中心区来推定西周时期的楚人聚居区，并进而确定楚国都城之所在，因为楚文化的中心地区就是楚都在考古学文化上的表现。此类研究后来有增多的趋势。程平山《鄂西地区西周春秋地区楚文化探研》，通过考古学分析提出西周时期的楚国应在彭水和江陵之间，但这个范围可能稍大了一些。[⑤]张昌平《试论真武山一类遗存》[⑥]和《早期楚文化

① 童书业：《春秋楚郢都辨疑》，《童书业历史地理论集》，中华书局，2004年，第220页。

② 参阅石泉：《古代荆楚地理新探》，武汉大学出版社，1988年。

③ 张正明：《楚都辨》，《江汉论坛》1984年第2期；又见张正明：《楚史》，湖北教育出版社，1995年。

④ 郭德维：《楚郢都辨疑》，《江汉考古》1997年第4期。

⑤ 程平山：《鄂西地区西周春秋地区楚文化探研》，氏著：《夏商周历史与考古》，人民出版社，2005年。

⑥ 张昌平：《试论真武山一类遗存》，《江汉考古》1997年第1期。

中心区域的考古学观察》[①] 以及王力之的《早期楚文化探索》[②] 则试图给出明确的区域。张昌平认为襄宜地区是春秋时期楚文化的中心地区，王力之则认为鄂西北地区（含豫西南和陕东南）就是早期楚文化的中心地区，这样就可以使早期楚文化中心区域与已有的楚都研究成果相对应，以达到文献与考古资料互证的目的。笪浩波《由楚文化遗存的分布特点看早期楚文化的中心区域》，则主要依据文物普查资料定出不同时期的楚文化中心区域，再进而确定楚都所在，主张西周早期楚文化中心区域在商洛地区，后迁丹淅之会，又迁南漳，西周中晚期迁至荆山以南的沮漳河流域。[③] 王红星《楚都探索的考古学观察》，主要是以考古遗存为准绳对楚都诸说作一种考古学上的思考。[④] 但完全从考古学的角度来探索楚都，亦存在一些不确定的因素。孙华认为，试图通过陶器来追寻某一社会上层的行踪，这还是一个有待验证的方法。[⑤]

二、楚皇城与楚鄢都

（一）楚皇城的位置与环境

楚皇城位于宜城市东南 7 千米处的郑集镇东侧，地理坐标为东经 112° 18′ 38.22″，北纬 31° 39′ 36.15″[⑥]。城址处于距汉水西岸 5 千米的岗地边缘上，西距蛮河 7 千米，百里长渠一直通达城西，长渠九支

---

① 张昌平：《早期楚文化中心区域的考古学观察》，楚文化研究会编：《楚文化研究论集》第六集，湖北教育出版社，2005 年。

② 王力之：《早期楚文化探索》，《江汉考古》2003 年第 3 期。

③ 笪浩波：《由楚文化遗存的分布特点看早期楚文化的中心区域》，楚文化研究会编：《楚文化研究论集》第七集，岳麓书社，2007 年。

④ 王红星：《楚都探索的考古学观察》，《文物》2006 年第 8 期。

⑤ 孙华：《楚国国都地望三题》，《华中师范大学学报》（人文社会科学版）2005 年第 4 期。

⑥ 王善才：《湖北宜城“楚皇城”遗址调查》，《考古》1965 第 8 期；王仁湘：《楚鄢故都访古》，《江汉论坛》1979 第 2 期；王仁湘、郭德维、程欣人：《湖北宜城楚皇城勘查简报》，《考古》1980 第 2 期；王仁湘等：《湖北宜城楚皇城战国秦汉墓》，《考古》1980 年第 2 期；孙朝辉、李福新：《基于 RS 和 GIS 的楚皇城考古调查》，《遥感信息》2001 年第 4 期。

渠，径由城西穿城而过。

（二）楚皇城的形态与功能分区

楚皇城目前仅做过初步的勘查，平面为梯形，东墙利用了岗地边缘，故墙体不甚整齐。但楚皇城南、北、西三面城垣较为规整。城内东北部当为宫殿区，西南部为制陶作坊区。战国末期大城废弃后利用大城东北部修筑“金城”。（图 2–4）

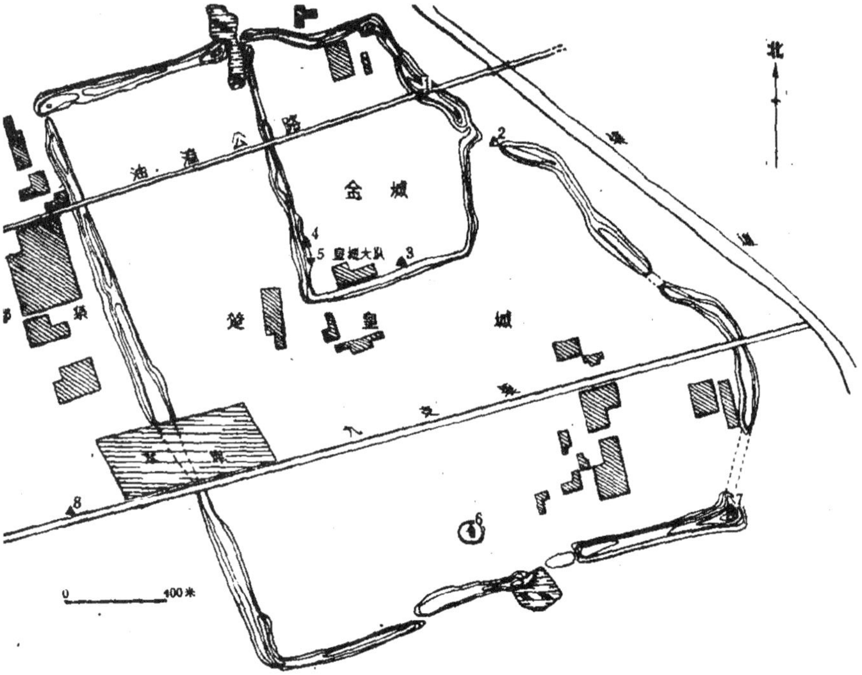

1 解剖城墙处　　2 长渠水溃东城墙的缺口　　3 散金坡

4 跑马堤　　5 桃林探方　　6 金鸡冢

7 烽火台　　8 雷家坡墓地

图 2–4　楚皇城平面图[①]

① 采自王仁湘、郭德维、程欣人：《湖北宜城楚皇城勘查简报》，《考古》1980 第 2 期。

1. 城垣

楚皇城有较完整的城垣，除东城墙较为弯曲外，整个城址平面略呈矩形，方向约为 20°。城垣周长 6440 米，东、南、西、北分别长 2000 米、1500 米、1840 米、1080 米。面积 2.2 平方千米。城墙底宽 24—30 米、高 2—4 米不等。

从东城墙北端所做解剖来看，城垣由夯筑的墙体、墙基和内、外坡组成。墙体下宽 8.65 米，上略窄，墙壁倾斜度不一。由于采用版筑，外壁光滑平整。夯土为灰褐、黄褐色黏土，铺垫均匀，夯筑结实，夯层厚 8—12 厘米，夯窝径 5—8 厘米，深 0.2 厘米。墙基上宽 11.3 米，下宽 13.05 米，断面呈梯形，内边与墙体齐，外边展出 2 米余。墙基深度因地势变化不等，一般为 1 米以上。墙基两边的壁面倾斜 45° 左右。墙体内外，均夯筑护坡，护坡为平夯。墙体外侧的护坡筑在墙基之上，内侧的护坡则一并倚着墙体与墙基。外侧的护坡较内侧的要窄得多，它原来的坡度比内侧也一定大得多。

城墙夯土内夹杂有少量新石器时代晚期以及春秋、战国时期的遗物，说明城墙修筑之前已经有人类聚落了。

2. “金城”

金城为楚皇城中部偏东北处高出的一块台地，东、南、西三面有城垣，北边利用楚皇城城垣。金城东墙长 800 米，南墙长 492.5 米，西墙长 803 米，北墙长 397.5 米，周长 2493 米，面积 0.38 平方千米。从一些断面观察，金城墙基较外城垣的还要宽大。城垣夯层厚薄不一，夯窝径在 10 厘米上下。在夯土层内，有绳纹瓦片，也有几何花纹砖。由此可见，金城的时代比大城晚得多。金城地表所见，两汉遗物极多。金城南部偏东，有一高坡，称“散金坡”或“晒金坡”。暴雨过后，这里经常可以拾到金屑。1977 年 5 月初考古工作者在宜城银行见到一块楚皇城出土的金子，重 7.45 克，名“郢爰”。

3. 城门

城垣每边旧有缺口两处，群众称之为大、小城门。楚皇城考古发掘队对小东门进行了钻探，发现了路土。此处为城门当无疑问。

东城垣南端，还有一个宽 60 余米的大缺口，传为白起引水灌城的出水口。

4. 护城河与古河道

从遥感合成影像上可看到楚皇城北、西、东近墙根处有连续的水光谱迹象，当是护城河遗迹。南墙外当也有护城河。城内中部有一条东西向古河道，从城西开始，绕过小皇城往南，又绕回到紫金城南墙中部，沿南墙和东墙从大东门流出城外。古河道的高程比周围略低，时代尚不清楚。

5. 其他

楚皇城西南部发现制陶作坊，采集到不少陶片和烧坏的陶器。

城内南部有一土冢，传为“金鸡冢”或“金银冢”，一说“昭王冢”。封土高 6.5 米，直径 40 余米。经钻探证实为一青砖墓，应是汉末大城荒废后的墓葬，有学者认为它可能是东汉末南阳太守秦颉之墓。

城内文化堆积一般厚 3 米以上，经试掘第 1 层为耕土层，第 2、3 层为秦汉文化层，第 4 层较薄，早于秦汉。

（三）楚皇城的性质

楚皇城大城城垣的夯土中没有发现秦汉以后的遗物，城内出土的遗物，有早到春秋和春秋以前的，大量见到的还是秦汉遗物。城址的年代，上溯至春秋战国，下续到秦汉以至更晚。城内的金城，有可能是大城颓废后修筑的，与大城并非同时代的遗存。

关于楚皇城的性质，争论较多。[①] 一般认为还是楚鄢都，秦鄢县，汉宜城县。

---

① 参石泉：《湖北宜城楚皇城遗址初考》，《江汉论坛》1963 年第 2 期；黄盛璋：《关于湖北宜城楚皇城遗址及其相关问题》，《江汉论坛》1963 第 9 期；王善才：《湖北宜城“楚皇城”遗址调查》，《考古》1965 第 8 期；石泉：《宜城县建制沿革考辨——兼论楚皇城遗址不是楚鄢都、汉宜城县》，《武汉大学学报（人文科学版）》1988 第 4 期；王子岚、袁悦蓉、王克陵：《明清时期汉江宜城段河道变迁与楚鄢都城址研究》，《中国历史地理论丛》2006 年第 1 辑。

三、季家湖楚城与战国早期郢都

（一）季家湖楚城的位置与环境

季家湖楚城位于当阳市草埠湖镇季湖村南，地理坐标为东经 111° 54′ 59.19″，北纬 30° 32′ 9.16″ [①]。地处沮漳河下游的冲积平原，四周地势低洼，东、西不远处则是连绵起伏的丘陵地带，分布众多的楚墓群：西北侧约 5 千米有枝江市境内的青山楚墓群，其中谢家冢疑为楚王墓；东北侧约 11 千米处有熊家冢楚王墓。（图 2–5）

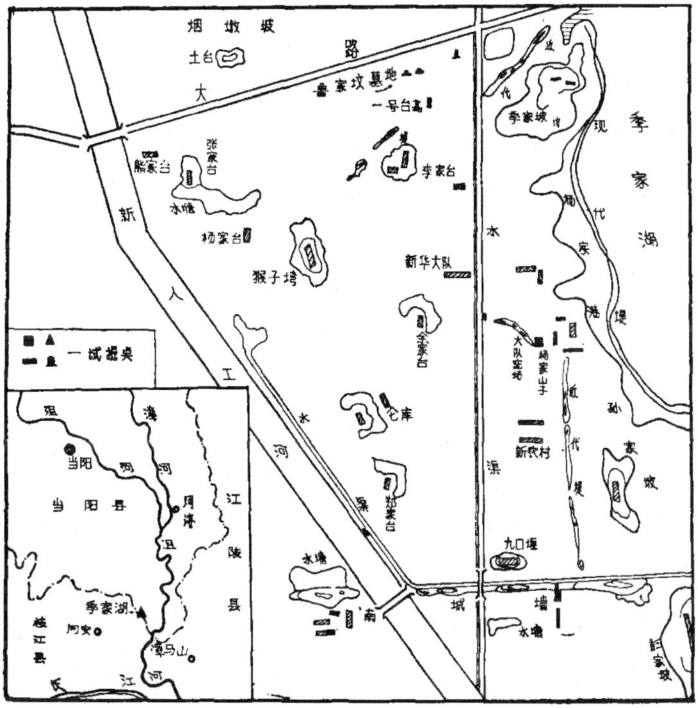

图 2–5　季家湖楚城及其位置图 [②]

① 杨权喜：《当阳季家湖考古试掘的主要收获》，《江汉考古》1980 年 2 期；杨权喜：《当阳季家湖楚城遗址》，《文物》1980 年第 10 期；谭宗菊：《湖北当阳县出土的战国青铜器》，《考古》1990 年第 2 期。

② 采自杨权喜：《当阳季家湖楚城遗址》，《文物》1980 年第 10 期。

（二）季家湖楚城的形态与功能分区

季家湖楚城只做过简单调查与试掘，其规模较大，南城墙和北城墙较为平直，东城墙临湖有曲折，西侧为人工渠道，暂时不清楚城墙形制。城内北部发现1号台基、铜构件和铜钟，应是宫殿区所在。城内中部偏南发现变形瓦片等，应是制陶作坊区所在。城北鲁家坟发现密集的中、小型战国中期楚墓，应是楚都转移后季家湖楚城有所衰落的表现。

1. 城墙

季家湖楚城的大致范围：北起鲁家坟，南至九口堰，东起季家湖西岸，西至新人工河东岸，南北长约1600米，西宽约1400米。南部九口堰发现了城墙和城壕。南城墙为土筑，叠压在新石器时代晚期文化层之上，两侧又被东周文化层所压。城墙为平地起筑，其底部宽13.4米，两侧呈斜坡状，中部残高1.4米。城墙的夯层相当明显，夯层厚约8厘米，比较规整，每层都大体在一个平面上，厚薄和土色也大致相同，但夯窝不太明显。城墙内包含物主要有新石器时代晚期碎陶片，其中有灰陶粗豆把，另外出土一件较晚的陶器座把，桶形，竹节状，直径4.8厘米，残高15厘米，未发现东周或东周以后的遗物。

2. 城壕

南城墙之南暴露一条壕沟，与南城墙相距34米，从生土挖出，被近代淤土层所压，宽9.8米，深0.98米。壕沟内有四层淤土，与南城墙同时代。钻探证明，壕沟与南城墙基本平行，大致距离为10—34米。

3. 城内遗迹

城内北部发现1号台基，1973年出土铜构件和铜钟，有铭文十二字“秦王卑命竸墉王之定救秦戎”。季家坡是一座规模不大的房屋台基，杨家山子暴露出一部分东周时期的房基遗迹。杨家山子西部形成一个大坑，深1.56米以上，出土大量的杂乱的瓦片、陶片和黄土块，显然是窑中所出的废品，应与制陶有关，推测这附近可能是制陶作坊区。

4. 墓地

北部鲁家坟有相当密集的中、小型土坑墓葬，试掘了两座小型墓，编号为鲁 M1、鲁 M2，时代为战国中期。鲁家坟的这些战国中期墓葬紧靠 1 号台基的北部，暗示着古城的北垣就在二者之间。

（三）季家湖楚城的性质

季家湖城址的南墙建筑于新石器时代晚期文化层之上，又被东周文化层所压。城墙夯土内包含物主要为新石器时代晚期陶片。城墙的兴建年代可能较早。但城壕及城内堆积，除有新石器时代晚期遗存外，仅见东周遗存，而未见商或西周时期的遗存，初步确定该城址的时代为东周。

一般认为季家湖楚城早于荆州纪南城，是战国早期的楚郢都。

四、纪南城与战国中晚期郢都

（一）纪南城的位置与环境

纪南城位于荆州市荆州区纪南镇南，今荆州城北 5 千米处，地理坐标为东经 112° 09′ 19.07″ —112° 12′ 17.17″，北纬 30° 24′ 16.52″ —30° 26′ 33.07″。[①] 城址周围土地肥沃，水陆交通便利。东接江汉平原，西临鄂西山地，南有长江沟通东西，北有荆襄大道与中原相通。

城址外围有一些起伏不大的低矮丘陵。城西约 5 千米处有南北走向的八岭山，沮漳河沿八岭山西麓注入长江，城北约 10 千米处有纪山，城东北约 1 千米处有雨台山，城东垣外为邓家湖、庙湖、长湖。城内地势从西北向东南方略微倾斜，有三段河流穿城垣出入城内。朱河自北向南流，在北垣中部入城；新桥河自北向东南，绕城垣西南角，在南城垣中部入城后又向北流。两河在城内中心地带的板桥汇合成龙桥河，折向东流，从东垣的龙会桥处出城，注入邓家湖。从西垣郭大口至城中部板桥一线有断断续续的冲沟。这三段河流和西部的冲沟把城内分为四个区域，今分属徐岗（西北部）、纪城（东北部）、新桥（西南部）、松柏（东南部）四个村。城址的海拔为 28—46 米，比荆州城高出约 10 米。

① 湖北省博物馆：《楚都纪南城的勘查与发掘》，《考古学报》1982 年第 3、4 期。

其中，朱河、新桥河、龙桥河、龙凤沟两侧低洼地带海拔为28—29米，西北部摩天岭一带海拔为35—38米，凤凰山呈东北—西南走向，海拔最高为46米，其他区域海拔一般为31—32米。

（二）纪南城的形态与功能分区

纪南城为先秦时期南方最大的城邑，平面形状为切角的东西向长方形，护城河宽阔。内部由新桥河古河道、朱河古河道、龙桥河古河道和龙凤沟分为四个相对独立的区域，东南部由龙凤沟、龙桥河古河道、新桥河古河道围合的区域是以宫城为核心的宫殿区，周围有制陶作坊。宫城内还有环形界沟，宫城外的古河道构成了内护城河。朱河古河道和龙桥河古河道围合的区域有一定数量的夯土台基，当为一处重要的建筑群。新桥河古河道和朱河古河道西侧以西垣北门为界分为南、北两部。西南部发现许多冶炼遗址，当为冶铸手工业区。西北部有两座夯土台基和两周的居住遗址、春秋墓葬，城垣存在的时代当是一处居住区。纪南城外有大量的战国墓葬和水井等居住遗迹。总体看来，纪南城作为楚都规模宏大，形成了以宫城为核心的防御体系。三座水门显示水运对纪南城有重要意义。（图2-6）

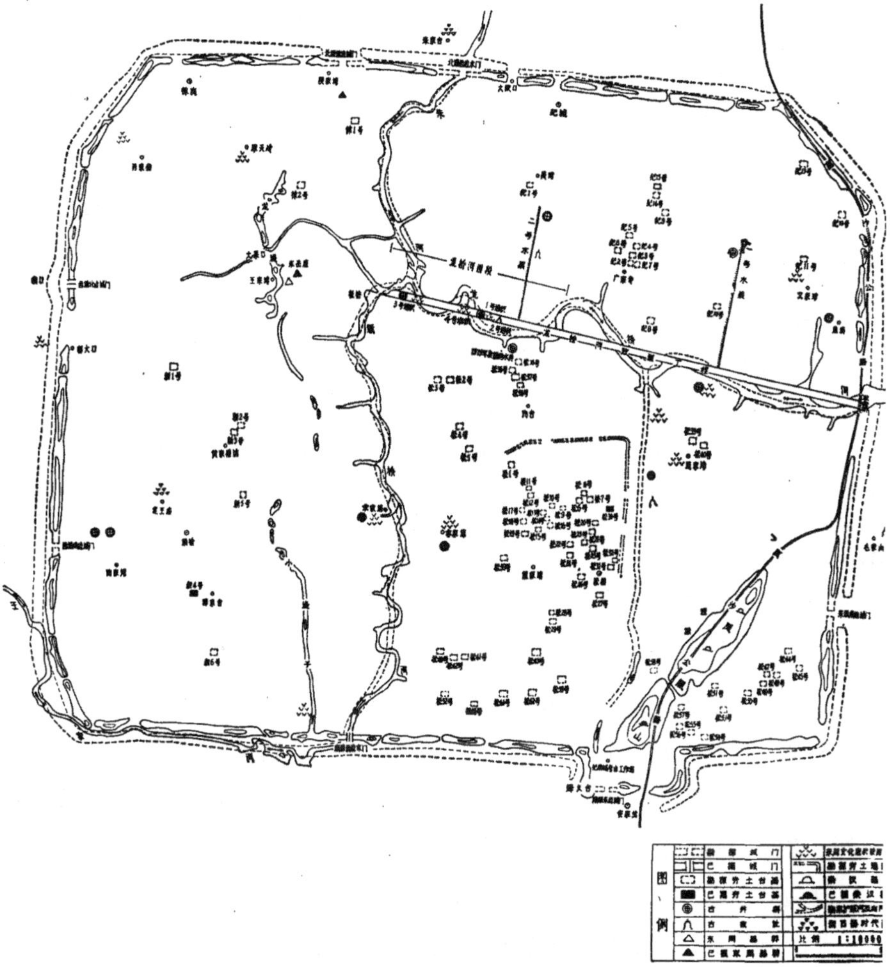

图 2-6　楚都纪南城文化遗迹分布图①

1. 城垣

城垣至今仍大部分保存在地面上，一般高出平地 3.9—8 米，底部宽 30—40 米、上部宽 10—20 米。整个城垣的平面呈长方形，只有南垣中部偏东处有一段向南凸出。西北、西南、东北城角均呈切角，切线

① 采自湖北省博物馆:《楚都纪南城的勘查与发掘（上）》,《考古学报》1982 年第 3 期。

分别长642米、512米、712米。南垣中部偏东向外曲折处呈长方形，其南段长520米，西段长190米，东段长210米。

纪南城城址方向呈10°。东西长约4450米，南北宽约3588米，城垣周长15506米（包括缺口、城门在内），面积约16平方千米。

城垣每边的长度是：东垣3706米，南垣4502米，西垣3751米，北垣3547米。城垣夯筑现象明显，夯层一般厚约10厘米。城垣的上层为黄色夯土，下层为灰褐色夯土，均包含少量东周时期的遗物。城垣的现存最高高度分别是：北垣7.6米、西垣4.1米、南垣3.9米、东垣5.6米。城垣上部现存宽度为10—14米不等，靠近城门缺口两侧的城垣明显内收，垣顶宽约10米。城垣除墙身以外，内外还有护坡，土质坚硬，土色为黄褐、褐灰或灰夹黄色。内坡比外坡土质杂，且坡度平缓，宽10米左右。外坡坡度较陡，宽6米左右。城垣的墙身和内外护坡之间有明显的分界线。墙身部分的墙基是先挖基槽，然后再在基槽内填土夯筑，夯层特别明显。内外护坡没有挖基槽，是在平地上垫土构筑而成的。

烽火台遗址位于纪南城南垣凸出部位的西南角，西距城垣30米，南距城垣40米，海拔高程45米。遗址呈高台基状，不规则方形，高出周围地面3—5米，当地人习称“烽火台”。台基与城垣为同时规划和修建，城垣的始筑年代不早于战国早期，使用年代为战国早期以后。

2. 城门

现存城垣上可以见到的缺口共有二十八处，多数是后来遭受人为破坏或被水冲毁的，仅有七处可以确定为城门遗址，其中有水上城门建筑两座。

（1）西垣北门。现存缺口约40米，两门垛三门道，并有城门附属建筑。门垛系黄色土夯筑而成，长10.1米，宽3.6米。三个门道的宽度不等，南北两门道各宽3.8米和4米，中间门道宽7.8米。靠近城门缺口两侧的城垣由原宽14米内收为10米。城门门道内的堆积，上层为水淤土，下层有一层黑灰土，土质杂，似为城门路土。西垣北门遗迹之下，叠压着相当数量的灰坑、水井和大量的陶片、瓦片，说明此城门建造之前，湖口一带是一处重要的居民点。这些被城门所压的遗物、遗迹的时代，相当于春秋晚期至战国早期。西垣北门的兴建年代大约是战国早中之际，城门的使用年代也应是战国时期。

（2）西垣南门。现存缺口宽 70 米。城门缺口两端的城垣内收为 10 米，缺口偏南发现有门道和门垛遗迹。门垛系黄色土夯筑，长 10 米，宽 4.5 米。门道宽 10 米，被后期扰乱严重。

（3）南垣西边水门。现存缺口宽 40 米，为新桥河自西而东又转北流入城内的缺口处。水门的主体建筑由四排四十根木柱直立而成，形成三道门，三个门道的尺寸分别是：东门道宽 3.5 米，长 11.3 米；中门道宽 3.5 米，长 11.7 米；西门道宽 3.7 米，长 11.5 米。地层堆积全为古河道淤泥。水门缺口两侧的城垣和其他城门的情况一样，也有内收变窄的现象。在水门缺口东部城垣上，有一座夯土台基，当为水门的附属建筑。

（4）南垣东门。现存缺口宽 20 米，发现一门道，宽 10 米。门道里有路土遗迹，路土褐色，厚约 30 厘米，土质杂而坚硬。

（5）东垣南门。地面现存缺口宽 40 米，缺口中间发现一凹槽，似为门道，凹槽内的地层堆积，上层为水淤土，下层为黄褐色土。城门缺口以南 250 米的城垣上，探出夯土台基一座，应是此城门的附属建筑。

（6）北垣东边水门。现存缺口宽 90 米，为朱河自北向南流入城内的缺口处。水门两侧城垣内收为 10 米，许多迹象和南垣西边水门极相似，很有可能是北垣东边的一座水门，其构筑形式应与南垣西边水门相同。

（7）北垣西门。现存缺口宽 62 米，两侧的城垣由原来宽 14 米内收为 10 米，且土质变杂，呈灰褐色，内含陶片较多。缺口中部探出一凹槽，槽宽 10 米，似为门道。城门缺口西部城垣上，探出两座夯土台基，相距约 15 米，台基上发现有红烧土和大量的红陶片、草木灰的堆积。这两座台基夯土应为此城门的附属建筑。在两台基之间，探出一条宽约 5 米的路土，土褐色，厚约 10 厘米，路土上层被红烧土、陶片、黄褐土所压，下层为黄色夯土。路土向城内延伸 100 多米而中断，未通向城外。这一路土有可能是当时登上城垣两座建筑的道路遗迹。

3. 护城河

城垣外有绕城一周的低洼地带，即护城河的遗迹，其中以北垣、东垣南段、西垣北段最为明显。护城河一般距城垣外坡 20—40 米，和城垣的走向基本一致。南垣突出部分和东垣南门、北垣西门以及北垣东段大缺口四处，没有发现护城河。

护城河可分四段：

第一段，起自北垣西门，向西经城西北角，顺西城垣到城西南角入新桥河古河道，再沿南垣西段向东，止于南垣突出部分的西南拐角，全长 7660 米。西南角至南垣西边水门这一段利用了新桥河古河道。西北角外，地势较高，河床变窄，护城河宽仅 10 米左右，河床堆积为灰夹褐色淤泥。西南角地势低平，为护城河汇入新桥河古河道交会的河滩地带，河床明显变宽，为 80—100 米，河床堆积为灰夹褐土和胶泥状灰黑淤泥两种。其他地段河床宽 40—80 米，河床堆积为胶泥状灰黑淤泥。

第二段，自南垣的东南角，顺南垣外边向东绕过城东南角至东垣南门，全长 1800 米，宽 40 米左右，河床堆积为胶泥状灰黑淤泥。

第三段，自东垣南门向北穿过龙会桥，绕城垣东北角折向西，至北垣东段大缺口止，全长 4440 米。东北角北边拐角处，地势较高，河床变窄，宽 10 米左右，其他河段宽 40—80 米。河床内的堆积，除东北角北边拐角处为灰夹褐色淤泥外，其余为胶泥状灰黑淤泥。

第四段，自北垣东段大缺口向西穿过朱河，到北垣西门止，全长 820 米，宽 40—80 米。河床内的地层堆积为胶泥状灰黑淤泥。

护城河在下列三个城门外中断：北垣西门处，中断处长 170 米；东垣南门处，中断处长 30 米；南垣东门，护城河中断处长达 450 米，对着整个南垣向南突出部分。可见护城河中断可能与城门有关。

4. 古河道

纪南城城内共勘查出古河道四条，相互贯连，形呈“ㅏ”形。除城东部凤凰山西坡古河道（被命名为“龙凤沟”）已淤塞变为农田外，其余三条河古河道的绝大部分被现今河道盖压。

（1）朱河古河道。河道弯曲，由北垣东边水门入城，南流至城中部的板桥，与新桥河古道汇流，与今朱河流向基本一致，全长 1400 米，宽 40 米。河床堆积为胶泥状灰黑淤泥。

（2）新桥河古河道。河道弯曲，自城外西南角，沿南垣外往东流，于南垣西边水门转北流入城，在城中部板桥与朱河古河道汇流，和今新桥河走向基本一致。城内古河道全长 2750 米，宽约 60 米。河床堆积为胶泥状灰黑淤泥。

（3）龙桥河古河道。西起城中部的板桥，即朱河和新桥河两古河道汇流处，向东流，穿过东垣，从今龙会桥河出城，与今龙桥河流向大致相同，全长 2750 米，宽 40 米左右。河床堆积为胶泥状灰黑淤泥，两岸河滩洼地较多，北岸发现密集的水井和窑址。

（4）城东部凤凰山西坡古河道。河道较直，由南向北流，南起南垣曲折部分的高地，即凤凰山西坡，向北注入龙桥河古河道，全长 1850 米，上游宽 9—13 米，下游宽 20 米左右。河床堆积为胶泥状灰黑淤泥。

朱河、新桥河、龙桥河三条古河道，为整个排水系统的主干道，各段护城河和其他古河道的水流均汇入主干道中，东流出城，注入邓家湖。

5. 城内遗迹

城内暴露在地面的土台数以百计，经勘探，与纪南城同时代的夯土台基有 84 座，绝大部分集中在城内东部，尤以城内东南部最为密集。分布状况为：城内东南部（松柏区）61 座（松 1—61 号），城内东北部（纪城区）15 座（纪 1—15 号），城内西南部（新桥区）6 座（新 1—6 号），城内西北部（徐岗区）2 座（徐 1、2 号）。

（1）东南部（松柏区）遗迹

① 宫城区

东南部 61 座夯土台基分布比较集中，有的相距仅 5 米，排列有一定规律。夯土台基规模较大，最长者长 130 米，最宽者宽 100 米。夯土一般为黄褐色，周围有很厚的瓦砾层。在这组建筑群的北边和东边，各探出一道夯土墙遗迹，东边一道长 750 米，北边一道长 690 米，相交成曲尺形。这两道夯土墙大部分埋于地下，残存墙基部分宽 10 米左右，保存厚度仅 50 厘米左右。2013 年和 2014 年又发现了宫墙东南拐角以及西段西宫墙，并进一步确认了北宫墙的存在，而南宫墙则全部被毁，从而明确了宫城区的整体范围。

西宫墙发现南北两段，其他被毁。宽度为 12—14 米，夯土厚度保存 5—25 厘米。宫墙东南角往西长 15 米，宽 12 米，往北长 30 米，宽 10 米，保存厚度约 80 厘米。北宫墙比较完整，依据 1975 年勘探资料，宽约 16 米，后经勘探确认保存厚度 5—45 厘米。

宫城区呈南北向长方形，南北长 906 米，东西宽 802 米，面积 726612 平方米，据 1975 年勘探发现北宫城有两个宫门推测，四面宫墙每一面均有两个宫门，一共八门，与新发现的环形界沟的八个缺口基本对应。

分布在宫城区内原定编号的夯土台基共 29 个，东周时期夯土台基 25 个，实际只有 18 个。宫城区有 6 处台基（松 30、松 6、松 7、松 9、松 24、松 25）存在第一期和第二期夯土。其余台基均只发现了第二期夯土。宫城区大部分夯土台基附近均发现有较为集中的红烧土堆积或杂色土回填的坑状堆积，这些遗迹亦属于夯土台基附属窑址或取土坑遗迹。其中大部分窑场停烧后又迅速填平并夯筑成台基，仅松 32 和松 27 东南小台基是单纯作为窑场存在的。松 7、8，松 9、10，松 22、24 之间有二期连廊。松 6、7、9 南部，松 12（11）、13（14）东部有一片较低的缓坡，与主台基落差 70 至 230 厘米不等。勘探发现这些南、东部缓坡地带均有很薄的夯土堆积，其表面明显低于西、北部，面积较大，形状均为长方形，称为“殿前广场”。

② 环形界沟

环形界沟基本位于宫城区中心，北边距北宫墙 230 米，东边、西边分别距东、西宫墙135米左右。平面整体呈长方形，南北长565—575米，东西宽463—525米，面积约27万平方米，相当于整个宫殿区面积的三分之一。每段界沟宽窄不一，为7—18米，深约1.6米。

环形界沟东、南、西三边各有两缺口，北边有一大缺口。西边北缺口宽126米，南缺口宽81米；南边西缺口宽98米，东缺口被明清台基（原松26号）外水沟打破，宽度不详；东边北缺口宽107米，南缺口宽163米；北边大缺口被现代窑厂和明清水沟破坏，现宽294米。如果北宫墙两个缺口成立并认定为宫门，那么，宫城区应该是八个宫门，环形界沟七个缺口就是与宫门对应的七个门，其中北边缺口对应北宫墙两个门。

在环形界沟西南拐角发现有一条水沟连接界沟和新桥河，这是一条排水沟。在界沟南边中段南侧也有一条水沟，打破了中段界沟，往南几百米有一片较大的水塘。

③ 东广场与I区H29

东广场位于宫城区东部，南接松32、31，西邻松62、25，海拔高程约30.5米。平面近方形，呈东北—西南走向，边长约60米，面积达3600平方米。

I区H29位于东广场东北部，东侧靠近东宫墙，海拔高程约30米。I区H29平面近圆角长方形，呈东北—西南走向，南北长约15米，东西宽约10米，面积约150平方米。结合东广场，I区H29可能是集会时燃烧篝火或者开展某种祭祀形成的，其下层的灰烬层是燃烧的证据，而上层的灰白沙土应是灭火进行填埋的遗迹。

④ 松柏区30号建筑遗址

松柏区30号建筑遗址在纪南城内东南部，南距南城垣约1300米，东距东城垣约1400米。夯土台基暴露在地面上，长70米，宽50米，高1.5—2米。夯土台基地层分五层：第一层，耕土层。第二层，扰土层。第三层，战国时期建筑堆积层，厚0.2—1.2米。第四层，战国时期建筑房基（编号松30F1），厚0.3—1.3米，距地表深0.5—2.8米。

在此层中有房基夯土层、墙基、柱洞、磉墩、散水、排水管道、排水沟、灰坑、水井和房基外的地面。第五层，春秋时期建筑房基（编号松 30F2），厚 0.4—1.3 米，压在上层的晚期房基夯土层的下面，遗物属东周时期。五层下见生土，黑褐色。晚期房基 F1 平面呈长方形，长 63 米、宽 14 米，中部稍偏西有一道隔墙，将其分成东西二室，西室长 26 米，东室长 33.4 米。其南、北墙基与纪南城南、北垣基基本平行。在北墙基外 3.8 米处有与北墙基平行的小墙基遗迹，土色灰白色，残长 29 米，宽 0.2 米。在北墙基外 12 米处和南墙基外 14 米处各有一排磉墩，磉墩外则为散水。房基东、西两面未发现磉墩和散水。可知原来是两面坡式的大型建筑，南北进深 43 米。2011—2012 年湖北省文物考古研究所又在 30 号台基西南侧发掘，发掘资料显示，东周时期遗存可分为三期，第三期年代大致在战国中期晚段，或可晚至战国中晚期之际；第二期年代跨度应极短，或不过数年时间；第一期年代下限应不超过战国中期晚段。

发掘者推测：西北部的一群三座台基最高大，所处地势最高，可能是宗庙所在；东北部一群三组 5 座台基可能是寝宫所在；东南部的一群三组呈品字形分布 6 座台基可能是朝堂；松 30、东广场和 I 区 H29 也许都是集会或者祭祀场所。

⑤ 松柏区东北部

1979 年 11 月在纪南城松柏鱼池挖探沟一条。地层的时代，下层应当定在春秋晚期，上层约当战国中期或稍早，推测是当时的居民区或街道的组成部分。

⑥ 松柏区北部

1988 年在松柏鱼池（龙桥河边的中部）发现古河道、大型建筑遗迹和窑址。河道发现两条，3 号古河道即龙桥河古河道，被老龙桥河所压，打破生土层；4 号古河道即南北向的凤凰山西坡古河道。两条古河道交汇口相当规整，似有人工开挖迹象。交汇口的河道上部，有一片含大量陶片和草木灰的堆积，推测是一处码头性质的遗存。大型建筑基址的中心在3、4号鱼池西边之外，有两座大型房基，两座房基之间的水渠剖面上还暴露另外一座房基。1号房基（F1）位于3、4号鱼池之间的大堤西端，南北宽约60米，东西暴露尺寸为8.4米。2号房基（F2）紧靠F1之北。鱼池南部堆积为制陶作坊，主要分布于4号古河道之东。河道西岸遗迹发现有土台、排水管道、井穴、陶泥、灰坑、瓦砾堆积等。河道东岸的主要遗迹有窑、水井、排水管道及瓦砾堆积。

（2）东北部（纪城区）遗迹

东北部十五座夯土台基分布集中、规模较大，是一组较大的建筑群。夯土颜色一般也是黄褐色。台基及其周围覆盖有红烧土和红色瓦砾层，也是楚都城内的一处重要建筑群。

纪城区和松柏区靠近龙桥河两岸，有分布密集的水井，已发现窑址多处。井、窑及其相间地带，又有大量的草木灰、红烧土和烧制变形的陶器及板瓦、筒瓦等，这一带是制陶手工业作坊区。

（3）西南部（新桥区）遗迹

西南部的六座夯土台基分布比较分散。夯土色黄，台基周围的瓦砾层较厚，有的台基附近发现有铜炼渣、锡炼渣和红烧土块。

陈家台位于陈家湾西侧，南距南城垣约700米，西距西城垣约800米。原台面高出附近地面约1米，东西长约50米，南北宽约10米。台基夯土建造，东西长80米。在台基的西北边和东边各发现铸炉一座，结构、形状和大小基本一致。2号炉的东北角发现铜棒（距炉底约20厘米）一根，炉底西半部发现一层锡渣，有的锡渣已渗入生土层内。1号炉填土有成块的木炭，炉底部发现锡攀钉三件和少量碳化稻米，四周还发现有锡渣、铜渣、鼓风管和红烧土块等。此地应是当时一个铸造作坊遗址，时代为战国。

陈家台所在的纪南城西南部，只有一些分散的夯土台基，文化遗存发现得不多。陈家台西北约1千米的陶家湾暴露了十多座水井；陈家台东北的小堤至王家湾一带出过锡饼、锡块和少量炉渣、红烧土块、草木灰等。这些发现说明纪南城西南部为郢都的冶炼作坊区。

新桥区东北部发现陶窑和古井。新桥鱼池的东边近古河道边沿处为窑址，西南部有密集的古井和一条水沟，井、窑间是一般文化堆积。陶窑 4 座，古井 29 座。出土陶器，可分四组：第一组时代为春秋晚期；第二组时代为战国早期；第三组时代为战国中期早段；第四组时代为战国中期晚段至战国晚期早段。27 个有文化层堆积点的时代大致为战国。

（4）西北部（徐岗区）遗迹

① 夯土台基

西北部的两座夯土台基，相距较远，规模也小。夯土颜色为黄灰和褐黄色。

② 摩天岭早期遗址

摩天岭西北距纪南城西北拐角处约 650 米，东距戴家湾约 150 米，地势较高，仅次于凤凰山。摩天岭遗址面积不足 4 平方米，下层时代为西周晚期，上层时代上限为春秋晚期，下限晚至战国。

③ 陕家湾与东岳庙墓区

陕家湾墓区位于徐岗陕家湾南边的小岗地上，发现竖穴土坑墓 4 座，发掘两座，M1 年代为春秋中期偏早，M2 年代为春秋晚期偏早。

东岳庙墓区位于徐岗王家湾东边，墓葬分布在高出附近地面 1 米左右的岗地上，1975 年发掘 7 座，其中 M2 等 5 座墓为春秋中晚期墓葬，M3 时代为春秋战国之交。

陕家湾与东岳庙墓葬位于纪南城内西北方，时代较早，又属小型墓葬，应是纪南城城垣筑造以前的居民墓地。

（5）水井和窑址

纪南城内的古井很多，龙桥河西段、松柏周家湾、范家垸、余家湾、新桥陶家湾、余家垱、纪城文家湾等处都有发现。窑址发现于龙桥河西段、纪城广宗寺、松柏范家垸、东垣外毛家山等地。

在龙桥河新河道长约 1000 米、宽约 60 米的范围内，发现水井 256 座，窑址 6 座。龙桥河以北的一号和二号水渠线上，也发现了一些水井和窑址。1979 年初在龙桥河西段的东部南岸调查，又发现水井 18

座。水井特别集中在这段河道的西部，而窑址分布于这段河道的东部和北岸。

1965 年在松柏余家湾发掘陶圈井 1 座，松柏范家垸发掘窑址 1 座。

水井的年代上限都不早于春秋中期，大体可分为三类：第一类是密集于窑址附近的水井，似是供制陶作坊用水的；第二类是建筑台基周围的水井，应是生活用水井；第三类井内遗物甚少，可能是冷藏井。目前发现第一类水井最多的地点在纪南城中部，即东起周家湾，西至板桥的龙桥河两岸，这一带可能是纪南城的制陶作坊区。

6. 其他

城南的许多夯土台基有可能为祭祀或守卫都城的遗址；城西、城北有密集的居住区；城东附近靠近湖边的河旁还有制陶作坊遗址。城周附近（如雨台山墓地）有许多大小贵族的墓葬，有可能是《周礼・春官》中所谓的“邦墓”之地；而离城稍远的八岭山、纪山一带，大型土冢林立，很有可能为楚国国君、王室墓地所在，亦即《周礼・春官》中所谓“公墓”之地。

（三）纪南城的年代及性质

纪南城因在纪山之南而得名。“纪南”地名最早见于《三国志・吴书・朱然传附子绩传》，吴赤乌十三年（250 年），“魏征南将军王昶率众攻江陵城，不克而退。……绩便引兵及昶于纪南，纪南去城三十里，绩先战胜而融不进，绩后失利”。又东晋末年，桓玄败死后，其侄桓振攻陷江陵，挟持晋安帝，南阳太守鲁宗之起兵攻破襄阳，进屯纪南。[①] 可知至迟三国时已有纪南地名，其地位于汉江陵城以北约三十里，此记载与今地理基本相合。“纪南城”之名，目前最早见于西晋杜预，《左传・桓公二年》杜预注：“楚国，今南郡江陵县北纪南城也。”可见魏晋时纪南城之名已流行于世。以后在《荆州记》《水经注》《括地志》等著

① 参《晋书》卷十《安帝纪》、卷七四《桓彝传》、卷九九《桓玄传》及《宋书》卷五一《宗室传・临川烈武王道规传》。

作中均有记载，并沿用至现在。

纪南城的性质，按史籍所载为楚郢都。早在杜预之前，汉代时就有楚郢都在江陵的说法，自西晋杜预起，学者更明言楚郢都在江陵以北之纪南城，《春秋释例·土地名》："楚国都于郢，南郡江陵县北纪南城，东北小城名郢。"北魏郦道元《水经注·沔水》："江陵西北有纪南城，楚文王自丹阳徙此，平王城之。班固言：楚之郢都也。"唐人著作如《括地志》《史记正义》等皆谓楚郢都在纪南城或江陵，其后历代学者皆承此说。可知西晋后，学者不仅肯定纪南城为楚郢都，更明确记载了江陵县、纪南城及郢城的相对方位，与今天的实际情形基本相合。

至于楚郢都所在，这是楚文化研究的核心问题，学术界已有大量探讨，兼及历史学、考古学、古文字学、历史地理学等众多领域，对纪南城的性质也有许多争论，但大部分学者均认可纪南城为楚郢都。20世纪的纪南城考古发掘初步认定纪南城应为战国时期的楚郢都，其年代上限为春秋晚期至战国早期，至于是否是楚文王始都之郢，以当时的资料还难于作出明确的回答。[①]

由于纪南城遗址的年代上限仅及春秋晚期至战国早期，不足以涵盖楚郢都的全部时间，而且纪南城外的楚高级贵族墓地，亦多为战国中晚期，因此学术界普遍认为，纪南城应为战国时期的楚郢都，即公元前278年秦将白起所拔之郢。但更早的郢都究在何处，则引起学术界的长期争议。20世纪70年代的纪南城考古大会战后，学界依据当时的考古发掘与研究成果，还有纪南城周围多年来累积的楚墓发掘资料及相应的研究成果，对纪南城的性质作了大量的探讨，但因没有直接考古资料，未能形成明确的结论。近年来，为配合纪南城考古遗址公园建设，湖北省文物考古研究所组织力量先后对纪南城烽火台遗址及其西侧城垣进行了解剖发掘，对纪南城城内台基进行了重新调查、勘探与局部试掘，获得了一批新资料，对纪南城的年代、布局等相关问题的研究取得

---

① 湖北省博物馆：《楚都纪南城的勘查与发掘》，《考古学报》1982年第3、4期。

了新突破。此次考古工作对城内宫殿区的布局有了较为详细的了解，弄清了纪南城的许多问题，发现纪南城宫殿区只有二期夯土堆积，第一期夯土为洪水所毁，洪水过后并没有改变原有的设计规划，而是在此基础上加高夯筑了第二期夯土台基，从而完成了纪南城的建设，形成了完整的格局。①2011 年的试掘则表明，纪南城城垣的最下面是非常平坦的红砂生土层，显然是在修建城垣时对原地面进行了平整，在生土层上铺有一层瓦砾层，主要是大块的板瓦与筒瓦，其中夹杂有少量的陶器，从而为纪南城的始建年代提供了到目前为止最为直接的依据，这些陶器的年代为战国早期，据此判断城垣的始筑年代不早于战国早期，而城垣内的护坡及台基Ⅰ的护坡夯土层上叠压有一薄层文化层，出有较多的陶器及板瓦、筒瓦等，可能是当时的活动面，这些陶器均具有战国中晚期的特点，为推断城垣的使用年代提供了依据，试掘简报认为城垣的使用年代为战国早期以后。②

这些工作对纪南城的研究和楚都探索来说都是重大的推进，配合多年来纪南城周围楚高级贵族墓地的勘探及发掘特别是荆州城西八岭山区冯家冢墓地的勘探与试掘成果，可以认为纪南城的年代问题已基本解决，即纪南城现存城垣是战国早期之后形成的，其始建年代约在战国中期早段或战国早中之际，使用年代为战国中晚期，其性质是战国中晚期的楚郢都。城址的废弃则在公元前 278 年白起拔郢，楚顷襄王东迁以后。

有些考古工作者根据纪南城范围内发现的多处春秋时代遗迹、遗物以及纪南城周围早期楚国王公贵族墓，推断早期郢都有可能在今存纪南城范围之内。这一点目前并不能排除，但就现有考古工作成果来看，能

---

① 湖北省文物考古研究所：《荆州纪南城遗址松柏区 30 号台基 2011—2012 年发掘简报》，《江汉考古》2014 年第 5 期；湖北省文物考古研究所：《2011—2012 年楚都纪南城考古工作报告》，湖北省文物考古研究所编：《纪南城考古发现》，《江汉考古》2015 年增刊。

② 湖北省文物考古研究所：《荆州纪南城烽火台遗址及其西侧城垣试掘简报》，《江汉考古》2014 年第 2 期。

确认的是，纪南城确为战国中晚期的楚郢都。至于战国中期以前的楚郢都，目前季家湖战国早期楚城在沮漳河流域的事实让我们倾向于认为其在季家湖楚城。

五、楚国都城与陪都的特点

从楚皇城、季家湖楚城、纪南城来看，楚国的都城与其他类型的城邑及其他诸侯国的都城比较起来，都有自身的特点。

（一）规模宏大

楚皇城的面积为2.2平方千米。季家湖楚城的面积不甚清楚，根据其范围推测，也在2.2平方千米左右。纪南城面积更大，达到16平方千米。这显示楚都的面积愈来愈大。与其他类型的城邑相比，更显楚都规模宏大。县邑的规模大小不一，有大到1.9平方千米的云梦楚王城，也有小到10.8万平方米的小城濠城。军事堡垒和专业城邑就更小了，一般也就11万—12万平方米。楚国城邑的设置有“体性论”一说。《国语·楚语上》记载楚大夫范无宇对楚灵王说：“且夫制城邑若体性焉，有首领股肱，至于手拇毛脉，大能掉小，故变而不勤。”即以人体部位比喻城邑大小关系。楚国的城邑，都城最大，县邑次之，军事堡垒或其他城邑最小。其他诸侯国都城址面积多在10平方千米至30平方千米，楚都在诸侯国国都中，规模不是最大，也不是最小的。

（二）形制规整

总体来看，楚国的都城形制较为规整。城墙偶有弯曲，也是自然地理环境使然。如楚皇城除东面较为曲折外，其他三面均较为平直。楚皇城东面曲折是适应东缘岗地边缘的结果。纪南城更为规整，仅南垣东面有向南突出的一段，这是为了将凤凰山这一战略高地围进城内。

（三）功能齐全

作为通都大邑，楚都功能齐全：宫殿区、居住区、冶铸作坊区、制陶作坊区等都较为明确。如楚皇城东北部的宫殿区与城南的作坊区分居南北；纪南城形成以宫城为核心，制陶作坊沿河分布的清晰格局。

（四）注重防御

楚都注重防御，这在纪南城的设计筑造上体现得淋漓尽致。首先大城之内筑有宫城，宫城内外又有两道护城壕或界沟，构成了三重防御体系。另外，大城东北、西北、西南三角做成切角，消除了防卫死角，增强了大城的防御能力。城南东段突出城垣将凤凰山南端包入城内，在城内修筑瞭望台，这也是为了充分利用自然山体加强都城的防御。

第三节　东周时期的县邑或封邑

东周时期，楚国在荆楚地区设置有许多县：权、鄀、庐、郧（后改为安陆）、蓝、鄢、州、鄅、巫、江陵等。战国时期，楚国又在荆楚地区置有许多封邑，如荆、安、随、彭、黄、纪沮、纪陵等。目前地望较清楚、材料较多的有邓、郧（安陆）、州三县，此外，赤壁土城据分析，应为楚国的地方城邑[①]，其为楚县的可能性较大。在此我们将赤壁土城作为楚县来分析。

一、云梦楚王城与安陆县

（一）云梦楚王城的位置与环境

云梦楚王城位于云梦县城及其以东，遗址中心地理坐标东经113° 44′ 54.6″，北纬31° 01′ 28.9″。[②]城址坐落在府河东岸一处比周围高5—7米的高地上，东临曲阳湖（现已填湖为田），东距澴河10.5千米，南接府河支流，西距府河1.8千米。城内西部海拔37—41米，中部海拔35—37米，东部海拔30—35米，呈西高东低态势。城外东

---

① 湖北省文物考古研究所等编著：《赤壁土城——战国西汉城址墓地调查勘探发掘报告》，北京：科学出版社，2004年，第368页。

② 湖北省文物考古研究所、云梦县博物馆：《湖北云梦楚王城遗址1988与1989年发掘报告》，《考古学报》2012年第1期；海冰：《云梦楚王城遗址发现西汉防洪堤》，《湖北日报》2016年4月8日008版。

侧曲阳湖和西侧府河海拔均为 27 米左右，北侧海拔由南向北从 36 米降低至 29 米，南侧海拔由北向南亦从 36 米降低至 29 米。

城址周围分布着楚及秦汉时期的众多墓葬：南边有珍珠坡楚国墓地；西南、西北有大坟头和木匠坟西汉墓地，城址的西边和南边有睡虎地和龙岗秦墓地，著名的云梦秦简即出于此。（图 2–7）

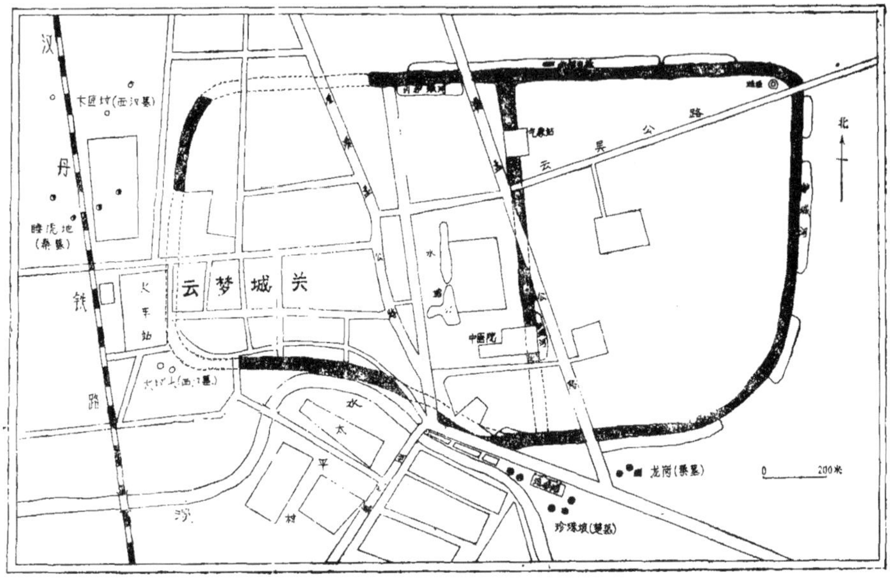

图 2–7 云梦楚王城遗址平面图①

（二）云梦楚王城的形态与功能分区

云梦楚王城平面近似刀形，面积较大。因南面临河，南城垣西段内收。其他城垣较为规整。城垣四角似有角楼，显示云梦楚王城防御能力较强。城内因资料所限，暂不清楚布局情况。

1. 城墙

城墙东西最长 2050 米，南北最宽 1200 米。城址中部有一条南北

① 采自孝感地区博物馆：《湖北孝感地区两处古城遗址调查简报》，《考古》1991 年第 1 期。

向的城垣，将整座城分为东西两部分。东城址保存较好，大部分现为农田。西城全部压在云梦县城之下。东城墙和南、北城墙的东段保存较好，北城墙西段和西城墙的北段较为清楚，西墙南段和南墙西段也有痕迹。

（1）北城墙。长1880米。北墙底层包含物多为东周较早的遗物，而城墙直接叠压在东周较早的文化层上，城内的东周文化层中出有大量的陶片和铜蚁鼻钱。1987年在东城北墙上发现一座西汉初期的墓葬，说明早在西汉初期城址的东半部已被废弃，到了东汉，成为墓区。城垣始建年代不晚于战国。

（2）南城墙。可分为两段：东段长1050米，西段长850米。南城垣表土层下即露出城垣体，其截面呈梯形，顶部宽9.5米、底部宽12.5米、残高1.7米。城垣下面挖有基槽，基槽深0.5米，因遭破坏，基槽宽度和形状不清楚。1978年在东城南城垣上发现一座西汉墓。南垣底部压着的文化层出土战国中晚期的遗物，而南垣所出遗物中又没有晚于战国的，故城垣的建筑年代当不会早于战国中期，最晚也不过战国晚期。

（3）东、西城墙。东墙长850米。西墙长900米。

（4）中城墙。长1100米，顶宽15米，底宽18米，现存墙高2.1米。城垣墙体由核心城垣和两护坡垣构成。核心城垣顶宽8米，底宽10米，高2.1米，上部已遭破坏，底部因地势差异挖有深0.35—0.6米、宽达9.3米的基槽，分层夯筑而成，夯层层面上普遍铺草，留下较深的锈痕。发现有灰坑H7，灰坑口部出有5根东西向平行放置的木棒，木棒残长95—120厘米，直径7—8厘米，年代为汉代。城墙内外均有护坡，护坡内缓外陡，为斜层夯筑，紧贴城墙。1981年在中城垣顶上发现一座东汉时期的砖室墓。中垣的建筑年代在西汉初期，至东汉即废弃。

2. 城门

云梦楚王城城门能辨认者只有北门。在北护城河中，有一长30米、宽5米的台基，浸泡在北护城河的水中，可能是北城门通向城外的吊桥台墩。

3. 角楼

云梦楚王城的东南角、西南角、东北角和西北角均有高台建筑。东北角高台建筑保存较好，平面为圆形，高出城内外约 6 米。

4. 护城河

云梦楚王城护城河以北边的保存较好，南护城河直通涢水。现存护城河宽 30—35 米，深 2—5 米。在北护城河中，有一长 30 米、宽 5 米的台基。

5. 城址内文化层及遗物

云梦楚王城的文化层厚度一般为 2—3.5 米，有的地方文化层厚达 4.5 米，包含物极为丰富，断面上的陶片不计其数，有的地方成层叠压，成堆出现。公路西边中段部位出土了东周时期的排水管，公路的西边近南段处挖出了一个六口水井集中的水井区。

在城址南墙外墙脚下，发现有西周时期的文化层。西区南段北临朝阳路，东距楚王城中城垣约 60 米，南距楚王城南垣约 100 米处发掘出灰坑 H11，下层年代为西周中晚期，上层年代为春秋中晚期。这表明在筑城以前这里就有人居住。

在东城内发掘有东汉墓，年代为东汉前期。可见汉以后，楚王城东城便逐渐废弃。

（三）云梦楚王城的性质

综合看来，云梦楚王城大城筑于战国中晚期；西汉初，修筑中城墙，东半部即废弃；东汉时东城墙也废弃了。

关于云梦楚王城的性质，一般认为是秦汉安陆县治。黄盛璋先生依据睡虎地 11 号、14 号秦墓出土的带有“安陆市亭”印戳的陶罐，以及 4 号墓出土的 11 号木牍中“毋视安陆丝布贱可以为禅裙襦者，毋必为之”的记载，认为云梦古城即秦安陆县城。[①] 刘玉堂先生肯定了秦之安

① 黄盛璋：《云梦秦墓两封家信中有关历史地理的问题》，《文物》1980 年第 8 期；又载黄盛璋：《历史地理论集》，人民出版社，1982 年，第 543 页。

陆即今云梦古城的观点。[①] 据北京大学藏秦水陆里程简册载，江陵至安陆共计 454 秦里，合今 188.8 千米；安陆至夏汭 237 秦里，合今 98.5 千米。[②] 今云梦至荆州和武汉的距离与这一记载相差无几。从里程上来看，秦安陆县当在今云梦县楚王城。

二、小城濠城、大城濠城与州县

（一）大、小城濠城的位置与环境

小城濠城址位于洪湖市乌林镇北 2 千米处，西约 200 米与黄蓬主街平行，东北部被大城濠城址打破。地理坐标东经 113° 35′ 45.80″，北纬 29° 55′ 48.92″。（图 2–8）[③]

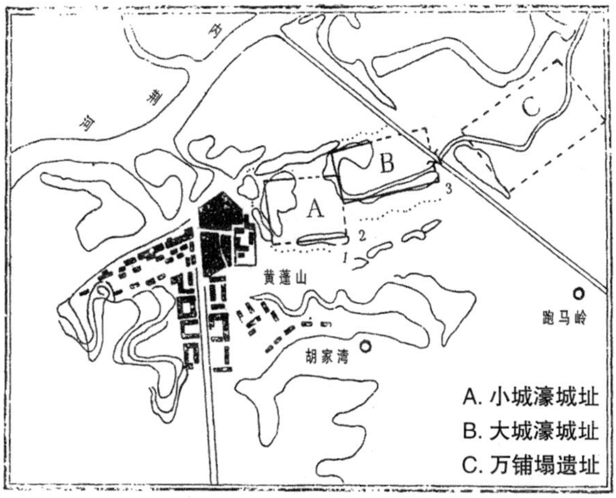

图 2–8　小城濠、大城濠、万铺塌遗址范围方位示意图[④]

① 刘玉堂：《秦汉之安陆并非新地城——与黄盛璋同志商榷》，《文物》1980 年第 3 期。

② 辛德勇：《北京大学藏秦水陆里程简册初步研究》，李学勤主编：《出土文献》第四辑，第 230 页。

③ 洪湖市博物馆：《湖北省洪湖市小城濠、大城濠、万铺塌遗址调查》，《江汉考古》1992 年第 4 期。

④ 采自洪湖市博物馆：《湖北省洪湖市小城濠、大城濠、万铺塌遗址调查》，《江汉考古》1992 年第 4 期。

大、小城濠城坐落在洪湖市乌林镇黄蓬山北部余脉，周围为长江冲积平原。东南距长江约 3 千米，北距内荆河约 300 米。小城濠城南部海拔 26 米，中部海拔 25 米，北部海拔 24 米，呈南高北低态势；大城濠中部海拔 26 米，周边海拔 25 米，呈中间高，周边低态势。城址南侧的黄蓬山海拔最高 42 米，黄蓬山南侧的长江冲积平原海拔 25 米左右，长江海拔 19 米，城址北侧内荆河海拔 21 米。

小城濠和大城濠城址周围分布着大片古文化遗址和墓群。除紧邻大城濠城址东侧的万铺塌遗址以外，还有时代较早的圆山和乌林矶新石器时代遗址、走马岭和青山汉代遗址。这几处遗址中，距离较远的新石器时代遗址，分布于城址西南方，距城址约 2.7 千米；距离较近的为文化性质相同的汉代遗址，分布在城址的东南方，距城址约 800 米。另外，城址所属黄蓬山区域，系由 30 余座海拔 25—42 米的小丘陵组成，群阜总面积约 5 平方千米。其中，有 26 座山丘间分布有从东周到明代的墓群。城址西、南边墓群分布最为密集，且时代跨度较大，但以东周至汉代和汉至南北朝的为多。

（二）大、小城濠城的形态与功能分区

大、小城濠城址目前只做过调查。小城濠城为东西向长方形，面积较小，护城河完整。大城濠城也为东西向长方形，打破小城濠城东侧，面积稍大。大、小城濠城内主要居住遗址都在西北部，其他情况不明。

1. 小城濠城

小城濠城平面呈长方形，东西长约 360 米，南北宽约 300 米，面积约 10.8 万平方米。

（1）城垣

城址南垣有一段残存，残垣长 316 米，底宽 30 至 50 米不等，顶宽 10 至 20 米不等，高于周围平地 5.2 米。西垣南端被改造成聚居台地，扰动较大，且堆积甚厚。西垣北端被铲平，不见城垣痕迹。东部有一段残垣，亦扰动较大，包含物中器形较多，系大城濠城西垣被打破之处。

在城址南垣已被开垦为二级台地的东南角和东北角断壁剖面中，可

见 40 至 50 厘米的堆积层，文化层厚 24 至 44 厘米。二级台地中的文化层可分为二层，上层土质较纯，土色灰黄，出红、黄色板瓦残片；下层经夯实，土质更纯，结紧，土色黄褐，且上下每隔 12 厘米铺筑一层鲜红色大板瓦，多为整件，但出土时破裂较甚。一级台地中的夯土层可分为三层，土质纯净，较坚实，土色黄褐，无包含物。第一层厚 18 厘米，第二层厚 14 厘米，第三层厚 12 厘米，第二层中的夯窝直径 6 厘米。

由于城垣扰动较大，城门已无明显迹象。

（2）护城河

南垣外的护城河已经干涸，河床宽 50 米，河床以南的土台，名曰“中嘴”，随处可见残破瓦片。西垣外至城北，环以直角形护城河。西垣外的护城河长 250 米，宽 32 米，保存较好。北部的护城河水面宽阔，与 400 米外的内荆河略平行，今已被截断并改造成鱼池，亦有水浅处改为水田，护城河长 390 米，宽 90 米。东部及东北角，系与大城濠城址西垣相交处，护城河关系不清。

（3）城内遗迹

从城址保存状况推测，西北角应为该城的宫殿区。

2. 大城濠城址

平面呈长方形，东西长约 500 米，南北宽约 280 米，面积约 14 万平方米。

（1）城垣

城垣顶距地表 5 米，顶宽 10 至 20 米不等，底宽 30 至 50 米不等。

南垣扰动较甚，被铲平改造成村级公路，宽 3.5 米，仍高于一般农田 1.2 米左右。东垣全被挖断。北垣亦仅存西北角一段，扰动也较大。

南垣东段剖面文化层厚 109 厘米，可分为五层：第一层厚 15 厘米，灰黄色，出灰、土黄、红色板瓦残片；第二层厚 22 厘米，褐色土，较紧，出少数灰、黄色瓦片；第三层厚 14 厘米，灰褐色土，无杂质，较二层略松；第四层厚 22 厘米，灰褐色土，较纯净，无杂质，无包含物；第五层厚 36 厘米，黄褐色土，出土大量土黄、红、灰色板瓦，均平面密铺，同出单只铁鼎足。三层以下经夯实。

城垣扰动较大，城门已无明显迹象。

（2）护城河

大城濠城址东部因开挖河渠，不见护城河痕迹。西部是否在小城濠遗址内开挖护城河，抑或沿用小城濠遗址护城河，尚待进一步探查。南垣外的护城河已经干涸，其西端与小城濠遗址南护城河相接，东端为建设渠所断，该护城河以南的断续条状土台与南垣间距约80米。北垣外的护城河与小城濠遗址北护城河相通，仅西端存少量水域，辟为水池，水面宽约90米，其余河段也已干涸，退为水田。

（3）城内遗迹

大城濠城址西北部，俗称“大城濠”，其东旁土台俗称“鲁公台”，传三国时东吴鲁肃“食州陵”等四邑时屯兵于此。推断大城濠城址西北部应为房屋建筑区。

（4）城外遗迹

与大城濠遗址东侧相邻的万铺塌遗址，为内荆河南岸台地，东西长480米，南北宽420米，面积约20.16万平方米，时代与大城濠遗址相吻合，应为当年城外居民居住区遗址。

（三）大、小城濠城的性质

小城濠城址的时代为东周，大城濠城址的时代为汉代。《史记·楚世家》：“考烈王元年（前262年），纳州于秦以平。是时楚益弱。”裴骃《集解》引徐广曰：“南郡有州陵县。”据此，楚州县于公元前262年改隶秦南郡改称州陵县。关于州县地望，徐广以为即汉州陵县。后晓荣认为湖北洪湖市大城濠古城就是古州陵遗址。[1]

---

① 后晓荣：《秦代政区地理》，社会科学文献出版社，2009年，第403页。

三、赤壁土城与下隽县

（一）赤壁土城的位置与环境

赤壁土城又叫“太平城”或“大古城”“小古城”，位于赤壁市新店镇土城村，地理坐标东经 113° 43′ 29″，北纬 29° 37′ 31″。[①] 与长江直线距离 27 千米，距离大、小城濠城 35 千米。土城地处蟠河下游进入黄盖湖河谷宽窄相交的过渡地带、蟠河河谷平原右岸，地势较为平坦，平均海拔 34 米。城东 500 米处即为丘陵地带，海拔 40—60 米。城南紧邻蟠河，城西距蟠河约 1 千米。

城外有多处同时期墓地，主要分布在城外东、北部岗岭上。战国墓地共发现 3 处，即花园岭墓地、王家岭墓地、猪头墩墓地。汉代墓地发现 2 处，即烂泥冲墓地和吴家后背山墓地。

（二）赤壁土城的形态与功能分区

赤壁土城由战国时期的大城和西汉时期的小城组成，西汉小城位于战国大城西南部，西汉小城的西垣和南垣分别叠压在战国大城的西垣南段和南垣西段。战国大城为南北向切角长方形，形制规整，面积较大。从城门设置来看，四门均错开，故城内道路网应不甚规整。中部不规则的“十”字形夯土台基和西北部的长方形台基显示大城北部是较为重要的区域。西汉小城位于战国城址内的西南部，是战国城址废弃以后，利用战国城址的西垣南段、南垣西段重新修筑的，西汉城址约占战国城址面积的 1/5。（图 2–9）现仅叙述战国大城的布局。

① 湖北省文物考古研究所等编著:《赤壁土城——战国西汉城址墓地调查勘探发掘报告》，科学出版社，2004 年。

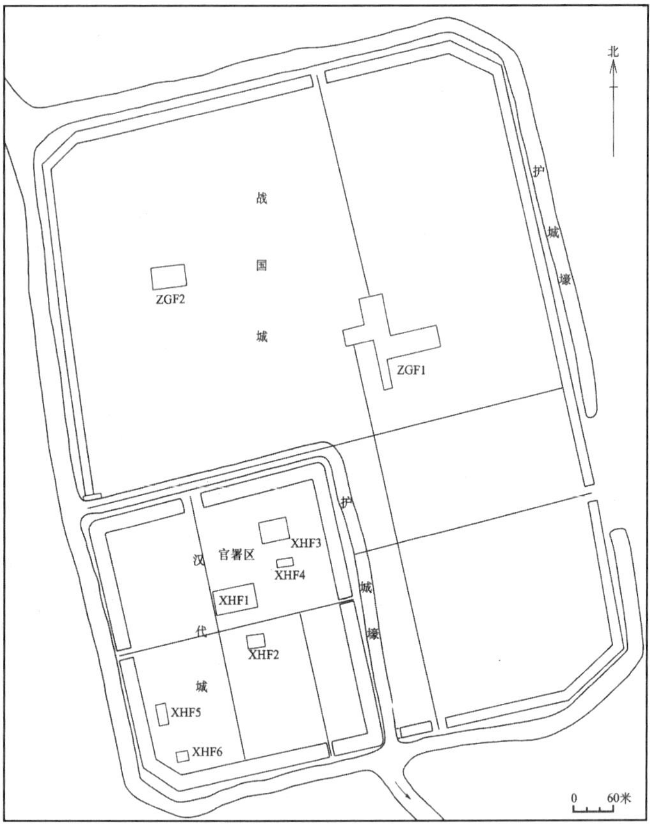

图 2-9 赤壁土城遗迹分布图[①]

1. 城垣

战国城垣呈南北向长方形，四角成切角。城垣周长 3265 米，以中轴线为准测得，城址南北长（南、北垣基外边）978 米，东西宽（东、西垣基外边）762 米，城址面积 745236 平方米，方向北偏西 12°。

北垣长 580 米。城垣用土夯筑，夯土包含少许春秋晚期或战国早期的灰陶碎片，夯层厚约 0.1 米。北垣地表下墙体残存面宽 15 米，底宽 18 米，高约 1.8 米。墙基建筑在黄色生土上。

① 改绘自湖北省文物考古研究所等编著：《赤壁土城——战国西汉城址墓地调查勘探发掘报告》，科学出版社，2004 年。

南垣长605米。保存较好的城垣面宽16米，底宽21米，高2—4米。南垣地层可分为七层：明清文化层、宋代文化层、西汉城垣（包含少量战国晚期筒瓦、板瓦残片）、战国城垣（包含极少量春秋晚期的陶豆柄和鬲足）。

西垣长886米。西垣南段保存较好，高于地表2—5米，宽14—22米。西垣的北段表土之下是战国城垣墙体，墙体包含有零碎的春秋晚期鬲口沿和绳纹陶片，夯层厚约0.1米。城垣残高约1米，面宽约15米，底宽约22米。垣基下为黄色生土。考古工作者在西垣北段的发掘显示，西北垣H3开口在第三层（战国文化层）下，打破城垣内护坡，包含有战国早期陶片。从西垣北段发掘解剖情况来看，战国城垣为一次性夯筑而成，城垣底宽约16.5米（含城垣内、外护坡），其始建年代为战国早期。

东垣长868米。城垣夯土包含物有春秋晚期的鬲足和豆柄，夯层厚约0.1米。东垣面宽约14米，底宽约16米，墙体残高0.45—1.7米，墙基下是褐色生土。

城垣四角为切角，其切线长度分别为：西北角70米，东北角84米，西南角60米，东南角112米。

2. 城垣缺口与城门

战国城垣有四个缺口，均为城门遗迹，详见表2–1。

表2–1　战国城址城垣缺口宽度与门道长宽表

缺口	位置	宽度/米	城门	门道		路土	
				长/米	宽/米	颜色	残长/米
北垣缺口	北垣中部	20	北门	28	12.5	黑灰	不明
南垣缺口	南垣中偏南	22	南门	28	12	褐灰	35
西垣缺口	西垣中部	38	西门	27	8（残）	黑灰	不明
东垣缺口	东垣南段	22	东门	28	12.5	不明	不明

3. 护城壕

城周有一圈护城壕。北垣外护城壕从西北流向蟠河。护城壕南边距北垣外墙基 10—14 米，城壕内地面低于两边地表 0.8—1 米。壕口宽 12—32 米，底宽 10—25 米，深 3.8 米。

南垣外护城壕分西段与东段，东、西两段结合处有一长 120 米的南北向河道通向蟠河，应是当时城址排水运输的通道。西段城壕北距南垣墙基外边 16 米，低于地表 1.7—3 米，壕口宽约 25 米，底宽约 20 米，填淤深度 1.4 米，实际深度应在 3.5 米左右。东段护城壕北边距南垣墙基外边 16 米，距东拐角墙基外边 4 米，现存洼地较深，低于地表 2 米左右。

西垣外护城壕东距西垣外基 2—14 米，有的地段紧邻西垣墙基。护城壕内现在的地表低于两边地面约 2 米，口宽 25—30 米，底宽 20—25 米，深约 4 米，北段比南段略宽。

东垣外护城壕西距东垣外墙基 4—12 米，其南段东垣缺口及南北两侧有长 160 米的地段没有设置护城壕。壕内淤积深约 2.5 米，口宽 20—24 米，底宽 18 米左右，地表至底深约 3.5 米。

在南垣外东段城壕与南段城壕相交拐角处有一座高大土台，是人工建筑。台面东西长 70 米，南北宽 40 米，高达 10 米。这座台基据考古工作者推测应是控制经蟠河与南护城壕进出城址的堡垒，起拱卫城址的作用。

4. 城内文化层与遗迹

大城城内文化层自上而下有明清文化层、宋文化层、西汉文化层、战国文化层，以战国文化层为主。明清文化层全城均有分布，厚约 0.25 米；宋文化层主要分布在城内西北部，厚约 0.3 米；西汉文化层主要分布在西汉城址东垣、北垣外的北部、东部区域，厚 0.3 米左右；战国文化层在城内均有分布，厚 0.1—1 米。战国城址废弃后，城内的文化层和出土遗物现显示，宋人在城内活动的时间最长。

战国城址内的夯土台基共两座。其一（ZGF1）位于城内东北部，台基平面呈不规则的“十”字形，台边垂直，拐角都是直角，地表下0.4—0.55米出现台基夯土，夯层厚0.1米左右，无包含物。台基夯土以上，局部地方发现有厚0.2米的文化层。台基周围有较厚的文化层，厚约0.6—1米，包含大量陶器残片。台基南北、东西最长与最宽处均有140米，残存高度1米左右。其二（ZGF2）位于城内西北部，台基出现于地表下0.5—0.6米，平面呈东西向长方形，四边较直，夯层厚0.08—0.11米，夹杂有少量灰陶碎陶片。台基上堆积的文化层厚约0.3米，台基周围堆积有厚约0.7米的文化层，文化层中包含有较多的灰陶鬲足、豆柄。台基东西长53米，南北宽32米，残高0.55米。

城内发现瓮棺、瓦棺墓共7座，位于战国城址内的西北角，紧靠西垣内坡。7座瓮棺、瓦棺年代相距不远，在战国早期偏晚或中期偏早阶段。

5. 城外遗址

城外有两处遗址：一处是王家岭墓地中部的周代遗址；一处是土城南垣外护城壕至蟠河边的汉代、战国遗址。王家岭周代遗址位于王家岭中部偏西，南北长300米，东西宽100米，面积约3万平方米，文化层厚0.8米，采集陶片的器形、纹饰具有明显西周特点。王家岭遗址早于战国城址，说明城址兴建以前的西周时期，土城附近就有人在此生产和生活。土城南垣外护城壕至蟠河北岸，在大约东西长500米，南北宽40米，面积约2万平方米的范围内，有较为丰富的文化层。从蟠河北岸断面观察，有宋、汉、战国文化层，以汉代文化层和战国文化层堆积最厚，遗物最丰富。汉代文化层厚约0.5米，战国文化层厚约1米，文化层是原生堆积，应该是城址使用时期居民生活形成的堆积。

（三）赤壁土城的性质

赤壁土城战国城址始建于战国早期早段，使用到战国晚期。筑城之前已有人在此生活。西汉城垣始建于西汉早期早段，一直沿用到西汉晚期。

关于战国城址的性质，我们认为其可能是秦汉时代的下隽县。岳麓书院秦简之《质日·二十七年》载有简主人从江陵去州陵的一段行程，“己酉宿下隽”“庚戌到州陵”。[①]这段行程在秦始皇二十七年五月，联系《二年律令》已记载有下隽，可知至晚秦始皇二十七年（前220年）已置下隽县。下隽当与州陵相距不远，故能一日而至。州陵在今洪湖市小城濠城址，与之相近的赤壁土城当即下隽所在。

四、楚国县邑的特点

（一）规模略小而差异较大

与规模宏大的楚都相比，楚国县邑小得多，且大小较为悬殊。有面积达192.4万平方米的云梦楚王城，也有面积小至10.8万平方米的小城濠城。根据面积大小，将荆楚地区的县邑分为大型（面积超过100万平方米）、中型（面积30万—100万平方米）、小型（面积30万平方米以下）三类。大型县邑有云梦楚王城，为江汉平原东部要邑，中型县邑有赤壁土城、邓城两座，小型县邑只有小城濠城。荆楚地区县邑规模的差别，有城邑性质上的原因也有时间上的原因。云梦楚王城都是战国时期修筑，城邑规模最大。其他三座县邑修筑时间较早，故规模相对较小。秦汉时期以后，城邑规模多明显缩小，云梦楚王城仅利用西半部，赤壁土城仅利用西南小城。徐龙国先生认为这是东周城邑规模扩大的趋势受到限制的表现，[②]当是。

（二）平面形制以长方形为主

东周荆楚地区县邑的形状，除云梦楚王城外，基本为长方形。云梦楚王城临近河道的一侧随河道变化有曲折，导致城为刀形。其他三座县邑，略呈东西向长方形的有邓城、小城濠城，略呈南北向长方形的有赤壁土城。可见长方形为东周荆楚地区县邑的主流形制，其他不规则形状多因规模较大，受河流等自然因素的限制而成。以长方形为主、面积大

---

① 朱汉民、陈松长主编：《岳麓书院藏秦简（1—3）》释文修订本，上海辞书出版社，2018年，第13页。

② 徐龙国：《秦汉城邑考古学研究》，中国社会科学出版社，2013年，第140页。

的城邑形状不规则这一特征，在汉代也延续下来。[①]

（三）较注重军事防御建设

东周荆楚地区的四座县邑都设置有城壕。邓城、云梦楚王城还设置有角楼，邓城甚至有瓮城设施，显示荆楚地区县邑具有较强的军事防御能力。

第四节　东周时期的军事堡垒及专门性城邑

东周时代，荆楚地区除了都城、别都和众多县邑、封邑外，还有一定数量的军事堡垒，以及具有特定功能的专门性城邑。军事堡垒如控制荆楚地区东北部交通要道的草店坊城。专门性城邑如鄂东南的矿冶城邑五里界城和鄂王城。

一、草店坊城

（一）草店坊城的位置与环境

草店坊城，俗称“瓮城”，位于湖北省孝感市孝昌县花园镇陈林村107国道的东西两侧，北门坐标为东经113° 58′ 21.5″，北纬31° 16′ 46.3″。草店坊城地处桐柏山与大别山分界处南麓，向北沿应山河与大悟河谷穿过古义阳三关之武胜关、九里关与淮河上游相连，向南通过澴水可直达武汉，即处在武胜关道与九里关道交汇处，自古即为南北交通要道。

城址海拔37至45米。南垣依临澴水，北侧约500米为海拔50米左右的武家岗地，东距陈林村约250米，西距中心村约250米，城址东、西、南部地势平坦开阔，与孝昌县城隔澴水相望。[②]

---

① 徐龙国：《秦汉城邑考古学研究》，中国社会科学出版社，2013年，第139页。

② 草店坊城联合考古勘探队：《孝感市草店坊城的调查与勘探》，《江汉考古》1990年第2期。

（二）草店坊城的形态与功能分区

草店坊城平面不规则，南部向南凸出，面积较小。但在保存较好的西北、西南、东北三个城角发现夯土台基，护城河完整，整个城邑仅有一门，城内中部偏北发现较大的夯土台基，夯土台基北侧有一片红烧土遗迹。（图 2–10）

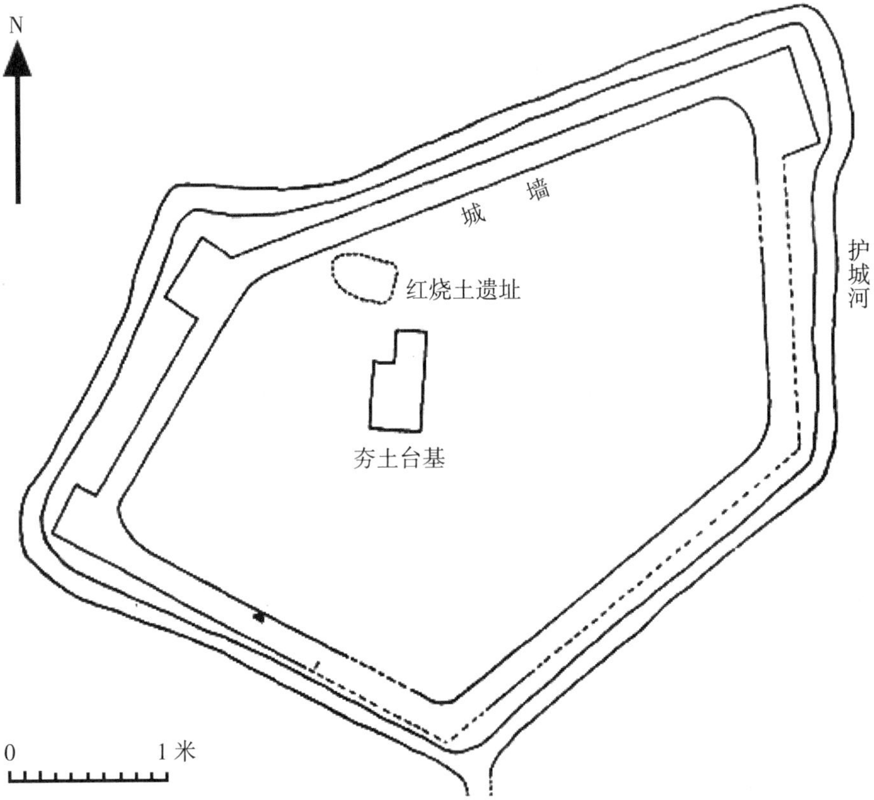

图 2–10 草店坊城勘探遗迹分布图[①]

① 采自草店坊城联合考古勘探队：《孝感市草店坊城的调查与勘探》，《江汉考古》1990 年第 2 期。

1. 城垣

草店坊城城垣周长 1326 米，北垣长 357 米，西垣长 210 米，东垣长 223 米，南垣西段长 253 米，南垣东段长 283 米。城址东西最长 518 米，南北最宽 326 米，面积约 11 万平方米。① 城垣为土筑，经夯实，夯层厚 15 厘米左右，夯土内包含有东周时期的板瓦、筒瓦、鬲、盂、罐等陶器的残片。

2. 城门

城垣有 3 处缺口，即北垣靠近西垣拐角处，东垣靠近南垣拐角北部，南垣东段西部一处。经勘探证实南垣东段西部的缺口为城门，其余两处为后来挖的排水沟。② 南垣东段西部的缺口，现在的地名仍曰“城门”，勘探得知城门残宽 22.5 米 ③。

3. 城角

城垣共 5 个拐角：在西北、西南、东北三个城垣的拐角上各探出一座建筑台基，南垣拐角和东南拐角破坏严重，已无法探明。已探明的三座台基呈正方形，台基建筑在城垣之上并向城垣两边凸出。台基上部发现有木炭和瓦砾堆积。三座台基的面积分别是：西北角台基 1500 平方米；西南角台基 1271 平方米；东北角台基 2690 平方米。

4. 护城河

西、北、东三面的护城河保存较好，南边可能是利用澴水为濠。护城河现存宽 18—30 米，深 2—5 米。东护城河与澴水直接相通，在东

---

① 孝感地区博物馆 1984 年调查草店坊城，测得北墙长 540 米，南墙西段长 309 米，东段长 360 米，东墙长 210 米，西墙长 225 米，东西最长处有 527 米，最宽处有 310 米，面积约 15 万平方米。见孝感地区博物馆：《湖北孝感地区两处古城遗址调查简报》，《考古》1991 年第 1 期，第 8 页。第三次文物普查测得城址面积约 16 万平方米，东、南、西、北垣分别长 420 米、260 米、257 米、340 米。经核实，我们以为草店坊城联合考古勘探队的数据较为准确。

② 草店坊城联合考古队：《孝感市草店坊城的调查与勘探》，《江汉考古》1990 年第 2 期。

③ 孝感地区博物馆 1984 年调查草店坊城，认为城东西各有一城门：东城门宽约 25 米，西城门宽约 20 米。据当地群众反映，西城门在 20 世纪三四十年代还保存着整体结构。见孝感地区博物馆：《湖北孝感地区两处古城遗址调查简报》，《考古》1991 年第 1 期，第 8 页。

城门内有一椭圆形水池，长约100米，宽约50米，通过东城门经东护城河，可以进出澴水。

5. 城内地层堆积与遗迹

城内大部分地方发现有秦汉时期文化层，东周文化层主要分布在城内的南部偏东。

城内的中部偏北发现一座夯土台基，台基在地表向下0.5—0.8米出现，被灰土所压，用褐黄色土夯筑。基脚建在褐色生土上。台基高约0.8米，南北最长60米，东西宽35米，面积约1750平方米。这是城内发现的唯一的一座夯土建筑台基。

夯土台基的北部偏西发现一处红烧土遗迹，东西长40米，南北宽30米，面积约1200平方米。推测可能与窑址之类的作坊有关。

6. 城外遗迹

城外的东、南、西三面分布着一大片早于城址的早期遗址，面积约3万平方米，时代上限可至西周，下限为东周。遗址堆积厚0.5—2.5米。这片遗址被城址叠压，坊城城垣的西南部压在遗址之上。

7. 墓葬

墓葬主要分布在城址西南2千米处的田家岗和城外300米处的武家坡和白莲村一带的岗地上。田家岗已发掘清理98座战国秦汉时期的墓葬。武家坡、白莲村一带的地面上仍可见到高约3米，周长达30米的封土堆。在武家坡有名为“九子墩”的九个封土堆，高约5米，周长60米左右，钻探确认是砖室墓，有可能是城内居民的墓地。

（三）草店坊城的性质

草店坊城的城垣建筑在周代遗址上，在西垣靠近南垣拐角的城垣剖面内出有周代的筒瓦、板瓦和陶豆残片，由此推断城址的时代上限最早也只能到战国。城内采集到陶器主要是战国秦汉时期的遗物。据此推测草店坊城的时代上至战国晚期，下到秦汉或略晚，该城当为战国秦汉时期的一座重要军事城堡。

二、五里界城

（一）五里界城的位置与环境

五里界城位于大冶市东南部大箕铺镇五里界村，北边紧靠侯文大屋自然村，西边隔武九铁路与黄莲垴自然村相望，西南紧靠石家大庄屋自然村，中心地理坐标东经115° 1′ 40″，北纬30° 1′ 39″。地处大冶市与阳新县之间的一处盆地。其西0.7千米为大箕山，海拔600多米；东2.5千米为角山，海拔在500米以上；北2.5千米为黄皮山，海拔约220米；南1.2千米为小箕山，最高海拔72米。盆地中为低矮的岗丘地貌，并有一块平地，五里界城址就在这块平地中间偏西的一块较高的台地上，平均海拔45米。盆地中有三条水道，其中黄连港流经五里界城东南角，距东南城垣约150米。[①]

城址所在盆地周围矿产资源丰富，周围发现两周时期遗址13处，其中堆积有铜炼渣且具有冶铜功能的11处，有6处未发现春秋时期遗存，说明西周时期，五里界地区铜矿采冶已具有一定规模。五里界周围发现春秋时期具有冶铜功能的遗址4处，堆积有铜炼渣而无生活用具的遗址6处，说明春秋时期五里界地区铜矿采冶规模较大。战国时期遗存很少，似反映出五里界地区此时铜矿冶炼业相对衰落。今盆地内有东角山、叶花香、冯家山三大铜矿仍在开采。（图2–11）

① 冯少龙：《大冶县新发现一处古城遗址》，《江汉考古》1983年第4期；朱俊英、黎泽高：《大冶五里界春秋城址及周围遗址考古的主要收获》，《江汉考古》2005年第1期。

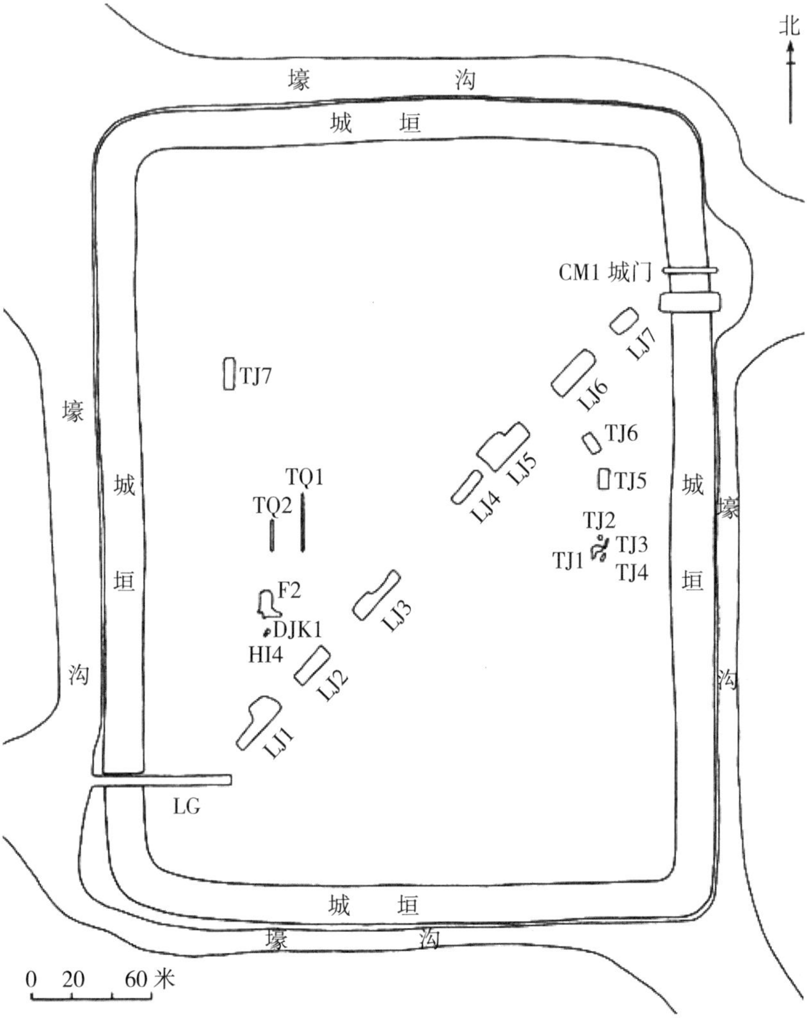

图 2–11 五里界春秋城址遗迹分布图①

（二）五里界城的形态与功能分区

从目前调查和发掘情况来看，五里界城为规整的南北向长方形，护城河完整。但内部形制较为特殊，一条西南—东北走向的道路将五里界

① 采自湖北省文物考古研究所：《大冶五里界：春秋城址与周围遗址考古报告》，科学出版社，2006 年。

城分为东南与西北两部。城内中部发现 7 处夯土台基，主要集中在东南部偏北。城内西北部偏南发现两处房屋遗址。

1. 城垣

城址呈南北向长方形，方向北偏西 2°。城垣周长约 1426 米，面积约 12 万平方米。东垣建筑在台地的东部边缘，南北两端各有一个小缺口。城内地面与城垣顶面高差 1—2 米，城外为水稻田和低洼地，比城内低 3—5 米。东垣墙基长 405 米，面宽 12 米，底宽 22 米，残高 1—3 米。墙基下是红色生土。南垣建筑在台地的南部边缘，台地南缘西部向南突出，东部向北内缩，南垣东段建筑在台地边缘，西段内缩建筑在台地南偏北，故有 50 米的台地被南垣分割在垣外。南垣东段顶面高于垣外约 10 米，高于城内 4—5 米。南垣墙基长约 308 米，面宽约 10 米，底宽约 15 米，残高 1.35—2.7 米。墙基下是黄色生土。西垣建在台地西边，垣外为大箕山的二级阶地。城垣内外坡度均较陡，垣内地面高于垣外城壕地面。西垣墙基长约 406 米，面宽约 8 米，底宽约 22 米，高约 3.5 米。墙基下是红色生土。北垣建筑在台地的北端，垣外有低矮的土包相连。北垣墙基长约 307 米，残存面宽 10—12 米，底宽 20—22 米，高 2—3 米。墙基下压红色生土。

城垣夯层中包含有春秋早期及两周之际的遗物，城垣建造年代应为两周之际。

2. 城门

五里界城垣共有 6 处缺口，但只有东垣北端的两处缺口是城门。

东垣北端的两处缺口实际上是一个大型缺口，发现了主体城门和侧门。城门有两门道，偏南门道南北宽 10 米，东西长 13 米。门道内堆积第四层下有用鹅卵石、小石块和碎矿石铺设的路面，勘探长度约 26 米。偏北门道上部垮塌，宽 2.68 米，底宽 1.5 米。门道内填土第五层是路土和路基，厚约 0.2 米，路土下铺垫鹅卵石、小石块、铜炼渣和铜矿石。

3. 城壕

东垣外城壕紧临墙基，口宽 11.75 米，底宽 3.75 米，深 2.45 米。南垣外城壕紧临南垣，西段开挖在紧靠城垣的山岗上，东段利用天然河道作为城壕。城壕内堆积第三层下为灰白砂岩层。南城壕口宽 10.6—13 米，底宽 4—5 米，深 2.4—3.2 米。西垣外城壕紧靠西垣，北端与北垣外城壕相汇后从西北方向流入天然河道。西垣外城壕口宽 12—26.5 米，底宽 8—11.8 米，深 1.8—2.2 米。北垣外城壕紧靠外墙基修筑，城壕中间高，两端低，故城壕西部水向西流入城外低洼地，东部壕水向东流入东南的黄连港。北垣外城壕口宽 8—12 米，底宽 5—10 米，深 1.8—2.8 米。

4. 城内地层堆积与遗迹

（1）文化堆积。城内地面西南高，东北低，文化堆积层很薄，以春秋时代的堆积为主，全城均有分布。春秋文化层之上局部叠压有宋代文化层，大部地段是明清与近代文化层堆积直接叠压春秋文化层。城内东北部春秋时期堆积深 0.4—0.6 米，厚 0.2—0.4 米；东南部偏南低洼地下为红黄色生土，偏北文化堆积较丰富，春秋文化堆积厚 0.4—0.6 米，在部分探方发现宋代文化堆积，其上为明清文化堆积；西南部春秋文化堆积厚 0.2—0.3 米，其上为明清文化堆积；西北部春秋文化堆积厚 0.1—0.5 米，其上亦为明清文化堆积。

（2）道路。考古勘探发现一条斜穿城内的道路，起于东垣北端城门附近，止于西垣南端缺口路沟东端。该道路叠压于明、宋文化层下，生土之上。路基用卵石、小石块和红烧土铺设，残存部分断断续续呈长方形块状分布，共发现七块，最宽处 14 米，最窄处 6 米。

（3）夯土台基。城内发现 7 座夯土台基，编号为 TJ1、TJ2、TJ3、TJ4、TJ5、TJ6 的台基分布在城内西南—东北向道路的东南侧，TJ7 位于道路西北侧。TJ1、TJ2、TJ3、TJ4 间隔仅 1—2 米，被后期遗迹破坏严重，形制不清。TJ5 正南北向，南北长 10 米，东西宽 5 米，厚 1 米，在表土下 0.5 米，台基周围有厚约 0.2 米的早期文化层，台基底部为褐红色生土。TJ6 为西北—东南向，南北长 10.5 米，东西宽 5.5 米，厚 0.8 米，在表土下 0.5 米，周围分布有约 0.2 米厚的春秋时期文化层与灰坑。

TJ7 正南北向，南北长 15 米，东西宽 5 米，厚 0.1 米，在表土下 0.6 米，周围有厚约 0.2 米的春秋时期文化层与灰坑等遗迹。

（4）房屋。城内发现房基两座，一座是位于东南部的 F1，实为两条南北相连的曲尺形基槽，两处转角内侧均有一柱洞，房址形制不明。另一座是位于西南部的 F2，为一南北向房屋和一东西向房屋组成的曲尺形院落，南北残长 12.75 米，东西宽 9.25 米，残存面积约 118 平方米。院落南部有奠基坑。结合室内外地面垫土发现的矿石小块等推测，F2 为存放矿冶物资的仓库。另外 F2 北侧发现两道土墙，东部一道土墙 TQ1 长 29 米，宽 1 米，高 0.3 米，西部一道土墙 TQ2 长 16 米，宽 1.1 米，高 0.35 米。两墙相距 14 米，南部两端平齐。两墙出现在表土下 0.4 米，两墙之间表土下 0.8 米深有红土硬面，似乎也是房屋遗迹。

（三）五里界城的性质

关于五里界城的时代，一般认为建筑于两周之际，废弃于春秋中期偏晚。

从五里界城址文化堆积极为稀薄却有大型房屋建筑且只有一处城门来看，其功能是极为特殊的。它并不是一处普通的居址，城内的居民也很少，而其地处矿冶区，周围有大量铜矿采冶遗址，内部也有矿冶遗物，且可从水路通大冶湖并通长江，据此推测五里界古城当为以铜矿采冶为主要职能的城邑，是春秋时期与铜矿开采、冶炼生产密切相关的一处仓储、转运、管理场所。

三、鄂王城

（一）鄂王城的位置与环境

鄂王城地处大冶市金牛镇高河管理区鄂王村 8 组胡彦贵自然村，地理坐标东经 114° 33′ 14.5″，北纬 29° 59′ 23.4″。城址坐西朝东，依山傍水。西部建筑在一块台地上，北、东、南三面高出周围地面 5—10 米。西南、西北和西部为海拔 40—50 米的土丘山岗，分布着尖角山、下邹山、石头嘴山等岗岭；东北、东南和东面为宽阔的平畈。发源于南部毛铺山区的虬川河和发源于大幕山区的高河港由南向北经鄂王城东城垣外流入梁子湖，再从樊口注入长江。鄂王城周围形成了东、南、西三面合围，北为水路出口的大的地理态势，鄂王城偏居这一地势中的西南一隅。[①]（图 2–12）

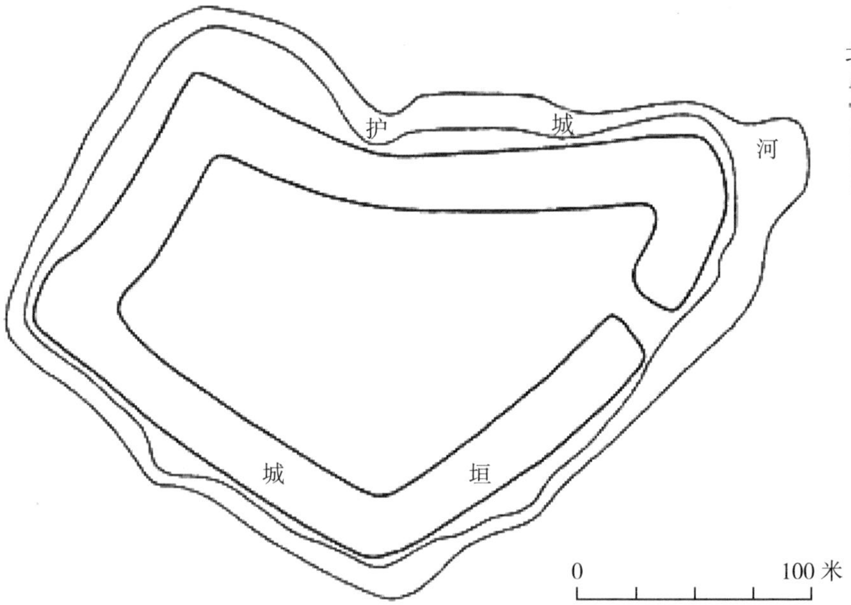

图 2–12 鄂王城遗迹分布平面图[②]

（二）鄂王城的形态与功能分区

鄂王城平面为不甚规则的长方形，面积较小，仅有东侧有一门。城内东、西城垣下均发现窑址，这显示鄂王城较为特殊，不似一般城邑。

① 大冶县博物馆：《鄂王城遗址调查简报》，《江汉考古》1983 第 3 期；湖北省文物考古研究所：《鄂王城调查》，湖北省文物考古研究所：《大冶五里界：春秋城址与周围遗址考古报告》，科学出版社，2006 年，附录一；朱继平：《“鄂王城”考》，《中国历史文物》2006 年第 5 期。

② 采自湖北省文物考古研究所：《鄂王城调查》，湖北省文物考古研究所：《大冶五里界：春秋城址与周围遗址考古报告》，科学出版社，2006 年，附录一。

至于内部功能，因为资料有限，了解不多。

1. 城垣

鄂王城平面呈不规则长方形，周长 762 米，面积 53972 平方米。北城垣在平整土地时挖毁，仅剩墙基底部。东城垣部分遭毁，北端、中部和南端有缺口。东垣南端拐角缺口现存断面面宽 7.4 米，底宽 27 米，高 4.7 米。南城垣东段修灌水渠道时被毁，西端城垣犹存。西城垣除南段残存外，其余部分在修九龙水库时经加高后成为水库拦水大坝。

2. 城门

城址的东垣北端、中段、南端有三处缺口，北垣中部有一缺口。经过考古发掘证实，东垣中段缺口为城址东门，北端缺口为后期开挖的缺口。东垣南端缺口和北垣中部缺口是否为城门不明。

3. 城壕

北垣外城壕西高东低，口宽约 42 米。东垣外城壕口宽约 50 米。南垣外城壕口宽约 45 米。南垣和东垣外城壕距城垣约 80 米，相对较远。整个城壕的水在东南与高河港相连，然后通向梁子湖。

4. 城内遗迹

城内的地层堆积比较单纯，从断面观察，大致分为两层，即地表土和战国文化层，无其他时代的文化堆积。战国文化层在城内分布并不均匀，局部甚至无战国文化层。

（1）窑址。城内有两处窑址：一处位于西垣南端城垣上，打破生土，残宽 1.2 米，残高 1.4 米，土窑底部遗存有绳纹筒瓦陶片，未见其他遗物；另一处位于东垣中部城垣内坡脚下，残宽 1.4 米，残高 1.5 米。两处窑址出土的筒瓦陶片，与鄂王城内出现的筒瓦陶片有相似之处，可能是供应城内建房的制瓦窑址。

（2）房基。1982 年 9 月在城内南部发现一处房屋建筑遗迹，坐北朝南，东西长约 40 米，南北宽约 5 米，残存面积约 200 平方米。

5. 城外墓葬

鄂王城西部以及西南、西北岗地上有成群的封土堆，据初步调查，共发现封土堆 117 座。其中较为高大的封土堆有 18 座，高 2.5—3.5 米，直径约 20 米；一般封土堆高 1—2.5 米，直径 14—18 米。经初步勘探，少数为砖室墓，大部分是长方形土坑竖穴墓。

6. 其他遗物

鄂王城内发现一铭文戈，直内上刻“[illegible]”二字。还有一块金币，上有“陈爰（爯）”的戳印文字。近年又发掘出土一件铭文戈，内容尚未公布。

（三）鄂王城的性质

鄂王城的时代一般认为是战国时期。关于鄂王城的性质，一般认为是战国时期楚国在鄂东南地区的铜矿管理中心。

四、楚国军事堡垒及专门性城邑的特点

（一）规模较小

军事堡垒或专门性城邑的面积一般都较小。大者如五里界城，面积约 12 万平方米，接近面积较小的县邑，但与楚国都城相比，差异仍十分大。

（二）形态多样化

军事堡垒和专门性城邑的平面呈多样化态势。草店坊城为向南突出的五边形，五里界城为标准的南北向长方形，鄂王城为不规则形状。规则的形态一般与平坦的地形相对应，不规则的形状则往往是出于利用高低起伏的地形加强防御。但五里界城是个例外，其南部的地形并不规整，城垣却修筑得笔直，这是城垣形态复杂的地方。

（三）功能特定

军事堡垒和专门性城邑都是有其特定职能的。草店坊城的存在显然是楚国为了控制义阳三关的交通要道。五里界城、鄂王城一般认为是铜矿开采、冶炼、储藏、转运的中心。当然，要注意的是有特定功能并不意味着不存在其他功能，而是强调整个城邑以某一功能为主。如草店坊城内红烧土的存在显示这里可能有窑场，鄂王城内也在东西城垣上发现

两处窑址，这并不能改变其为军事堡垒或专门性城邑的性质。

（四）临近决定其发展的区域

军事堡垒和专门性城邑的特定功能往往导致其必须临近特定的区域。草店坊城临近古义阳三关东侧两关道的结合处，五里界城和鄂王城临近鄂东南采矿基地。这些地区决定了其城邑的发展，如到了战国时期，随着五里界城周围采矿冶炼活动的衰落，五里界城也就衰落了，取而代之的是鄂王城。

第五节　先秦时期荆楚地区的建筑

先秦时期荆楚地区的建筑中，宫室建筑、祭祀建筑、居住建筑、军事建筑等各种建筑类型齐全，建筑技术与建筑风格也独树一帜。目前考古资料较为充分，可了解建筑细节的，主要有商代的盘龙城宫殿建筑、东周的楚都宫殿及离宫建筑、方城等军事建筑、西周的蕲春毛家咀木构建筑等。

一、宫室建筑

宫室建筑是先秦荆楚地区高等级建筑物。修建宫室建筑需耗费大量人力物力，使用当时最先进的建筑技术。宫室建筑也是统治者的象征，具有明显的政治性，社会的思想和制度对宫室建筑的布局有着深刻的影响。先秦荆楚地区宫室建筑中，布局较为清楚的是黄陂盘龙城 F1、F2 宫殿建筑基址，江陵纪南城宫城 30 号建筑基址，以及潜江龙湾离宫遗址。盘龙城 F1、F2 宫殿建筑基址和纪南城宫城 30 号建筑基址前文已述。下面详细介绍潜江龙湾离宫遗址。

龙湾遗址位于潜江市西南龙湾镇一带，遗迹分布在东西长约 12 千米，南北宽约 9 千米的范围内。1987 年以来，考古工作者在这里发现了周代遗址 26 处。其中，遗址东区以放鹰台宫殿基址群为主体，基址群由 22 个夯土台基组；西区以张金镇黄罗岗古城为主体。[①] 发掘工作集中在放鹰台 1 号宫殿基址等处，初步揭示了这处宫殿建筑的面貌。

放鹰台 1 号宫殿基址位于放鹰台宫殿基址群东端，东临古河道，北面连接 2 号台，西北距水章台约 530 米，南临幸福渠。现地表最高处海拔 31.1 米，周围一般海拔 25.7 米。放鹰台 1 号宫殿基址面积为 1.3 万平方米，共包括三层台。

一层台东西长约 130 米，南北宽约 100 米。其上分布有二层台、三层台、外曲廊、东内廊、内曲廊、回廊和天井、广场、贝壳路、夯土墙等遗迹。一层台是在早期灰色夯土台基上，先挖基槽，再填黄黏土夯筑而成的。台面由南向北，分四层逐渐增高。一层台基上重要的遗迹有贝壳路、曲廊、天井等。贝壳路围绕三层台的东、南、西侧分布，暴露总长 53.2 米。贝壳路宽 0.9—1.1 米，高出两侧地面 0.2 米，路两侧有嵌木板的沟槽。路面由贝壳嵌砌而成，口朝下，背朝上。围廊有外曲廊、东内廊、内曲廊等。

二层台建筑在一层台上，高出一层台 0.5—0.9 米，台基东西长 9.45 米，南北宽 6.2 米，面积 58.59 平方米，台上主要建筑遗迹有夯土墙、北门、台内及周边壁柱洞。壁柱洞和台内柱洞分布较为散乱，看不出二层台的布局特点。

三层台高出一层台 1.2—3.5 米，面积 467.5 平方米。整个台体用经过筛选的灰土夯筑。台周有 28 个大型壁柱洞。台内分布有纵横交错的地沟和柱洞。壁柱洞为嵌入台体的半明暗壁柱洞，并运用了木结构中的榫卯结构原理。三层台已暴露纵横交错的地沟共计 52 条，其中横地沟 23 条，纵地沟 27 条，斜地沟 2 条。发掘者推断地沟是地梁火烧后留下的痕迹。三层台的南壁和西壁有 6 条纵向壁沟，这些壁沟分布较有规

① 荆州地区博物馆、潜江县博物馆：《湖北潜江龙湾发现楚国大型宫殿基址》，《江汉考古》1987 年第 3 期；湖北省潜江博物馆、湖北省荆州博物馆：《潜江龙湾：1987—2001 年龙湾遗址发掘报告》上，文物出版社，2005 年，第 6—7 页。

律，发掘者推测是嵌木条用的沟槽，用于固定包壁木板。

根据地层及出土遗物分析，一般认为放鹰台1号台基的时代为西周晚期至战国中期，早期台基的年代为西周晚期至春秋中期，晚期台基的年代为春秋晚期至战国中期。放鹰台1号晚期宫殿基址的建造年代当为春秋晚期早段，废弃年代的下限为战国中期晚段。

放鹰台1号晚期宫殿基址的特点，一是建筑规模宏大，结构复杂；二是建筑规格高，技术先进；三是建筑风格独特。放鹰台1号晚期宫殿基址面积达1.3万平方米。台基高，一层台高出周围地面2—3米，二层台高出一层台0.5—0.9米，三层台高出一层台1.2—3.5米，原始高度当更高。基址结构复杂，形成以第三层高台建筑为主体的，廊、天井环绕的大型建筑群。土木结构的三层台，显示了楚人先进的建筑技术。一般宫殿基址为一层台，放鹰台1号台基却由三层台构成，规格似更高。第三层台采用木骨架结构，包括立足、纵横地梁、大型壁柱、护壁木等，再在木骨架内分块版筑，由此营建了高大的高台建筑。区别于传统的以南北轴线左右对称的建筑布局，放鹰台1号晚期宫殿建筑风格独特，采取以第三层高台建筑为主体的结构布局，廊道、天井、广场都分散在高台基周围。

关于放鹰台1号晚期宫殿基址的性质，一般认为即楚灵王六年（前535年）建成的章华台。但从地望来看，将章华台所属古华容县定在今潜江市西南，尚需其他材料的证明，也不能将放鹰台1号晚期宫殿基址与章华台简单对应。但放鹰台1号晚期宫殿基址无疑是一处重要的楚国离宫建筑。

二、祭祀建筑

“国之大事，在祀与戎”，承载祭祀功能的祭祀建筑也同宫室建筑一样，在先秦时期有着特殊的地位。先秦的祭祀建筑主要分祭祀自然神的坛庙和祭祀祖先的宗庙，目前荆楚地区发现的属于祭祀建筑遗迹的主要有纪南城附近的红光台基和红土地台基。

（一）红光台基

红光台基[①]，位于荆州纪南城以南约 2 千米处。为一圆形土台，直径约 20 米，高出周围地面约 2 米。文化堆积可分为两层：上层为汉代文化层，厚约 1.4 米，土质较疏松，含有汉代的砖、瓦等物；下层为战国文化层，露出地面约 0.6 米，土质较坚硬，含有战国筒瓦等物。战国文化层中的东北部边缘地带发现 25 具彩绘石磬。石磬出土时，大磬在下，小磬在上，磬的股部两两相接，叠置成半圆形，应是有意放置。

出土的 25 具石磬，大都保存有彩绘和略凹凸的纹饰。彩绘纹饰多由红、黄、蓝、绿四色绘制。为了突出纹饰的某些部分，还往往加饰金线。彩绘纹饰多以 1 至 3 只凤鸟为主题，其余部分用羽毛纹饰填补，构成了华丽的图案。结合对江陵地区出土彩绘石磬的形制和纹饰分析，发掘者认为石磬年代为战国时期。

因红光台基出有这 25 具彩绘石磬，有学者认为该遗址是楚国祭天的圜丘。[②]我们认为，红光台基地处楚都南郊，周围有大量周代遗址，台基形制为圆形，台基内出筒瓦和 25 具整齐摆放的彩绘石磬，这些都符合南郊祭坛的条件，该遗址无疑是楚国的一处重要祭祀建筑遗址，但是否为圜丘，还需进一步斟酌。

（二）红土地台基

红土地台基，位于荆州纪南城南垣外西南 1.5 千米处的拍马山红土地，东距红光台基约 1.5 千米，台基周围为水塘密集分布区，由 1 号台基和 2 号台基构成。[③]

2 号台基平面接近正方形，复原边长约 94 米。台基地表中部最高，表面和体内都无红烧土遗迹，也无柱洞。台基夯土用修整精细的楠木柱为夹柱地梁。位于 2 号台基东缘上的灰坑 H1，出土了 905 件陶豆及少量

---

① 湖北省博物馆：《湖北江陵发现的楚国彩绘石编磬及其相关问题》，《考古》1972 年第 3 期。

② 国家文物局主编：《中国文物地图集·湖北分册》，西安地图出版社，2002 年，下册第 142 页。

③ 何驽：《江陵拍马山红土地台基的时代与功能》，《考古与文物》1997 年第 6 期。

的盆、壶、鬲、筒瓦、板瓦和瓦当碎片。这批陶器的时代从西周晚期到战国中期偏晚都有，但春秋中期的最多。H1 的堆积时代，一般认为是战国中期偏晚。2 号台基的兴建时代，从夯土内所夹战国早期的陶器来看，当为战国早期；废弃时代即 H1 堆积形成的战国中期偏晚。

1 号台基呈长方形，东西长 62 米，南北宽 36 米。1 号台基东南部被 2 号台基打破。与 2 号台基一样，1 号台基表面和体内都无红烧土遗迹，台基表面也无柱洞，都有长方形夯土坑。关于 1 号台基的时代，台基夯土内包含春秋中期的陶豆残片，表明 1 号台基兴建于春秋中期或稍晚；一号夯土台基的废弃堆积中包含春秋晚期的陶豆，且被 2 号台基打破，表明 1 号台基废弃于春秋晚期。

1 号、2 号夯土台基选址相似，都建于湖沼相间自然地基之上，构筑方法也相同，台表都无柱洞，时代有先后继承关系，2 号台基是在 1 号台基废弃之后修建的。有学者通过对台基形状、地理环境、地表设施、H1 陶器、废弃时代等诸方面分析，结合文献记载，认为红土地台基是楚国春秋中期至战国中期的社稷坛，是楚国祭大地神和谷神的场所。①我们认为，从环境、形制、内涵来看，红土地台基确实非贵族的居住址或楚王的离宫建筑，当为一处祭祀遗址，至于红土地台基是否是楚国的社稷坛，尚需进一步的讨论。

三、军事建筑

先秦时期荆楚地区的军事建筑，最著名的莫过于楚方城。此外还有大隧、直辕、冥阨、捍关等关隘，以及方城亭等亭障。目前通过考古调查，楚方城的面貌已较为清晰。②

---

① 何驽：《江陵拍马山红土地台基的时代与功能》，《考古与文物》1997 年第 6 期。

② 详见李一丕等：《豫南地区楚长城资源调查与发掘取得突破》，《中国文物报》2011 年 9 月 30 日，第 5 版；李一丕：《河南楚长城研究》，《文博》2014 年第 5 期；李一丕：《河南楚长城分布及防御体系研究》，《中原文物》2014 年第 5 期；张超华：《楚长城研究综述》，《荆楚学刊》2016 年第 2 期。

楚方城，又叫楚长城，为先秦时期的“天下九塞”之一，是楚国防御北方侵袭的重要屏障。“方城”最早见于《左传·僖公四年》，楚屈完回答齐侯说：“君若以德绥诸侯，谁敢不服？君若以力，楚国方城以为城，汉水以为池，虽众，无所用之。”故公元前656年楚已有方城，方城的始建年代当更早。关于方城的内涵，前人多有讨论。近来经过考古调查与发掘，基本弄清了方城的地望、走向、构成、防御体系等问题。楚方城是以城垣连接为基础，串联中间地段或沿线的山河之险地、关堡、城址及烽火台等，构成的一条有机统一的防御线。

目前南阳盆地北沿、东沿的楚方城分布线路已经基本查清。楚方城自伏牛山主峰尧山，循南阳盆地北沿的伏牛山支脉向东，大体沿今天的平顶山市鲁山县、叶县与南阳市南召县、方城县交界处，经叶县夏李乡椅子圈村高楼山，保安镇五里坡、花山头、茅茅山等，再向东过甘江河，经叶县辛店乡七棵树村土龙岗、龙头山、鹞山，延伸至叶县辛店乡刘文祥村小梁沟一带，穿南阳市方城县杨楼乡而过，至摞摞石山、关坡一带进入平顶山舞钢市境内，经舞钢市平岭村、垭口，再向东经东西火山、苏山至舞钢市石漫滩水库东端大坝处，折转向南，沿驻马店市泌阳县东部的五峰山、塔山、白云山、铜山一线分布。整个线路绵延约300千米。

不同地段，楚方城的建筑形式各不相同。据调查，海拔多在330米以下的区域，加强了人工设施的修筑，修筑绵延几十千米的人工墙体；海拔多在330—400米的区域则是山险和人工墙体相结合，仅在山间垭口、古道、要冲处，沿两侧山势而下，修筑人工墙体扼守；海拔多在400米以上的区域，以山险为主，建关堡、城址扼守古道、要冲。

楚方城整体由人工墙体、关隘、兵营遗址、烽燧、城址、山险等多种元素构成。

1. 人工墙体

楚方城分布线路上的人工墙体多为土石混筑，亦有少部分毛石干垒的石砌墙体和纯土筑的墙体。楚方城的人工墙体多紧贴山体或山间垭口外侧的崖边修建。舞钢市平岭西段楚长城人工墙体的发掘，使我们对楚长城的结构及建造方法有了清楚的认识。

平岭西段楚方城人工墙体，位于舞钢市杨庄乡五座窑行政村平岭自然村村北垭口西部山坡上。墙体修筑前，先平整山体，再修建两道东西向的石砌墙体。石砌墙体外侧加筑小护坡。两道墙体之间，地势低处堆积石块，石块里掺杂炭化的木棍，其他地段将炭化木棍直接堆积在山体上。其后在石块层或木棍层上堆积当地红土。红土层上堆积数层北高南低的黄土层。整个墙体残宽 10—16.1 米，主要采用堆筑法，局部采用夯筑法。该段墙体内出土遗物多不晚于战国中期。楚方城其他 10 处剖面显示的结构与平岭西段楚方城人工墙体结构一致，都在墙体底层堆积有炭化的木棍或杂积有炭化木棍的石块层。

2. 关隘

关隘既有在方城线上的，也有在方城线内、外的。象河关遗址的调查，使我们对楚方城的关隘形制有了更多的认识。

象河关遗址位于驻马店市泌阳县象河乡乡政府所在地及其以北地区，北有界牌河自东向西流过，南有象河自西向东而流，东、西分别有五峰山、关山等山。象河关关墙和壕沟横亘在关山和五峰山之间，有一古道从中部南北穿越。古道以东的人工关墙为纯土夯筑，长约 1.1 千米，墙底残宽约 32.5 米，残高约 2 米。墙体分主墙体和内、外护坡三部分。关墙北侧有壕沟，宽约 23 米。古道以西仅有壕沟，长约 1.9 米，宽 15—20 米，深 1.5—2 米。古道和关墙交汇处原有一烽燧遗址，今已毁。关墙以南 5 千米处象河北岸有一东西向狭长的周代遗址，面积约 182 万平方米。象河关关墙北侧有两个烽燧东西对称分布于山脚下。

3. 烽燧

楚方城沿线及内外，有许多烽燧遗址，大多近圆形覆锅状，少数呈圆形覆斗状。烽燧遗址中部往往堆积大量红烧土，红烧土中多有木炭。个别烽燧地表有较多的筒瓦、板瓦。烽燧的建筑方法，部分为堆筑，部分为夯筑。

南阳方城县四里店乡米家河村南望火楼，建在一个海拔246米的高岗上。其基址的建筑程序是先在岗地最高处夯筑一个方形土台，再在土台上挖建一个圆角方形的半地穴房子。房子修有斜坡门道，地穴壁上涂抹一层厚0.5—0.8厘米的草拌泥，并烘烤。地穴东壁中部偏北处有三个灶南北排列，地穴周围有柱洞20个。建筑填土包含较多筒瓦、板瓦，还有陶鬲等，其时代不晚于战国中期。

4. 城址

楚方城内外还有较多的城邑。楚方城分布线之外，围绕南阳盆地盆沿自西向东，再向南，依次有绕角城、犨城、叶邑故城、柏国故城、吴房故城、道国故城等。楚方城外围更远处还有陈、蔡、东不羹、西不羹等城址。楚方城分布线内侧近处，有一些与之密切相连的关城，如南召县云阳镇一带的楚国“武城”、叶县保安镇一带的缯关、驻马店市泌阳县的象河关等。南阳盆地的核心即楚国重要军事基地——申县。这些城邑与方城本身一道，构成了方城的整体防御体系。

四、其他建筑

先秦时期荆楚地区有一类特殊的木构建筑——干栏式建筑。目前荆楚地区发现有木构建筑的遗址有蕲春毛家咀、毛家咀西北、荆门车桥等。其中，以蕲春毛家咀西周木构建筑最为著名。

蕲春毛家咀西周木构建筑[①]，位于蕲春县达城乡柏条铺村毛家咀以南150米的三处水塘内。其中，中型水塘内发现木柱109根，木柱直径多在20厘米左右，排列整齐。有的木柱上凿有榫眼。在它们周围，有的残留排列整齐的木板墙，木板宽20—30厘米，厚2—3厘米。根据残留的木板墙角和木柱的排列形式可复原两座长方形房子。

1号房位于中型水塘内遗迹的东南部，长8.3米，宽4.7米。房内有

---

① 中国科学院考古研究所湖北发掘队：《湖北蕲春毛家咀西周木构建筑》，《考古》1962年第1期；程平山：《蕲春毛家咀和新屋塆西周遗存性质略析》，《江汉考古》2000年第4期。

木柱 18 根，粗的直径 20—30 厘米，细的直径 10 厘米左右。木柱大致排列成纵 3 列、横 6 行。

2 号房在 1 号房西北侧，与 1 号房相距不足 2 米，长 8 米，宽 4.7 米，与 1 号房方向相同，并在一条直线上。房内有 15 根木柱，纵 3 列、横 5 行，排列比 1 号房整齐。

中型水塘另有一处无法复原的不规则房屋，即 3 号房，位置在 1 号房东北侧，方向与 1 号房相同，残长约 6.8 米，残宽约 5 米。残存粗柱 7 根，横向木柱与 1 号房的木柱基本在一条直线上。

这三座房址都未发现门道，其形状、大小相近，每座房址之间只有宽不足 2 米的通道。房址内部布局相差较大。1 号房址东南部的木柱较密集，可能有较小的隔间。2 号房址的木柱分布较疏，间距较均匀，可能隔间较大。3 号房址内部没有木柱，是一间不带隔间的大房子。三座房址格局不同，可能是用途不同缘故。三处房址共同组成了一组建筑群。

中型水塘中除发现三座房址外，在 2 号房西北还发现大片建筑遗迹，有一段长 4 米的弧形木板墙，还有木质楼梯的残迹。这些建筑可能是木构的楼房。

大型和小型水塘内也发现了木构建筑遗迹。其中，大型水塘内发现的 1 号房，房基平面近梯形，基本为东西向，西端较窄，东端较宽。东西长 4.6 米，西墙长 2.2 米，东墙长 3.3 米。

上述木构房屋遗迹，有的出土类似楼梯的木构件，说明可能存在楼房。木地板均由长方形木板平行排列，凿榫连接而成。这些木地板是直接铺在底层地上的还是上一层建筑的地板，目前尚不清楚。一般认为毛家咀木构建筑应是南方地区常见的干栏式建筑。毛家咀附近及荆门车桥也发现类似建筑，说明干栏式建筑可能是先秦特别是西周时期荆楚地区较为常见的居住建筑类型。

五、先秦荆楚建筑的特点

先秦时期荆楚地区的建筑，与全国其他地区的建筑一样，除具有建筑类型多样化、建筑等级制度逐步确立、木构建筑逐步发展、陶质建材推广等成就和特点外，还有自身的一些特点，突出地表现在先进的土木结构夯土台基技术、筑土烧烤技术、独具地域特色的干栏式建筑，以及独特的军事建筑技术四个方面。

（一）夯工台基建筑技术

楚人在得天独厚的自然环境中，凭借占有的物质优势，继承江汉地区土著建筑的成果，创造了有别于他国的建筑技术，形成别具一格的建筑风格。

荆楚地区较为重要的夯土台基，多采用土木混合结构，如楚离宫建筑放鹰台1号宫殿基址第三层台基，即采用木骨架结构，包括立柱、纵横地梁、大型壁柱、护壁木等木结构，再在木骨架内分块版筑夯土，由此建成了高大的高台建筑。再如红土地台基祭祀建筑中的2号台基，台基夯土中采用修整精细的楠木柱为夹柱地梁。这些土木结构的夯土台基一方面使得高台建筑更加稳固，另一方面也显示了台基较高的等级。

面对南方潮湿容易下陷的地基，楚人在土工上面也采用夯筑、垛泥墙、土砖砌体。古人发现了可以用夯筑消除地基湿陷并增强其承载能力的方法，遂由夯实柱基、夯筑房基开始，发展到筑墙、筑墩台。夯土所用土要求较纯净，含水量适中，一般经验是可以用手团成泥团而不散，且上抛三尺后落在地上粉碎即符合使用要求。一般做法是，先清理地基至生土，然后夯筑房屋台基。为防护屋基浸水，需在其四周做散水。先在夯筑好的台基中下挖柱基坑，深者可至1米，然后用河卵石或烧土块与土相间逐层夯实，以增加承载力及消除湿陷性，或即在其上立柱，或再铺垫块石、柱础然后立柱。[①]

① 龙睿：《先秦建筑地面处理历史变迁浅析》，《西安社会科学》2010年第3期。

用桢干[①]筑墙，起始时，在两端各立一桢，在其间的内外侧相对各横置两三根干，干间用草绳系紧，然后在中间填土夯筑。夯至与最上一根干相平后割断草绳，抬升干，再依同法夯筑，逐层上抬至所需高度，夯筑成的一段墙称为一“堵”。然后用同法筑下一堵，续筑时只需用一片桢，另端用已筑成墙身代替桢。如此连续夯筑直至所需长度止。版筑一般做法是模版两侧的边版垂直，一端用端版封堵固定，另一端敞开。把敞开的边版接已筑之墙，用卡木固定，然后填土夯筑。夯平后，撤出卡木，把模版水平前移，继续夯筑。夯至所需长度后，再把模版抬升，依前法夯筑上一层，并令上层、下层的垂直缝错缝。筑城墙、墩台或台榭等大砌体不能用桢，而改用斜立的杆以控制城或墩台的斜度，并沿斜杆处用版或数根干为侧模，夯筑时先分别把数根草萎（草绳）的一端系在版或干的不同部位，另一端系一木橛，拉紧后分别钉入地上，然后夯筑。夯平后割断草绳，抬升版或干，再依同法夯筑，直至所需高度止。

垛泥墙，是以较硬的草拌泥逐层堆垛成墙。施工时，为防较湿软的泥下坍，堆至一定高度需暂停数日，等待在泥干硬后继续堆垛，直至所需高度，然后铲削两面，令表面平直，形成墙壁，并可在表面抹面层。

土砖砌体大体有土坯和土墼两类。土坯一般指水脱坯，即用稻麦秸和湿泥填入木模成型，脱模后晒干使用的土砖。土墼是古称，俗称干打坯，即用微潮的素土在木模中夯筑成型，然后脱坯晒干后使用的土砖。土坯或土墼等土砖砌墙时，使用泥浆为黏合剂。因土砖抗压强度大而抗剪强度小，故一般砌法多是竖置与横置相间，以保持其承载能力和整体性。墙身一般上下同宽，砌成后在内外墙面抹草泥面层以资保护。

除了土工之外，还有榫卯结合木构架和绑扎结合木构架等形制的木工，由于木构件不易保存，基本只能从建筑尺度和柱径分析得知其情况，也有极少数在出土文物中看到，如在长沙出土的战国木椁上看到榫

---

① 桢，是筑墙时所用端模版，其形状与所要筑的墙之断面相同，一般为下宽上窄，两侧收坡。干，是侧模的古称，后世称“膊椽”。

卯结构。[①]

（二）筑土烧烤技术的流行

用火烘烤硬化土质建筑体表面，是先秦时期荆楚地区特别是楚国的一种重要建筑方法。用火烧烤硬化土质建筑体表面，可使之具有更好防潮、防坍塌效果，这在江汉平原水网密集地区更为重要。[②]前述放鹰台1号基址表面、柱洞壁面都有一层红烧土层，纪南城宫城30号台基文化层中遍布红烧土块，都说明筑土烧烤技术的流行。

（三）独具地域特色的干栏式建筑

干栏式建筑是南方水网沼泽及湿热丘陵地带较多采用的建筑形式，这与同时期北方地穴、半地穴建筑有着极大的区别。荆楚地区的干栏式建筑是为适应当时湿热多水的环境而修建的。例如蕲春毛家咀西周建筑遗址，经发掘确认，为纯由木柱、木板建造的有楼层的干栏式房屋。荆门车桥附近也有类似建筑，说明这类干栏式建筑在荆楚地区的普及程度较高。

（四）独特的军事建筑技术

荆楚地区的军事建筑技术独特。如楚方城的建造，一般在墙体最底层堆积有炭化的木棍，或掺杂炭化木棍的石块层。这在中国古代建筑史上是不多见的。由于有着单一的军事防御方向，楚方城墙体多紧贴山体或山间垭口外侧的崖边修建。这与同时期其他地区的军事建筑差别较大。豫北地区的长城由于防御方向不明确，修建地点并不固定在山体的某一侧。燕、赵、秦三国的北长城则主要考虑的是农牧分界，较少考虑军事防御需要。这种不同的建造需求与技术特点使得荆楚地区军事建筑的防御能力大大强化。

---

① 湖南省博物馆：《长沙子弹库战国木椁墓》，《文物》1974年第2期。

② 杨权喜：《试论楚国建筑工艺特点》，《江汉考古》1995年第4期。

第三章　典章与制度

楚在西周时期，只是一个很边缘的小国，在西周政治体系中的地位是很低的，爵称是周爵中低等的子、男，熊绎受封时未得分器，岐阳之会时未得与盟，可见其地位之卑下。《史记·十二诸侯年表》谓："齐、晋、秦、楚其在成周微甚，封或百里或五十里。"至春秋早期，楚地尚"土不过同"（《左传·昭公二十三年》）。进入春秋时代后，楚国迅速强大起来，不仅一统江汉地区，而且北上与中原诸侯争雄，晋楚争霸成为春秋历史的主轴。到战国时期，楚国一统整个长江中下游地区和淮河流域，将此区域内各种来源不同、文化各异的国族整合成为统一的楚国、楚民族与楚文化，为秦汉大一统作出了重大贡献。强大的国家必然要有完备的制度与法律。公元前 506 年，吴师入郢，楚昭王奔随，楚大夫蒙谷负鸡次之典逃于云梦之中，昭王复国后，"五官失法，百姓昏乱；蒙谷献典，五官得法，而百姓大治"，楚人对此评价说"蒙谷之功，多与存国相若"（《战国策·楚策一》）。可见楚国的强大也是与其在政治制度与法律制度方面的成就分不开的。

第一节　官制

官制是关于官的设置和管理的制度，它是国家机器的表现形式之一。中国古代很早就对官制的本质有所认识："官人，国之急也。能官人，则民无觎心。"（《左传·襄公十五年》）职官制度是上层建筑的核心内容之一，有一个形成、发展与完善的过程。西周时期的楚国微弱至极，可能只是一个部族组织。进入春秋时代，楚国在长期积累的基础上，建立起了一套较为完善和庞大的官僚政治机构来进行统治。总的来说，楚国官制比较完备，而且有自身的鲜明特色，从楚武王草创之时起，就“不与中原之号谥”，自成体系，别具一格。

一、中央官制

春秋战国时期，楚国中央设置宰辅制，即令尹制。令尹对内执国事，对外主战争，总揽政治、军事、司法和外交等大权，其权势经久不衰。不过，令尹虽权力强大，但始终受楚王制约，是楚王之下的最高长官。令尹之下又设有军事职官、司法职官、手工业职官、史官、教育职官和乐官等中央重要职官。

（一）令尹

春秋战国时期，各国官僚机构中地位最高者为相，唯独楚国不设相而设令尹。令尹为楚国百官之长，集政治、军事、司法、外交大权于一身。《战国策·楚策三》说：“自令尹以下，事王者以千数。”《说苑·至公》说：“执一国之柄。”

令尹绝大多数出身王族。春秋前期，令尹人选主要来自若敖氏之族。春秋中期以后，令尹人选主要来自王室公子。战国时期，令尹人选主要来自昭、屈、景三族。

总体而言，令尹享有政治权、军事权、外交权，突出表现在以下几个方面：

第一，辅佐楚王决策治国方针。《新序·杂事二》载楚庄王曾因“未得所以为国是”而问于孙叔敖。“国是”即治国的方针政策。

第二，荐举官吏，整顿吏治。楚国重要官吏，包括令尹的任免权皆操纵于楚王之手。但是，令尹出于治国安邦的需要，对一些高级官吏，如司马等，也有荐举、决定之权。《左传·僖公二十三年》载：“楚成得臣帅师伐陈，讨其贰于宋也。遂取焦、夷，城顿而还。子文以为之功，使为令尹。”成得臣即令尹子玉。《左传·哀公十六年》载：“沈诸梁兼二事，国宁，乃使宁（公孙宁）为令尹，使宽（公孙宽）为司马……”

第三，在特殊的历史时期，参与谋立新君，甚至主持国务。《左传·哀公六年》记楚昭王死后，令尹子西与子期、子闾改立新君，“逆越女之子章，立之而后还”。当前王死去，嗣君年幼时，令尹经常直接主持国政。比如，成王年幼即位，军政大权由令尹子元掌握；共王年幼时，国事亦由其叔令尹子重主持。

第四，辅助楚王制定军事战略。楚共王初期，由于巫臣奔晋，怂恿撮合晋、吴以制楚，楚开始陷入两面受敌的不利境地。为摆脱这一被动局面，子重协助共王制定了一项占领或破坏晋、吴通道，以隔绝其联系的战略方针，并获得了成功。楚昭王时期，令尹子西提出谋北方之策，《左传·哀公四年》载：“夏，楚人既克夷虎，乃谋北方。”

第五，负责军赋、练兵和与防务有关的筑城等事项。《左传·襄公二十五年》记，令尹子木使司马蒍掩整顿全国军赋，清点武器之数。关于令尹练兵一事，史籍多有记载。《左传·僖公二十七年》载：“楚子将围宋，使子文治兵于睽，终朝而毕，不戮一人。子玉复治兵于蒍。终日而毕，鞭七人，贯三人耳。”此外，令尹还负责军队的建设与改革工作。楚庄王时令尹孙叔敖在这方面就是颇有成绩的一位。《左传·宣公十二年》载晋随武子曰：“蒍敖（孙叔敖）为宰，择楚国之令典。军行，右辕，左追蓐，前茅虑无，中权，后劲。百官象物而动，军政不戒而备，能用典矣。”

第六，亲任三军统帅或将领，直接参与作战。楚国有大规模对外战争时，一般也以令尹为统帅。《左传·僖公二十八年》载城濮之战云：“子玉（令尹）以若敖之六卒将中军，……子西（司马）将左，子上将右。”《左传·宣公十二年》载邲之战，“沈尹（令尹）将中军，子重将左，子反（司马）将右”。据《左传·成公十六年》载，楚中军为“楚之良”的“王族”所在，将中军者应为统帅。令尹有时不为三军统帅，如《左传·成公十六年》载鄢陵之战，“楚子救郑，司马（子反）将中军，令尹（子重）将左，右尹子辛将右”，但也能左右战争走势。

第七，代表国家对外缔结重要盟约。春秋时期，晋、楚之间的两次弭兵之会，楚国均以令尹代表国家，同晋国缔结重要盟约。《左传·成公十一年》载："宋华元善于令尹子重，又善于栾武子。……冬，华元如楚，遂如晋，合晋、楚之成。"

第八，负责缔结盟约之外的其他外交活动。楚令尹除了与他国缔结盟约等重大外交活动之外，还奉命出国，执行其一些重要外交使命。据《史记·韩世家》载，韩襄王五年（前307年），楚发兵围攻韩国的雍氏，秦"阳言与韩"，实乃欲趁韩、楚相争之机而取渔翁之利。令尹昭鱼了解了秦的企图后特约秦相甘茂会于商於，昭鱼说他此次来秦目的是"收玺"，实乃欲与秦密订盟约，使秦"阴善楚"。韩国闻知此情，"以国合于齐楚"，"于是楚解雍氏围"。昭鱼的灵活外交，破坏了韩、秦关系，取得了韩国的"合子楚"之效，达到了预期的外交目的。

第九，享有一定的司法裁判权和监督权。《说苑·至公》载孙叔敖经虞丘子之荐，担任令尹后不久，"虞丘子家干法，孙叔敖执而戮之。虞丘子喜，入见于王曰：'臣言孙叔敖果可使持国政，奉国法而不党，施刑戮而不骫，可谓公平。'"同书又载："楚令尹子文之族，有干法者，廷理拘之，闻其为令尹之族也，而释之。子文召廷理而责之……廷理惧，遂刑其族人。"这说明令尹对执法情况具有监督之权。

值得注意的是，令尹虽集军事、司法和外交大权于一身。然而，在楚国，令尹的一切职权以至本人的升黜任免，皆受制于楚王。即令尹还须受楚王全面监督，不能仗其权力与楚王抗衡，如有贪枉失职，还会受到楚王的严厉制裁。楚国这种令尹制的产生与存在，鲜明地体现出楚国中央集权和王权专制的政治特点，对楚国的发展与强大起了重要作用。这种集权政治与以后秦汉时期的中央集权政治相比，还只是一种雏形，但是它却为后世的中央集权政治制度的建立与巩固开了先河，对于研究我国封建社会历史的发展，特别是对于研究后世君主集权政治制度的演变，具有十分重要的意义。

（二）军事职官

在楚国，楚王是最高军事统帅。楚王之下，设有令尹，令尹不仅职掌全国的政务，也直接统帅军事，总揽文武二事于一身。令尹之下，还有许多其他军事职官。

1. 司马或大司马

楚袭周制，司马主掌军事。楚国司马一官出现较晚，最早见于《左传·僖公二十六年》："楚令尹子玉、司马子西帅师伐宋，围缗。"司马，又称大司马。如《左传·襄公十五年》载"芀子冯为大司马，公子橐师为右司马，公子成为左司马"，加一"大"字是为区别于左、右司马。其地位，据《左传》排列，仅次于令尹而在其他各官之上，所起作用重大。《左传·襄公三十年》记司马曰："令尹之偏，而王之四体也。"《左传·哀公六年》记楚昭王把自己比作"腹心"，把令尹、司马比作"股肱"，意谓三者是不可分割的整体。可见，楚司马为令尹之佐，而令尹与司马则可比作相与将（楚令尹权力比他国相大得多），同为王的主要助手。值得注意的是，楚国除中央有司马外，有的重镇也设司马，楚平王曾命奋扬为城父司马即属此例。

2. 左司马、右司马

楚在中央还设有左、右司马作为大司马的助手。《左传·襄公十五年》载："芀子冯为大司马，公子橐师为右司马，公子成为左司马，屈到为莫敖。"楚国左、右司马地位很高，虽在大司马之下，有时也能作为军中统帅，单独将师出战。《左传·昭公三十一年》载："吴师围弦。左司马戌，右司马稽帅师救弦，及豫章。吴师还。"包山简中亦有左司马、右司马。简 129："左司马适以王命……"简 119："右司马志为易陵……"

3. 莫敖

从春秋到战国，楚国一直设有"莫敖"一官。春秋时期的莫敖，职掌楚国军政事务，战国时期的莫敖除了职掌军事之外，还似职掌与王族有关的事务。莫敖一职，最早见于《左传·桓公十一年》："楚屈瑕将盟贰、轸。郧人军于蒲骚，将与随、绞、州、蓼伐楚师，莫敖患之。"杜预注："莫敖，楚官名。"其地位在令尹、司马之后，而在诸尹之前。此官多出自大贵族屈氏。据《左传》记，从第一任莫敖屈瑕起，其后有莫敖屈重、屈到、屈建、屈荡、屈生等人，而屈氏为楚三大姓之一，莫敖由屈氏子孙世选，说明其荣宠。

4. 左尹、右尹

文献记载“左尹”，最早见于《左传·宣公十一年》载：“楚左尹子重侵宋。”杨伯峻注子重：“公子婴齐、楚庄王之弟。”后见于《左传·昭公十八年》：“楚子使王子胜迁许于析，实白羽。”《左传·昭公二十七年》：“左尹郤宛、工尹寿帅师至于潜。”战国时期文献中不见有“左尹”，仅包山简文有记载，证明战国时期楚国仍然设置“左尹”一官，但是此时“左尹”的职权范围改变了，专职司法。

右尹，《左传·襄公十五年》载：“楚公子午为令尹，公子罢戎为右尹，子冯为大司马。”《左传·成公十六年》载：“楚子救郑，司马将中军，令尹将左，右尹子辛将右。”《国语·楚语上》载：“右尹子革侍。”

从文献记载来看，左尹、右尹的地位，或可排列在令尹之后，而在诸尹甚至在大司马之前，作战时可将重兵，而且可升为令尹——左尹子重、右尹子辛即如此。据此，可定左尹、右尹为令尹的副手。

5. 柱国或上柱国

战国时期，楚国在中央官制中，增设军事职官柱国（或称上柱国）一职，其地位仅次于令尹，为最高军事长官。《战国策·齐策二》载：“（昭阳）官为上柱国，爵为上执珪。……异贵于此者何？……唯令尹耳。”《战国策·东周策》又载，秦攻宜阳，赵累为周君策谋说：“君谓景翠曰：‘公爵为执珪，官为柱国，战而胜，则无加焉矣，不胜则死，不如背秦……’”《史记·楚世家》载：“（怀王）六年，楚使柱国昭阳将兵而攻魏。”需要指出的是，“柱国”一官名称，《左传》中从未出现，说明春秋时期楚国尚无此官。景翠、昭阳均为战国时人。可见柱国（或称上柱国）起于战国时期。其地位相当于春秋时期楚国的司马或大司马。

6. 环列之尹

楚中央军事职官还有环列之尹。《左传·文公元年》载：“穆王立，以其为大子之室与潘崇，使为大师，且掌环列之尹。”杜注：“环列之尹，宫卫之官，列兵而环王宫。”显然环列之尹是宫廷亲兵的军事长官。

7. 将军（大将军、裨将军、上将军）

将军、大将军、裨将军、上将军皆为军中将领。《史记·楚世家》载，楚怀王十七年：“（秦）虏我大将军屈匄、裨将军逢侯丑等七十余人”；楚成王三十九年，“将军子玉请战”；楚共王十六年，“共王召将军子反”。《战国策·齐策六》：“楚王使将军将万人而佐齐。”《吕氏春秋·首时》：“楚王说之，与将军之节以如秦。”《说苑·尊贤》：“田忌去齐奔楚。楚郊迎至舍，问曰：‘楚万乘之国也，齐亦万乘之国也，常欲相并，为之奈何？’对曰：‘易知耳，齐使申孺将，则楚发五万人，使上将军将之，至禽将首而反耳……’”

8. 宫厩尹等（中厩尹、大厩、监马尹）

春秋战国时期楚国军事职官，在军事指挥官之外，还有各种军需职官，如宫厩尹、中厩尹、大厩（尹）和监马尹等。《左传·襄公十五年》载：“公子追舒为箴尹，屈荡为连尹，养由基为宫厩尹，以靖国人。”

除上述职官之外，见于文献记载的还有军正、右领、嚣尹等职官。

（三）司法职官

1. 司败

楚国司败与中原诸国的司寇相同，是春秋时代楚国中央朝廷职掌刑狱的最高司法职官。司败之称不为楚国所独有，陈、唐亦有之。《左传·文公十年》载楚王使子西为商公，子西辞曰：“臣免于死，又有谗言，谓臣将逃，臣归死于司败也。”杜注：“陈、楚名司寇为司败。”此“归死于司败”，与《左传·襄公三年》“请归死于司寇”文意同，足知陈、楚、唐之司败即他国之司寇。战国时代，楚国司败在文献中没有记载。包山 2 号墓竹简记载楚县、封君的封邑及朝廷某些部门均设有司败，司败只是县级（包括封君封邑、朝廷某些部门）专职司法官吏，负责一个地区或一个部门的司法工作，与春秋时代楚国司败不同。

2. 左尹

左尹，在春秋时期可率军出征，职掌军事，是军事职官。到了战国时代，楚国“左尹”不见于文献记载，仅见于出土材料，由此我们知道战国时代楚国中央朝廷职掌司法的职官不是司败，而是左尹。

3. 廷理（或称理）

廷理是春秋时代楚国的司法职官，职掌刑法。《韩非子·外储说右上》：“荆庄王有茅门之法曰：‘群臣诸公子入朝，马蹄践霤者，廷理斩其辀，戮其御。’”《韩诗外传》：“楚昭王有士曰石奢，其为人也，公而好直，王使为理。”《说苑·至公》：“楚令尹子文之族有干法者，廷理拘之，闻其令尹之族而释之。子文召廷理而责之曰：‘凡立廷理者，将以司犯王令而察触国法也。’”

但《左传》中楚只有司败而无廷理，因此廷理一官，是否真正存在还有待进一步研究。

4. 五官

《战国策·楚策一》：“楚昭王反郢，五官失法，百姓昏乱；蒙谷献典，五官得法，而百姓大治。”《七国考》曰，刘歆云：“楚之五官者，五卿也。”可见，五官职掌法律。

（四）工官

春秋战国时期，楚国官营手工业十分发达，它由楚国中央经营，为便于管理，设置了诸多职官。

工尹为楚国百工之长，习惯上又称“大工尹”。《左传·文公十年》载：“王使（子西）为工尹”。杜注工尹曰：“掌百工之官。”《左传·成公十六年》又载：“郤至三遇楚子之卒，见楚子必下，免胄而趋风。楚子使工尹襄问之以弓。”

值得注意的是，楚国工尹不仅掌管百工之事，而且还兼管军事、神事等。工尹在战争期间，还可以率师出征，《左传》上楚工尹率师出征的记载很多，如宣公十二年，“工尹齐将右拒卒以逐下军”。

楚国工尹的属僚主要有蓝尹、连尹、玉尹、集尹、织尹、中织室、吏臣、工师、冶师、集酬等。其中，蓝尹为职掌染湅之官，连尹为职掌矿藏的职官，玉尹为掌玉之官，集尹主要司职监造青铜器，织尹和中织室是负责织造的职官，吏臣和工师是负责漆器制造业的职官，集酬当为总管宫廷酿酒机构的长官。

（五）史官

楚依据周制，设有左史一官。春秋时期，中原诸国均设史官，鲁、齐、郑曰太史，晋同楚曰左史。楚左史的职权和作用：第一，读古籍。《左传·昭公十二年》载："左史倚相趋过。王曰：'是良史也，子（指右尹子革）善视之。是能读《三坟》《五典》《八索》《九丘》。'"第二，道训典，通鬼神。《国语·楚语下》载："左史倚相，能道训典，以叙百物，以朝夕献善败于寡君，使寡君无忘先王之业；又能上下说于鬼神，顺道其欲恶，使神无有怨痛于楚国。"第三，识天象。《韩非子·说林下》载楚吴对阵时云："雨十日，夜星。左史倚相谓子期曰：'雨十日，甲辑而兵聚，吴人必至，不如备之。'乃为陈。陈未成也而吴人至，见荆陈而反。"第四，修史书。楚国在史官记载史事的基础上，也曾经修过史书。春秋时期楚国左史对古代文化有重要贡献，但其社会地位远不如西周时期史官的社会地位高。《左传·哀公十七年》载："楚子问帅于大师子谷与叶公诸梁，子谷曰：'右领差车与左史老，皆相令尹、司马以伐陈，其可使也'。子高曰：'率贱，民慢之，惧不用命焉。'"杜注："右领、左史，皆楚贱官。"

另据包山楚简记载，战国时期楚国还设有大史、右史、正史等史官。

（六）宫廷教育职官

依据周制，春秋战国时期楚国设置太子师、傅、保等职，作为辅导训育太子的职官。

1.大（太）师

《通典·职官》载："周以太师、太傅、太保曰三公。"太师为三公之最尊者。"大师"即"太师"。楚曾设置大师一职。《左传·文公元年》："穆王立，以其为大子之室与潘崇，使为大师。"《左传·哀公十七年》："楚子问帅于大师子谷与叶公诸梁。"简文中也有"大师"。可见，"大师"是地位很高的职官，是楚王的老师或顾问。

2. 师和少师

楚还设师和少师。《左传·文公元年》："又欲立王子职，而黜大子商臣。商臣闻之而未察，告其师潘崇曰……"《左传·昭公十九年》："使伍奢为之（指太子建）师，费无极为少师。"《说苑·至公》："楚庄王之时，太子车立于茅门之内，少师庆逐之。"可见，师与少师都是教育太子之官。

3. 傅、太傅、少傅

傅、太傅、少傅是教导太子之官。《国语·楚语上》载"申公子仪父为师，王子燮为傅"，又载"庄王使士亹傅太子箴"。《史记·楚世家》载平王事时云："伍奢为太子太傅，无忌为少傅。"到战国时期，太傅也为楚王师。《史记·十二诸侯年表》载："铎椒为楚威王傅，为王不能尽观《春秋》，采取成败，卒四十章，为《铎氏微》。"《汉书·艺文志》："《铎氏微》三篇，楚太傅铎椒也。"

4. 保

保的职责就是辅导训育太子。《左传·成公九年》载钟仪对晋侯叙述楚王时云："其为大子也，师、保奉之，以朝于婴齐而夕于侧也。"《左传·襄公十三年》载楚共王临终时告大夫云："不穀不德，少主社稷，生十年而丧先君，未及习师、保之教训……"

《国语·楚语上》载，庄王使士亹傅太子箴。士亹去向申叔时请教如何做太子之傅，叔时曰："教之《春秋》，而为之耸善而抑恶焉，以戒劝其心；教之《世》，而为之昭明德而废幽昏焉，以休惧其动；教之《诗》，而为之导广显德，以耀其志；教之《礼》，使知上下之则；教之《乐》，以疏其秽而镇其浮；教之《令》，使访物官；教之《语》，使明其德，而知先王之务用明德于民也；教之《故志》，使知废兴者而戒惧焉；教之《训典》，使知族类，行比义焉。"引文中所列九项教学内容，以及分别提出的九项教学要求，也就是《礼记》所说的“教之以事而喻诸德”，“归诸道”，以“知父子君臣之道”。对太子的教育，经验已相当丰富，教学内容和教学要求具体而周到，可见，春秋战国时期楚国统治者高度重视师、傅、保对太子的教育。

此外，春秋战国时期，楚国宫廷教育中还有辅导贵族子弟的职官三闾大夫，屈原曾任此职，职掌对王族中昭、景、屈三姓子弟的教育之事。这三姓是楚国王族中势力最大的，三闾大夫与晋国的公族大夫皆掌对卿族子弟教育之职。

（七）乐官

春秋时期，音乐在诸侯国被广泛地应用，祭祀、宴飨、朝会都有乐有舞，国君宫中专设有乐官。据文献记载，楚国也设置有乐官。

1. 乐尹

《周礼·春官》记载，西周时期设有“大司乐”一职，为乐官之长。楚国也设有“乐尹”。《左传·定公五年》载昭王以钟建为乐尹，杜注“乐尹”曰：“司乐大夫。”

2. 乐师

《左传·僖公二十二年》载：“郑文夫人芈氏、姜氏劳楚子于柯泽。楚子使师缙示之俘馘。”杜注：“师缙，楚乐师也。”乐师的职责，主要是在军队凯旋时掌奏军乐，以示庆贺。至于展示俘虏以耀其军威，应只是偶为之。

3. 乐人

《史记·滑稽列传》载：“优孟，故楚之乐人也。长八尺，多辩，常以谈笑讽谏。”优孟能“常以谈笑讽谏”楚王，可见其地位不低。乐人当亦为乐尹之属僚，而又同乐师各有专司。

4. 泠人

《左传·成公九年》载晋侯见郑人所献楚囚钟仪时云：“问其族，对曰：‘泠人也。’公曰：‘能乐乎？’对曰：‘先人之职官也，敢有二事？’”杜注：“泠人，乐官。”泠人也作伶人或伶官。《国语·周语》有

“伶人告和”。《诗经·邶风·简兮序》有“伶官”，郑玄笺：“伶官，乐官也。伶人世掌乐官而善焉，故后世多号乐官为伶官。”

（八）其他官员

除上述各类职官，楚国还有一些其他类别的官职，见之于史料的，主要有：

1. 箴尹

掌谏议的职官。《左传·襄公十五年》有“公子追舒为箴尹”，《左传·宣公四年》有“箴尹克黄”，《左传·哀公十六年》有“箴尹固”。《吕氏春秋·勿躬》高注云：“楚有箴尹之官，谏臣也。”

2. 郎尹

楚王警卫。《淮南子·人间训》载，楚令尹子国“伏郎尹而笞之三百”，高注：“郎尹，郎官之尹也。”

3. 封人

职掌城郭建筑的职官。《左传·宣公十一年》载：“令尹蔿艾猎（孙叔敖）城沂。使封人虑事，以授司徒。”杜注：“封人，其时主城筑者，虑事，谋虑计公功。”

4. 莠尹

应为掌农事官，特殊情况亦率兵出征。《左传·昭公二十七年》载：“楚莠尹然、工尹麇帅师救潜。”

5. 太宰

《左传·成公十年》载，晋使如楚，“报大宰子商之使也”。《左传·成公十六年载》：“子重使大宰伯州犁侍于王后。”顾栋高《春秋大事表·官制》认为，楚以令尹、司马为要职，太宰之官非楚所重。太宰可能是楚王的侍从。

6. 少宰

《左传·宣公十二年》载：“楚少宰如晋师。”杜注：“少宰，官名。”疑为太宰之次官。

7. 阍和大阍

看守城门之官。《左传·昭公五年》载："以韩起为阍。"杜注："刖足使守门。"《左传·昭公七年》载，楚子为章华之宫，"无宇之阍入焉"，则说明不仅楚王而且大夫之家也有守门隶。大阍，《左传·庄公九年》："初，鬻拳强谏楚子，楚子弗从，临之以兵，惧而从之。鬻拳曰：'吾惧君以兵，罪莫大焉。'遂自刖也。楚人以为大阍，谓之大伯，使其后掌之。"杜注："若今城门校尉官。"

8. 铜官

职掌铸钱。《七国考》引《图书记》云："楚设铜官，铸钱洲上，遂名铜官。"《一统志》："铜官渚在湖广长沙府城北六十里，有洲。旧传楚铸钱处。"

9. 市令

管理市场的官员。《史记·循吏列传》："庄王以为币轻，更以小为大，百姓不便，皆弃其业。市令言之相曰……"

10. 郎中

保护国君的卫士之长。《战国策·楚策四》载朱英谓春申君曰："君先仕臣为郎中。君王崩，李园先入，臣请为君劏其胸杀之。"

11. 左徒

楚王重臣。《史记·屈原贾生列传》记屈原"为楚怀王左徒。……入则与王图议国事，以出号令，出则接遇宾客，应对诸侯"。《史记·楚世家》记，楚顷襄王时，"使左徒侍太子于秦"；考烈王立，"以左徒为令尹"。从左徒所职内外事务，且可升为令尹，足见其与楚王关系之密切和其地位之重要。

12. 典令

楚王重臣，其职掌不详。《战国策·韩策二》载史疾谓楚王曰："今王之国，有柱国、令尹、司马、典令。"

13. 庖宰、食监

职掌御膳之事。《新序·杂事》云："楚惠王食寒菹而得蛭，因遂吞之，腹有疾而不能食。令尹入问曰：‘王安得此疾也？’王曰：‘我食寒菹而得蛭，念谴之而不行其罪乎？是法废而威不立也，非所以使国闻也。谴而行其诛乎？则庖宰食监法皆当死……’”

二、地方官制

春秋战国时期，楚国地方采取郡县制和封君制并行的政权组织形式，郡县长官和封君分别统属于楚王，并对楚王负责。

（一）县尹、县公、县令

楚县的主管职官叫县尹或县公。县尹、县公既负责地方行政，又有将兵权。楚国的县公、县尹地位极高，仅次于令尹、司马。《左传·哀公十六年》载令尹子西曰：“楚国第，我死，令尹、司马非胜而谁？”当时胜为白公，子西认为其可以升为令尹、司马之显官。有许多县公、县尹升为令尹、司马。如叶公沈诸梁升为令尹、申公斗克升为大司马、申公公子申升为右司马，息公公子成升为左司马等。

（二）乡师

乡师是乡的行政长官。乡是县以下，州以上的地方行政机构。关于乡师的职掌，文献没有明确记载，综合乡和县、郡职责的描述和包山楚简相关记载来研判，其主要是负责行政事务，发布行政命令，与民教化，较少涉及司法事务。

（三）州加公

州是里之上乡之下的一级行政机构。州加公是州的行政长官，既负责州内的行政事务，又负责州中司法事务，经常与里公一道接受州民的告诉。

（四）里公

里公是里的行政长官，负责里内行政事务，同时还职掌司法，接受里人的诉讼请求。此外，据《鹖冠子》记载，里公下面还设置有司、甸师和伍长等官员。从包山楚简的刑事诉讼记载中可以看出，许多行政事务都从州、里这两级机构开始。故而这两级机构当为直接办事部门。

最后需要指出，作为地方政权组织形式的封君制，虽在楚国长时期存在，但封君作为封邑的领主，在封邑内仅有衣食租税之权，楚国中央严格控制封君在封地内的行政、司法等权力。“封君及其子弟也像其他人一样向中央呈递诉状，他们的法律地位当无本质的不同。”[①] 因此，封君之下并无真正意义上的职官制度。

三、楚国官制的主要特点及其影响

楚国官制，从楚武王草创之时起，就自成体系。与中原诸夏相比，楚国官制迥异的风格主要表现在以下三方面：

第一，体制有别。如果说中原各国的中央官员管理体制可以用丞相负责制来概括的话，那么，楚国实行的则是令尹负责制。令尹是最高行政长官，为百官之长。而在地方，楚国首创县制，按照郡、县政权组织形式设置各级地方官员。

第二，官名有别。楚国官员，从上到下，从中央到地方，普遍称尹，自成一系，独具特色。正如清人顾炎武所说：“其（楚）官名大抵异于他国。”（《日知录》卷四）楚官多以尹为名，令尹、左尹、右尹、连尹、宫厩尹、中厩尹、监马尹、工尹、郎尹、环列之尹、门尹、郊尹、乐尹、卜尹、玉尹、沈尹及其他诸尹均是例证。楚官除多以尹为名这一点与中原不同外，也有与中原之官职掌相同而名称相异者。以司法之官为例，春秋时，晋、齐、宋、鲁、郑、卫均设司寇而楚称司败；战国时，秦有廷尉而楚曰廷理。这可能是由于其指导思想是武王宣布的“我自尊耳”。另外，楚国职官也有与他国职官同名而异实者。以太宰一职为例，依周制，宰和冢宰本相当于相，当时吴太宰嚭、郑太宰石盂，均属此例。楚虽也以太宰名官，但其职位却较低。清人顾栋高说：“楚以令尹、司马为要职，太宰之官非楚所重。”（《春秋大事表》）又以阍一职为例，阍本是低贱的守门隶，而楚大阍则相当于城门校尉官。

---

① 陈伟：《包山楚简初探》，武汉大学出版社，1996 年，第 106—107 页。

第三，官制与爵制相脱离。楚国爵位制不像中原各国所实行的那种贵族世袭制，而是一种军功性质的爵制。也就是说，它不以出身是否贵族为授予爵位的标准，而仅以是否对楚国有功为授爵前提。它不是权力的体现，而主要是意味着政治上的地位和经济上的待遇。地位、待遇和权力的分离，也意味着官制和爵制的分离，即爵制不改变楚国的任官制度，反而是保障官制的执行，爵制是楚官制的一种补充形式。此外，楚国的爵秩制度，也不同于中原诸国，中原爵秩有卿、大夫、士三等，楚国有“大夫”，无卿。

尽管楚国官制有鲜明的地区特点和民族特色，但与中原的制度仍有密切的关系，主要表现有二：

一是与周制相合者甚多。周天子是各诸侯国的共主，各诸侯国多因袭周制，楚国也不脱其窠臼。如：师、傅、保、国老、司马、左史、司徒、御士诸官，都源于周制。即使带有楚国最显著特点“尹”，究其源也与商周制度不无联系。《尚书·益稷》有“庶尹允谐”之语，青铜器矢令彝的铭文有“众者（诸）尹”，皆可为证。西周有地位很高、职权很大的尹，如皇天尹，而楚则有令尹。

二是与其他诸侯国相同者不少。楚国的不少官职，其他诸侯国也有。如：司宫，宋、鲁、郑也有；郎中，秦、齐、赵、韩也有；谒者，秦、齐、魏也有。即使带有楚国特征的官名，也并不是楚所独有的。如：门尹，宋也有，“门尹般”“门尹得”即是；司败，陈也名司寇为司败；令尹，徐也有。这表明，在官制方面，楚与其他诸侯国是互相影响的，也反映出楚国官制具有兼收并蓄的特点。

楚官制对后世有着重要的影响，具体体现在两个方面：

第一，对秦末诸侯影响颇大。如以楚怀王为旗号的楚军，曾以吕青为“令尹”，项羽季父项伯为“楚左尹”，原因在于“时立楚之后，故置官司皆如楚旧也”（《史记正义》瓒语）。又如刘邦为沛公时曾设左司马，项羽曾置大司马和右司马。

第二，有的官职为后世长期保留，这以柱国一职最富代表性。秦末楚军曾先后以项梁为楚王上柱国、陈婴为楚上柱国。汉初，义阳侯吴郢以长沙柱国受封为侯。至后魏孝庄帝时，有柱国大将军。后周置上柱国大将军。隋唐以后，置上柱国和柱国，为勋官，至清才废。

第二节　法制

“法者，所以敬宗庙，尊社稷。”（《韩非子·外储说右上》）楚国非常重视法制建设，春秋战国时期，楚人在继承商周、师法华夏的基础上，参酌本国国情，探索了一条特殊的法制建设之路，不仅建立一套相对完善的法律制度，而且在整个社会形成了良好的法治观念。正如学者指出的：“楚国之所以长期成为强盛的泱泱大国，也是与她重视法治并建立了较为完善的法律制度分不开的。”[①] 楚国的法制，不论在内容还是在形式上，均走在了时代的前列，对楚国的崛起与强盛发挥了重要作用。

一、立法概况

楚国立法活动起步早，持续时间长，成就颇丰。结合历史发展的时代背景，楚国的立法活动基本上可以分为春秋时期和战国时期两个阶段。

（一）春秋时期的立法活动

从严格意义上讲，楚国的法制建设是从武王时期正式开始的，因为直到武王时期，楚国才真正跨入阶级社会的门槛，正式组建了完全意义上的国家机关，有了常规军队和各类职官，原始社会遗留的各种习惯和统治阶级的整体意志才得以上升为国家意志，并获得了国家强制力的保障。资料显示，楚武王时期楚国的立法活动至少有两次，其一是创制具有综合性质的刑法，其二是制定单行的军事法规。

---

① 蔡靖泉：《楚文化流变史》，湖北人民出版社，2001 年，第 140 页。

文王时期，楚国国力大增，疆域不断扩大，财富日益增长起来，对法律的创制提出了新的要求。文王清醒地认识到了这一点，及时调整了立法方向和重点，扩大了法律的调整范围，初步建立了以《仆区之法》为中心的保护私有财产的法律体系，严厉打击盗窃、抢劫等各类侵犯财产的犯罪行为。《仆区之法》是一部惩治窝藏罪的刑律，规定“盗所隐器，与盗同罪”。《仆区之法》是目前所能见的楚国最早的成文法。

成王时期，楚国正式步入大国行列。这时的楚国与中原诸侯相比，除礼制之外，几乎都是领先的。所以成王对礼制建设深为关注，从法律上对中原礼制进行了大规模认可和吸收。此时楚国已经设置有较为完善的专门司法机构来负责法律的制定和实施，对于法的公平、公正、正义等内涵和价值有了深刻的认识和思考，倡导和强调“方正公平”的法治精神。“夫直士持法，柔而不挠，刚而不折。”（《说苑·至公》）“恤顾怨萌，方正公平。”（《楚人诵子文歌》）

成王两传至庄王。庄王继承祖业，发扬楚人筚路蓝缕之精神，一生戎马倥偬，南征北战，观兵周郊，问鼎中原，“并国二十六，开地三千里”（《韩非子·有度》），使得“天下大事尽在楚”（《春秋大事表》）。楚国全方位走向成熟，反映在政治与法律上，突出表现为两点：其一，中原的礼制思想被楚国大规模吸收，成为楚治国立法的重要指导思想和原则，楚国礼制成为与成文法并行的又一重要法源，广泛地作用于国家和社会生活的各个方面。其二，王权得到固化和强化。楚国“君能制命为义，臣能承命为信”，大臣“知死而不敢犯王命”。楚王具有超乎法律之上的权力，楚王的意志、楚王发布的命令就是最高效力的法律形式。楚国的立法活动由此日趋频繁，立法种类和数量激增，法律清理和法典编订的立法活动亦随之出现。《左传·宣公十二年》记孙叔敖为令尹时，“择楚国之令典，军行，右辕，左追蓐，前茅虑无，中权，后劲。百官象物而动，军政不戒而备，能用典矣”。杨伯峻注：“令，善也；典，法也，礼也。”孙叔敖这次改革，究其实质，实际上是一次非常重要的法律清理和法典编纂活动。

庄王之后，楚国从顶峰跌落，与此相适应，楚国法制建设的进程也放缓，除楚昭王时期曾出现过《鸡次之典》这一部具有普遍效力、综合性质的成文法典之外，基本上没有什么大的立法活动，只是些暂时性的、特殊性的单行法律法规的颁布，反映了在社会动荡不安的形势下，王权对社会管控的强化。

（二）战国时期的立法活动

战国时期，楚国的立法活动进入了新阶段，楚开始设立专门的立法机构，并选派专门的官员来负责法律的制定和修改，以适应急剧广泛的社会变革和复杂严峻的国内外形势。战国时期，楚国的法律创制活动主要集中在楚悼王和楚怀王时期。

楚悼王时期，楚国的立法活动主要是通过吴起变法来完成的。吴起认真总结了李悝在魏国变法的经验，深知法治的重要性，因此，在变法中，不仅注意制定法令，并将之公布于众，而且注意维护法律的严肃性与权威性，用严刑峻法来强行推动政治法律改革。为削弱贵族特权，加强君主集权，不惜“设贵臣相坐之法”（《淮南子》），来强制贵族互相监督，迅速交出全部封邑和田宅。为使思想认识和舆论一致，禁止纵横家进行游说，“破横散从，使驰说之士无所开其口”（《史记·蔡泽列传》）。这些措施，本身就是以法令形式出现，具有很强的强制性和约束力，既是“明法审令”的重要组成部分，又有力贯彻了“明法审令”的精神，不仅强化了楚国臣民“废其故而易其常”的变法观念，而且增强了他们的法治观念，有利于变法的进行。楚怀王时期，楚极盛而衰，在奢侈与繁华的背后，危机四伏。为应对新形势、新变化，楚怀王“使屈原造为宪令”（《史记·屈原列传》），企图通过加强法制建设来挽回颓势，重振国威，由此掀起了楚国历史上最后一次立法活动的高潮。屈原在《九章·惜往日》中对这段历史进行了描述：“惜往日之曾信兮，受命诏以昭时。奉先功以照下兮，明法度之嫌疑。国富强而法立兮，属贞臣日娭。”

但怀王既没有悼王的见识，也缺乏威王的清醒，对人对事都缺乏洞察力和预见性。屈原的改革措施很快就遭到了旧贵族势力的反对，“宪令”还没来得及公布，就因提前泄露遭到旧贵族势力的反对，触怒怀王而夭折，屈原遭到疏远，楚国的法制建设也最终走到尽头。

二、刑事法律制度

在楚国所有法律部门之中，刑法是最为发达的。春秋战国时期，楚国在承袭周制和参酌华夏制度的基础上，根据自己的实际情况和需要，形成了一套特色鲜明、体系完备的刑事法律制度，在罪名、刑罚体系等各个方面，都得到了很大的发展，对后世刑法的制定和适用产生了重要而深远的影响。

（一）主要罪名

楚国的罪名很多，根据犯罪行为侵犯的对象，大致可分为以下几类：

1. 侵犯楚王人身安全和权力、尊严的犯罪

楚王的地位至高无上，政治上集立法、行政、司法诸权于一身；经济上，“封略之内，何非君土”；伦常关系上，“食土之毛，谁非君臣”（《左传·昭公七年》）。因此，在法律上，楚王与国家相等同，反对楚王，就是反对国家，侵犯楚王，即危害国家。所以，楚国刑法把维护楚王人身安全和权威尊严作为首要任务，凡是一切可能侵犯楚王人身安全、权力及尊严的行为，均被视为严重犯罪。这类犯罪的主要罪名有弑君罪、谋反叛乱罪、饮食不洁罪、乱闯宫廷罪、犯王命罪、犯上罪、僭越罪、为邦朋罪、欺君之罪、不敬之罪，等等。

2. 侵犯人身安全的犯罪

危害人身安全罪，不仅侵犯了统治阶级及社会一般成员的生命安全，也严重破坏了正常的社会秩序，因此，历来是刑法重点打击的对象。在包山楚简所记的知悉事由的 29 件诉案中，由人身伤害引起的有 10 起，约占三分之一，这一方面使人想到当时楚人的私下斗殴可能非常

盛行，[1]另一方面又充分说明，在楚国，危害人身安全是要受到法律追究的。值得注意的是，在楚国，杀人者除被处以死刑之外，还要处以籍家之刑。

3. 侵犯官私财产的犯罪

重视官私财产的确认和保护，是中国古代法律的重要传统之一。从现有材料来看，楚国非常重视对财产的保护。据《左传·昭公七年》记载，早在文王时，楚就立有《仆区之法》，曰："盗所隐器，与盗同罪。"刘向《孟子注》曰："楚文王墨小盗而国不拾遗，不宵行。"这说明文王时，在楚国，凡偷盗者，要处以墨刑。《韩非子·五蠹》记楚国直躬曰："其父窃羊，而谒之吏。"包山楚简也有楚人因窃马而遭到他人检举的记载。

4. 破坏家族伦常的罪名

宗法社会，首重家族伦常，所以不孝、内乱等破坏宗法秩序的行为，历来是刑法重点打击的对象。《尚书·康诰》说："元恶大憝，矧惟不孝不友……刑兹无赦。"《周礼·夏官·大司马》曰："贼杀其亲则正之。"需要注意的是，楚国不仅严厉打击不孝、内乱等传统犯罪行为，而且将不祭祀祖先的行为视为犯罪。《左传·僖公二十六年》记夔子不祀祝融和鬻熊，被楚人视为数典忘祖、大逆不道，以致怒而灭之。

5. 职务上的犯罪

楚国十分重视官吏的职务犯罪问题，不仅认定了许多职务犯罪行为，而且规定了严厉的处罚措施，既有行政的又有刑事的。楚国重点打击的职务犯罪主要有渎职罪、贪污受贿罪等。

《列女传·楚江乙母》载，楚宣王时，"乙为郢大夫，有入王宫中盗者，令尹以罪乙，请于王而绌之"。江乙作为郢之长官，负有维持郢都治安的重责，在其辖区发生了王宫被盗这样的大案，显然是失职。令尹依法追究，江乙遂被罢官。《史记·循吏列传》记石奢私下放走行凶杀

① 陈伟：《包山楚简初探》，武汉大学出版社，1996年，第134页。

人的父亲后，主动向楚王请罪曰："废法纵罪，非忠也，臣罪当死。"可见，在楚国，徇私枉法是要受到法律追究的。

与渎职罪相比，贪污受贿的危害性更大，因此从来都是刑法打击的重点。楚国对贪污受贿实行峻罚苛刑。《左传·襄公二年》记："楚公子申为右司马，多受小国之赂，以偪子重、子辛。楚人杀之"。《左传·襄公五年》载："楚人讨陈叛故，曰：'由令尹子辛实侵欲焉。'乃杀之。书曰：'楚杀其大夫公子壬夫。'贪也。"另据《左传·昭公十四年》，楚平王时，令尹子旗自恃辅弼平王即位有功，与养氏相为比党，贪求无厌，平王"患之"，"杀斗成然（子旗）而灭养氏之族"。

6. 军事方面的犯罪

先秦时期，楚国之所以能够从一个方圆不足百里的蕞尔小邦，发展成为一个灭国最多、拓疆最广的大国，其原因当然是多方面的，但军法严明，无疑是其中的关键因素之一。从文献记载来看，楚国军事方面的罪名主要有战争失利、临阵脱逃等。

楚人以军事立国，形成了惯征战、重成败的尚武习俗。在楚国，战争一旦失利，就会严苛追究主要将领的刑事责任，无论其地位多高、战功多大，一律严惩不贷。楚国因战败而被迫自杀或被诛杀的将领有令尹子玉、司马子反、薳越等。值得注意的是，楚王对战争负有直接领导责任战争失利，亦不例外，照样受罚。楚文王时期，文王发兵抵御巴人失败后，鬻拳拒不开城门接纳，文王亦只有转而伐黄，将功抵罪。共王临死之前，仍为鄢陵之败引咎自责，遗言自称"不德"，要大夫给他加个"灵"或"厉"的恶谥，以昭示后人。

在战争中，临阵脱逃是一种非常可耻的行为，在一定意义上讲，性质比战争失利还要恶劣，因此，自古以来为军法所不容。"出不入兮往不返"，"终刚强兮不可凌"。楚人惯于冲锋陷阵，御敌于方城之外，更是视临阵脱逃为奇耻大辱。从现有史料来看，楚国法律严禁临阵脱逃，凡违反者，必杀之。《吕氏春秋·高义》载，楚将子囊因犯将遁之法伏剑而死，楚王下令"为之桐棺三寸，加斧锧其上"。

（二）刑罚种类

从现有资料来看，楚国刑罚种类主要有生命刑、身体刑、自由刑、财产刑和身份刑五大类，同时还有株连无辜的连坐刑、贬抑人格的耻辱刑等刑种。[①]

1. 生命刑

生命刑，又称死刑或极刑，是剥夺犯罪人生命的刑罚，是所有刑罚中最严厉的。楚国生命刑的方式多种多样，除常见的杀、斩之外，还有烹、镮等残酷之刑。

烹，即煮而杀之。据《左传·哀公十六年》记载，白公胜叛乱失败后，其党从石乞被处烹刑。

镮，又称车裂，是把犯人处死之后再把其尸体撕裂的一种酷刑。《左传·襄公二十二年》记：“杀子南于朝，镮观起于四竟。”在楚国厉行变法的吴起也惨遭此刑。

磔，又称辜或辜磔，谓裂其肢体而杀之。与镮不同，磔不是分尸，而是分裂肢体致人死亡，比镮更残酷。《韩非子·内储说上》记载，荆南产金，凡私采者，“得而辄辜磔于市”，并说“大罪莫重辜磔于市”。

戮，是一种既剥夺犯罪人的生命又侮辱其人格的刑罚。作为常刑，通常是先辱而后杀。《左传·昭公四年》记楚“将戮庆封……负之斧钺，以徇于诸侯”。作为军刑，则是先斩首而后示众。

弃市，即在人群聚集的闹市执行死刑，以示为大众所遗弃。《释名·释丧制》：“市死曰弃市。市众所聚，言与众人共弃之也。”《礼记·王制》：“刑人于市，与众弃之。”明董说《七国考》引《亢仓子》云：“楚平王弃左右近席三人于市。”

2. 身体刑

身体刑，亦称肉刑，是损伤犯罪者身体的一种刑罚。它“断肢体，刻其肌肤，终身不息”（《史记·孝文本纪》）。同死刑一样，身体刑也

① 刘玉堂：《楚秦刑种比较研究》，《江汉论坛》2005年第3期。

是古代较为发达的刑罚。身体刑多为酷刑。楚国的肉刑主要有宫、刖、劓、墨等几种，它们既可单独适用，也可与其他刑种合并施用。

墨，又称黥，就是刻画犯人的面部并染以墨色的一种刑罚。在楚国，墨刑的适用非常普遍。包山简有："剠夫解句"之语。刘信芳认为，"剠夫解句"就是施以黥刑并押解至拘所。①

劓，就是割掉犯人鼻子的刑罚。据《左传·昭公十三年》记载，乾溪之乱，公子比派观从通告楚灵王的部属："先归复所，后者劓。"《战国策·楚策四》和《韩非子·内储说下》均有楚王劓美人的记载，可见此事可信，亦正好佐证战国晚期楚国仍在适用劓刑。

刖，即断足之刑。《左传·庄公十九年》记鬻拳以兵迫使楚王从谏后说："吾惧君以兵，罪莫大焉。"遂"自刖"也。《左传·昭公五年》云，楚子欲"以韩起为阍"。杜预注："刖足使守门。"《韩非子·和氏》说，楚人和氏献玉于王，玉工判其为赝品，于是刖和氏双足。

宫，又称淫刑、腐刑或蚕室刑，是肉刑中最重的刑罚，号称"次死之刑"，以损毁受刑人的生殖器官，破坏其生殖机能为内容。《左传·昭公五年》记楚王曾打算"以羊舌肸为司宫，足以辱晋"。杜预注："加宫刑。"显然，楚王想通过让晋使者羊舌肸受宫刑的方式来侮辱晋国。此事虽经大臣劝阻，最终未能成行，但表明春秋时期楚、晋等国都流行宫刑。

馘，即割耳之刑，其目的主要是计功。《左传·僖公二十二年》记："郑文夫人芈氏、姜氏劳楚子于柯泽。楚子使师缙示之俘馘。"孔颖达疏："俘者，生执囚之；馘者，杀其人，截取其左耳，欲以计功也。"

贯耳，即穿耳之刑，由馘发展而来。从文献记载看，贯耳是用来处罚相对轻的罪过的，只适用于军队，穿耳之物为箭。《左传·僖公二十七年》："子玉复治兵于蒍。终日而毕，……贯三人耳。"

鞭，即用荆条或株木等痛击背部或臀部，使犯人肉体遭受痛苦的刑

① 刘信芳：《包山楚简解诂》，台湾艺文印书馆，2003年，第111页。

罚。在楚国，鞭刑主要用作军刑。《左传·僖公二十七年》记，楚令尹子玉治兵于蒍，“鞭七人”。

笞，与鞭刑相似的一种刑罚，即以束荆等杖击背部，使犯人肉体遭受痛苦的刑罚。笞刑是对轻微犯罪的一种常用刑罚。《吕氏春秋·直谏》记楚文王一度荒淫不理朝政，葆申依先王之令，认为“王之罪当笞”，“引席，王伏。葆申束细荆五十，跪而加之于背，如此者再”，《说苑·正谏》也有类似记载。

3. 自由刑

自由刑，就是剥夺或限制人身自由的刑罚。楚国的自由刑基本上继承自周代，并慢慢发展，到战国之后逐渐普遍，主要有没为官奴、囚、放等种类。

囚，即拘系，指将罪犯监禁。《左传·桓公十三年》曰：“莫敖缢于荒谷，群帅囚于冶父以听刑。”《史记·越王勾践世家》记：“朱公之子杀人囚楚。”《史记·伍子胥列传》记楚平王以费无极之谗，囚伍奢。《史记·楚世家》记，张仪使楚，“怀王不见，因而囚张仪，欲杀之”。在楚国，被囚之人一般是要加戴桎、梏等刑具的。《左传·庄公三十年》记：“楚公子元归自伐郑而处王宫。斗射师谏，则执而梏之。”包山简有：“小人取仓之刀解小人之桎。”

拘和执，类似于后世拘役，是一种短期剥夺人身自由的刑罚，用于诸多场合。既可以独立实施，也可以和其他刑种配合使用。《说苑·至公》：“楚令尹子文之族有干法者，廷理拘之，闻其令尹之族也，而释之。”《左传·宣公四年》记楚庄王灭若敖氏，箴尹克黄使齐而归，自拘于司败。《左传·庄公三十年》：“楚公子元归自伐郑而处王宫。斗射师谏，则执而梏之。”《吕氏春秋·当务》：“楚有直躬者，其父窃羊而谒之上，上执而将诛之。”

收，即收奴，就是将有罪者的妻、子收为官奴婢，其实质是一种剥夺自由民身份的刑罚。《吕氏春秋·精通》记击磬者及其母均因其父杀人而遭到牵连，被没为楚国官府奴婢。包山简记“孑收郝傑之伎”，奴读作孥，陈伟认为，由本简看，楚国对于杀人致死的罪犯，也处以收孥。[1]

放与迁，即将罪犯本人或全家迁徙、放逐到荒蛮边远之地或新开辟地区从事苦役的刑罚。放与迁，同属流刑，但在程度上，迁相对要轻一些。《春秋·昭公八年》："楚师灭陈，执陈公子招，放之于越。"又《吕氏春秋·直谏》载，保申笞楚文王后，"趣出，自流于渊，请死罪"。亦可佐证楚是有流放之刑的。《史记·楚世家》载观从对楚众说："国有王矣。先归，复爵邑田室。后者迁之。"于是楚众皆溃，去灵王而归。由此可见，楚国除有放刑之外，还有迁刑。

4. 财产刑

财产刑是剥夺犯罪人财产的刑罚。财产为人们生活所必需，因此，剥夺财产能够起到令犯罪人痛苦的作用。从文献记载看，楚国的财产刑是一种附加刑，主要有入宅、取、夺及赎刑等刑种。

入宅，即没收犯罪者的房屋。《战国策·楚策一》："郢人有狱三年不决者，故令人请其宅，以卜其罪。客因之谓昭奚恤曰：'郢人某氏之宅，臣愿之。'昭奚恤曰：'郢人某氏，不当服罪，故其宅不得。'"鲍彪注："有罪则宅入官，故可请卜测知之也。"可见，在楚国，犯罪者的房屋是要加以没收的。

取和收，即没收犯罪者的全部财产。《左传·昭公十三年》："楚子（灵王）之为令尹也，杀大司马薳掩而取其室。"杨伯峻言："室恐指其一切财产而言，包括田地与奴隶；奴隶固以室计，《周书》所谓：'一室之禄''千室之禄'是也。"《吕氏春秋·上德》载："荆王薨，群臣攻吴起，兵于丧所，阳城君与焉。荆罪之，阳城君走，荆收其国。"

夺，即收夺犯罪者的食邑。《左传·昭公十三年》记楚灵王"及即位，夺薳居田……夺斗韦龟中犫，又夺成然邑，而使为郊尹"。这是文献所见楚王直接收夺贵族食邑的最早实例。

---

① 陈伟：《包山楚简初探》，武汉大学出版社，1996年，第145页。

赎，就是以钱赎罪，即判令犯有某种罪行的人缴纳一定数量的财物以代替应受的刑罚。《吕氏春秋·精通》记楚之击磬者说："量所以赎之则无有，而身固公家之财也"。由于赎刑只对有产者才具有实际意义，因此，实行赎刑的结果，往往导致《汉书·萧望三传》所言"富者得生，贫者独死，是贫富异刑而法不一"。击磬者因本身就是"公家之财"而无力赎其母，便是明证。可见，赎刑之制只是为少数有产者以钱免刑提供了合法的途径，实际上是一种保障少数有产者特权的制度。

5. 身份刑

身份刑是剥夺犯罪者的爵位、官职等政治身份的刑罚。楚国的身份刑主要有锢、黜、贬、废四种。

锢，就是终身剥夺充任官吏的政治权利。《左传·成公二年》载，楚共王时，楚人巫臣贪于夏姬美色，投奔敌国晋国，"子反请以重币锢之"。杜预注曰："禁锢勿令仕。"孔颖达《正义》："《说文》云：'锢，铸塞也。'铁器穿穴者，铸铁以塞之，使不漏。禁人使不得仕官者，其事亦似之，故谓之禁锢。"可见东汉以后盛行的禁锢之法，早在春秋时楚已有之。[①]

黜，即罢免犯罪者的官职。《列女传·楚江乙母》载，楚宣王时，"乙为郢大夫，有入王宫中盗者，令尹以罪乙，请于王而绌之"。

贬，即降低犯罪者的官职。《左传·僖公二十八年》载，城濮之战败北后，楚成王赦免了司马子西的死罪，但将其贬为商公。后子西又擅离职守，偷偷入郢，楚穆王发现后，又将其贬为工尹，以掌百工。这说明楚国对犯罪的官员是要给予降职处分的。

废，即免去官职和爵位。《左传·昭公六年》记："楚公子弃疾如晋……誓曰：'有犯命者，君子废，小人降。'"《史记·吴起列传》载，楚悼王时，吴起变法，"废公族疏远者"。

---

① 吴永章：《论楚刑法》，湖北省社科院历史研究所编：《楚文化新探》，湖北人民出版社，1981年，第185页。

6. 连坐刑

连坐是指因一人犯罪而株连他人坐罪受罚。从现有资料来看，楚国只有亲族连坐一种。

亲族连坐，即一人犯罪，刑及父母、兄弟、妻子及其他亲族。它既包括剥夺生命的刑罚，也包括剥夺自由的刑罚。前文所引《吕氏春秋·精通》记楚之击磬者及其母，就是因父亲犯罪而受株连。族刑，即一人犯死罪，尽诛其亲族。从文献记载来看，楚国的族刑主要有灭家、灭族、夷三族、夷宗等。《吕氏春秋·贵卒》："荆国之法，丽兵于王尸者，尽加重罪，逮三族。"《史记·楚世家》："销人曰：新王下法，有敢饷王从王者，罪及三族。"《战国策·楚策四》："园死士夹刺春申君，斩其头，投之棘门外。于是使吏尽灭春申君之家。"《左传·昭公十四年》："楚子杀斗成然，而灭养氏之族。"至战国之世，楚国又称灭族为"夷宗"。《史记·吴起列传》："坐射起而夷宗死者七十余家。"

7. 耻辱刑

耻辱刑是指对于轻微的犯令者，通过贬抑、毁损其人格，以示惩戒的刑罚方法。从现有的史料来看，楚国耻辱刑主要有髡。

髡，一种剃去头发的刑罚。在古人的观念中，须发也是受之父母的身体的一部分，故剔去头发也是伤害了身体，也属于小惩大戒的耻辱刑。《楚辞·九章》："接舆髡首兮，桑扈臝行。"楚狂接舆以自剃其发的方式来惩罚自己，说明楚国是有髡刑的。

楚国的刑罚制度具有明显的双重性。一方面继续沿用五刑，大量使用肉刑和死刑，行刑方式繁杂多样且野蛮残忍，表现出极端的落后性，另一方面又根据时代发展的需要，创造了一些新的刑罚方法，如入宅之法等财产刑，尤其是赎刑的适用，表现出一定的先进性。

三、司法制度

司法制度是法律制度的重要组成部分。它通过对诉讼活动及其运作过程的规定，确定诉讼各方的权利和义务，以程序的规范确保各实体法在现实生活中得到有效实施。这一部门法既是法律的生命形式，也是法律的内部生命的表现。缺少了它，法律就不成体系，其他部门法也就无法得到贯彻。[①]

（一）司法机构

中国自从国家形成以后，便在中央建立了专门的司法机关。在地方则由行政机关兼理司法，地方行政建制与司法审级基本一致，行政长官也就是司法官，使得行政权凌驾于司法权之上。这种司法与行政合一的体制，更便于君主控制司法。[②]

从文献记载和考古资料来看，楚国的中央司法机构长官在春秋时期和战国时期不尽相同。春秋时期，主要有令尹、廷理和司败。战国时期，主要是令尹和左尹。

楚国的地方行政建制虽复杂多变，但就总体架构而言，基本上是以郡县制为主体，同时辅之以封邑制度。与这种地方行政建制相适应，楚国的地方司法机关基本上分为郡、县两级，司法机关与行政机关合二为一，主管一郡的郡公与主管一县的县尹（或县公）也同时掌管郡、县的司法审判。由于郡县与封邑并存，封邑享有一定的相对独立的审判权，但不构成独立的司法管辖机关。作为最基层的司法机关，县主要负责接受告诉、一审和复审。为便于郡公、县尹（或县公）、封君有效行使司法权，其下设相关职务负责具体司法事务，如县正、司败、大司败、少司败、司马、左司马、少司马、连嚣、莫嚣、太师、少师、工尹、少工尹、乔尹、大迅尹等。

无论是根据司法与行政合一的体制要求、行政管理的基本原则，还是从法理上来推断，郡级政府都应是介于县和中央之间的一级司法行政机关，但这在现有资料中却没有很好地体现出来。陈伟对此亦有论述：郡在简书中的存在很不明朗。在舒庆等人的讼案中，子宛公和汤公竞军

① 王立民：《古代东方法研究》，学林出版社，1996 年，第 315 页。

② 张晋藩：《中国法律的传统与近代转型》，法律出版社，1997 年，第 317 页。

处于左尹与阴地官府之间，较有可能是介入司法事务的郡级官员。就简书所记，他们没有亲自参与审理，只是在上传下达方面做了一些事。而在“受期”简中，左尹官署直接向县级官府发出指令，并不经过郡级官府一环。由此似可认为，楚国的郡在司法方面，并不起太多作用。①

（二）诉讼和审判制度

东周时期楚国的诉讼制度已相当完备，从起诉到审理，每一诉讼阶段均设计有一套相当完善的制度和程序。

1. 起诉与受理

起诉是诉讼活动得以启动和进行的前提和条件。为规范起诉行为，保证诉讼活动的正常进行，楚国制定了较为完备的起诉制度。从起诉的形式看，楚国已出现了公诉与自诉两种起诉形式。一般来说公诉主要适用于刑事案件，自诉主要适用于民事案件，但不仅限于此。

楚国的公诉是典型的纠问式诉讼，即由国家官吏依职权主动追究犯罪，实行“不告也理”的原则。刑事诉讼是否开始和继续进行，完全由国家官吏决定，而不是主要由被害人决定。包山楚简表明，楚国地方官员享有追诉职能，一旦发现犯罪行为，有关官员就会行使职权，将犯罪嫌疑人提交主管司法的官吏审讯。如包山楚简第124—125简记载，楚国地方官员疋易公因浞阳之酷官黄齐等人死在敢寚之东的笑邑，依照法定权限责成敢寚的司法官员迅速侦办，及时追究。司法官员取得案件关键证据之后，迅速拘传了犯罪嫌疑人，并对之进行了开庭审理。在这个案例中，疋易公依其职权代表官府提请司法机构追究有关人员的刑事责任的诉讼行为，与当代诉讼活动中的提起公诉基本相似。但值得注意的是，受历史条件和纠问式诉讼模式的制约，楚国并没有出现专门负责公诉事宜的司法机构，其公诉职能多由行政官员或隶属于行政的准司法官员代为行使，这与当今公诉职能已经从行政职能中完全分离出来，成为一种独立的司法职能，并由专门的法律监督机关负责统一行使，有相当

① 陈伟：《包山楚简初探》，武汉大学出版社，1996年，第147—148页。

大的距离，表现出一定的落后性。[①]

楚国民事诉讼实行的是自诉制度，即当自己的合法权益受到侵害或与他人发生争议时，当事人必须以自己的名义直接向具有司法职能的机构提起诉讼，请求该机构及负有司法职责的官吏依法给予法律保护，司法机关和官员对此类争议和纠纷实行“不告不理”的原则。春秋战国时期，楚国的商品经济相对发达，民事流转关系也相应复杂起来，因权益受到侵害或产生争执而引发的民事争议和诉讼屡见不鲜。包山楚简记载了不少自诉案件：如第 81 简记周赐控告竞丁“政其田”，第 91 简记周雁向司法机构起诉周琜、周敚等人“葬于其土”，第 89、97 简记原告控诉被告抢占其妻妾等。以上这些案例，诉讼客体和标的各不相同，范围十分广。所确认和保护的权利既包括所有权，又包括继承权；所指向的标的既包括物，如土地等不动产，以及仆人等特殊财产，又包括行为，如葬于其土等侵权行为。所有这些表明，楚国的民事法律关系已经相当发达，不仅形成了相对完备的民事权利体系，而且建立了相应完善的民事责任体系，同时也从一个侧面折射出楚国重视法治的传统和精神。

民事诉讼的大量出现，使得楚国起诉书形成了相对固定的书写格式和名称。从具体内容上看，包山楚简中很难找到一份格式较为完整的严格意义上的起诉书。但如考虑到起诉书和上诉书的法律性质和作用基本一样，二者除名称和当事人称呼不同之外，其他行文格式均完全一样，那么，我们完全可以将包山楚简中若干分散的信息综合起来，对楚国起诉书进行大致的复原。陈伟指出，个人致官府的文书，最明显的有简 15—17 和简 132—135 两组。这两组均是呈送“视日”（即楚王）[②]的上诉状，程式、用语非常近似，均为楚人诉状的实物。其中，诉主

① 刘玉堂、贾济东：《楚秦起诉制度比较研究》，《中南民族大学学报》2004 年第 2 期。

② “视日”，原释文作“见日”，学界对此意见不一。郭店楚简出土后，基本达成一致，“见日”应释作“视日”。今从之改定。另在释“见”的基础上，学界对“见日”有多种推测和解读，至今仍不统一。详见范常喜：《战国楚简“视日”补议》，简帛研究网站，2005 年 3 月 1 日。王宁：《再说楚简中的“视日”》，复旦大学出土文献与古文字研究中心网站，2011 年 8 月 20 日。

以“仆”自称，先通报身份，接着用“敢告视日”引出诉讼对象和事由，最后以“不敢不告（于）视日”结束。因为是呈递于楚王的，所以有特别之处（如采用“视日”的特殊称谓）。但楚人一般的诉状，相信不会相去太远。简132—135中的“诰”，从言从告，可能专指诉状而言。[①]因此，将以上信息综合起来，我们大致可以推断当时楚国起诉书（或上诉书）的一般程式：第一部分为当事人基本情况介绍，以“仆”引出；第二部分是事实和理由，以“敢告（于）某某（司法官员）”引出；第三部分是公文式的礼节性套话，以“不敢不告（某某）”作为通用语，大体类似于当今的“此致，某某人民法院”。可见，与今天的起诉书相比较，楚国的起诉书仅缺少具体的诉讼请求一项，其余部分则基本相同。

本诉和反诉，是诉讼制度的重要组成部分，楚国当时是否出现了本诉和反诉之分，认识不一。认为楚国当时已经出现反诉的，无一例外地都拿包山楚简第131—139号所记苛冒、舒庆案作为具体案例予以支撑。对这一观点和其法理解读，还有待商榷，原因如下：其一，本诉和反诉主要出现在民事诉讼之中，一般不适用于刑事诉讼。苛冒、舒庆案是一起严重的刑事案件，所提起的只能是刑事诉讼而绝非普通的民事诉讼。其二，本诉和反诉的当事人具有同一性，即反诉和本诉的当事人相同，只是诉讼地位互换而已。在苛冒、舒庆案中，当事人之间并不具备同一性。前一诉讼的当事人分别是原告舒庆、被告苛冒、佢卯，后一诉讼的当事人则分别是原告苛冒、被告舒庆。其三，本诉和反诉具有对抗性，被告提起反诉的主要目的在于对抗本诉原告的诉讼请求，这种对抗表现为抵消、排斥、吞并本诉原告的权利，或者使本诉原告的诉讼请求

① 详见陈伟：《包山楚简初探》，武汉大学出版社，1996年，第63页、第137—138页。陈伟后又在《楚国第二批司法简刍议》中，对江陵砖瓦厂370号楚墓竹简作复原分析，认为这批简也是诉状，其格式与包山楚简所见完全一致，更可相信这代表了当时楚人向视日提出诉状的格式。详见陈伟：《新出楚简研读》，武汉大学出版社，2010年，第34—40页。

失去实际意义。[①] 在此案中，苛冒、舒庆二人的诉讼地位虽已发生变化，但起诉目的并不具有对抗性，后一诉讼中原告起诉的意图不是借此消除自己的不利地位和应负责任，而是旨在追究对方的法律责任。那么，如何认识这一问题呢？这实际上是楚国的另一种刑事起诉形式——刑事案件自诉。

古今中外，刑事诉讼的提起一直存在着公诉和自诉两种形式。只不过随着社会的发展，法律越来越严格限制刑事自诉的范围。在今天的中国，刑事自诉案严格地限定在轻微刑事案件中。楚国刑事诉讼也存在自诉与公诉两种形式，但没有就范围作严格的限制，诸如杀人之类的严重的刑事案件也适用自诉。这是与当时的社会经济发展相适应的。楚国当时既没有出现诸如今天的检察院等专门公诉机关，也没有形成强大刑事侦办能力和体系，如不允许被害人或近亲属及其代理人直接控诉，那么，很容易引起矛盾的激化，从而影响社会的稳定。允许刑事自诉的存在，并不限制其适用范围，无疑是对司法资源严重不足的一种有效补充，是一种切实可行的补救措施。

起诉之后，并不必然引起审判程序的开始。审判机关在收到起诉材料之后，都要从形式和内容上进行审查，认为符合法定起诉条件的，才予以立案审理，从而正式启动审判程序，进入法庭审理阶段。这一诉讼行为，在诉讼法上称为受理。从包山楚简的记载来看，楚国不仅要求司法机构在受理阶段制作相应的法律文书，而且在受理阶段制作的法律文书已经高度格式化，形成了固定的名称和体例。

包山楚简显示，楚国司法机构在受理阶段制作的法律文书，称为《受期》。其内容主要包括：受理诉讼的时间；受理诉讼的官员职位及姓名；预定审理案件的时间；针对可能出现的违法情况，重申和强调有关案件审理的纪律和要求；对违反审判秩序和纪律的行为实施惩罚的规定；以及审理人员的组成情况（包括姓名及职位）。《受期》行文高度格

① 蔡虹、李汉昌编著:《民事诉讼法学》，中国法制出版社，1999 年。

式化，一般程式为：某月某日，某地官员某受期，某月某日将审断。不将……以廷，阩门又败。某某识之。如包山楚简第26简《受期》："八月壬申之日，郙阳大正登生肱受期。八月癸巳之日不将郙阳邑大夫以廷，阩门又败。正罗寿识之。"这里与"受"对应的日期（八月壬申之日）就是受理诉讼案件的日期，与"期"对应的日期（八月癸巳之日）则是预定开庭审理的日期，[①]"识"即审理案件，"正"是楚国所设专职司法职官。规范化司法文书的出现，是大量司法实践经验的总结和产物，同时又是司法活动高度发达的标志和保证。

重视和强调受理阶段司法文书的规范化制作，有着极为重要的法律意义。受理阶段并不需要就内容作更多的实质上的审查，因此，重视和强调受理阶段司法文书的规范化制作，明确要求以书面形式告知受理结果以及诉讼活动参与人的权利和义务，既是对受理活动的一种有效监督和管理，又是随后的审理活动得以顺利进行的一种事前规范和保障，是为建立程序公正而设计的一种科学而合理的措施。

程序公正是结果公正必要的前提和保证。为保证诉讼的公平和正义，现代的法律在正式开庭审理前，设置了两大程序：一是将立案和审理严格分开，立案庭专门负责立案工作，审判庭只负责审理工作，彼此独立，互不干涉。二是在开庭前，审判人员必须做好庭审前的准备工作。如送达起诉书副本，告知当事人有关诉讼权利和义务、合议庭的组成，送达传票通知有关当事人参加诉讼等。将楚国受理阶段的活动与今天的相比较，我们不难发现，二者在性质和内容上没有实质性的差异。从《受期》简所记载的内容来看，楚国当时也已把立案和审理严格区分开来：立案是由郙阳大正（专职司法职官名）登生肱（人名）负责并完成的，而审理则是由正（专职司法职官名）罗寿（人名）具体负责。在庭审前的准备工作上，《受期》简也基本上涵盖了现代庭审前的准备工作的主要内容。除了看不到起诉书副本的送达之外，二者几无差别。

---

① 贾继东：《包山楚简中〈受期〉简别解》，《东南文化》1996年第1期。

楚国法律在要求司法机构制作并送达《受期》这一法律文书的同时，是否一并要求送达起诉书副本，文献和包山楚简都没有反映，这里只能稍加推测。从楚国对立案和庭审前准备工作的重视，有理由相信，楚国司法机构在制作并送达《受期》这一法律文书时，完全有可能将起诉书副本一并送达。原因如下：其一，起诉书副本一般是由当事人制作和提供的，司法机构仅负送达之义务；其二，司法机构将起诉书副本一并送达，不仅不会因此增加司法成本，反而会因此提高诉讼效率和进一步保证诉讼的公平和正义，也更能有效地实现立法者的重视受理工作的立法意图。而《受期》简之所以没有就此加以记载，当是性质和格式所限。

2. 主管和管辖

主管，是指司法机关受理案件的权限范围，它要解决的是司法机关同其他国家机关之间处理纠纷的分工和权限，即哪些纠纷归司法机关处理，哪些不归司法机关管理。现代法律意义上的主管多适用于民事诉讼。受历史条件制约，楚国司法机构及其职能没有细分化和专业化，也没有严格地将刑事诉讼、民事诉讼、行政诉讼区别开来。因此，出于对社会严密控制的需要，楚国司法机关有权就一切纠纷进行处理。如包山楚简简 131—139 所载苛冒、舒庆杀人案是一起严重的刑事案件，简 151—152 所记左驭番戌食田争议案是一起复杂的民事继承纠纷，简 91 记载的周雁向司法机构起诉周琛等人“葬于其土”是一起简单的民事侵权纠纷，简 15—17 所载司败若名籍纠纷，依现代诉讼法学理论判断，则应是一起行政诉讼。而所有这些案件均由司法机关作出终审裁判，尽管其中一部分纠纷一直提交到楚王那里，但楚王并没有出面直接运用行政手段加以解决，而是将其交给了司法机关作最终解决。这实际上也就意味着，楚王是承认司法机关具有最终审判权。

纠纷发生后，当事人该向哪个地方和哪一级别的司法机关提起诉讼，这就涉及管辖的问题。包山楚简显示，楚国实行的是法定管辖，即不允许当事人以协议约定管辖，必须依照法律规定向所在地区的同级司法机关提起诉讼，否则，即视为越级或违规，案件须发回审理。

下面以简131—139所载苛昌、舒庆案为例，作一简单分析。在此案中，原告舒庆首先向子郈公提出诉讼，要求追究苛冒、佢卯的法律责任。但子郈公接受起诉后并未亲自审理，而是交付给阴地官府审理。他为什么要这样做呢？合理的解释当是，子郈公认识到，对这起当事人均为阴人的诉讼案件，无论是依照地域管辖的一般原则“原告就被告”，还是依照地域管辖的补充原则“被告就原告”，自己都无权管辖，因此，主动将案件移交给有管辖权的阴地官府审理。当证据和庭审于己不利时，舒庆向楚王提出上诉。案件经过楚王、左尹、子郈公等人层层批转，最后仍然发回阴地官府重审。之所以会出现如此结果，根本原因就在于，依照法定管辖的规定，阴地官府是最基本的审判机关，主要负责案件的第一审。而上诉案件，是可以发回原审机关重新审理的。所以，以上做法是符合法律规定的，也反映出楚人对管辖问题的重视。

子郈公确切身份不详，但从他向阴地官员发出指示、阴地官员向他请示以及左尹向他传达王命来看，他可能是阴地的上一级长官。舒庆直接向他起诉，显然是越级起诉，是不合法的。但他作为上级，没有简单粗暴地驳回起诉，而是先受理这起诉讼，然后根据具体事实，将案件移交阴地官府审理。这一做法，是正确、合法的，不仅较好地保护了当事人的诉权，而且较好地平衡了司法机关之间分工和权限，与现代法律精神有着高度一致，值得肯定。

3. 审级制度和证据制度

在就楚国的审级制度展开探讨前，我们有必要先来简要了解一下审级制度和审判监督程序的联系和区别。审级制度是指一起案件经过上下几级司法机关的审判之后即宣告终结的制度，它要解决的是判决何时生效的问题。审判监督程序则是对已经生效的判决进行再审的程序。它的目的是纠正已经发生法律效力的判决的错误，它不是一级独立的审判程序，不具有审级的性质。审级中的再次起诉，称为上诉，其针对的对象是尚未生效的初审判决。审判监督程序中的再次起诉，一般称为申诉，其针对的对象是已经生效的判决。上诉和申诉都存在着对同一案件进行多次审理的情形。

包山楚简显示，楚国存在着大量的对同一案件进行多次审理的现象。如前述舒庆等人案，舒庆对初审判决不服，一直上告到楚王那里，楚王命左尹将该案移交有关人员重审。此外，简15—17记载的一例名籍纠纷案，原告司败若初审败诉，同样不服判决，也上告至楚王，指控主审官员“新造迅尹丹”执法不公，要求重审，楚王于是指示左尹将此案移交有关人员重新审理。

在如何解读和认定一案多审的问题上，大部分学者执上诉的观点。如陈伟认为，舒庆上诉直呈楚王，可能越过了某些中间环节，不过，由于案件最终还是交付给了阴地官员，这种越级起诉并未造成基层司法机关职权的丧失。尤可注意的是：楚王接到舒庆上诉后，指示“速为之断”，并未提出任何倾向性意见；而阴地官府收到这一指示后，仅将原先的审理情况上报，却未组织复审。这些都反映阴地官府在司法方面拥有较大的独立性。[①] 总的来说，无论是对简文的文字释读还是法理解读，陈伟的分析都是非常精辟且有力度的，但仍有一定的探讨余地，下面试作说明。

前面已经讲到过，上诉和申诉最大的区别之一就在于判决是否已经生效。而在包山楚简所有记载中，我们很难找到足够的信息来判断判决是否生效这一问题，换句话说，也就是很难断定这样的重审是上诉还是申诉。从法律精神和审判实验来看，上诉一般都会按照法定的审判程序就案件进行重新审理，都会进行重新举证和宣判，而申诉则不一定，视具体情形可重审，也可直接调阅案卷进行书面审查，或以其他方式进行。舒庆等人案未见重新举证和宣判，从这一点来看，将其认定为上诉显然有些欠妥。

此外，从审级上说，舒庆等人案初审为阴地司法机关，二审为子

① 陈伟：《包山楚简司法简131—139号考析》，《江汉考古》2001年第2期。

郇公及其同级司法机关，三审为楚王，如再加上左尹等其他高级司法官员，则远不止三级。诉讼是要付出成本的，无论是对个人还是对国家都是一种负担。审级过多，不仅使得当事人争议的法律关系长期处于不稳定状态，既不符合法治的要求，又增加当事人的诉讼成本，还大量浪费国家有限的司法资源。楚国幅员辽阔，人口众多，又素有法治传统，如审级过多，既有违法治原则，又会使当事人和国家都承担不起。因此，综上考虑，楚国不会设计那么多审级，让当事人上诉至楚王，才宣告判决生效，至于司法公正的问题，则设计有申诉这一程序加以补救。以上只是笔者的一些疑惑和推测。楚国是实行单一的审级制度，还是同时辅之以审判监督程序，楚国的审级制度到底是二审终审制还是三审终审制，抑或多审终审制等诸多问题，还有待进一步探讨和论证。

4. 审理制度和程序

审理是诉讼活动的关键之所在。有证据证明，在先秦时期的诉讼活动中，楚已有了较为完备的审理制度和规则。包山楚简显示，楚国的普通审理程序大致包括以下部分：首先由当事人陈述；然后根据陈述内容，通知证人到庭盟证，调取并审查核实证据；最后依据所掌握的证据材料依法作出判决并制作法律文书，记下诉讼活动的全过程。[①]证据是诉讼活动的中心和基础，为保证案件的公正审判，楚国对证据的收集和认定作了严格的制度性规定。书证、人证、物证、证人证言、当事人陈述、鉴定结论等已被广泛采用，证据的合法性、关联性、客观性得到注意和强调。楚国还设计了非法证据排除规则、盟证制度、限制刑讯逼供等系列规范制度。[②]

综上以观，楚国的诉讼制度和司法实践，从一个侧面反映出楚国已经拥有相当高的法治文明程度。但需要指出的是，受时代的制约，楚国

① 详见刘玉堂、贾济东：《楚秦审判制度比较研究》，《江汉论坛》2003 年第 9 期。

② 详见刘玉堂、贾济东：《楚秦刑事诉讼证据比较研究》，《湖北大学学报》2004 年第 2 期

的诉讼制度也表现出一定的落后性。

第三节　兵制

楚国在军事上的发展速度和成就是惊人的，从某种意义上来说，楚国的发展壮大史就是一部军事发展史。楚国在发展的过程中，建立了完善的军事制度，使得楚国能较早地突破部族国家的血缘限制，将楚国的人力与物力充分地动员起来，奠定强大楚国的军事基础。

一、兵种与兵源

军队是国家的重要成分，是统治阶级进行统治的重要工具。楚国十分重视军队建设，不仅率先冲破周制约束，自设三军，建立起独立支配的强大军队，而且因地制宜，发挥优势，建立起多层次、多兵种武装相结合的军事体制，使楚国的军事力量结构较之中原各国更加完善，能更好地发挥中央与地方各方面的军事积极性，适应各种地理条件作战，从而大大提高楚军的战斗能力。

（一）兵种

楚军的兵种，根据隶属关系和军事职能的不同，分为两大建制。

1. 多层次的武装构成

楚军是一支多层次的复合武装力量，除训练有素的中央直辖军队外，还有数量很大的地方军和私家军。按照隶属关系的不同，可分为正军、县师、王室亲兵和贵族私卒。

（1）正军

又称三军，是国家的常备和主要军事力量。周制规定，天子与大小诸侯的军队编制是有严格区别的。《周礼・夏官》记：“凡制军，万有二千五百人为军，王六军，大国三军，次国二军，小国一军。”楚为子男之国，属小国之流，按制只设一军。然而至春秋初年，楚人即冲破周制约束，仿照诸侯大国的模式，建立起自己的“三军”。楚三军建制正式形成于楚武王时期。公元前706年，楚武王派兵伐随，楚将斗伯比就有“我张吾三军”之语。中军是三军中最精良的部队，战斗力最强，其次为左军、右军。楚王为三军最高统帅，出征时各军则分别由令尹、司马、左尹、右尹等高级官吏率领，楚王有时亲自率领三军或其中一军出征。春秋时，正军还不很多。战国时，私卒、县师开始统编于正军，常备军制度趋于完善。苏秦说楚“带甲百万，车千乘，骑万匹”，大致不差。直至战国末年，楚军还大败李信二十万秦军，以致秦非出兵六十万击楚不可，足见楚军之多且强。

（2）县师

县师是春秋时楚国的地方部队。主要部署在楚国的边境地区，多属楚在中原灭国所设县的武装力量。县师由县公统率，由楚王亲自调动，县师的主要职责是防守边境，并配合国家的军事行动，承担相应的出征、增援等任务，是春秋时期楚国军事力量的重要组成部分。战国时，楚县师纳于楚国统一的常备军中。县师不仅仅在防守边境的战争中发挥作用，当国内发生动乱时，县师还能够成为平叛之师。春秋末年，平定白公之乱的就是叶县之师。

（3）王室亲兵

王室亲兵包括楚王亲兵与太子亲兵。前者称为“二广”。《左传·宣公十二年》说：“其君之戎，分为二广。”杜预注：“二广，君之亲兵。”每广有战车十五乘，由王族子弟组成。后者称为“宫甲”。《左传·文公元年》有太子商臣“以宫甲围成王”的记载。楚王的亲兵，是楚军的精锐所在，常在战争中发挥重大的作用，《左传·成公十六年》称：“楚之良，在其中军王族而已。”王族即王卒。

（4）贵族私卒

贵族私卒是楚国贵族的宗族亲军，主要为车兵。春秋时期，楚国大贵族在自己所封的食邑上各自拥有武装，这些武装不属国家编制，由贵族私人掌握和豢养，故称“私卒”。贵族以私卒听从楚王之命出征的形式向楚王纳赋。私卒也常用于对外战争，如公元前548年楚吴舒鸠之战，贵族子强、息桓等“五人以其私卒先击吴师”（《左传·襄公二十五年》）。

私卒多以各自宗族的子弟为兵员，以食邑上的农民为补充。战国时，宗族势力渐趋衰落，私卒逐渐为门客所取代。楚国私卒中最大、最著名的是若敖氏的六卒。他们可以单独出征，曾作为主力与晋国军队展开过城濮之战，后因参与若敖氏的叛乱，被楚庄王解散。

此外，楚国是一个多民族的国家，在楚军中还有由少数民族成员组成的部队，这支武装力量，史称“蛮军”。公元前 575 年，晋楚鄢陵之战，楚国方面就有蛮军参战。

2. 多兵种的武装力量

楚立国之初已有军队，但蚡冒以前，只有步兵一种。武王末年，楚攻随，已始建车兵，兵力大增。楚国北进中原图霸，所依仗的主要是车兵。春秋中期后，楚人取吴越之所长，组建了舟师。战国时，各国由北向南渐次实行骑战，楚国也组建了强大的骑兵。

楚军按战斗方式分，可分为车兵、步兵、水兵和骑兵。其中，步兵按战争形式分，又可分作隶属步兵和建制步兵，而隶属步兵（步卒和役徒）又与车兵合而为车战兵。

（1）车兵

车战兵以车兵为中坚，以“乘”为计量单位。车兵之战车，楚国特称“乘广”，楚王亲军编队分为“广”。战车分攻车（轻车）、守车（重车），与诸夏相同。一乘战车兵编制包括攻车、守车各一辆。各乘战车的车兵人数，也与诸夏无异，即甲士三名，配置于攻车，御者居中，左者特弓，右者持戈盾。车兵以左为上，即车长，也即一卒之长。邲之战，有单车致战，“许伯御乐伯，摄叔为右”（《左传·宣公十二年》），即楚车兵之制。春秋时，车兵（甲士）普遍由“士”担任。楚国的车兵是为了适应北进中原的战争形势，学习诸夏的先进经验而建立起来的，组建虽晚，但发展很快，后来居上。春秋中期，楚国车战技术已经达到一定水平，可以向别国输送车战的教官，教别人射御和驾车的技术。邲之战，晋师大败，晋国的一些兵车落荒而走，陷入洼地，怎么摆弄也出不来，最后还是在追上前来的楚人的指导下，才得以出来。战国以后，以车兵为主的作战方式逐渐让位于以步、骑兵为主的作战方式，楚则只拥有“车千乘”。

（2）步兵

步兵即徒兵，分隶属步兵、建制步兵和工兵。

隶属步兵。一乘战车，除车兵外还配备有步兵，为隶属步兵。隶属步兵又分作步卒和役徒（役徒即工兵），但以前者为主。邲之战中“车驰卒奔”的“卒”，就是这样的步兵。《左传·僖公二十八年》记城濮之战后，晋人“献楚俘于王，驷介百乘，徒兵千”。杜预注：“徒兵，步卒。”《左传·宣公十二年》记：“其君之戎，分为二广。广有一卒，卒偏之两。”《司马法》说：“百人为卒。”就是说楚亲军攻车（广）配备一百名战斗人员（甲士三名、步卒九十七名），比春秋时中原各国普遍编制七十五人要多。二十五人为一两，二两一偏，二偏一卒。两下有伍，五人为伍。卒、偏、两、伍，即楚军车战隶属步兵的结构层次。楚车兵编制是否都“广有一卒”不能断言，但已知资料则大多表明楚车兵所配步卒多于中原。如“若敖六卒”，即指六乘攻车各配备一百人的兵力。《李卫公问对》曾说楚“车少而人多”，但从楚军历次战役所投入的车乘往往多于别国来看，说楚国车多而人更多更为合适。这正是楚人以步战为本、重视步兵价值的结果。步卒主要由国人的下层和鄙野庶民组成，但亲军士兵由士担任。

建制步兵。是指单独作战、独立成编的步兵。步兵可以在道路狭隘的地区单独作战，机动性较强。步兵作战所用的武器主要是弓和箭，防护装备为甲、胄和盾。楚人对步兵建设特别重视，车战兴起之后，楚国仍保留着单独编制的步兵——建制步兵。楚伐庸，“分为二队”的部队就是步兵。吴师入郢，是一场规模空前的步兵大战，双方投入战场的就是建制步兵，只在战役后期才有战车参战。战国时期，步兵逐渐地取代车兵，成为楚国的主要兵种，史称“带甲百万”。

工兵。这种步兵在战争中带有役徒的性质，多为征发而来的贫苦民众，主要从事架桥、筑城、修缮武器、修筑工事等工程或者后勤工作，在军中的地位最低。《左传·成公十六年》记鄢陵之战间隙，楚军“补卒乘，缮甲兵，展车马”，这些都是由工兵来完成的。

（3）水兵

随着战争的不断扩大，楚国的兵种不断地增加，到春秋中期时，楚国就出现了水兵。《左传·襄公二十四年》记：“楚子为舟师以伐吴。”这是楚国始建水兵的确切记载。与吴越相比，楚国的舟师可谓后来居上。楚国的舟师虽效法吴越，但在发展过程中不乏独创之处。据《墨子·鲁问》记载，在经历了多次伐吴失败之后，楚国聘请了鲁国名工匠公输般“为舟战之具，谓之钩拒，退则钩之，进则拒之也”。有了钩拒这一舟战武器之后，楚国舟师战斗力大大提高了，为灭掉越国奠定了胜利基础。楚国舟师在参与作战时，常与步兵紧密地配合。专门与舟师配合作战的陆师称为陵师。舟师与陆师配合作战时，或者是先舟师后陆师，或者是水陆并用，具体视战场需要而定。

（4）骑兵

骑兵是战国时期楚国军队重要的组成部分，但其制无可考。楚国创建骑兵的时间大致在战国早期，稍晚于中原诸国，但发展较快，到战国中期楚宣王时，已拥有“骑万匹”，实力强劲，令诸侯侧目。当时的骑兵编制，通常五骑为一长，十骑为一吏，百骑为一卒，二百骑为一将。按照当时打仗的传统方式，骑兵也要摆成战阵来作战。战阵在各种不同的地方，有不同的摆法，如果是平坦的地方一般是五骑为一列，前后相去三十步，左右四步，队间五十步。如果在险要的地方作战，则前后相去十步，队间距二十五步。一般在战阵中的编组为三十骑一屯，六十骑一辈，十骑一小官，巡察各处。这是当时一般的骑战之法，在楚国如何具体实行，尚不得而知。

（二）兵源

楚军士兵的来源，因兵种而异。正军起初以国都及其附近地区的国人为主要来源。以后，楚人征发被灭国臣民编为县师，这日益成为楚军的重要兵源。《左传·成公七年》记申公巫臣谏阻给子重赏田时明确指出："不可。此申、吕所以邑也，是以为赋，以御北方。若取之，是无申、吕也，晋、郑必至于汉。""赋"，即提供兵役、军备。领有私邑的贵族也要纳"赋"，而其提供兵役的主要方式便是率领私卒参战，私卒由宗族成员及其依附农民组成。

楚国兵制初创之时，兵赋尚未与土地占有状况合理地联系起来，以致征发不均。公元前548年，司马蒍掩奉命"庀赋，数甲兵……量入修赋，赋车籍马，赋车兵、徒卒、甲楯之数"。这是按土地收成核定兵赋，以整顿兵制。除有九种不同土地的区别外，征兵不再分"国"和"鄙"、旧有之地和新得之地以及国有之地和贵族占有之地。战国时期，封君所领县仍为地方政权机构，贵族不再享有领地特权，于是私卒消失，以郡、县为地区单位的征兵制度逐渐普及、完备起来。

楚国士兵，战时从军，战罢归里。楚国征兵力求不违农时，坚持"荆尸而举，商农工贾不败其业"（《左传·宣公十二年》）。《左传·成公十六年》记晋人评论楚军说："王卒以旧……旧不必良。"说明兵役期限过长是无益的。楚国服兵役的年龄，与中原大致一样，十五至六十岁的男子皆为应征对象，但也有例外。《战国策·楚策二》记楚将昭常说："我典主东地，且与死生。悉五尺至六十，三十余万弊甲钝兵，愿承下尘。""五尺"，指十五岁以下的男子。

楚国在内线作战的场合下，除使用正规部队外，往往还有民兵参战。如春秋末年，吴师入郢，昭王奔随，楚人"乃相率而为致勇之寇，皆方命奋臂而为之斗。当此之时，无将卒以行列之，各致其死，却吴兵，复楚地"（《淮南子·泰族训》）。

此外，春秋时期，楚国还经常征召属国之兵参与战争。城濮之战有陈、蔡之师编为楚右军，鄢陵之战又有郑、陈之师乃至蛮军，长岸之战有随师，鸡父之战更是有陈、蔡、许、沈、胡、顿等数国派兵。楚军外线作战，属国即为其重要的辅助兵源。

二、武器装备

作为春秋五霸之一和战国七雄之一，楚国的武库是当时最庞大而且最先进的，在军备竞赛中，楚国长期占据上风。

（一）兵器种类

与周朝其他各国相比，楚国的兵器不仅种类最齐全，型号较长大，而且制作较精良，既适用于车战，又能满足步战和水战的需要。楚国的兵器，论质料，可分为铁、青铜、木、竹、皮等制品。铁兵器主要有剑、戈、矛、匕首、镞等。青铜兵器主要有剑、戈、戟、矛、匕首、镞、弩机等。木兵器有盾、甲、弓及各种兵器杆。竹兵器有弓、箭杆等。皮兵器有甲、胄。论功能，可分为进攻性武器和防御性武器两大类。进攻性武器主要有弓、弩、矢、戈、矛、剑、戟等。防御性武器主要是甲、胄等。

1. 青铜兵器

先秦时期的兵器主要是青铜兵器，楚墓中出土的青铜兵器，量多而质优，其种类主要有剑、戈、戟、矛、殳、匕首、镞等。

（1）剑

楚国兵器工业最大的成就，是铸造了大量优质的青铜剑。楚墓中出土青铜剑的数量之多，工艺之精，皆居列国之首。迄今为止，已出土的先秦铜剑大半是楚国的。依其形制，楚剑可分为四大类型。第一类是柱脊剑，圆首，空茎，窄格，脊呈柱脊状，形体较短小。第二类是空茎剑，圆首，圆空茎，窄格，棱脊，大多无从。此类剑出土数量较多。第三类是实茎剑，圆首，圆实茎，双箍，广格，剑身脊多隆起，大多有从。第四类是扁茎剑，无首，扁棱茎，有格（格与剑身分铸，套合一体），有从，形体长宽。第一、四类剑出土数量较少，前者均见于春秋墓，后者多出自战国晚期墓。第二、三类剑不仅数量最多，而且常出于同一墓中。

值得注意的是，楚墓中出土的工艺水平最高的青铜剑却是越王剑。

吴、越原是“宝剑之乡”，在越灭吴、楚灭越之后，原来为越王铸剑的铸剑大师干将、莫邪，转而为楚国服务。从此，楚国不仅自己铸造了大量华美的青铜剑，而且还将吴、越等国的名剑也掳夺到了楚国，这就是越王剑、矛等稀世珍品出在楚墓中的缘由。

（2）匕首

出土数量较少，已知有60余件。匕首形制似剑，唯短小。一般长20—30厘米，宽3.5—4.0厘米，厚0.2—0.4厘米。它形体短小，是护身的武器，在战争中起不了值得注意的作用。

（3）戈

楚墓中所出戈的数量仅次于剑。戈是勾兵，由戈头、柄、镦三部分组成，有的戈头顶端还安有帽。戈头（一般称戈）和镦均铜质。柄（柲）为椭圆形，有木质和积竹两种。积竹柲是用木心包上外层竹片，用丝线缠裹后髹漆而成。使用积竹柲不仅增强了柲的韧性，而且增强了柲的坚度。春秋时期，戈柲的一般长度在3米以上。战国时期，戈柲缩短，大多在2米左右。戈有单头戈、双头戈、三头戈之分。双头戈和三头戈是在一根戈柲的同一方向上，前后安二至三个戈头，最前端的一个戈头有内，第二、三个戈头无内（又称无内戈）。多头戈的使用，增强了戈的杀伤力，一次勾杀可致敌以三创。

（4）矛

矛为刺兵，由矛头、柄、镦组成。战国时期的矛头形体较大，骹较长，脊多为菱形，锋锐利，两翼较长，有血槽，刃中段微内凹。矛柄有木质和积竹两种，积竹柄的结构同戈柲。柄一般都较短，在3米以内。

（5）戟

戟是矛与戈的复合体，既是刺兵，又是勾兵，整体由矛刺、戈、戟柲组成。矛刺，是形体较小的矛。戈，援较窄长，内边开刃，有血槽，杀伤力强。戟柲有木质和积竹两种，同戈柲。战国楚墓出土的戟柲，一般在3米以内。一般的戟，柲上安一戈一刺，但已发现有双戈同柲或三戈同柲的戟：柲上戈的方向一致，最前端的一个戈头有内，第二、三个戈头无内。多戈戟的发明，使戟的杀伤力极大增强。

（6）镞

镞由铜质镞头（又名箭头）、竹质箭杆组成。有的在箭杆尾部还安有羽毛，以保持箭在飞行中的平衡。镞的形状较多，大致可分为七式，其发展的趋向是由双刃到三棱，由有铤有尾到无铤无尾。多数镞刃作三棱，长铤长尾。双刃型箭镞，两叶如翼后掠，有倒钩，身扁平。三棱型箭镞，有倒刺，身细长，长铤长尾。长铤长尾穿透力较强，但用铜量较多。据文献所记，楚国的箭杆也很好。《周礼·冬官》说："荆之干……材之美者也。"

（7）弩

弩是一种发射箭的改良装置，在先秦时是一种射程远、杀伤力强的武器。它相对于弓箭来说可以延时、瞄准，有人称之为原始的步枪。据文献记载和考古发现，弩是由善射的楚人发明的。《吴越春秋》记载："（楚）琴氏以为弓矢不足以威天下……乃横弓着臂，施机设枢，加之以力，诸侯可服。"由此可见，楚琴氏作为一名神射手，对弓矢进行了改进，发明了弩。弩克服了弓箭力量不足和拉弓后不能持久、连发的弱点，增大了射程和力度，延长了预射的时间。据文献所记，强弩力达十二石，射逾六百步。

最早的弩出现于春秋晚期的楚地。在楚墓中有多件弩出土，其中以青铜弩机较多。构件比较完整的弩，在湖南长沙扫把塘、湖北老河口安岗村等战国时期楚墓都有出土。从出土实物来看，楚国的弩主要由铜弩机和木制弩臂两部分组成。

楚人还发明了连弩机。1986年，在湖北江陵秦家嘴47号楚墓出土了一件连弩。该连弩与短木弓、短矢一起放在墓葬头箱中的竹箱内。该墓的年代为战国晚期早段，约在公元前300年前后。这件弩机是目前在我国发现最早的一件连弩。考古工作者经过复制和试射，称之为"双矢并射连发弩"。

2. 铁兵器

铁兵器较青铜兵器晚出。楚国的铁兵器初见于春秋晚期，较北方诸国略早。楚墓中出土的铁兵器，是各地东周墓中出土数量最多的。出土地点多集中在湖南长沙、益阳、衡阳、常德等地，而湖北江陵地区则出土较少。

（1）剑

铁剑是出土的铁兵器中数量最多的一种。铁剑的器身修长，前锋尖锐，茎为圆柱状或扁平形，格首大多为青铜制，个别为玉制。一般通长70—80厘米，宽4.5厘米。

（2）匕首

目前，所能确定为匕首的只有一件，出自湖南韶山灌区湘乡37号墓，圆茎中空、茎上有纹饰，单刃，尖锋，身似刀形，长24厘米。

（3）矛

目前仅出土2件。一件出自长沙黑槽门2号墓，长约19厘米，宽约2.9厘米。另一件出自荆州纪南城，两叶刃窄长，长脊，侧有血槽，胶圆筒状，中空，直通脊部前端，全长37.1厘米。

（4）镞

迄今为止，仅湖南常德德山楚墓出土1件，三棱形。值得注意的是，铁尾铜镞在楚墓中常有出土。

3. 竹木兵器及其他

（1）弓

弓有竹质和木质两类，竹质的较多。竹弓有两种形状，一是月牙形，二是弓中间微凹似马鞍形。两种形制的弓，均中段较宽，由三块竹片迭合，两端较窄，通体用麻布包裹，丝线捆扎，漆黑漆。木弓一般较竹弓粗长，威力可能要大些。

（2）殳

出土数量尚少，荆州天星观1号墓出6件，随州曾侯乙墓出21件，分两种形制。第一种7件，出自曾侯乙墓，殳头呈三棱矛形，其后部和殳杆上端各有一个球状铜箍，二铜箍相距33—51厘米。铜箍为花球状的6件，刺球状的1件。戈杆通长3.29—3.40米，直径2.8—3.0厘米。此种殳与文献记载不同，而且铭为殳。第二种20件。天星观1号墓的殳杆有木质和积竹两种，长3.45—3.55米，径2—3厘米，上端较细，圆形，顶端套一铜帽，顶部有一环状钮。下段较粗，八棱形，末端安一铜帽，通体髹黑漆。曾侯乙墓出土的14件殳，长3.13—3.23米，这种殳既无刃也无锋，似为仪仗，很可能是文献上所说的殳。

（3）甲、胄

甲、胄均属防御性武器。甲有木甲和革甲。胄，仅见革胄。楚国的甲是很有名的。起初以木甲为主，到春秋晚期就多用革甲。《左传·成公十六年》记养由基和潘党比赛射甲，都穿透了革甲的七层皮。《左传·定公四年》记吴楚柏举之战，楚国的大夫武城黑说："吴用木也，我用革也，不可久也，不如速战。"因为天气不好，革受了潮容易被刺穿，反而不如木，所以武城黑要求速战。《荀子·议兵》曰："楚人鲛革犀兕以为甲，鞈坚如金石。"可见，楚人曾用犀牛皮和鳄鱼皮制甲，不过至今还没有发现实物。1984年当阳曹家岗5号墓出土有一件铅锡合金铠甲，含铜量很小，可以弯曲而不易刺穿，在先秦的防护性兵器中是见所未见的。此外，楚国也有马甲。山湾2号春秋晚期墓出土马甲残片约一百块，呈长方形、正方形或不规则状，每块有两层，四周有小圆孔四至十个。

（4）盾

盾是防御兵器，在战国时期楚墓中较常见。胎骨有木胎与革胎两种，均髹漆，一般都有彩绘花纹。随州曾侯乙墓出土盾49件，小平顶外凸，上部为双弧形，下部为长方形，正面呈凸弧形，背面正中安木盾柄。江陵望山1号墓出土12件，器形较小，大多有彩绘花纹。出有盾的墓，一般都出矛，似乎矛与盾是不可分的。同时，出盾的墓也常伴出有剑、戈等，它们的同出，又似乎说明盾不仅是车兵的防身武器，也为步兵、骑兵防护所必备。

（二）兵器变革

春秋战国时期，生产方式有了明显的进步，考古资料表明，楚国在冶铁技术和铁器的广泛使用方面，在当时各诸侯国中是居领先地位的，楚墓出土的大批铁兵器，正说明了这一点。铁兵器不仅比青铜兵器更锋利，更具韧性，而且也使兵器的形制发生了变革。铁剑的长度普遍比青铜剑长一倍左右。这种长短的变化，一方面反映了楚国军事编制的变革——步兵和骑兵的发展，因为长剑更适合步兵、骑兵使用；另一方面反映了金属冶铸技艺的提高，因为生产这样的长剑是青铜铸造工艺所无法达到的。用铁剑代替青铜剑，是兵器发展史上的一次重大飞跃。铁剑的大量使用，是楚国兵制改革和兵力强大的重要标志。这一点在史籍上是有据可考的。秦昭王在谈到楚国的铁剑时曾说："吾闻楚之铁剑利而倡优拙。夫铁剑利则士勇……恐楚之图秦也。"可见，楚国铸造的铁剑是驰名列国的。《荀子·议兵》曾赞颂楚兵"宛钜铁釶，惨如蜂虿"。可见楚国铁制兵器的威力，在当时是令人侧目的。

与此同时，楚国的青铜兵器也有很大的变革，这首先表现在青铜剑的大量生产和形制的变化上。在春秋晚期以前，剑出土的数量很少，一般只出在贵族墓中。剑的形制也很短小，只能作为防身的佩剑。这种剑在车战中是发挥不了作用的。从春秋晚期至战国中晚期，墓葬中出剑数量激增，表明这一时期的青铜剑已不再是少数贵族阶级用以防身的佩戴之物，而是变成了广大士兵——特别是日益兴起的步兵和骑兵手中的武器了。

从春秋晚期到战国中晚期，青铜剑在形制方面也发生了很大的变化。一是剑身加长。战国中晚期的剑一般要比春秋中晚期的剑长20—30厘米。二是由柱脊变为棱脊，由无从（血槽）变为有从，刃部由直刃变为弧线内收。剑是"直兵"，《晏子春秋》有云："直兵推之"，"剑承其心。以上形制的变化，无疑加强了剑的直刺功能，提高了剑的杀伤力。

战国时期，青铜剑的铸造工艺也有巨大进步。在出土的楚剑中，一部分剑是分两次铸成的，即剑脊和剑刃含锡量不同的复合剑。其铸造方法是：先用含锡量较少（约10%）的青铜铸脊部，然后用含锡量较多（约20%）的青铜铸剑刃。脊部呈暗红色，刃口呈灰白色。脊部含锡量少，质柔而韧，不易折断；刃部含锡多，质脆而坚，刃口锋利。复合剑的发明，使青铜铸造工艺达到了最高水平。工艺方面的另一进步，是青铜剑的表面处理和装饰。不少剑身表面显现出各种细密的几何形暗纹，有的还采用鎏金、错金银、镶嵌等技术，对剑首、剑格进行装饰，使青铜剑既耐用又华美。

楚国对青铜兵器的改进，还表现在戈、戟、矛等变化上，特别是一柲多头戈和多戈戟的发明，在戈、戟发展史上具有划时代的意义。戈、戟、矛柄由长变短和积竹柄的发明，在兵器杆的变革中更具重要作用。这些古老的青铜戈、矛，原是商周时代车战的主要进攻性武器，经过诸多改进，转而变成了步兵骑兵得心应手的搏斗器械，其功能、威力和坚韧程度，都是同类老式戈、矛所不可比拟的。

新式武器的运用，必然导致军队成分和军事编制的变化。铁剑和弩机的发明及其广泛应用、青铜剑的大量生产及其形制和工艺的改进，以及青铜戈、戟、矛等的演进，都表明了战国时期楚国兵器发生了巨大的变革。这种变革的实质，是楚国军事编制、军队成分的改变在军事装备上的反映，即楚师由以车兵为军队主力改变为以步兵和骑兵为主力军这一重大变革的反映。

三、治军与指挥

楚国之所以由“辟在荆山”的弱小国家，逐渐发展成为“抚有蛮夷，奄征南海，以属诸夏”（《左传·襄公十三年》）的军事强国，是与楚拥有一支训练有素，能攻善守的武装力量分不开的。而保持这种强大的军事威势，则又是以治军的严厉和指挥的有力作为保证的。

（一）治军

楚国是一个治军有方的国家，无论在兵员的征集、军力的扩大，或在军队的训练、管理各方面，都卓有成效。

当时楚国如同中原各国一样，实行寓兵于农的政策。楚统治者为了广泛征集兵员扩大军队，十分重视户籍的管理与土地资源出产情况的调查，以此作为征发兵役与征收军赋的依据。公元前589年，令尹子重将为阳桥之役以救齐，事前“乃大户”。即“阅民户口”，进行一次户籍大检查。公元前548年，蒍掩任楚国司马，曾进行一次全国性的土地资源出产情况调查。同时，楚国还重视在战争之前先做一些抚民的事情，让百姓得到充分的休息后，再进行战争。楚人有时为了进行一场大的战争，要进行五年的息民抚民工作，而后才用兵，这样才能充分地保证征发强有力的兵员，练出一支好的军队。

楚人非常重视新攻占区的政权建设与军事建设，自楚武王以后，他们在新攻占的地方一般都置县，由楚王任命县公或县尹管理，在该地征收军赋、征集兵员建立地方武装，申、息、陈、蔡、不羹之师，皆属其类。所以，随着对外军事斗争的胜利，楚国不仅版图日广，而且兵力日强，至楚灵王时，仅楚之北境，“大城陈、蔡、不羹，赋皆千乘”（《左传·昭公十二年》），加上其他各地兵力，楚全国兵力或近万乘，为当时首屈一指的军事大国。童书业先生在《春秋左传研究》中指出：“春秋时以楚兵为最多矣。”

楚国还特别注意军队的管理与训练，提高军队的战斗力。在古代文献中，除晋国外，很少见到各国关于军队训练的记载，而楚国这方面的记载则屡见不鲜。公元前633年，“楚子围宋，使子文治兵于睽”，“子玉复治兵于蒍”（《左传·僖公二十七年》）。公元前555年，“子庚帅师治兵于汾”（《左传·襄公十八年》）。公元前528年，“楚子使然丹简上国之兵于宗丘”“使屈罢简东国之兵于召陵”（《左传·昭公十四年》）。公元前570年，“楚子重伐吴，为简之师”（《左传·襄公三年》）。这里所说的“治兵”，即训练演习，“简”即检阅军队。此外，楚人还经常进行军事演习与阅兵示威性质的“田”“猎”“观兵”活动。所有这些活动，除起军事示威作用外，最主要的是大大加强了楚军的作战能力。

“凡兵，制必先定。制先定则士不乱，士不乱则刑乃明。”（《尉缭子·制谈》）治军，必须严肃军事法纪，才能使部队整齐统一，否则，就是一群手持武器的乌合之众。楚人深知军纪是维持军队战斗力的重要保证，在治军方面，非常重视严明军纪，力求做到赏罚分明，执法不二。凡为国立功者受重赏，赐以封邑，授以重爵。《淮南子·缪称训》载，楚庄王谓共雍曰："有德者受吾爵禄，有功者受吾田宅。"与此相反，对于违反军令或渎职乱纪之人，则依法严惩，决无宽贷。如公元前676年，那处县尹临敌"游涌而逸"，"楚子杀之"（《左传·庄公十八年》）。又如城濮之战，楚主帅子玉不听楚王指示，与晋决战，大败而归，楚王派人问罪，子玉自知罪重，被迫自杀。这种情况，在楚史上是屡见不鲜的，即使对王族贵族也不例外，"一有罪戾，随即诛死"（《春秋大事表·楚令尹表》）。正因如此，楚军兵员虽众却能令行禁止。同时，因军法严峻，将帅不敢骄横恣肆，因而始终没有出现像中原各国常见的贵族擅权瓜分公室的现象。

（二）指挥

楚国的军事指挥系统强而有力，有别于中原诸国，归纳起来，主要有以下三个特点：

1. 军权高度集中于楚王

与中原诸国军权分散，列卿拥兵自重，尾大不掉，政在家门不同，楚国在军事上实行严格的中央集权制，楚王是当然的全国最高军事统帅，对全部的军队包括私卒和县师，都有调动权和指挥权。王权强大之时，任何一个军事将领如有违反王权的行为，楚王都可以发兵将他们伐灭，这在楚国大贵族若敖氏家族的兴亡史中反映得最清楚。

第一，各种军队都必须听从楚王的调遣与指挥。《左传·僖公二十八年》载，公元前632年，楚伐齐取谷，楚王命"申公叔侯戍之"。至城濮之战前夕，楚王经过实地考察，认为不宜与晋交战，便下令使申叔去谷，使子玉去宋。当时子玉率领的是中央军队，申叔率领的为申县地方军，但他们都须听从楚王指挥。

第二，楚王握有军队将领与重大战役主帅的任免之权。在楚国负责管理军事的是司马，但将领的任命与重大战役的主帅人选均须由楚王决定，而且主帅人选从不固定。例如，城濮之战主帅是令尹子玉，邲之战主帅是沈尹，鄢陵之战的主帅则是司马子反，一切皆由楚王亲自定夺。

第三，兵赋的征收减免须经楚王批准。公元前584年，楚庄王率兵攻宋回师途中，王弟子重请求以申、吕之地作赏田，申公巫臣谏止道："是以为赋，以御北方，若取之，是无申、吕也，晋、郑必至于汉。"楚王方才作罢。这说明兵赋的征收是由楚王决定的。

楚国军权高度集中于楚王，有利于全国各种军事力量的整合，实现军事威力最大化。

2. 指挥中枢平战有别

楚王之下，另设官职主管全国军政。楚国平时常任主管全国军政的官员，计有莫敖、司马、大司马、左司马、右司马、上柱国等。至于战场主帅，都是临时指派的，并非常任。

春秋早期以前，莫敖为最高长官，既掌政，也主兵。武王时的屈瑕，就是见诸史籍楚国最早的莫敖。武王后期设令尹后，莫敖只管军政，位在令尹之下。到成王时，楚又设司马一职取代莫敖而掌管各国军政，官居令尹之下。楚康王时，军职更为完备，有大司马、左司马和右司马之设。大司马即司马正职，左、右司马为副职。战国时期，楚国有了专职的将帅。上柱国为武官之首，下有柱国、大将军、上将军、裨将军、将军等。《史记·楚世家》记载楚怀王时，秦楚战于丹阳，秦大败楚，斩楚甲士八万人，俘获楚大将军屈匄、裨将军逢侯丑等七十余人。

值得注意的是，以上所列楚国的常任主兵官，战时并不一定是主帅，亦即平战有别。战时主帅也不一定依官位高下而定。

楚国三军以中军为主力，领中军者就是主帅。同中原列国一样，楚官也将相不分，令尹也经常任主帅。城濮之战，子玉即以令尹身份领中军，为主帅，而司马子西领左军为副。战国时，仍有吴起以令尹领兵，"南平百越；北并陈、蔡，却三晋；西伐秦"，春申君以令尹将兵救赵、攻秦。然而，令尹参战并非因其官高而每次都任主帅。鄢陵之战，司马子反将中军，是为主帅，而令尹子重只将左军，右尹子辛将右军，皆为副。鄢之战，以沈尹领中军，更说明主帅不必尽由令尹、司马担任，而须视其军事才干优劣择定。《左传·僖公二十七年》记芳贾说："子玉刚而无礼，不可以治民，过三百乘，其不能入矣！"说明子玉即使身为令尹，仍不堪为帅。这既证实了楚人只临时任帅，同时也披露了令尹并不一定就是战场良将。因此，楚不必每战都由令尹为主帅就好理解了。正因为楚国能审人任将，所以战国中期以前楚军胜多败少。楚军这一特点，是其军事指挥系统上的长处。

春秋时期，楚军主帅以下的各级军事指挥官，也是文武不分的。鄢之战，有"工尹齐将右拒"，连尹襄老被射杀。灵王时有"嚣尹午""陵尹喜"各帅一师围徐。昭王时又有"莠尹然、工尹麇帅师救潜"。舟师指挥官也这样。《左传·定公六年》记："吴大子终累败楚舟师，获潘子臣、小惟子及大夫七人。"杜预注："二子，楚舟师之帅。"说明诸尹、大夫在战时都可能做指挥官。楚军这一特点，是其编制上的长处。

将帅的指挥一般都依靠具体的指挥器具来完成。古代的指挥器具主要有三种，古人称作三官，即鼓、金、旗。鼓是用来指挥开始和进军；金用以指挥坐、退和解除的行动，"鸣金收兵"这一成语就是从这里产生的；旗是军队的标志，用来控制军队和表示停止行动。楚国这三种指挥器具都具备，而且发展得相当完备。其中，楚军的旗帜尤为独特。楚人早期的旗帜是用茅草制作的，军前的旗帜叫"前茅"，它往往在前面作为部队的前锋引路开路。成语名列前茅就是由此而来的。

3. 战斗系列灵活多变

《左传·宣公十二年》记晋人谈楚行军之法说："军行，右辕，左追蓐，前茅虑无，中权，后劲。"由此可知，春秋时期，楚运兵行军分作五部，以"中军制谋"且为主力所在。但楚国根据实战需要，运兵非必五部，也未必每战都用中、左、右三军。《左传·庄公二十八年》记子元伐郑："子元、斗御强、斗梧、耿之不比为旆，斗班、王孙游、王孙喜殿。""旆"为前军，"殿"为后军，可见此役楚军分为前后二部。《左传·文公十六年》记楚师伐庸“分为二队”，这显然是左右合击。《左传·桓公八年》记随少师说：“楚人上左，君必左，无与王遇。且攻其右。”此役楚军或只分为左、右二军。用中、左、右三军时，楚军还会根据需要另设机动部队。《左传·宣公十二年》所记“使潘党率游阙四十乘，从唐侯以为左拒”，就是这样的机动部队。

随着形势的发展，战争形式日渐脱出列阵对敌的简单窠臼。而楚步兵强，水师兴，陵军、舟师并出，不相统属。楚无严格编制，致使战争序列更为复杂。到战国时用骑兵，兴步战，除知率部作战者多为将军外，楚将军以下的序列就愈加难辨了。

第四节　赋役

赋役制度是国家动员人力与物力的方式，西周时期实行井田制、国野制，赋役也是建立在井田制和国野制基础上的。春秋时，赋税开始分离，《汉书·食货制》追述周朝制度时说：“赋共车马、兵甲、士徒之役，充实府库、赐予之用。”即早期的赋是与军事相关的，包含兵役和车马兵甲等军需的征收，由此形成军赋制度，故赋字从武。春秋时期，列国相继完成土地制度和赋役制度的改革，如晋国“作爰田”“作州兵”，鲁国“初税亩”“作丘甲”，楚国“量入修赋”，郑国“作丘赋”，秦国“初为赋”。楚国的蒍掩对军赋进行大规模的治理整顿，形成完备的制度，是春秋时代赋役改革的重要事件。春秋时期，赋、税亦开始分离，形成了田税制度，战国时代商业兴起，商税也随之发展起来。

一、赋税制度

赋税是国家生存的基础之一。国家出现以后，就产生了赋税制度。《史记·夏本纪》云：“自虞夏时，贡赋备矣。”春秋战国时期，楚国在承袭周制的基础上，又根据实际有所损益，从而形成了种类齐备、特色鲜明的赋税制度。总的来说，楚国的赋税制度，主要包括军赋、田税、户口税、关市税和贡纳等形式。

(一)军赋

军赋，是楚国最主要的赋税之一。楚国的军赋开始于春秋早期，完善于春秋晚期。楚康王时期，司马𫇭掩在令尹子木的授意和支持下，对全国资源进行了全面调查和统计，并在此基础上对军赋进行了大规模整顿和改革。《左传·襄公二十五年》载："楚𫇭掩为司马，子木使庀赋，数甲兵。甲午，𫇭掩书土田，度山林，鸠薮泽，辨京陵，表淳卤，数疆潦，规偃豬，町原防，牧隰皋，井衍沃，量入修赋，赋车籍马，赋车兵、徒兵、甲楯之数。既成，以授子木，礼也。""庀赋"，杜预注云："庀，治。"孔颖达《正义》说："庀训为具而言治者，以下说治赋之事，治之使具，故以庀为治也。""量入修赋"不仅是楚国赋税制度的一次重大改革，而且在中国赋税制度史上有着不容忽视的地位。[1]文献记载表明，楚国县邑的军赋由国家通过县这个政权机构直接向土地占有者征收，而封邑（或曰赏田）则由贵族代为征收，也就是说，楚国的军赋普行于一切土田而无所豁免。楚国军赋征收的内容非常广泛，既包括人力兵员，又包括武器装备，即所谓的"赋车籍马，赋车兵、徒兵、甲楯"。

春秋时期楚国所征军赋的总额，文献语焉不详。但从楚灵王与令尹子革的一段对话中，我们可以获得一些信息。《左传·昭公十二年》载："王曰：'昔诸侯远楚而畏晋，今我大城陈、蔡、不羹，赋皆千乘，子与有劳焉，诸侯其畏我乎？'对曰：'畏君王哉？是四国者，专足畏也。又加之以楚，敢不畏君王哉！'"这里的不羹，包括东、西两个不羹，故称陈、蔡、不羹为四国。其时，此四国均为楚灭而城之为县邑者，成了楚国的四个大县，故又称之为"大城"。这段记载明白地告诉我们，楚灵王时，此四县"赋皆千乘"，则四县军赋之合可至四千乘。依《司马法》，每乘包括甲士十人，徒卒二十人，共计三十人，则四千乘共有

① 刘玉堂：《楚国经济史》，湖北教育出版社，1995年，第42页。

十二万兵力。这也意味着，仅此四个县本身，就要承受十多万兵力的兵役和军备负担。一县拥有“千乘”的兵力，或许有夸大之处，但楚国县的兵力十分强大则是不争的事实。《左传·成公六年》载，楚公子申、公子成曾率申、息之师救蔡，申、息之师能解救身陷重围的蔡国，足见其实力之雄厚。及至战国，楚国军赋较春秋时期更重了。《战国策·楚策一》谓楚国“地方五千里，带甲百万，车千乘，骑万匹。粟支十年，此霸王之资也”。军队如此庞大，所需军赋何等繁重，不难想见。

（二）田税

田税，也称田赋，但田赋是后起之名，故似称田税为宜。[①] 与军赋一样，田税也是按土田的占有情况来征收的。

值得注意，军赋与田税征收的对象同为土地占有者，但二者在征收时间和征收目的上却判然有别。军赋一般是出于战争需要而征收的，所以具有不定期性，军赋只能用于军事建设，而不能挪作他用，只能充实国家兵力，并不能增强国家财力。而田税则是为了保证国家机构的正常运转，保证官员俸禄的发放和国之大事的举行而征收的，所以具有固定性。田税是国家主要的财政收入，可供军事以外的各项开支。此外，军赋和田税在征收内容上还存在着一定的区别，军赋通常由人力和物资两部分组成，而田税则只有物资而无人力。

楚国至迟在楚庄王时期已征收田税了。《绎史》卷五七引《孙叔敖碑》记孙叔敖为令尹，“布政以道，考王象以度，敬授民时，聚藏于山，殖物于薮，……钟天地之美，收九泽之利，以殷润国家，家富人喜”。所谓“收九泽之利”，即收各种土田之所产以为税，所谓“以殷润国家，家富人喜”，即上交国家财政，以保国富民安。

从文献记载来看，战国时期田税在楚之赋税收入中占有极其重要的地位。田税主要征收谷物，是粮食储备的主要来源。《战国策·楚策一》和《史记·苏秦列传》都说楚国“粟支十年”；《越绝书》：“吴两仓，

---

① 刘玉堂：《楚国经济史》，湖北教育出版社，1995年，第42页。

春申君所造。西仓名曰‘均输’，东仓周一里八步。”足见楚国粮仓储备之丰裕，而这些储备粮当绝大部分来自田税。

由于山泽也属土田范围，故山泽的物产也在田税之列。楚国自然条件优越，物产富饶。《汉书·地理志》谓“楚有江汉川泽山林之饶”，《吕氏春秋·有始》说楚有被列为天下“九薮”之一的云梦。《墨子·公输》所言尤详：“荆有云梦，犀兕、麋鹿满之，江汉之鱼、鳖、鼋、鼍为天下富，……荆有长松、文梓、楩、柟、豫章……”因此，从这些山林池泽中取税，是楚国田税的内容之一。《墨子·尚贤》云：“收敛关市、山林、泽梁之利，以实仓廪府库。”楚国也不例外。《国语·楚语上》载楚王孙圉对晋赵简子说：“山林薮泽，足以备财用，则宝之。”而楚国之宝则“有薮曰云连徒洲，金、木、竹、箭之所生也。龟、珠、角、齿、皮、革、羽、毛，所以备赋，以戒不虞者也”。此处所谓“备赋”“备财用”与墨子所说的“收敛”“实仓禀府库”，意思完全相同，都是指从中征税以实国用之意，这清楚地说明楚有山林薮泽之税。

（三）户口税

与列国一样，春秋战国时期楚开征有户口税。所谓户口税，是指以户为征税单位，以口为收税标准，并非户税之中又包含口税，也并非按人和户为单位征收的两种税收的合称。

据文献记载，楚国至少在春秋中期已经开始征收户口税了。《楚史梼杌·虞丘子》记：“（庄王）赐虞丘子菜地三百（户），号曰国老。”《史记·滑稽列传》称楚庄王封孙叔敖之子“寝丘四百户”，庄王马死，优孟请“奉以万户之邑”。毋庸讳言，学界对《史记·滑稽列传》的可靠性尚有争议，认为其有夸饰的成分，这自有其合理之处，但若以此来全盘否定亦明显不当。封赠既以户来计，便说明一个问题，那就是彼时已出现在封域内征收户税的制度，否则就毋须以户计了。

另据《左传·成公二年》载，楚令尹子重为阳桥之役以救齐，将起，子重曰：“先君庄王属之曰：‘无德以及远方，莫如惠恤其民而善用之。’”子重“乃大户，已责，逮鳏，救乏，赦罪。悉师，王卒尽行”。

“大户”，杜预注为“阅民户口”。即对户籍重新清理检阅，并在此基础上，视具体情况采取免除逋欠、宽宥孤寡、赈济贫穷等“惠恤”楚民的措施。这和《管子·国蓄》所记：“以正户籍，谓之养赢”的做法基本上是一致的，即“大户”与“正户籍”，均属清理户籍的举措。另据《左传·昭公十四年》载，楚平王即位，为巩固其统治地位，也采取了大规模的“抚民”措施，即“分贫振穷，长孤幼，养老疾，收介特，救灾患，宥孤寡，赦罪戾，诘奸慝，举淹滞”。“宥孤寡”，杜预注“宽其赋税”，孔颖达疏“孤子寡母，宽其赋税”。赋税的减免，与“孤子寡母”紧密地联系在一起显然表明，这里所减免的“赋税”，当系户口税，因为它不仅仅限于成人，而且及于孤儿。还有一条史料，似乎也可作楚有户口税的证据。《左传·昭公二十七年》记楚“左司马沈尹戌帅都君子与王马之属以济师”，杜预注“在都邑之士有复除者”。复除即指免除其徭役与赋税。由此不难推测，一般都邑之士原本均是承担一定赋税的，而其中，显然就包括有无论大人或小孩均需缴纳的户口税。由于文献记载和考古资料的缺乏，楚之户口税的税额与征收办法等详情暂时还不清楚。

（四）关市税

春秋战国时期，各国均有“关市之征”。春秋中期后，与手工业的发展同步，商业日臻繁盛。及至战国中晚期，楚国商业已经领先于列国。随着商品经济的迅速发展，向工商业征收的关市税，日益成为楚国赋税收入的一个极其重要的来源。

1. 关税

所谓关税，是指对进出关的商贾、行人及其所携带的货币、货物征收的一种通过税。据文献记载，西周及春秋战国时期，各国普遍使用节作为商旅及其货物行李出入关门的主要通行凭证。若没有“节”，遇到各类关卡的稽查，就寸步难行，并要依法受到惩处。所以，“节”实际上就是通关文书。

1957 年，安徽寿县出土了楚怀王六年（前 323 年）所制的鄂君启金节，分舟节与车节，用青铜铸成，上均有错金铭文。其铭文内容大意为楚怀王为鄂君启从事商贸贩运而特命铸此节。凡鄂君启经往的水陆关卡均须凭此节实施检查、免税、优待及通报等管理职责。这件金节，以实物的形式印证了文献的记载，并提供了诸多楚国关税制度的资料。

第一，至迟在战国中期楚国就已实行关税制，凡载货出入关者，除持有特殊的通行证外，一律要按货收税。此即铭文所谓的“得其金节则勿征”，“不得其金节则征”。

第二，楚国的关税征收机构，由“大府”和“关”组成。“大府”为中央税收、财政机关，直接负责对少数重要物资如马、牛、羊等征收过关税。“关”为最基层的征税机构，负责征收大多数普通货物的关税。

第三，铭文明确表示此节系奉楚怀王之命制作，表明免税的权力为楚王直接掌握。

第四，铭文规定鄂君启的商队，无论用舟、用车，每做完一次长途贩运的生意，都要前往郢都去，且有效期一年，说明楚国在关税征收的监管上也作有制度性安排。

第五，能获得免税特权的，只能是巨商大贾，这类人多为官商。显然这是楚国为了刺激商品经济的发展而采取的一种让利政策，它表明楚国已经在娴熟地运用税收这一经济杠杆来调整和刺激经济发展。

以上种种，充分说明楚国的关税机构是比较全的，关税制度也已相当规范和完善。

2. 市税

市税，是在市肆对商品货物征收之税，是楚国重要财政来源之一。春秋战国时期，随着城市和商业的发展，各诸侯国均在城中设“市”作为交易场所，并设“市吏”对市进行管理。《礼记·月令》对市场的管理、市税的征收作了如下记述：“易关市，来商旅，纳货贿，以便民事；四方来集，远乡皆至，则财物不匮，上无乏用，百事乃遂。”楚国管理市场的官员为“市令”，《史记·循吏列传》载楚庄王更换币制，引起市场混乱，民弃其业，于是“市令”将此情察之于相，相复言之于王，王从其计，许复之，一度混乱的市场又恢复了稳定。可见楚之“市令”，即韩非子所说的“市吏”，其名虽有别，其职则一。

楚人重商，市场经济相当发达，在楚国集市上，各类专业市场一应俱全。据《左传·宣公十四年》载，楚郢都有“蒲胥之市”。《庄子·外物》说到楚有“枯鱼之肆”和“庸肆”。《韩诗外传》称楚有“屠羊之肆”。《庄子·则阳》记“孔丘之楚，舍于蚁丘之浆”，是指孔子就舍于卖浆之肆。可见，楚市是店铺林立，货物充盈，而政府所获得的市税也必然十分丰厚。

据文献记载分析，楚国还有“廛布”之属的工商税。《孟子·滕文公上》记楚人许行“自楚之滕，踵门而告文公曰：‘远方之人，闻君行仁政，愿受一廛而为氓。’文公与之处，其徒数十人，皆衣褐，捆屦织席以为食”。许行一到滕国，即向滕文公提出希望能得到“一廛”，显然是比照楚国的受“廛”之制，否则不会凭空提出这一要求。《荀子·王制》：“顺州里，定廛宅。”杨倞注：“廛谓市内百姓之居。”廛如果用来存放货物，所收之税即为“廛布”。既然楚国有受“廛”之制，或许也有“廛布”之税。[①]

（五）贡纳

楚的贡纳之制早年师法周制，后虽有所损益，但没有本质区别。因此，与周制一样，楚贡纳也可分为邦国之贡和万民之贡两类。

1. 邦国之贡

所谓邦国之贡，是指属国或附庸对宗主国的贡献，它导源于周制“九贡”。《周礼·天官》云：“以九贡致邦国之用：一曰祀贡，二曰嫔贡，三曰器贡，四曰币贡，五曰材贡，六曰货贡，七曰服贡，八曰斿贡，九曰物贡。”贾公彦疏：“诸侯国内得民税，大国贡半，次国三之一，小国四之一，所贡者市取当国所出善物。”可见，春秋战国时期，

---

① 刘玉堂：《楚国经济史》，湖北教育出版社，1995年，第54页。

大国和强国往往通过贡纳的方式，对小国和弱国巧取豪夺，索取的贡品既有金珠玉帛，也有方物特产，甚至还有奴婢工匠。

春秋战国时期，楚国雄踞半个中国，地方五千里，灭国六十多，而这些国家大多以属国的名义长期存在过。[①] 因此，楚国从众多的弱小属国中获取了丰厚的贡纳。文献对此多有记载。《左传·僖公十一年》记："黄人不归楚贡。冬，楚人伐黄。"《左传·僖公十二年》载："黄人恃诸侯之睦于齐也，不共楚职。……夏，楚灭黄。"这里的"职"与"贡"同义。《左传·襄公二十八年》有"共其职贡"之语，即可为证。职贡在当时对于朝贡双方来说具有重要的政治意义和经济意义。政治上，意味着双方存在一种较为固定的藩属关系，附庸国负有按时进贡的义务，否则宗主国有权进行征讨；经济上，则意味着附属国要按时入贡，宗主国能定时获得一笔丰厚的收入。黄人不归楚贡，楚国加以征讨，就是这一关系的典型事例。另据《左传·襄公二十七年》载，公元前546年，晋、楚为平分霸权，召开了有十四个国家参加的"弭兵"会议，在牺牲小国利益的前提下达成协议，规定除齐、秦两大国外，其余中小国家宋、鲁、郑、卫、曹、许、陈、蔡等都要同时向楚、晋两国进贡。有十二个国家进贡，楚国贡赋收入之丰厚，不难想见。

楚国对属国征收的贡赋十分重，故时常引起属国的不满或抵制。据《左传·襄公三十一年》载，郑国子产说："以敝邑褊小，介于大国，诛求无时，是以不敢宁居，悉索敝赋，以来会时事。"这虽是子产与晋臣之间的一段对话，但矛头所指则包括楚国。因为当时郑国正好是"介于"楚、晋两"大国"之间，为求生存，不得不满足晋、楚的轮番"悉索"贡赋以应付其"无时"的"诛求"。

楚国索取贡品，除物之外，还及于人。从文献记载来看，作为贡品之物的范围是非常广的，马匹、皮革、黄金、玉帛等名贵物品一应俱全。如《左传·昭公六年》记楚公子弃疾如晋过郑，郑伯劳之。弃疾

---

① 何浩：《楚国灭国研究》，武汉出版社，1989年。

见郑伯“如见王，以其乘马八匹私面”，即以马为贡物。《左传·襄公二十八年》记郑伯使游吉如楚致辞曰：“寡君是故使吉奉其皮币，以岁之不易，聘于下执事。”这是以狐皮缯帛为贡物。《左传·定公三年》记“蔡昭侯为两佩与两裘以如楚，献一佩一裘于昭王”，意即以玉佩和轻裘为贡物。《战国策·楚策》云：“饭封禄之粟，而载方府之金。”鲍彪注：“方，四方；金，其所贡。”这是以金为贡物。《七国考》引许慎《淮南注》：“楚合诸侯，鲁赵皆献酒于楚。”这是以美酒为贡物。作为贡品之人的范围亦很广，既包括奴婢，又包括技术工匠。《吴越春秋·勾践伐吴外传》载越王勾践曰：“邦国南则拒楚，西则薄晋，北则望齐，春秋奉玉帛子女以贡献焉，未尝敢绝。”又《韩诗外传》卷八称：“越王勾践使廉稽献民于荆王。”可见，当时各国不仅仅向楚国进贡玉帛，而且贡献奴婢。另《左传·成公二年》载，鲁孟孙曾赂楚“以执斫、执针、织纴，皆百人”，这就是以技术工匠为贡纳。

2. 万民之贡

所谓“万民之贡”，是指各行各业的收益税或物产税，也即广义的贡纳，它是包赋税于其中的。万民之贡导源于《周礼》的“九职”，“太宰以九职任万民，谓任使万民各有职事，有职事必有功，有功即有贡”（《周礼·天官》贾公彦疏）。故万民之贡也有九项：“任农以耕事，贡九谷；任圃以树事，贡草木；任工以饬材事，贡器物；任商以市事，贡货贿；任牧以畜事，贡鸟兽；任嫔以女事，贡布帛；任衡以山事，贡其物；任虞以泽事，贡其物；凡无职者出夫布。”（《周礼·地官》）在楚国，农圃之贡即指军赋和田税，工、商、嫔属于关市税范围，只有牧、衡、虞三者，即向国家财政机关或楚王室进献的物产，才属严格意义的贡纳范畴。《国语·楚语下》记楚王孙圉对赵简子说“山林薮泽足以备财用，则宝之”，而楚国之宝“有薮曰云连徒洲，金、木、竹、箭之所生也，龟、珠、齿、皮、革、羽、毛，所以备赋”。这里所备之“赋”，即指贡赋。需要说明的是，此处所谓“山林薮泽”，并非蒍掩所书“土田”之属的“山林”“薮泽”，前者分别是牧民、山民、渔民的经营范围，后者则是农夫的经营范围。

事实上，贡纳也不限于“九职”，万民对楚王室的贡献几乎是无所不包的。《战国策·楚策四》记昭鱼买五双珥“令其一善而献之王”，又载“有献不死之药于荆王者”；《新序》称“楚人有献鱼楚王者”；《左传·昭公二十七年》记：“进胙者莫不谤令尹”；等等，都是楚国臣民对王室贡献的事例。不过，上述贡纳似乎更多的是出于自愿，而不一定是官方规定的制度。

（六）杂派

杂派之税，通常称之为“敛”，这是在田税之外所征的一种税。它专门用于工程建筑和临时性征派。楚国筑宫室楼台，所用器材几乎悉数取之于民。楚国还经常筑城郭、修陂池，部分费用也是取之于民。除了这些比较固定的杂派以外，有时还有一些临时因为各种原因而向人民加征的税，如楚国的附属国陈国司徒，为自家嫁女而向封地上耕种的依附农民征赋税。杂派之税一般都是不定时征收的。在比较体恤民情的君王统治时期，这种杂派有时以日计，有时以旬计，或者以月计，以不耽误百姓的劳作之事为标准。《国语·楚语上》载：“先君庄王为匏居之台，高不过望国氛，大不过容宴豆，木不妨守备，用不烦官府，民不废时务，官不易朝常。”若荒淫贪婪的君王统治，就会大兴土木，“宫室无量”，以至“民人日骇，劳罢死转”（《左传·昭公十九年》），造成民力的枯竭。

二、徭役制度

春秋战国时代，庶人的主要负担有三项：徭役、兵赋和田税。楚国的徭役有国家征发的，也有贵族或各级官吏征发的。楚国的徭役负担主要有两大类：一类是劳役，另一类是兵役，即军中的杂役。楚国一般的徭役期限不是很长，齐、鲁、晋等中原诸国都曾发生过役人暴乱之事，但楚国没有。楚国徭役的管理与周制大致相同，是由司徒主持。楚庄王时期令尹在沂地筑城时，就把这项筑城的任务分派给司徒来管理。司徒再把这件事情交给边境上的官员——封人来具体负责。封人就是掌管边境上筑城事宜的官员，负责筑城当然就要涉及征发徭役。

（一）劳役

在整个劳役中占很大的部分，是纯粹为统治阶级服务的徭役，如修筑宫室、园囿、墓葬等。据文献记载，整个春秋战国时代，楚国的宫室楼台园囿就有四十七处之多。占劳役中的较大部分的，是参与为国家服务性质的工程，如修筑城池等。在整个劳役中占比较小的部分，是为民众的利益修建公共工程，如兴修水利和开挖沟渠等。

除了大型土木工程以外，楚国官营手工作坊中也要征发不少的劳役。与中原各国不同，在楚国官营手工作坊中劳作的多是庶人，而不是奴隶或刑徒。他们拥有自由身份，不仅能领取报酬，而且还可以把自己的名字刻在产品上。从出土实物来看，他们通常被称为“客”或“师”。

（二）兵役

除了劳役，楚国的老百姓还有在军中服役的义务，军中役徒的征招和征发兵役一样，是按田亩来进行的，但所负担的任务却不同于兵役而和劳役大致相同。军中役徒要担负一部分的工兵的职责，有一部分属于工匠的性质，他们在军中修理器械卒乘等，另有一部分则是担负军中后勤的职责，他们要负责养马与供给将士的饭食。

楚国实际上承担徭役负担的大多是平民、庶人和奴隶。《左传·宣公十一年》记蒍艾猎城沂，封人所做的准备工作有“量功命日”“分财用”“程土物”“议远迩”等项，表明实行了包工制度。这些包工的役徒，就是庶人。

第四章　科学与技术

先秦时期，荆楚大地上的人们延续和发展祖先的事业，以兼容并蓄的姿态，发展出灿烂辉煌的楚文化。楚文化不仅在精神文明领域创造非凡，还在物质文明领域大放异彩，楚人传承先辈们的经验和技艺，在建筑、矿冶、铸造、纺织、髹漆、农业等多方面的成就独树一帜。在传世文献中可以看到，大量古代的科学技术记载往往与传统文化共生，例如宇宙理论是以哲学的探讨方式流传，历法以政治权力颁行为纽带发展，医学与占卜密不可分，等等。除此之外，还有大量的出土文献和文物也能够证实楚人令人赞叹的科技水平。可以说，大量的传世文献和极为丰富的出土文物，完全能够让今天的人们领略到数千年前的楚人在天文、数学、物理、化学、地理、农业、医学等科技领域的聪明才智和伟大成就。

第一节　天文

楚人的先民很早就在天文上取得了不凡的成绩。在刀耕火种的史前时期，楚人的祖先们在长期的观测经验中总结出，可以根据大火星和鹑火星在星空中的位置来确定大致烧荒播种的农时，并根据天文昏见时刻的四仲中星位置来确定四季，还从大火星和鹑火星开始对整个星空的恒星开始长期的观测。同时，他们对日月五行以及彗星等天象及其规律也有所认识。这些天文知识在漫长岁月中积累到一定程度，形成了楚地独有的天文体系。

一、恒星观测

人类最初有目的的恒星观测，源于确定农时的需要。因为不同季节的冷暖、水旱变化，对人类的生产生活，特别是农业生产的影响十分大，农作物的生长和牲畜的繁衍，都具有很强的季节性。准确地掌握时令，合理地安排农时，是正常进行农业生产的必要条件，而恒星星象的周年变化，正是自然界为人类提供的、掌握季节变化的准确标志。楚人先民很早就发现了星象有指示农时季节的功能，同时开展观测星象以确定季节农时的工作。

人们最早是对大火星开始进行观测。[①] 大火星，在中国二十八宿体系中叫心宿二。一开始，人们以"大火昏见"作为当时开始火耕的时间标准，后来由于岁差[②]的影响，大火星昏见不再适合作为农业生产的时间标准，改为选择观测鹑火星的昏中和旦中，并以此来确定农时。[③] 观测"鹑火南中"与观测"大火昏见"相比，技术上要复杂很多。因为观测恒星的昏见和昏伏的参照物是有形的东方和西方的地平线，人们只需在黄昏时注视着东方和西方的地平线即可作出准确的判断，而观测恒星的昏中和旦中，其参照物却是天球上一条无形的连接南极点和北极点并经过天顶的子午线，只有具备了子午线的知识，并掌握在天穹上随时确定出这条子午线的技术以后，才有可能观测昏中和旦中。[④]

经过长达数千年的天象观测，人们对星空的认识愈加深刻。他们认识到，日月之外还有五颗星也是自东向西的环周天运行，这些星被称为行星，此外的绝大多数星的位置相对不动，这些星被称为恒星。为了便于天象观测和历法制定，建立一个完善的测量日月五星位置的坐标和尺度就十分必要。古代的天文学家们将沿着黄道轨迹的恒星分为二十八

---

① 陈美东:《中国科学技术史·天文学史卷》，科学出版社，2003年，第4页。

② 岁差，每年同一时刻观测同一颗恒星都有一个向西退行的微小变化。

③ 陈美东:《中国科学技术史·天文学史卷》，科学出版社，2003年，第7、8页。

④ 王胜利:《楚国天文学初探》，湖北人民出版社，2006年，第14页。

个星象，称为二十八宿，自西向东依次为：角、亢、氏、房、心、尾、箕、斗、牛、女、虚、危、室、壁、奎、楼、胃、昂、毕、觜、参、井、鬼、柳、星、张、翼、轸。为了更准确地标定天象的位置，古人引入了入宿度和去极度的概念。二十八宿的每一宿都有一颗充作测量作用的星，即所谓的距星。自西向东的方向上，本宿距星与下一宿距星之间的赤经差就是本宿的距度，那么，某具体天象在某宿内的入宿度就是它与向西最近距星的赤经差。去极度是天象与北极星之间的角距，它是现代天文体系中赤纬度的余角。二十八宿体系实质是赤道坐标系统——这种坐标系统后来被现代天文体系所采纳。二十八宿体系创建在何年代，近代以来中外学者进行过广泛深入的探索，尚无定论。

随着湖北随县曾侯乙墓盖上绘有天文图（图 4–1）的漆箱出土（1978 年），二十八宿体系形成可以确定出下限年代。经过分析，该墓葬的年代为公元前 430 年左右，也就是说最迟在此年代二十八宿体系已经完全建立。战国时期，在《楚辞》中，二十八宿的星名大量出现，说明它们此时已广为人知。

图 4–1 曾侯乙墓出土漆箱盖上的天文图

创建二十八宿体系这项意义深远的工作，少不了甘德的功劳。甘德本人的籍贯尚不明确，现存文献中有齐人说、鲁人说、楚人说，但都没有绝对的证据。从《开元占经》中记载的二十八宿星名来看，甘氏系统与石氏系统相比，所不同的星均为位置偏南的星，而这些星在战国时期只可能在纬度较低的楚国一带才能观测到，说明甘氏系统采用了楚国天文观测成果，一定程度上证实了甘德至少非常熟悉楚国的天文工作，而天文与王权的密切关系决定了甘德即便不是楚国人也很有可能长期在楚国从事天文观测工作。除了甘德之外，见于正史记载的、被认为是可以“传天数者”的楚国天文学家还有唐眛，亦称唐蔑，是战国时楚国大将，在垂沙之战中战死，其他事迹不详。在古代，战争是一项非常复杂的系统工程，需要所谓的“天时”“地利”“人和”，所以带兵打仗的将领往往拥有丰富的天文知识，少数极其精通天文的将领可以“传天数”也就不足为奇了。

古代还把二十八宿平均分为四组，用四种神兽表示，分别叫东方苍龙、南方朱雀、西方白虎、北方玄武[①]，统称四象，也叫四宫或四陆。其对应关系为：东方苍龙（角、亢、氐、房、心、尾、箕）；北方玄武（斗、牛、女、虚、危、室、壁）；西方白虎（奎、楼、胃、昂、毕、觜、参）；南方朱雀（井、鬼、柳、星、张、翼、轸）。一般认为四象出现在战国后期，比二十八宿体系要晚，但曾侯乙墓带有天文图漆箱盖的出土，证实四象的出现远比人们想象中要早，而且很有可能与二十八宿同时构建出来。[②]

在满天星斗中，北斗的地位独特且非常重要。《史记·天官书》说：“斗为帝车，运于中央，临制四乡。分阴阳，建四时，均五行，移节度，定诸纪，皆系于斗。”楚人对北斗的观测也很早，北斗是接近天顶的一组星，有七颗星，由于很像古代的酒器“斗”，并与黄道上的“南斗”

---

① 从出土的西周铜镜纹饰来看，北方玄武的形象最开始是鹿，后来才变化成龟。

② 陈久金：《华夏族群的图腾崇拜与四象概念的形成》，《自然科学史研究》1991年第1期。

相对，因此得名“北斗”。在现代天文体系中，北斗七星都属于大熊座。依据岁差原理推算，北斗星在公元前1000年的时候比现在更加靠近北天极，更适合作为标定北方的参照物。随着气候的春暖、夏热、秋凉、冬寒周年变化，北斗星的斗柄在黄昏时的指向也会以北天极为中心呈现出春东、夏南、秋西、冬北的周年变化。《鹖冠子》的记载，说明最迟在战国时期，楚人就已经知道不同季节的黄昏时北斗的斗柄会有专门的指向，即春季指向东方，夏季指向南方，秋季指向西方，冬季指向北方。随着对北斗斗柄指向和时间关系的认识加深，人们还把斗柄的指向与月份联系起来，乃至于将斗柄指向与用地支表示的十二辰地平方位坐标一一对应，历法中的十二月建根据斗柄指向而来，又称“斗建”。曾侯乙墓出土的带有天文图的漆箱盖上，正中央占全图篇幅三分之一就是一个巨大的“斗”字，这就是楚人重视北斗的明证。

分野，又称分星，是我国古代占星术上的一种概念。它认为，地上的某一范围的区域与天上恒星所组成的某天象有一一对应的关系：某天区出现的天象，可预兆出其对应地域的吉凶福祸；反之，某地域发生的重要事件，也会在其对应天区有所反映。分野最初是以十二次的形式出现的。十二次的名称分别是：寿星、大火、析木、星纪、玄枵、鲰訾、降娄、大梁、实沈、鹑首、鹑火、鹑尾。十二次所代表的天区，实际上是在由二十八宿所组成的四象的基础上划分的。十二次主要用于岁星星占，即根据岁星某年所在星次推测该星次对应地域或国家的吉凶。十二次与先秦诸国有一定的对应关系，实际上还有用二十八宿和时间方位等表示各国分野的。[①] 历史上鹑火曾被当作楚国的分野，到春秋末期，楚国的分野已经变成了由翼、轸两宿组成的鹑尾次。翼、轸所组成的鹑尾次成为楚国的分野，这种变化可能跟楚人对太微垣中太一星的崇拜有关。

---

① ［唐］李淳风：《乙巳占》，《中国古代科学技术典籍通汇·天文卷》第四册，大象出版社，第56—64页。

二、太阳系内天体观测

楚人祖先还对日月五行及其相关天象有所认识。比如日食，根据《尚书·胤征》所载，夏朝仲康时发生过一次日食，担任天文官的楚人祖先羲和曾因“沉乱于酒”未对此次日食进行预报，导致日食发生之后，天色突暗，“瞽奏鼓，啬夫驰，庶人走”，人们惊恐万分，国家陷入混乱，于是仲康派胤侯诛杀羲和以示惩处。比如五行的运动，《史记·天官书》中说：“故甘、石历五星法，唯独荧惑有反逆行。”《汉书·天文志》中说：“古历五星之推，亡逆行者。至甘氏、石氏经，以荧惑、太白为有逆行。”《隋书·天文志》也有类似的说法：“古历五星并顺行，秦历始有金、火之逆。又甘、石并时，自有差异。汉初测候，乃知五星皆有逆行。”这些记录说明，古人最开始并不知道五行绕周天运转过程中会有逆行，到甘德等人观测时才注意到荧惑（即火星）、太白（即金星）有逆行现象，一直到西汉初期才发现五行全都存在逆行，由此可见甘德所代表的楚国天文学家在天文学上的开创性功绩。

《开元占经》中还转载了甘德记录的楚人对五星形态和周期等规律的观测成果，其中以岁星（即木星）最为详尽。《开元占经》转引甘氏的观测成果：“岁星凡十二岁而周，皆三百七十日而夕入于西方，三十日复出于东方。视其进退左右，以占其妖祥。”“岁星凡十二岁而周”，认为木星的恒星周期为 12 年，这比实际值 11.86 年稍大。“三百七十日”是指木星连续两次与太阳会合之间的可见日数。“三十日”则是木星每次与太阳会合期间的不可见日数，这说明，甘德所观测统计出的木星会合周期为 400 日，与真实值 398.88 日差距不大，比较准确。对火星只提及它运动逆顺和快慢的数据，没有提及甘氏对运动周期的认识，对土星也只有运动的描述，关于金星的记录还有需要校勘的内容，记录水星的恒星周期和会合周期等数据与真实情况则相差甚远。①

① 包括水星在内的内行星，其恒星周期在古代一直都被认为是一年，直到近代人们认识到内行星的真实轨道后才准确测算出水星的恒星周期值。

《开元占经》中转引甘氏的有一段关于岁星的描述需要特别关注。“单阏之岁，摄提格在卯，岁星在子，与婺女、虚、危晨出夕入，其状甚大有光。若有小赤星附于其侧，是谓同盟。”著名科学史家席泽宗院士认为，这个被当作为木星“同盟”的小赤星，应该是木星的最大卫星，即木卫三。[①] 木卫三不仅是木星最大的卫星，还是太阳系内八大行星所有卫星中最大的卫星，视星等为五等，呈橙黄色。在天球上，当它与木星的角距大于五角分时，地球上的人们可以用肉眼分辨出它。经分析，这个记录很可能是楚宣王六年（前 364 年）前后的观测成果，这比公认的伽利略发现木卫三的时间（1610 年）要早接近两千年。

除了日月五行之外，楚国的天文学家们还对彗星有细致的观测和深入的认识。彗星也是围绕太阳公转的天体，形状比较奇特，往往有一条或者数条长短大小不一的尾巴。彗星的结构一般分为彗核、彗发和彗尾。现代天文学研究发现，彗核实际上是以水为主的，包括甲烷、氨和尘埃凝结的固体冰，彗发和彗尾都是由彗核表面因太阳辐射挥发出的气体和尘埃构成的。彗星靠近太阳的时候，彗尾就变长，远离太阳时，彗尾就逐渐变短，彗尾始终背朝着太阳的一侧。彗星分周期性彗星和非周期性彗星，其中最有名的就是回归周期 76 年的哈雷彗星，实际上早在公元前 613 年中国人就观测到它了。各个彗星的轨道面与黄道面的夹角也不相同。长沙马王堆汉墓里面出土的帛书上，绘有 29 幅名称形态各不相同的彗星图，这是世界上最早记录不同形态彗星的图集（图 4–2）。实际上，由于这些彗星图是用于占星，而占星家为了根据天象作更细致的预测，把本不该有的天象或本来有重复的天象细化了，因此这些彗星图表示的彗星只有十几种类型。由于帛书中不避讳汉朝皇帝的名字，且以“楚云”置于各类云气之首，可以认定这些包括彗星图在内的天象都是先秦时期楚国天文学家们的观测成果。这 29 幅彗星图中有 10 幅出自“北宫”之手。用现代天文学的眼光来看，有些图是不符合

① 席泽宗：《伽利略前二千年甘德对木卫的发现》，《天体物理学报》1981 年第 2 期。

实际的，但绝大多数图是科学合理的。中国古代早期的天文占星本是一体，人们为了占星的需要，对各类天象进行了详细的观测，同时也如实记录各类天象的状态位置、运行规律等，这些彗星图就是最有说服力的证据之一。

图 4-2　长沙马王堆出土的彗星图（局部）

三、宇宙理论

在宇宙本原问题上，先民们没有能力认识自然世界发生发展的真正原因，在自然世界面前处于一种被动的状态，他们认为天地之间的万事万物都是在某种神秘力量的支配下存在，并由此形成了万物有灵的自然观。为了得到神秘力量支配者的庇佑，先民们采取各种手段诸如祭祀祈祷等，来讨好这些神秘力量背后富有人格的神灵。楚先民们所崇拜和祭祀的神灵包括大火、鹑火、月神、风伯、东皇太一，等等。

随着对自然界认识的加深，人们逐渐形成了用阴阳五行等朴素唯物主义观点去解释万物的思想。到老子这里，指出“天”的自然本质，提出了“道”是天地间万物的本原。老子的生平目前尚未确定，但根据

《史记》中说老子生于楚地，老子学说的思想应当是楚人思想的代表。老子认为的“道”是一种极其微妙的东西，人无法感知，取之不尽用之不竭，实际上这是“混沌”的概念。老子之后的人们使用阴阳学说中的“气”来取代“道”，认为性质完全相同更为具体的“气”是构成天地间万事万物的最本质东西，建立起一套“元气学说”。这些认识在哲学上是一种进步。

关于宇宙结构，在《天问》和《淮南子》中有所反映，楚人天地结构的认识属于“天圆地方”的盖天说。这里的认识属于第一次盖天说，就像《庄子·说剑》中说的：“上法圆天以顺三光，下法方地以顺四时。”“天圆地方”不仅认为大地是方形的，还认为大地的表面是平直的。但随着人们观测经验的逐渐丰富，有些现象让平面大地的说法无法解释，比如平原上的人越走越远，最终消失在地平线上，如果大地是平面的话，人只会越走越小成为一个点，但不会消失在视野中。于是，将平面大地改为拱面大地的第二次盖天说出现了，《周髀算经》中的盖天说就是这样的观点。虽然有所改进，但实际上还有很多现象不能解释。比如，日月星辰在盖天说中应该是围绕北天极做旋转运动的，但实际上，除了北极附近的恒星绕极转动外，日月及大部分星辰都是做东升西落的运动。因此，人们意识到天空并非仅仅是地面的圆盖，而是包裹整个大地的圆球，从而产生了新的宇宙结构论——浑天说。由于浑天说比较贴切真实的天空情况，能较为准确地解释日月星辰的视运动规律，所以很快就力压盖天说，成为古代主要的宇宙理论。

第二节　历法

制定历法，科学合理地标定计量时间是人类走向文明社会的重要标志之一。在中国古代，历法是王权的象征，只有中央王权才拥有颁布历法的权力。在南方的楚国强大起来摆脱周王室的控制自行颁布历法之前的数千年之中，楚人先民都是尊奉当时中央王朝所颁布的历法。等到周王室衰弱之后，楚国不仅开疆扩土，还率先称王，并自行颁布独具特色的历法。

一、观象授时

根据天象确定季节在中国古代被称为“观象授时”。三代以前，最早实行的应该是大火历。人们通过观测大火星昏见地平线来确定春耕的时间，被称为“火纪时焉”。根据《史记·楚世家》和《国语·郑语》的记载，在传说中的帝喾时代，楚先重黎氏担任“火正”。“火正”就是专门从事观象授时的职务，重黎氏的具体工作就是确定农时，即把握春耕前放火烧荒的准确时间，由于工作出色，他被帝喾高辛氏赐号“祝融”。重黎氏确定农时的办法就是观测大火星和鹑火星的星空位置。[①]这是合乎事实和科学的。中国古代观测天体来确定岁时节令的方法有三种：一是观测天体的见伏（即东升西落）；二是观测天体是否位于南中（即正南方的子午线上）；三是观测北斗斗柄的指向。观测时刻可以在晨见或昏见时刻，即天色刚亮或天色刚暗时。

重黎氏最开始观测的是天文昏见时刻[②]，出现在东方地平线的大火星——它本来叫作“心宿二”，这是在中国古代的二十八宿体系中的叫法，由于看起来明亮火红才被叫作大火星，在现代天文体系中，它叫作天蝎座 α，视星等为一等星。当时，楚人还在中原的黄河流域生活，四千多年前的春分前后是该区域最适宜春耕的时间，而此时大火星就会从东方地平线升起，非常适合当作标定春耕播种时间的参照物。大火星从东方地平线上升起的时候，先民们就要开始放火烧荒，这就是所谓的“出火”。随着时间的推移，大约夏至的时候，大火星在昏见时刻的位置处于南中天，即所谓的“大火昏中”。再往后到秋分的时候，大

① 《左传·襄公九年》载“古之火正，或食于心，或食于味，以出内火。是故味为鹑火，心为大火”，就是说火正以观测大火和鹑火报时为业。

② 太阳中心在地平线下 18° 时称为天文晨见或天文昏见，这时天空背景上开始显示或不再显示日光影响，即将呈现白天或黑夜的景象。

火星就十分接近太阳，跟随着太阳一起在西方地平线上落下，此时即为“内火”。

由于存在岁差随着时光流逝，大火星春分时在星空的位置逐渐西移，导致大火星昏见时刻出现在东方地平线上的时候，适宜春耕的时间过去得越来越久，如果还是根据大火星的位置来标定烧荒播种会导致春耕的时间越来越晚，从而影响一年的农时。为了不误农时，火正只能改变观测目标，重新选择标定星适应新情况。经过长期观测，火正选定了鹑火，用以标定春分。鹑火南中，就是在春分前后的天文昏见时刻鹑火出现在正南方的星空中。鹑火又称为咮，在二十八宿体系中被称为柳宿，柳宿有八星，形状弯曲，像鸟嘴，也像垂柳，在现代天文学星座中属于长蛇座。根据推算，商代中后期是“鹑火南中”标定春分的最佳年代。

这种原始的历法只是一种最粗疏的自然历，对日和月的认识也基本上停留在太阳东升下落，平旦太阳升起时为每天的开始；月球圆而复缺，每次新月出现大约三十日等概念上。

《史记·历书》记载：“尧复遂重黎之后，不忘旧者，使复典之，而立羲和之官。”这说明楚先民在帝尧时期继续担任“羲和”的职务并从事着天文历法工作。根据《尚书·尧典》所载，羲和的工作主要就是“钦若昊天，历象日月星辰，敬授民时”，以及“日中星鸟，以殷仲春”，“日永星火，以正仲夏”，“宵中星虚，以殷仲秋”，“日短星昴，以正仲冬”，具体来说就是，观天象的目标从大火和鹑火发展到日月星辰，确定春分已经发展成了确定二分二至，观测方式也从“昏中”“南中”扩展到包括测影长等在内的更为先进科学的方法，可以制定置闰的粗略历法。[①]

最晚在商周交际，中国已经出现了比较完备的原始历法，《尚

① 从18世纪开始这些工作就遭到很多中外学者质疑，包括竺可桢在内的学者普遍认为传说的帝尧时期中国人还没有能力做到如《尧典》所记载的事情，这些工作应该是商末或者西周时期的成果，更有甚者认为是战国末年的学者用当时的天文水平进行的追述，当然，还有一些学者坚持认为这些成果确为帝尧时期所为。目前学界尚无定论。

书·尧典》载："期三百有六旬有六日，以闰月定四时，成岁。"这个时候的历法是以干支记日，太阴记月，太阳记年，使用闰月来调整误差的阴阳合历。月有大小，年有平闰，平年十二月，闰年十三月，闰月有置于年终的做法。还可能已经掌握了计量昼夜时间长短的办法。

楚人的先民们基本上都是采用"观象授时"的方式制定历法，即观测天象运行的周期性规律来计量时间。古人经常观察到的天象是太阳的起落和月亮的盈亏，年月日时的计量也是根据日月的运行规律而来。昼夜交替的周期为一"日"，正午日影长度变化的周期为一"年"（即回归年），月相变化的周期为一"月"（即朔望月）。具体的计量方法，就是观测太阳在南中天日影长度变化来认识回归年周期，观测月相圆缺变化来认识朔望月周期，由于在一个回归年周期内，朔望月周期不是整数倍，古人又通过计算最小公倍数并增置闰月来协调二者关系。《尚书·尧典》中"期三百有六旬有六日，以闰月定四时，成岁"的记载，就是楚人先民"观象授时"制定粗略历法的内容之一。

掌握回归年和朔望月的周期之外，还需要知道历元，包括岁首和月首[①]，即一年第一个月和一月第一天。古人把冬至日作为历元，当作历法推算的起点。具体办法是在空旷的平地上竖立一根一定长度的杆子（天文上被称为圭表），观察阳光照射下杆子投射在地上的影长变化，在冬季日影最长的那一天叫作冬至日。在长期观测实践中，古人把从冬至开始的黄道（太阳周年运动的轨道）平分为二十四个节气点。二十四节气，现在已经被列入国家级非物质文化遗产代表性项目名录和联合国教科文组织非物质文化遗产名录，并被认为是中国古代最重要的八十五项原创发明之一。

根据文献记载，古人认为周代的历法以冬至所在的子月作为每年的正月（即每年的第一个月），殷商时的历法以小寒和大寒所在的丑月

---

① 每日的分界点最开始是根据日起或日落时刻制定的，但它们每天的时刻并不是固定的，后来人们根据日起和日落时刻，取它们之间中点作为一日的分界点。

作为每年的正月，夏代则以立春所在的寅月作为每年的正月，即所谓的“周正建子”“殷正建丑”“夏正建寅”，并且把凡是正月建子的历法叫作周正历，凡是正月建丑的历法叫作殷正历，凡是正月建寅的历法叫作夏正历。这些说法可能是后人追溯往事编造出来的，因为古人到春秋中期才掌握准确测定冬至日的方法，及至此时才可能出现子月为岁首的历法，这就意味着在此之前周王室所颁行的历法大都是以丑月为岁首的历法。

地球在日月之间，满月时的月相被称为“望”，月亮运行到日地之间，完全看不到月光的月相被称为“朔”，新月初见的月相叫作“朏”。出土文献证实，在西周以前人们还没有掌握推算朔日的方法，还靠观测新月出现来确定月首，即此时的历法都是以“朏”为月首。两周交际，文献中首次出现“朔”，可能到此时古人才掌握了根据朔望月周期推算朔日的方法，之后的历法才开始以“朔”为月首。由于朔夜完全看不到月亮，只能通过推算得知朔日，这就意味着中国古代历法正式从“观象授时”时代走向了推步历法时代。

二、推步历法

在中国古代，天文历法被当作帝王承接天命的纽带，颁布历法就成了王权的主要象征。中央王朝强大时，各地诸侯尊奉中央颁布的历法，一旦中央王朝统治力下降，势力强大的地方诸侯们就可能不奉王命而自行颁历。

相传在先秦时期，强大起来的各诸侯国颁行的历法有六种，即：黄帝历、颛顼历、夏历、殷历、周历和鲁历，称为“古六历”。这些历法全部是阴阳合历。它们之间的区别仅仅是历元和置闰不同，其他的三个重要常数如岁实（回归年）、朔策（朔望月）、闰周[①]，都是一致的。不

① 由于回归年的长度和十二个朔望月长度并不相等，为了避免各个月份对应的节气出现偏差，需要人为设置闰月，保证某周期内的回归年与朔望月呈现倍数的关系，在长期的观测分析下，古人在春秋中期开始实行了十九年七闰的闰周。

同的历法岁首不同，相应的参数所在的月份也不相同，但由于古六历的回归年长度都是一样，祖冲之认为它们实际上都是四分历。根据近人钱宝琮的研究，公元前5世纪以后的楚国历法很可能也是一种四分历。

楚国作为最早不奉行中央周王室命令的诸侯国之一，也是在政权基本独立之后才拥有体系独特的历法。楚历的岁首问题争议较大，学界主要存在着“寅正说”和“亥正说”等。[①] 长期以来，人们都是根据屈原著作中月份与物候所对应情况的描述来判断楚国采用的是寅正历，也有一部分学者认为楚国历法是丑正历。后来随着简帛文献的出土，有些学者根据相关文献记录月序的特点提出了楚历“亥正”的新观点，几种观点在20世纪八九十年代曾有过激烈的交锋。现在一般认为先秦时期的楚国实行的是亥正历，即以亥月为岁首和正月。

楚国最开始奉行的应当是周天子颁布的历法。对《春秋》《左传》等文献的研究发现，在鲁文公之前的鲁国历法基本上以丑月为岁首，鲁文公时才开始主要以子月为岁首，这说明鲁文公之前周朝的天文学家们并未掌握准确测定冬至日的方法，也就不能预先推算出冬至日及其所在月份，那么，同时期的楚国很有可能实行的也是丑月为岁首的历法。结合时代背景和人们的天文历算水平来看，楚国在春秋中期也可能进行了改历。根据《左传》中两次“荆尸”记录，推测楚国在周王室颁布历法改用子正历的时候没有继续跟随周朝的做法，或者在更早些的年代直接将丑正历改成亥正历，即楚国很有可能没有使用过子月为岁首的新周历。楚人安排亥月为岁首的原因目前尚不明确，也许跟楚人“不服周”且最早称王的历史背景有关。

除了岁首与众不同，楚历最为独特的还是它的月份名称，依次为冬夕、屈夕、援夕、刑夷、夏杘、纺月、夏夕（七月）[②]、八月、九月、

① 还有学者，如陈久金等人提出过楚国历法是子正历的说法，但已遭到反驳，详见王胜利：《关于楚国历法的建正问题》，《中国史研究》1988年第2期。目前学界基本上无人认可楚历为子正历的观点。

② 根据出土简文分析，发现七月只在秦简中出现过两次，其他简中一律用夏夕指代七月。

十月、爨月、鬳马，这个纪月法的月名在睡虎地秦简、包山楚简、九店楚简等简文中多次出现，只是写法略有差别。冬夕月对应夏正历月是十月，毫无疑问，这就表明楚历就是亥月为岁首。按照上述顺序，它们依次对应夏正历月的十月至九月。这些月名来历和设置规则到目前为止尚无定论，有可能跟楚人的生活、生产、祭祀习惯等有关。

四季划分标准有天象、气象和物候，对应的就有天文季节、天气季节和物候季节。早期的四季应当是按照物候来划分的，寅正历的春、夏、秋、冬就是四季分明的物候季节，正、二、三月为春季，四、五、六月为夏季，七、八、九月为秋季，十、十一、十二月为冬季，到了根据冬至所在月制定历法的年代，人们还是习惯于按照上述月季之间固定对应法则，但这时的四季已经与实际物候和气象脱节了。也就是说，亥正楚历从冬夕开始依次每三个月分为春、夏、秋、冬，而这个历法中的春、夏、秋、冬只是根据惯例的对应，与实际季节并不完全一致。

楚历的历元目前还没有材料有相关记载，《续汉书·律历志》中有“乙卯之元人正，己巳朔旦立春，三光聚天庙五度”的说法——蔡邕《月令》中也有类似的说法，这是说亥正历立春点的入宿度为营室五度。但当时天文水平并不具备直接观测立春点的技术，亥正历的立春点应当是在已经能够准确测定的冬至点基础上推算出来的。与历元类似，置闰法目前也无相关材料直接反映，但根据当时的天文历算水平来看，楚历的置闰法应当跟中原各国的“十九年七闰”的规律相似，也是“岁终置闰”[①]，即将闰月置于每年的最后一个月“鬳马”后面，这样的做法一直到楚国灭亡。

楚国历法的具体历谱中朔日怎么设置、历日如何安排，除此之外还有些什么内容，传世文献中不存，出土文献中也没有完整的记录，只能通过现有出土的简帛中时间记录的内容来推测当时部分的历谱是如何安排的。由于相关的具体研究还不足以体现楚历历谱的全貌，在此就不作

① “岁终置闰”从西周开始一直沿用到西汉，到汉武帝太初改历才宣告终结。

详细的介绍。

楚国历法的纪年法除了商周以来传统习惯行用的君主在位年数纪年之外，还有一种罕见的纪年方式。在出土的文献中，如“大司马昭阳败晋师于襄陵之岁”“秦客公孙鞅问王于栽郢之岁”等，是一种采用重大事件纪年的方法，可见于法律类文书，应当属于楚国官方使用的纪年法。[①]

第三节 医药

荆楚地区位于中国中部，长江中游，洞庭湖之北。该地区依山傍水，气候温暖湿润，具有丰富的药用动植物资源，适合人类的生存与发展。早在先秦时期，生活在这里的先民就发展出一套颇具特色的医药学体系。

一、医学

对于医学的起源，历来有多种说法。诸如医源于本能、医源于劳动、医源于巫等，都各有其理。但就其发展来看，荆楚医学的萌生不仅源于单一因素，而是诸多因素共同作用所产生的结果。

事实上，医学的产生并不是多么神秘的事情。正如唐张鷟在《朝野佥载》中所说：“医书言，虎中药箭，食清泥；野猪中药箭，逐荠苨而食；雉被鹰伤，以地黄叶帖之……鸟兽虫物，犹知解毒，何况人乎？”人与动物一样，在遇到疾病和意外创伤时，也会在求生本能的驱动下，自觉或不自觉地去寻找解除病痛、恢复健康的办法。

食用熟食、改善住所、改进衣着就是先民最初的卫生保健成果。这

① 在20世纪90年代初，王红星、刘彬徽等学者首次对大事纪年进行了系统性研究，相关观点几乎形成了“范式”。之后的三十年，国内外学者对大事纪年进行了深入的探讨，形成了一系列新的观点。最新观点见于：吕传益、杨涤非：《简牍材料中的早期天文学探索》，《中国社会科学报》2021年3月30日，第六版。

些成果改善了荆楚先民的生活条件，使人体免疫力大幅提升，能够有效地增加抵抗疾病、健康生存的能力。不仅如此，先民在医疗方面还进行了其他尝试。长沙马王堆汉墓出土的帛书《五十二病方》中（图 4-3），即保留着带有浓厚的战国前的南楚地方特色的古老医方。如：

图 4-3 长沙马王堆汉墓出土的帛书《五十二病方》

“以人泥（身体污垢）涂之，以犬毛若羊毛封之。”——治疗烧伤

“燔（烧）白鸡毛及人发。以刃伤，燔羊矢傅之。”——治疗外伤出血

这些医疗方法十分原始，显然是先民将求生本能行为转化为经验积累的结果。可以说，这种本能是原始医学诞生的基础。

除了本能以外，医学的诞生还离不开先民的劳动。考古所见，一些古人发明的生产生活工具往往还带有医用性。例如，古人发明的陶器不仅可以作为餐饮食具，还可以用来煎煮药物。萧山跨湖桥遗址曾出土了一件绳纹小陶釜，器内盛有一捆植物茎枝。经学者研究，这株植物是因故丢弃的药材。可见原始时期先民发明的生活用具也可以作为医疗器皿来使用。

一些打制的或者磨制的石器（骨器）可以用于治疗疾病。洪湖乌林矶遗址即出土的一件青灰岩磨制的石刀。有学者指出，此石刀可能是荆楚先民用的砭石。[①] 李时珍《本草纲目》“砭石”条曰：“《禹贡》：荆州、凉州皆贡（奴石）（可作箭镞的石头），即此石也。”砭石是湖北荆州的一项特产，在荆楚大地被长期广泛使用。对于砭石的用途，《素问·异法方宜论》载：“故东方之域，……其病皆为痈疡，其治宜砭石。”可以看到，这种石器主要用于切开痈疽、排脓放血。长沙马王堆汉墓帛书《五十二病方》的治痔方和治痒方都使用了砭石的熨烫之法（图 4–4），张家山汉墓医书《脉书·脉法》还记录了砭石治疗脓肿的原则和禁忌。

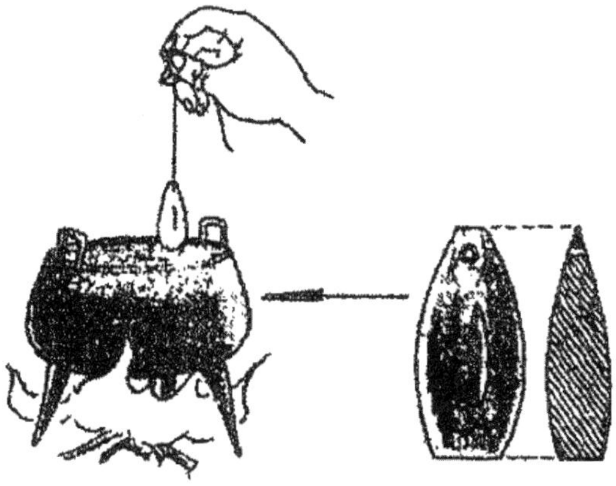

图 4–4　水热砭石用法示意图

① 贾海燕：《荆楚医药》，武汉出版社，2018 年，第 14 页。

乌林矶遗址出土的一件骨针也是用于医疗活动的。它由禽类肢骨刮削而成，磨制光滑，呈长条形，一侧有削痕，圆锥体，锋尖，针身有凹槽，尾残，残长 9.2 厘米。这枚骨针一端有锋，而另一端并无穿线的针孔，针身有凹槽，极可能是用于针刺的医疗工具，或为后世医针的原型，也可能是一件针孔断裂的手术缝合针。[①]

此外，先民在劳动之余，还会进行一些运动。这些运动经过后人的总结与完善，可能演变为具有保健功能的导引术，成为有意识的体育锻炼项目。荆楚先民部分居住在江汉平原低洼潮湿之处，因而会有意识地做一些身体锻炼活动，以宣导湿阴之气。这些锻炼活动被总结命名为导引之术，在荆楚地区广为流传。《庄子・刻意》中的“导引之士”、马王堆汉墓出土的帛书《导引图》（图 4–5），以及江陵张家山汉墓出土的《引书》等，都是荆楚先民从劳动中汲取的锻炼成果的反映。可以看到，先民的殷勤劳动是原始医疗发展的必要积累。

图 4–5　长沙马王堆汉墓帛书《导引图》

那么，上述这些成果与经验是如何传承下来的？先秦时期的荆楚地区又是哪些群体在从事医疗活动的呢？传统观点认为，医源于巫。这种观点虽有一定的局限性，但自有其根据。在早期的人类社会中，巫师

① 李今庸：《湖北医学史稿》，湖北科学技术出版社，1993 年，第 8 页。

具有多种职能，如“医”“史”均曾涵括在“巫”的范畴之中。巫师掌握较多的历史文化知识，甚至最先掌握文字记事。从某种意义上讲，巫师是知识分子的前身，是原始科学文化知识的保存和传播者。[①]先秦的“医”字，曾经有过“毉”的写法，这也体现出巫医之间的密切关系。

《管子》《吕氏春秋》等书中常常巫医连称，《山海经·海内西经》也有巫者操不死之药的记载。可以看到，在多数古代人心中，巫与医是密不可分的。事实上，在早期，人们的思想中，疾病是鬼神所致。巫可以通神驱鬼，自然也可以治病。《黄帝内经·移精变气论》说：“古之治病，惟移精变气，可祝由而已。”可以看到，祝由之术在先秦医学中具有相当高的地位。而在中国荆楚南越诸地，巫医盛行以咒术治病。《五十二病方》《淮南万毕术》《黄帝内经》等都有关于巫术咒语的记载。例如《五十二病方》载：“天神下干疾，神女倚序听神语，某狐叉非其处所。已；不已，斧斩若。”这是一条用来治疗疝病的咒语。荆楚之巫在给病人治病时，会念咒上告天神：这个疝气长得不是地方，赶快让我痊愈；不然，大斧头砍你。

除了咒术，荆楚之地还有一些风俗与医疗有关，如拔牙风俗。考古学者在房县七里河遗址，发现屈家岭文化和石家河文化时期原始先民存在拔牙习俗，他们一般拔去上门牙（犬牙）一到两颗，这是一种简单的手术，似可视为原始外科的一种萌生现象。[②]

荆楚巫师们还在很早的时候就使用朱砂。朱砂色泽为红，在上古就被视为辟邪、沟通天地的神物。在洪湖乌林矶出有一件研磨器，其平面呈长方形，截面为平行四边形，一端斜面，一端弧面，通体磨光，长7.7厘米，宽3.8厘米。[③]最引人注目的是这件研磨器上带有朱砂的痕迹，可视为原始的医疗器具。[④]此器的发现证明了早在新石器时代荆楚地区

① 宋兆麟等：《中国原始社会史》，文物出版社，1983年，第498页。

② 罗运环等：《荆楚文化》，陕西教育出版社，2006年，第472页。

③ 李今庸：《湖北医学史稿》，湖北科学技术出版社，1993年，第6页。

④ 湖北省地方志编纂委员会：《湖北省志·卫生卷》，湖北人民出版社，2000年，第1页。

就开始使用朱砂和研钵了。这是荆楚巫师的大胆试验，为后世提供了宝贵的医药知识乃至科学的医疗器具。

一般谈到巫师、巫术，我们总会持怀疑的态度，将其划到“迷信”的范畴中。事实上，巫术乃至原始宗教都是先民对人和自然关系的一种认识与探索，是他们的哲学与科学。因而，若是以楚人尚鬼、崇巫的习俗来质疑荆楚地区早期医疗水平的话，那就大错特错了。

早在传说时期，楚人的先祖就有了诸多医学故事，如耳熟能详的神农尝百草等。

到了春秋中晚期，荆楚医药学得到了进一步发展。此时，楚国公室已经设有医官一职，并且有了初步的诊断和病理知识。《左传・襄公二十一年》记载了一则故事：楚康王八年，令尹子庚（公子午）死，康王要芳子冯接任令尹之职，芳子冯因“国多宠而王弱”，恐于己不利，于是，他以有病为由，辞不受任，并在热天穿上棉衣皮裘，盖上棉被，不吃不喝躺在冰上，以躲避康王的追查。楚康王对芳子冯生病产生怀疑，“使医视之”，医官查看“病情”后回复康王，说芳子冯身体倒是消瘦了很多，但“血气未动”。从这则故事我们可以得出以下结论：

第一，楚国公室此时已经设有医官一职，有了区别于巫的专职医师。虽然这时的医官可能仍会使用巫术治病，但确实是荆楚医学的一大进步。可以说，该官职的设立有利于促进巫与医的分离。

第二，此时的楚国医师已经具有一定的血气理论知识。《左传》是已知文献中最早提出“血气”知识的，而血气理论与（或曰精气理论）阴阳、五行理论都是中医最基础的理论。[①] 虽然这位为芳子冯看病的楚医并没有详说有关“血气”的医疗理论，但可以看到，这位医官的医术是十分高明的，实际上已是有别于巫的真正医师。

第三，楚国医师应掌握了较为专业的诊病技术。以现代中医学来看，“血气未动”的诊断需要依靠望色和切脉这两种较为专业的诊病技

① 贾海燕：《荆楚医药》，武汉出版社，2018 年，第 38 页。

术才能获得。因而，上述楚医很可能具备一定的“四诊”（即望、闻、问、切）方法，这也体现出春秋时期荆楚医学的进步与发展。

除此之外，春秋时期荆楚医学在疾病分类方面也有了新的探索。《左传·庄公四年》载楚武王因“心荡”死于伐随途中。《左传·襄公三年》载楚共王时，大臣子重与吴国交战，因“所获不如所亡”而受到楚人责难，子重忧闷不已，突发“心疾”而死。上述两段记录中出现的“心荡”“心疾”，显示出楚国公室医学已经具备一定的脏腑理论知识，可以对脏腑疾病进行初步的分类。

不过，需要注意的是，此时楚国医学仍处于巫医并重的局面，对疾病分类还比较粗糙。《左传·哀公六年》载，楚昭王率军救援陈国，患“腹心之疾”，周太史认为可以把疾病转移到令尹、司马身上。巫师则认为是河伯作祟，需要祭祀黄河之神才能免除疾病。楚昭王既不忍心移病于大臣，也不同意祭祀河伯，最后死于救陈途中。可以看到，春秋时期，楚国公室的医疗是巫医并举，或是先医后巫的情形。在遇到严重的、难以诊断的疾病时，仍很大程度上依赖于巫的建议。

并且，此时荆楚医疗仍很落后，“腹心之疾”显然是医师无法区分腹部与心脏部位疾病的体现。这种情形在春秋战国之际仍表现明显。贾谊《新书》记载了一则楚惠王吞蛭致病的故事。故事大意为：楚惠王吃凉菜时，见到一条水蛭。按照楚国律法，出现这种情形，厨师、监食者都要处死。惠王知道厨师不是故意的，不想因“小事”处死他们，就悄悄吃下水蛭，于是出现“腹心之疾”不能进食，这里出现的“腹心之疾”实为肠胃的疼痛。显然，当时的荆楚医师仍不能对心脏与肠胃加以区别。

虽然先秦时期的荆楚医学还存在巫医混杂、腹心不分等问题，但当时，在列国中楚国医疗水平仍是相当出色的。据《外史》记载：“有良医者在于楚国，子以百金致之，彼必不远千里而赴，郑人果得楚之良医以瘳其疾。”可见楚国高超的医疗水平为春秋列国所仰慕，否则，绝不会有异国他乡之人不远千里来请楚医治病。

另外，到了战国时期，楚国还留有名医俞跗的记录。《鹖冠子·世贤》载赵悼襄王与庞煖论政，庞煖曰："王独不闻俞跗之为医乎？已成必治，鬼神避之，楚王临朝，为随兵故，若尧之任人也，不用亲戚，而必使能；其治病也，不任所爱，必使旧医。楚王闻传暮齇（病）在身，必待俞跗。"传统观点根据《史记》所载"臣闻上古之时，医有俞跗"的说法，认为俞跗是上古名医之代表。但依《鹖冠子》所述，俞跗实为春秋时期楚地的著名医官，并非出自上古传闻。

对于俞跗之医技，《说苑·辨物》载："搦脑髓，束肓莫，炊灼九窍，而定经络，死人复为生人。"《史记·扁鹊列传》也有记载："医有俞跗，治病不以汤液醴洒，镵石挢引，案抏毒熨，一拨见病之应，因五脏之输，乃割皮解肌，诀脉结筋，搦髓脑，揲荒爪幕，湔浣肠胃，漱涤五藏，炼精易形。"从上述两段文字来看，俞跗似是高超的外科手术专家，但在当时，这种治疗手段是无论如何都难以做到的。有学者提出："俞跗之治病似非指外科手术。分析'炼精易形'等语，当为先设木偶，然后察病者所患，对木偶'施术'或祷告。待考。"[①] 当然，施术对象也未必是木偶，很可能是真有五脏脑髓的动物替身。

二、药学

说到荆楚药物的起源，首先要谈及神农尝百草的故事。神农氏即炎帝。根据古代文献记载，神农氏部落存在一个迁徙的过程，其部落的活动范围主要在江汉地区，是我国南方文化的代表。

对于神农尝百草的故事，古代文献多有记载。《淮南子·修务训》载："神农乃始教民播种五谷，……尝百草之滋味，识水泉之甘苦，……当此之时，一日而遇七十毒。"《搜神记》也有记载："神农以赭鞭鞭百草，尽知其平毒寒温之性，臭味所主。"

在上古时代，"尝百草"的工作显然不是神农一个人能完成的。这

① 李云：《中医人名辞典》，国际文化出版公司，1988 年，第 652 页。

里面出现的“神农氏”实际上代表着上古氏族集团。“神农尝百草”的故事实际上体现了先民无意中积累药物知识到一定阶段后，主动地、集中地探索药物的历史进程。

神农氏遍尝百草的地方，民间传说一般认为在湖北省西北部的神农架。该地区流传着为数众多的有关神农的传说，展现了江汉先民在中草药采集方面的开创性的贡献。比如有一则传说：炎帝在采药的过程中，曾不慎被毒蛇咬中（或曰误食断肠草），眼看即将丧命。昆仑的西王母为炎帝执着的精神所感动，派青鸟衔来一粒红色的救命仙丹。青鸟将仙丹放进炎帝的口中旋即转身离去，炎帝来不及吞咽，强撑着倒地拜送，致使仙丹从口中滑出，落入地里消失。然而，仙丹消失的地方，竟然长出一棵青草，草顶上长出一颗红珠。神农仔细一看，与仙丹一般无二，放入口中尝试，身上的病痛顿消。这味草药，后取名“头顶一颗珠”。“头顶一颗珠”，又名为“延龄草”，此植物有 3 片叶轮生于茎的顶端，花与果则生于叶轮上，故得名（图 4–6）。它主要生长在海拔 1600 米到 3200 米的林下，今仅见于神农架自然保护区，为湖北地方药材，未收入《中国药典》，其“珠”很不容易保存，采药人一般就地享用，其根须可以入药，治疗眩晕头痛，有补益大脑、改善记忆的功效。[1]

图 4–6　延龄草

① 贾海燕:《荆楚医药》，武汉出版社，2018 年，第 21—22 页。

令人遗憾的是，传说中的诸如“延龄草”等药物到底是不是上古时期神农氏部落所发现的，现在已经无法弄清楚了。我们如今只能从古籍或考古资料中发现一些蛛丝马迹。

《尚书·禹贡》在叙及荆州的物产时说，当地有一种特产名“丹”。“丹”即“丹砂”，因其色红，又称“朱砂”。在古代，丹砂是灵物，可以用来驱鬼。此外，丹砂还是一种药物。古代对丹砂的使用，是荆楚先民长期生活经验积累的成果，丹砂确实是荆楚医药重要的组成部分。

《诗经》中专门汇集江汉流域民歌的《周南》和《召南》也涉及多种荆楚地区的药物，如苍耳、车前、白茅、葛、蒿、蕨、薇、萍、藻、梅，等等。有些章节还生动地描绘了采集时的情景。《周南·芣苢》说：“采采芣苢，薄言采之。”文中采集的“芣苢”就是生于江南的车前草。虽然诗歌并没有直接说明采集车前草是为了治病，但学者考证发现，采集车前草的行为可能与妇女生育有关。这说明在春秋时期，荆楚先民已经具有较为丰富的药物采集和加工知识。

另外，春秋时楚国行军备战，还会准备有一些治疗常见病的药物。《左传》记宣公十二年冬天，楚伐萧时，申叔展问有无“麦麹”“山鞠穷”等药物来治疗“河鱼腹疾”。“山鞠穷”为“芎穷”，亦即川芎（图4–7），是一种能驱寒御湿、活血化瘀的药物。

图 4–7　川芎

我国现存最早的药学专著《神农本草经》也包含很多荆楚药学知识。其中收载了多种荆楚地方药材，如地肤子、石龙子、百合、酸浆、茅，等等。不过，需要注意的是，这本专著的作者并不是神农氏，书中所载的药物也并不都是荆楚的地方药材。相比之下，长沙马王堆汉墓出土的《五十二病方》药物多限于荆楚之地，或可作为荆楚药学研究的参考。

此外，1953 年在长沙左家公山战国墓葬中还出土了称量药物的药衡，包括 1 个天平和大小 9 个砝码。这些砝码最重者不过 4 两，余者只有数钱或者数分重。[①] 可以看到，战国时期，荆楚先民在药物用量上也已经有了更为精准的计量。

第四节　水利

人的生存离不开水，农耕文明是人类进入文明时代的主要形态，使用水灌溉农作物增加粮食产量是农业生产中最重要的手段之一，水利工程就成了农业发展的关键。先秦时期，随着物质文明的发展，青铜器工具乃至铁器的使用，使兴建各种大型水利工程成为可能。最早的水利工程可追溯到《竹书纪年》所载的夏代帝皋“凿山穿陵以通于河”。周代则有较完备的灌溉系统了，《周礼》中“以潴畜水，以防止水，以沟荡水，以遂均水，以列舍水，以浍写水”就是明证。先秦时期，各国出于政治经济军事等方面需求，开凿运河，筑造堤坝，兴修塘堰，设计人工水渠，水利工程建设得到极大发展，其中楚地范围内的各种水利工程是走在各诸侯国前列的。楚国地处江淮水系之间，江河湖泊众多，雨水充沛，夏季极易发生洪涝灾害，楚人先民为了生存，不得不修建堤坝治水防洪。楚地大约在一万年前就开始种水稻，而水稻种植需要大量水，大面积播种需要有排灌措施，农田灌溉由此获得了较早的发展。所以，楚

① 马继兴:《全国各地出土的秦汉以前医药文化资源（续四）》,《中医文献杂志》2003 年第 3 期。

国在各诸侯国中较早地兴修水利，以便防洪灌溉。

一、堤防工程

堤防是沿河两岸或者沿湖岸修筑的规范水流的土工建筑物，它能有效地改变河床边际和湖岸高度，提高河道和湖泊的容蓄能力，提高防洪水平。“水来土掩”应当是人们面对洪水最早使用的抵御手段，相传最早被鲧和共工等人所采用，类似于今天兴建堤坝的工程。楚地大部分区域都属亚热带季风气候范围，雨量充沛，且主要集中在夏秋两季，因此，楚国的临江临湖地带特别是洞庭湖 - 江汉平原极易遭受洪水的威胁，不得不修建堤防工程。《列女传》曾经记载：楚昭王出游，“留夫人渐台之上而去……水大至，台崩，夫人流而死”。楚宣王六年，因连降暴雨给国都郢造成严重水灾。诸如此类的大小洪水还有很多。为了有效地防治洪水，尽可能减轻洪水对人民生命财产的威胁，发展农业，楚人大力兴建堤防工程。堤防的出现固然出于防洪，但也有国土开发的需求，诸如春秋五霸之首的齐桓公在黄河下游填了八条河，目的就是为了开拓疆土。楚国范围内，也有类似的举措。《绎史・孙叔敖碑》记录了孙叔敖“堤防湖浦，以为池沼”的业绩。曾任楚国兰陵令的荀子，在其著作中特别强调“修堤梁”以兴利除害。他们主张兴修堤防工程都是出于开拓疆土的目的。

筑造堤防除了上述目的外，还有军事目的。《管子》记载，齐桓公时楚国出兵攻打宋国和郑国，久攻不下，于是楚人在睢水上筑拦河坝，导致上游水涨，洪水四处泛滥。作为盟主的齐桓公出兵干涉，拆除河坝，并胁迫楚国在召陵进行会盟，签订了“毋曲堤”的条文，即不准修建危害别国的堤防。

在堤防工程中，要考虑堤顶高程、横截面设计、修筑质量以及相关维护。[1] 堤顶高程是堤防规模和技术水平的重要衡量标准。由于水文

① 周魁一：《中国科学技术史・水利卷》，科学出版社，2002 年，第 325—326 页。

测量难度很大，先秦时期人们还没有准确的相关技术，当时堤顶高程的确定大都依据经验。堤防的横截面设计主要是堤顶宽度和边坡的选择。[①]边坡的选择一方面要考虑施工过程中便利工人运送土料和夯实堤面，另一方面还要考虑拦水后有足够的承接面来降低水高，防止出现背坡管涌。一般来说，堤防都做成上小下大的梯形，选择边坡即梯形两腰的坡度成为工匠们必备的技能。《考工记·匠人》就有“凡为防，广与崇方，其閷参分去一，大防外閷”的记录，这甚至在后世的《九章算术》中成为学习者的范例。堤防施工质量与土料性质以及含水量密切相关，战国时期人们已经掌握了选择合适的季节用适当的土料来筑造堤坝的技术。先秦时期的堤坝都是土堤，不仅要受到雨水的冲刷和侵蚀，还要受到虫兽的侵害，其中以白蚁和獾为甚。《韩非子》和《孟子》中都记有一个叫白圭的治白蚁能手，他自诩治水的能力“愈于禹”，即超过了大禹。而荆楚一带的人们早就在筑造堤防，想必在长期实践中也具备了维护堤坝的能力，否则的话，那么多堤防工程对楚人只能是巨大的安全隐患和沉重的经济负担。堤防的维护在先秦时期就已经很受重视了，政府还专门设置官员负责。《管子·度地》介绍，该官员的职责是冬天检查堤防状况，将需要维修的地方上报，并把大规模的维修工作安排在春耕之前，之后有损毁则随时指派囚犯苦役来进行维护。堤防上要种植草木植被，以防止水土流失，流失严重的要加装防护工程。只要平时养护，就能保证水不成灾。根据《周礼》的记载，这些工作一般属于司空的职权，但根据《左传·襄公二十五年》记载“楚𫇭掩为司马，子木使庀赋，数甲兵。甲午，𫇭掩书土田，度山林，鸠薮泽，辨京陵，表淳卤，数疆潦，规偃豬，町原防，牧隰皋，井衍沃，量入修赋。赋车籍马，赋车兵、徒卒、甲楯之数”，不少工作与堤防维护相关，楚国堤防工程似乎由司马来负责。

---

① 《中国水利史稿》编写组：《中国水利史稿》（上册），中国水利电力出版社，1979 年，第 110 页。

中国古代还有一种埽工技术[①]，埽是用树枝、草和土石卷捆而成的水工材料，用于筑建护岸或者抢险堵口，多个埽叠加连用的物件就叫作埽工，主要用于多沙河流上。这种技术的最早记录在战国时期，此时已经有很成熟的认识，可见埽工的发明还要更早。

此外，楚人的筑堤技术还体现在春秋早期楚长城——方城的筑建中，其东段是沿河岸筑堤即称“连堤”，一些险要地段甚至还要跨越河水即“相切”，实现这种跨越的办法就是采用工程技术含量较大的手段——堤底装上大型涵洞。由此可见楚人高超的筑堤技术和丰富的筑堤经验。

二、蓄水工程

在农业生产活动中，古代的劳动人民面对自然环境，利用自然界水源的同时，必然要考虑如何避免农业区在雨季遭遇洪水，少雨年份遭受旱灾，进而在利用水资源进行人工灌溉农田时，兴建水利工程把江河流水蓄积起来。基于这样的考虑，楚人根据楚地多丘陵和多湖泊河流的特点，在开展农业生产的同时也兴建相应的水利工程，包括各种蓄水工程。根据文献记载，为了合理调度水资源而开展的蓄水工程，楚人进行了陂塘蓄水工程和拦河筑坝蓄水工程。

春秋中期的楚国，由孙叔敖修建的芍陂就是用于农田灌溉的陂塘蓄水工程[②]，现在的安丰塘是其淤后的部分遗迹。芍陂在今安徽省寿县城南一带，利用天然湖泊，在四周筑堤而成。《水经注 · 肥水》载，“积而为湖，谓之芍陂”，“陂有五门，吐纳川流”。说明芍陂主要利用西面的涧水和东面的淝水二流夹注为水源，形成水深面广的人工湖，而且有控制水流的水门，兼有防洪和航运之利。其经济效益，《宋书 · 刘义欣传》说灌溉“良田万顷”，《后汉书 · 王景传》李贤注也说：“陂径百里，灌

① 周魁一：《中国科学技术史 · 水利卷》，科学出版社，2002 年，第 331 页。

② 周魁一：《中国科学技术史 · 水利卷》，科学出版社，2002 年，第 214 页。

田万顷。”

孙叔敖还兴建了期思陂。[①]《淮南子·人间训》记载了“孙叔敖决期思之水，而灌雩娄之野”，东汉崔寔也说“孙叔敖作期思陂”。期思是楚地名，故城在今河南省固始县西，雩娄在固始县东北到今安徽省金寨县一带。期思之水也称决水（《水经注·决水》），今称史河。期思陂就是在史河上决口引水筑坝蓄水成为人工陂塘，就近灌溉史、灌二河之间的地区，从而促进当地农业发展。《意林》中说：“孙叔敖作期思陂而荆土用赡。”《淮南子·人间训》中记载孙叔敖因修期思陂使得楚国农业生产得到极大促进，因功被楚庄王提拔为令尹。

期思陂和芍陂建成于公元前5世纪末，均在魏国修建漳水十二渠之前将近两百年，它们是我国最早的大型陂塘蓄水工程，也是最早的大型农田灌溉水利工程。东汉延熹三年（160年），固始令段光在期思城西北立《楚相孙叔敖碑》，说他“宣导川谷，陂泽泉源，溉灌坂泽，堤防湖浦，以为池沼，钟天地之美，收九泽之利，以殷润国家”。在孙叔敖之后，蒍掩在任楚国大司马时期也在楚地也兴建了一些水利工程，其中就有“规偃豬”一项，根据《周礼·地官·稻人》中郑玄注：“偃豬，畜流水之陂也”，可见“偃豬”即人工蓄水的陂塘。这类大型陂塘蓄水工程并非突然出现的，与楚人长期与水斗争积累的丰富治水经验和高超的筑造堤坝技术分不开。毫无疑问，活动在江淮地区的楚人很早就学会利用修筑陂湖堰塘以灌溉农田，期思陂和芍陂的出现应是这类技术长期发展的结果。

三、排灌工程

一般说来，堤防工程和蓄水工程都有灌溉的功能，但堤防工程是蓄水工程的基础，蓄水工程则是灌溉工程的前奏。灌溉是降雨不足时人们实行工程手段补充水量的改善性工作，排水则是人们面对水量过剩避免

① 汉以后文献，往往把期思陂和芍陂混为一谈，其实它们是不同的两个陂。

土地盐碱化的必要措施。[1]先秦时期，人们主要是利用地表水灌溉农田。随着水文知识的丰富，人们开始因地制宜，借着地形和水源，进行开沟引灌，进而沟洫排灌。《周礼 · 地官 · 稻人》："稻人掌稼下地，以潴畜水，以防止水，以沟荡水，以遂均水，以列舍水，以浍写水。"描述了当时人们筑建堤坝蓄水、引水灌溉的情形。此时期的沟洫更多的是为区域内排水设计。

《庄子》司马彪注有："垄上曰亩，下曰甽。"这里的"甽"就是田间的排水工程，与灌溉用的渠道不同，它是低于田地的沟渠，田间的渍水排入沟，再由沟排出田间，从而构成了一套多级排水沟渠系统。这样的系统都是大面积排水，以及排水所包括的附属沟渠堤坝等大规模的工程设施，不仅经常性投入使用，还需要大量人力物力，很可能需要动用国家的力量加以实施，因此管理田洫的官员大多是政府中的高级官员，比如周代三公之一的司空。荀子评价司空的职责："修堤梁，通沟浍，行水潦，安水臧，以时决塞，岁虽凶败水旱，使民有所耘艾，司空之事也。"孙叔敖也是管理沟洫得当，被楚庄王任命为楚相令尹。《考工记 · 匠人》阐述了排水工程的设计原则：排水沟的纵向坡度要大于自然坡度，排水沟的形制要与输水渠道不同，它的横截面要随着水量的增加而逐渐扩大，大致上遵循周里每 30 里（约合今天的 12 千米）横截面积增加一倍的原则。《周礼 · 地官 · 遂人》也描述了一套与现代排水渠体系类似的沟洫概念，沟洫由枝到干，直到江河大川，各级排水通道的横截面积由小而大，反映了古人对水利设施科学合理配置的设想。

楚国的这类排水设施在春秋中期也已经出现。把积水的沼泽地变成可以耕作的良田，排水是必要的水利措施。《说苑 · 辨物》记："昔者庄王伐陈，舍于有萧氏，谓路室之人曰：'巷其不善乎？何沟之不浚也？'"楚庄王所关心的沟，便是《周礼 · 地官 · 稻人》中所记载的排灌系统。这种排灌系统，其实也就是《周礼 · 地官 · 遂人》中描述的

① 周魁一：《中国科学技术史 · 水利卷》，科学出版社，2002 年，第 219 页。

“凡治野，夫间有遂，遂上有径；十夫有沟，沟上有畛；百夫有洫，洫上有涂；千夫有浍，浍上有道；万夫有川，川上油路，以达于畿”的情况。《汉书·沟洫志》在讲各诸侯国的沟渠建设时提到楚国：“于楚，西方则通渠汉川、云梦之际，东方则通沟江淮之间。……此渠皆可行舟，有舍则用溉，百姓飨其利。”当时楚国的沟渠建设规模由此可见一斑。

战国时期，楚国进一步完善了排灌系统的各类沟渠设施，还大力开凿人工运河。运河的开凿多源于军事目的，同时这些工程也有利于当地的经济。春秋末期，吴王夫差为了称霸中原，利用天然河流和湖泊，开凿了连接淮河和长江的运河，称邗沟。吴国为了伐楚，开有胥溪和胥浦。同样，楚国为伐吴，开凿了蠡渎。胥溪经过太湖和长江之间的茅山丘陵，其主要工程是沿着丘陵分级筑坝蓄水形成的水道，由于存在高度差而成梯级航道，船只在航道内只需人力或畜力牵引，即可在丘陵地区进行水运。《水经注》记载，战国时期楚人曾在鄢、郡故地（今湖北宜城）一带开掘了大型排灌工程木渠。楚占领吴越故地后，这类工程的建设更是盛况空前。《七国考》卷二引《一统志》云：“申浦在江阴县西三十里，昔春申君开置田为上下屯，自大江南导，分而为二：东入无锡，西入武进、戚墅，俱达于运河。”这条申浦能沟通“大江”和“运河”，也是楚人在春申君的领导下开凿的人工运河。《越绝书》还记载：“无锡湖者，春申君治以为陂，凿语沼渎以东到大田，田名胥卑。凿胥卑以下南注太湖，以泻西野。”从文中的描述可知，春申君兴建的是综合性水利工程，既有将无锡湖“治以为陂”的大型蓄水工程，又有无锡湖“陂”的排灌工程——人工运河“语沼渎”。通过运河“语沼渎”将无锡陂塘所蓄之水引往大田胥卑，然后再由胥卑田开凿排水渠将水往南引至太湖，“以泻西野”，保障胥卑大田及其周围地区的农业有充足的灌溉水。由此可见，楚人的水利建设也已达到综合治理、统筹兼顾的水平。

由于运河是静水水道，很有可能在日积月累的使用过程中出现水量减少乃至淤积不能使用，因此必须考虑运河的供水和清淤工程。由于楚地江河众多，雨水充沛，北方运河遇到的水量减少和淤积的问题并不迫切，一般都是通过引入附近河水供水，在一定年限内蓄水冲淤，来解决运河淤泥问题，从而保障了运河正常使用。

第五节　矿冶

人类从学会使用工具开始，就避免不了对自然材料进行加工，金属就是这些材料中不可或缺的一类。人们使用金属材料是从天然的金和铜开始的，在古代经历漫长的使用过程，人们逐渐学会了选择合适的矿石，通过冶炼这些矿石制造出合金材料，并摸索出将这些合金材料打造成符合自己需求形状的方法，这一套采矿、冶炼和铸造的技艺，就是矿冶技术。楚国地处长江流域及以南一带，拥有众多的矿山，使得楚人在矿冶技术上处于领先地位。

一、采矿

所谓采矿，就是将人们需求的矿物从岩石中分离出来。进行采矿，首要工作就是找矿。关于找矿的相关文献不多，从考古发掘现场痕迹和遗物来看，先秦时期的找矿方法分两类六种：一类是地质找矿法，包括重砂找矿法、利用风化矿找原生矿法、共生矿找矿法；另一类是工程探矿法，包括浅坑法、浅井法、探槽法。①

在自然界里，各种特殊地质现象给工匠们提供了许多重要的找矿线索。重砂找矿法，又称重砂测量法。它利用淘洗盘对松散矿层取样淘洗，留取矿物碎屑进行观察，根据其中矿石的成分和数量多少的变化，追踪所找矿物的矿源。这个方法对寻找由稳定矿物所组成的矿床氧化带、砂矿床等有显著的效果，适宜于寻找金、锡、铁、铜等。湖北铜绿山铜矿遗址中出土大量木制的重砂法找矿工具证明，先秦时期楚人重砂

① 卢本珊：《中国先秦找矿方法》，《第四届全国金属史学术会议论文集》，1993 年 10 月。

找矿法已相当成熟。

利用风化矿找原生矿，以赭找铁法最为著名。《管子·地数》记载，山上有赭者，其下有铁。《山海经·中山经》载："中有美赭……其阳多金，其阴多铁。"古人以赭找铁的方法是符合地质规律和矿物学理论的。赭是一种红色土状赤铁矿，赤铁矿受地表大气、水和生物等长期作用而风化，所以山表的赤铁矿变成赭，其表层下因风化程度较弱，仍为赤铁矿。湖北鄂州、大冶及河南舞阳的先秦铁矿遗址中皆有此类铁矿床。

共生矿找矿法。多种金属矿物共生在同一个综合矿体是我国金属矿床的普遍特征，利用这个特征，可从已发现的一种矿物来预测地下赋存的另一种矿物。战国时期，人们已认识到许多矿物共生的规律并总结出一套找矿方法，其中，《管子·地数》和《山海经·五藏山经》对不同矿种的上下关系记载得最详细。归纳起来可分为五种：山上有磁石，其下有铜金，是铁铜共生。山上有陵石，其下有铅、锡、赤铜，是铅、锡、铜共生。山上有铅，其下有银，是铅银共生。山上有银，其下有丹，是银汞共生。山上有丹砂，其下有黄金，是汞金共生。古人总结的上述找矿规律，大体上符合现代矿床的矿物分布理论，被现代地质学证实基本是正确的。

先秦时期，对于覆盖层较厚的隐伏矿体，一般运用工程探矿法。浅坑法，往往与露天开采结合起来，挖浅坑探矿，有矿即采，无矿即停。为了减少废石的排土量，往往在坑底再掘竖井，与井探相结合。浅井探矿法，探矿用的竖井一般比采矿井的断面小，仅容一人上下。这种方法可揭露基岩，直接观察到矿化及地质状况，较为准确。为了有效地发挥工程探矿的作用，古人往往又将井探与巷探组合在一起。探槽法，找矿工匠采用细长的探槽工程揭露掩盖层，然后用浅井和短巷组成联合探矿工程，其优点是可在地下按矿脉的可能部位随时进行横向或纵向的勘探，使工程探矿运用自如。

除了地质找矿法和工程探矿法，还有植物找矿法。生物界存在一种找矿植物，人们利用它们的生长特性和植物体内矿物质含量作为标志来进行探矿。一些植物在生长发育中特别需要某些矿质元素，常于某种金属元素含量较高的土壤中生长。植物体内呈现某种含量较高的元素，则对该元素有一定的指示意义，这也成为人们寻找重要矿藏的有效依据。长期生长在含有某种矿物的矿区的植物，形态上表现出一定特征。如某些植物被放射性物质辐射后，其生长发育状态会出现明显改变，或提早发芽，或果实硕大，人们可据此进行探矿。从大冶铜绿山等长江中、下游一带产铜区都有海州香薷生长的情况推测，古代劳动人民利用海州香薷寻找铜矿是有可能的。

找到并确定矿藏之后，就要使用采矿工具进行开采。在已经发掘的楚地矿冶遗址中，可以看到各种各样的采矿工具，主要是以铜、铁、木为原料制成的斧、锛、锤、錾、凿、钻等，同时出土的装运工具有木锨、木铲、竹筐、木钩、绳索、木扁担等，以及木制提运机械构件，如绞车、滑轮等。[1]春秋中期以前，采矿工具以青铜器为主，兼有部分木石器具，青铜工具的重量较之前增加，凿岩效率提高。春秋晚期开始，采凿工具中的石器仍在使用，但铁制工具全部代替了铜制工具，而且发明了高强度韧性铸铁件采掘工具。我国采矿用的铁制工具已知最早的是大冶铜绿山长方形直銎铁质锛头。战国时期，铁制工具，如锛、谷、锄、锤、耙、四棱铁錾等（图 4–8），都大量使用起来。值得注意的是，至战国时期，湖北铜绿山、江西铜岭、湖南麻阳的矿井中再未发现木制铲、楸。铲矿工具改用了铁柄耙、六角形等形状的铁锄。由此可见，铁器出现后，矿山铲矿工具已有质的变化。

---

① 黄石市博物馆：《铜绿山古矿冶遗址》，文物出版社，1999 年，第 57—136 页；刘诗中、卢本珊：《瑞昌市铜岭铜矿遗址发掘报告》，江西省文物考古研究所等主编：《铜岭古铜矿遗址发现与研究》，江西科学技术出版社，1997 年，第 72—73 页。

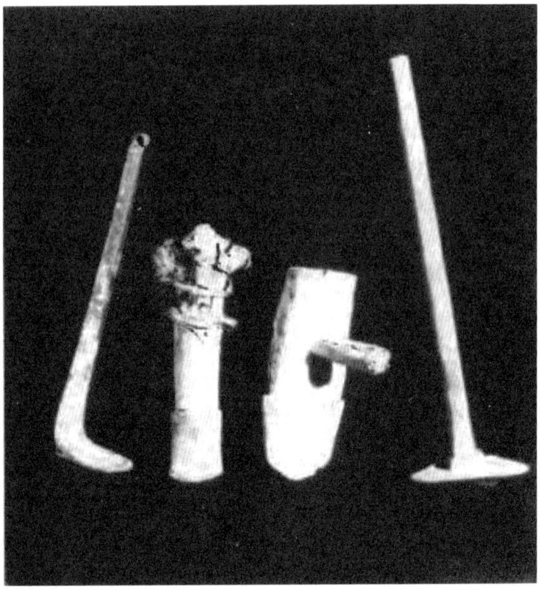

图 4–8 铜绿山出土的采矿工具[①]

铜绿山出土的多件大型青铜斧中，最重者 16.3 千克。在考察这类大斧时，发现其刃尖一侧都磨损得特别厉害，这种情况只有斧作弧线甩动时才会出现。

人们推测该型斧采用挂式操作，由两人同执斧柄把手，向后拉起大斧，利用斧下落的惯性用力撞击岩面。这种斧使用起来爆发力强，冲击功大，是一种威力很大的采掘器。这种铜斧的出现，是春秋凿岩技术的一项重要成果。除大型铜斧外，矿场内还曾经一次出土十几件小型铜斧，每件平均重 3.5 千克。经分析，铜斧含锡达 6.25%，并含少量的铁、锌等元素。而铜绿山矿本身是钢铁共生矿，此类铜斧应当是本地冶炼的铜所铸成的。

采矿的方法主要有露天开采和地下开采两种。[②] 人们一开始都是露

① 采自卢本珊:《铜绿山古代采矿工具初步研究》,《农业考古》1991 年第 3 期。

② 卢本珊:《中国商周采矿技术》,《中国科技史国际学术讨论会论文集》，科学出版社，1992 年，第 139—144 页。

天开采矿石，露天开采的优点是矿藏资源利用充分，回采率高，贫化率低，但需剥离大量废石。为了减少剥离工作量，有效地采掘地层深部的矿石，矿工依据地形和矿体赋存特征，采取以地下开采为主的矿区开发方式，即开凿窿道，进行系统的山地工程。我国最迟到商代就开始了地下开采。从铜绿山古代露天采场的分布范围来看，大都在经氧化的铜矿体露天部分，很少出现在铁帽区域。铜绿山早期露采的规模较小，到春秋时期出现规模较大的采坑，挖掘深度增大，且在坑底两侧转入地下开采。（图 4–9）

图 4–9　铜绿山采矿场井巷[①]

先秦时期，地下联合开拓程序一般为：露天采矿场底部→竖井（或斜井）→中段平巷→盲竖井（或盲斜井）→平巷（或采矿场），随着采矿技术的进步，井巷开拓深度、广度以及井巷断面尺寸等方面有了新的突破，井巷布置更为合理，相互间的联系更为紧密，且发展到了联合开采。

① 采自黄石市博物馆：《铜绿山古矿冶遗址》，文物出版社，1999 年，第 57—136 页。

铜绿山采矿场的井巷多是纵横交错，层层叠压，有的地段平巷叠压了三层，其间都有一个或一个以上的竖井相连。利用若干条平巷围绕竖井成组布置，是该遗址的地下联合开拓特点。古代工匠在掘进过程中，通过几个竖井在矿体中拓展平巷，平巷的底部又开掘盲井，继续向下采掘。今揭露的一组井巷中，不足60平方米的范围内，竟发现了7个盲井。盲井之间的距离多在2米左右，有的几乎是紧挨在一起，反映出古代工匠利用多采幅竖分条（在剖面上）和多条巷道（在平面上），以最大限度地切割矿体。另外，古人还在废巷中充填废石，以减轻采空区的压力，增强采掘工作的安全系数。

铜绿山战国时的井巷联合开拓已具有相当规模。在100平方米范围内，就有5个竖井和11条平（斜）巷。斜巷从上层斜穿至矿层底部（第三层）。平巷分布在斜巷的南、北、西三面，分上中下三层布置。从24线采矿遗存可见，所有竖井都是分若干井段通向地面的，即从地面往下分数段掘井，每掘筑一段竖井，就挖一层斜巷或平巷，每段竖井口都装有绞车，逐级提运完成上下运输任务。斜巷和平巷的作用不同。斜巷斜穿至底部便于边采边向下追踪探掘富矿；平巷主要是便于向上回采，即先将已采得的矿石在井下现场进行初选，然后把贫矿和废石充填进采空区，而将精选出的矿石提运到地面上来。这样，既可以有选择地进行开采，使出窿的矿石品位较高，又可以减少提运量。所以掘井是为了拓巷采矿，井巷必然相通。有的竖井是三面严密封闭，一面与巷道通连。铜绿山J3井底为水仓，水仓中发现木水桶20余个，第二层的水槽通过平巷伸进J3的马头门内，说明当时已有专门提升排水的副井。从铜绿山24线战国矿井开拓系统（图4-10）来看，其地下联合开拓方式已不再是春秋时期的那种小井短巷，而发展到相当大的规模。[①]

① 铜绿山考古发掘队：《湖北铜绿山春秋战国古矿井遗址发掘简报》，《文物》1975年第2期；中国社会科学院考古研究所铜绿山工作队：《湖北铜绿山东周铜矿遗址发掘》，《考古》1981年第1期。

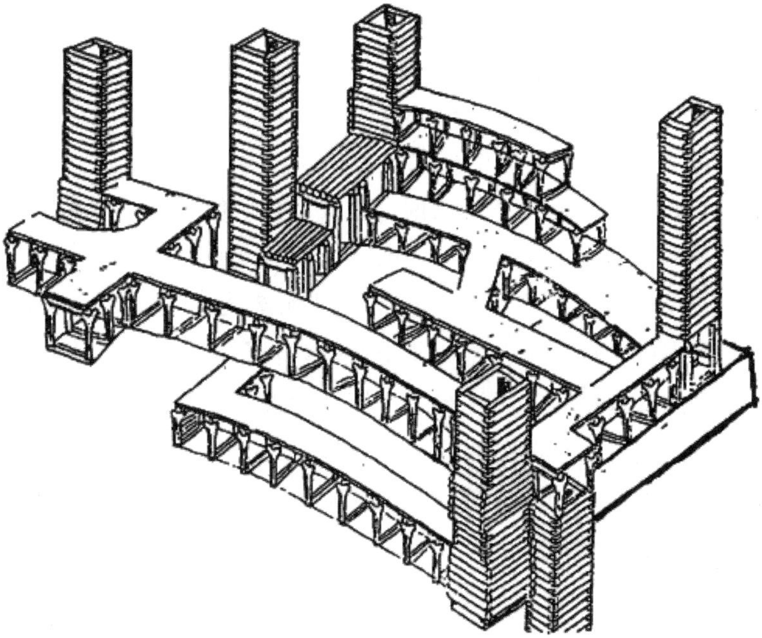

图 4-10　铜绿山 24 线战国矿井开拓系统复原图[①]

在采矿技术上，除上述诸方面外，地下治水、通风、照明技术也是十分重要的。[②]在矿山开采过程中，当矿井挖到潜水面以下时，常常要遇到排水的问题。为适应地下大规模联合开采的需要，人们采取了一整套行之有效的治水措施，其中主要包括排水和堵水（防水）。排水通道主要有两种，一是排水巷道，二是排水槽。排水巷道主要是利用废弃的巷道作排水渠道。排水槽则是另外开拓的较窄的排水平巷，巷底面和沟帮贴木板拼成木水渠，沿平巷一侧设置木水槽。堵水之法常有两种：一是用方框支柱充填法填充采场使其涌水量减少；二是用坑木和黏土封闭涌水的巷道。排水工具主要有：桶、葫芦瓢、半圆形水槽、带系撮瓢。井下通风主要还是依靠自然通风。在铜绿山，为改善深部采场的通风条

① 采自韩汝玢、柯俊主编：《中国科学技术史 · 矿冶卷》，科学出版社，2007 年，第 99 页。

② 韩汝玢、柯俊主编：《中国科学技术史 · 矿冶卷》，科学出版社，2007 年，第 108—110 页。

件，有些地段的采场采用了人工通风法。方法一是人造气温差环境，在井底烧火，造成井底负压，形成空气对流；方法二是构筑屏障，以遮断风流和控制风量，将新鲜风流导入作业点。井下照明，主要使用以植物油为燃料的灯和短时间照明的火把。

采到矿石之后，进行冶炼之前，还要进行选矿工序。选矿就是将有用矿石与其他物质分离出来，除去或降低有害杂质，获得所需要的原材料。除手选矿石外，还有重力选矿法（即淘洗选矿法和溜槽选矿法）。先秦时期重力选矿法，是在水介质中按矿物岩石粒料的比重差异进行选分的方法。淘洗选矿法的工序分为分层、分带、分离等。溜槽选矿法工序分为准备、选分、产品处理等。① 铜绿山遗址出土的淘洗选矿法工具有淘洗船、淘洗盘、淘洗筐等；溜槽选矿法设备为溜槽。铜岭出土的重力选矿设施有尾砂池、滤水台。

二、冶炼

人们最早冶炼的金属是铜。这是因为铜在自然界分布较广，且熔点较低。除了天然铜之外，铜矿主要有氧化型铜矿和硫化型铜矿两类。从考古遗存来看，楚地冶炼使用的矿石基本上都是氧化型铜矿石，这是由楚地的地质特点决定的。大冶铜绿山、阳新港下和瑞昌铜岭等古铜矿所开采的都是孔雀石、黄铜矿、黄铁矿、斑铜矿、辉铜矿等铜铁氧化矿物。

楚人之所以开采氧化型铜矿并用以炼铜，主要是由当时的科学技术条件所决定的。氧化型铜矿石可以在炼铜竖炉内用木炭冶炼，直接还原出金属铜；而硫化型铜矿石则要经煅烧变成氧化型铜矿石之后再在竖炉中用木炭进行还原冶炼。更重要的是，硫化型铜矿石燃烧的过程会产生大量的二氧化硫、三氧化硫等腐蚀性很强的有害气体，不仅对煅烧设备要求很高，而且对人体健康也甚为有害。而且，冶炼过程中硫化型铜矿

---

① 卢本珊：《商周选矿技术及其模拟实验》，《中国科技史料》1994 年第 4 期。

石的脱硫率无论如何都低于 50%。所以，楚国人在炼铜时所采用的一般都是氧化型铜矿石。

古人炼铜用的燃料是木炭。考古发掘显示，在大冶铜绿山 4 号炼铜炉旁堆积有厚约 3 厘米的木炭屑，面积约 0.16 平方米；在铜绿山 6 号炼铜炉东北沟门外地面上堆积的木炭屑厚 0.5 厘米左右，面积约 4 平方米。经鉴定，这些木炭是“质硬、火力较大的栎木炭”[①]。用栎木烧制出的木炭，质地紧密、热能高，为炼铜提供了优质的能源。当时人们用来炼矿的原料还有铁矿石。在大冶铜绿山 10 号炼铜炉旁的坑内堆有经过加工、粒度比较细而均匀的铜铁矿石和粒度较大的褐铁矿石。这些铁矿石可能是筑炉用料，用来降低炼铜时炉渣的黏度，使排渣顺利，保证冶炼工作的顺利进行。当时人们采用铁矿石作为冶炼时的熔剂，主要是由铜绿山的矿体性质所决定的。铜绿山是一处铜铁共生矿体，无论矿工在采矿和选矿时多么细心，铜矿石中混入铁矿石都不可避免。采用含有铁矿石的矿料冶炼时，炼铜竖炉中炼渣较稀、流动性好并且排渣也较容易。受到这种现象的启发，人们发现了这种铜铁配矿技术。

炼铜使用的炼铜炉由炉基、炉缸、炉身三部分组成，整个炼炉形似竖立的腰鼓。[②] 从大冶铜绿山遗址出土的遗存来看，炼炉的构筑方法是：在较高的平整地面上，用红色黏土和铁矿石混合料夯筑一个直径约 1.6 米、厚约 0.2 米的炼炉基底，其中夯筑拱形通道，平面呈“T”型。通道称风沟，炉缸架设在风沟之上，确保炼炉的炉温和防止炉缸冻结。在炼炉炉缸长轴的两端有一个鼓风口，鼓风口呈直筒状，内径 5 厘米。两个鼓风口从炉缸长轴的两端对称送风，使得送风比较均匀，利于铜的冶炼。鼓风工具目前尚未发现实物。据研究，铜绿山炼铜炉从炉缸底至炉顶的高度一般为 1.5 米左右，并具有一定的炉腹角和护身角（炉壁与水平面形成的夹角），炉身角一般为 85° 左右。炉身的内倾是技术上的重

① 韩汝玢、柯俊主编：《中国科学技术史 · 矿冶卷》，科学出版社，2007 年，第 587 页。

② 黄石市博物馆：《铜绿山古矿冶遗址》，文物出版社，1999 年，第 145—156 页。

要创造，能使炉气分布均匀，改善矿石的还原和换热过程，节约燃料并能延长炼炉的寿命，它是炼炉发展史上的一大进步。经过推算，这些炼炉的平均容积为 0.3 立方米，一炉可装矿石 200 千克，木炭 60 千克。一炉产粗铜 40 至 45 千克，造渣 162 千克。按照一昼夜生产八九次来算，每天可产铜约 350 千克，在 3 号炼炉的遗址中出土的粗铜块，很可能就是该炼炉冶炼出的产品，经过化学分析，其中铜的含量已达 93.32%，按照现代要求，粗铜中铜的含量一般为 92%—95%，两千多年前铜绿山的冶铜工匠们所炼出的粗铜完全符合现代标准，足见其产品的质量是很高的。

从大冶铜绿山出土的炼铜竖炉等遗物来看，当时冶炼工作是连续进行的。不连续生产是不可能炼出大量的铜，也不会遗留下那么多炼渣的。连续冶炼的重要前提之一是配矿技术，各种原料的配比不合适，就不能达到合理的渣型，而铜矿石的熔炼实质上就是熔炼炉渣的操作过程。

人们除了大规模炼铜之外，还进行过大规模冶铁。冶铁和炼铜的原理基本相同，都是将一种矿物，在还原气氛（如木炭）下加热，通过加热时的化学反应得到金属。楚人在冶炼的时候，使用铁矿石作为原料，在高温下（1000℃左右）煅烧，并与木炭发生还原反应，炼成块炼铁。块炼铁结构疏松，呈海绵状，孔隙中夹杂有矿石本身存在的氧化物，含碳量很低，性质柔软，不适利用，被称为“恶金”。块炼铁可在一定温度下锻造成型或同时借反复锻打挤出夹杂的氧化物而变得更为坚实，以制成器物。楚人不仅使用块炼铁制造器具，还在加热锻造过程中使块炼铁与炭火接触，碳渗入铁中，使其增碳硬化，成为块炼渗碳钢，用于制作兵器和工具，其性能或可赶上甚至超过青铜。

在块炼铁技术出现的同时，生铁冶铸技术也出现了。块炼铁与生铁冶炼所用的原料、燃料都是相同的，主要差别是冶炼温度。在冶炼过程中，铁矿石在一定温度下（1200℃左右）与还原剂（木炭及其燃烧产物一氧化碳）接触，就可以逐步地还原出金属铁。纯铁的熔点为 1534℃，还原生成的固态铁吸收碳之后，熔点下降。含碳量达2%时，熔点为1380℃；含碳量达4.3%时，熔点最低，为1146℃，可以得到液态生铁。早期生产的生铁主要是白口铁，性脆而硬，铸造性能好，但强度不够，为了克服白口铁性脆、易断的弱点，楚国的冶铁工匠们发明了将白口铁柔化退火处理的技术，即采用较高的退火温度和较长的退火时间。在用退火方法改善白口铁脆性的基础上，若将铸件重新加热到900℃或稍高，进行较长时间的退火，可以使白口铁中的渗碳体分解为石墨，石墨聚集成团絮状，可以得到韧性铸铁。韧性铸铁克服了生铁性脆、易断裂的缺陷，增加了强度和韧性，大大地增加了铁器的使用寿命，使生铁制造生产工具成为可能。①

三、铸造

铸造是将金属熔炼成符合一定成分要求的液体并浇进铸型里，经冷却凝固、清整处理后得到有预定形状、尺寸和性能的铸件的工艺过程，是人类较早掌握的一种金属成型工艺。中国古代的铸造技术依据制型材料不同可分为：石范铸造、泥范（陶范）铸造、金属型铸造、失蜡法铸造、砂型铸造等。②楚人立国较晚，地处“蛮夷”之地，前期的铸造技术要落后一些。考古资料证明，在西周中期以前的楚墓或楚遗址中很少有青铜器出土。后来楚人的青铜器制造技术逐步得到发展，不仅将范铸法发扬光大，还发明了失蜡法等新的技艺。

泥范铸造法是先秦时期铸造的主要方法，也是楚人使用最多的一种范铸技术。泥范是用经过筛选的黏土和砂配制，经过缓慢阴干、烘烤而成的。泥范技术是在制陶技术的基础上发展的，若焙烧温度高时，泥范接近陶质，所以泥范亦称陶范。泥范所用范料以黏土和石英砂为原料，掺入少量植物质，用水调和均匀而成。黏土大都就地取材，在湿态时具

① 韩汝玢、柯俊主编：《中国科学技术史·矿冶卷》，科学出版社，2007年，第599—601页。

② 韩汝玢、柯俊主编：《中国科学技术史·矿冶卷》，科学出版社，2007年，第631—724页。

有极好的可塑性、可雕性及复印性，易于制作、修整、组合与装配。范料中加入细砂是用以提高耐火度，增加强度。加入含有植物硅酸体的物质可改善泥范的透气性，降低泥范的蓄热系数，使其具有较好的充型能力。泥范的范料大致要经过下列处理工序：原料精选（原生土、植物体、熟料）、配料、练泥、陈腐、制范。其中练泥的作用是使泥料的组成、结构均匀，可塑性和密度得以提高，使之不易分层或开裂。经过练泥的范料，要在一定的温度和湿度下放置一段时间，这个过程称为陈腐。范料经过陈腐后，可提高各向均匀性和强度，减少变形。这样得到的范料就可以满足翻制各种铸件的需要。泥范法按组成铸范的数量可分为单合范、双合范、复合范。用1块有型腔的范与另一块平面范组合为单合范，用于铸造简单器物。2块均有型腔的范组合为双合范，镞、矛、戈、戟等兵器的铸造多用此范。3块以上外范及范芯组合为复合范，用以铸造鼎、爵、钟等形制复杂的器物。泥范多数情况下仅能用一次，也有可以多次重复使用的半永久性泥范。

泥范法又分为浑铸、分铸、焊铸及嵌铸（铸镶）四种方式。浑铸是把结构复杂的铸件分解为若干部分，各部分分别制作成单元泥范，再将若干件单元铸范组合为整个器物的铸范，一次浇注而成器，也就是分范整铸法。分铸（铸接工艺）是把金属铸件分为先铸件和后铸件，把先铸件放到后铸件的铸范内，当浇注后铸件时，两者铸接为一体。焊铸是指铸件上的附件与主体用焊料结合。嵌铸是把铜器上欲设置的纹饰，预先用红铜制成纹饰片放置在铸范上，浇注铜器时红铜花纹片嵌铸在器物表面上，构成红铜纹饰。曾侯乙墓出土盥缶表面的红铜纹饰就是用此法铸成的。

失蜡法是古代金属铸造工艺之一。最迟在春秋晚期，楚地的铸造工匠已熟练地掌握了该技术。[①] 其原理是用蜡料制成与铸件相同的模，外敷造型材料，成为整体铸型，干燥后加热将蜡化掉，形成整体无分范面

① 华觉明、郭德维：《曾侯乙墓青铜器群的铸焊技术和失蜡法》，《文物》1979年第7期。

的空腔铸范，再将金属液浇入，凝固后脱除外范（壳型），即得铸件。蜡模制作工艺大体分为贴蜡法、拨蜡法。贴蜡法是指先从实物翻制分块的黏土模型，在模型内面贴蜡，制成蜡芯，然后卸去黏土模型，将蜡芯修成蜡模。若器物表面饰有浮雕纹饰，则先在木板上绘制图案、镂刻纹样，后用蜡片在木板上压印出花纹，分别贴在型芯上，再将蜡片接缝处修整，即可得蜡模。此法也可称为剥蜡法，多用于制作形状规则、花纹整齐，需求量大的器物。拨蜡法仅用手和手工工具（俗称压子）将蜡料压、捏、拉、拨、塑、雕成形而制成蜡模。这是利用蜡料良好的可塑性。蜡模形状全凭铸者雕塑，完全不受能否起模的限制，这是此种工艺的特点。先秦时期的失蜡法以拨蜡法为主。

古代的金属货币均是用铸造的方法制作，钱币铸造是我国古代金属铸造行业的一个重要组成部分。[①] 主要流行于楚国的叫蚁鼻钱，又称“鬼脸钱”，是用青铜铸造的有文字的贝形货币。[②] 这是一种长 1.5—2.1 厘米，宽 0.8—1.3 厘米，厚 0.2—1.0 厘米，重 3—5 克的青铜块。外形一面平整，一面凸起，凸起的一面一般都铸有文字。蚁鼻钱是一种定量货币，在交易中是以个数计算的。早期蚁鼻钱是采用陶范制出的，这会导致蚁鼻钱的外形、尺寸、重量等差别较大，为克服这些不足，楚人后来便采用金属范制造蚁鼻钱。

从考古材料来看，楚人除了会对铜、铁进行加工外，在黄金加工工艺上也独树一帜。黄金本身质软，展延性大，可以拉成极细的丝，捶成极薄的片。出土的楚国黄金制品中，既有铸造成型的金饼、金版和各种器物，也有捶打成型的金箔、拉制而成的金丝。

---

① 董亚巍、郭永和：《浅谈中国古代金属货币的制造加工技术》，《江汉考古》2004 年第 4 期。

② 赵德馨：《楚国金属货币币形》，《江汉论坛》1983 年第 5 期。

第六节 髹漆

新石器时代末期，我国劳动人民已经能够制造漆器，而且是彩绘漆器，显示出当时的漆工艺已有一定的水平。楚国的髹漆，可以说是我国自新石器时代以来漆器制造技术的继续。漆树一般分布在海拔 300 米至 2300 米的地带，以海拔 400 米至 1500 米之间的丘陵及河谷地带为多，楚人生活的地区恰能满足漆树生长对自然环境的要求。从古代文献记载也能看出，楚人所生活的山区中生长着很多野生的漆树。楚人拥有丰富的生漆资源，这是楚国漆器产生和发展的基本条件之一。楚墓中出土的漆器也证实了楚人对漆器的喜爱，不仅数量多，而且使用范围广，其用途可以说已经深入当时社会生活的很多领域。楚国人在多个方面大量地使用漆器，既扩大了漆器的使用范围，同时也推动了漆器的生产与发展。[①] 楚国漆器胎的质地有：木、夹纻、陶、皮、竹、金属、丝麻等多种，基本上具备了与现代漆器相同的胎质品种。楚国漆器的装饰技法也有多种，除了普通的素面漆器之外，彩绘、描金、贴金、镶嵌等装饰工艺也已经开始使用，特别是透雕、浮雕等工艺与髹漆的结合，使得楚国漆器造型优美、形象生动，具有很高的艺术价值。

一、制漆

制漆就是将天然的漆液进行人为加工，实质上这是一个漆化学问题。漆是漆树韧皮层中分泌出来的一种液体，人们切割漆树韧皮层来采集漆液，这就是“割漆”。[②] 刚刚“割”出来的漆液是乳白色的，在空气中被氧化，颜色逐渐加深，这种未经过任何加工的漆液一般称为生漆。生漆虽然可以直接使用，但髹饰效果不好，一般均要进行加工精制，这个工序称为制漆，其产品称为精制漆。由于加工的方法、用料等有区

① 后德俊：《试论楚国漆器大量出土的原因》，《中国生漆》1982 年第 1 期。

② 王性炎：《中国古代的割漆技术》，《经济林研究》1985 年第 2 期。

别，漆还有各种不同的类别和名称。

从目前出土的楚国漆器来看，楚人使用的漆主要有三种类型：未经任何加工精制的原生漆、进行过脱水加工的精制漆以及与油类并用的精制漆。

生漆含水分较多，用生漆制成的漆膜，色泽、透明度等都比较差，性硬且脆，所以一般用于漆器木胎的粘接和某些器物背面的涂刷，而很少用于器物表面的装饰。

将生漆加热，可以去除一部分水分。楚人采用晒、煮等加热方式制漆，俗称晒漆、煮漆。这种制漆方式至今仍是民间工匠们常采用的方法。含水量6%—8%的白漆，叫推光漆。研究表明，生漆在加热脱水的过程中，主要成分漆酚中的各种基团相互之间都会发生化学反应，进行聚合作用，此时得到的漆液实际上是一种高分子聚合物。这种漆形成的膜在亮度、色泽、韧性等方面都比生漆要好，特别适宜于制造黑漆。现代的黑色推光漆的制造仍是采用这种方法。从出土漆器漆膜的色泽、透亮度来看，楚国漆器中用这种方法制作黑色漆膜的占有相当的部分。因为采用这种方法制出的黑色纯正、庄重，在未进行推光工艺之前，亮度较差，因而更显得古朴。在这种黑色漆膜上进行彩绘，越发显出彩绘鲜艳，即所谓"生成天质见玄黄"。江陵楚墓中出土的耳杯，就是在这种漆面上进行朱绘。

目前已经出土的楚国漆制品中，彩绘漆器占有很大的比重。[①]这表明，楚国的漆工艺中，已经采用了多种颜色的"色漆"。根据现代髹饰工艺的经验，凡是黑色或深色的主要用漆，要描绘浅淡鲜艳的花色时，必须用油。楚国的工匠们彩绘白、蓝、绿等花纹时，已在漆料中加入植物油。加入油的漆现被称为"油性大漆"。漆料中加油基本上有两种方法：一种是生漆直接加入熬制好的植物油；一种是生漆部分脱水后再加入熬制好的植物油。由于配方及操作方法的差异，它们又常常被称为

① 李如森：《战国秦汉漆器综述》，《史学集刊》1987年第4期。

“广漆”“金漆”“赛霞”“朱合漆”等。至于楚国漆工艺中用的是什么油，目前一般认为是“荏油”。

楚国制漆技术，无论是生漆的脱水还是植物油的熬制，都可以看成我国古代漆化学的萌芽。特别是油漆并用工艺的产生，是髹饰工艺的一个重大发展，它标志着原始的涂料工业从单一材料向复合材料的进步。

二、制胎

漆器胎体，也叫作胎骨、胚胎、胚地、器骨，是承受漆的物体。按照质地一般分为：木胎、夹纻胎、皮胎、竹胎、陶胎等。楚国漆器的胎体中占绝对多数的是木胎。这是因为木材易得，且比较容易雕刻成型。楚国漆器木胎的制法主要有斫木成型、镟木成型、卷木成型以及雕刻、拼接等。它们有一个共同的特点：胎体的表面都加工得比较平整，很少见到凹凸不平的现象。

斫木成型，就是将整块的木料通过砍、削、挖等工序制成所需的形状。如耳杯，大多数就是采用整木块，先将内空部分挖制成型，然后再砍削其外形。

镟木成型，主要用于一些胎体较厚的圆形器物，如圆盒、木尊等。在这类器物的外表面上，有时可以发现呈圆形的镟制加工的痕迹。楚国镟制木胎的机械实物至今尚未发现，其原理和使用方法可能与现在民间使用的木制镟床类似。

卷木成型，就是将木板卷起来之后做成器物的胎体。如奁、卮等器壁一般都是这样制成的。由于制作薄而均匀的长条形木板以及将木板卷成均匀的圆筒状需要具有较高的木工加工技术水平，变挖制为卷制，不仅节省了木料、工时，同时也使制出的器物显得轻巧美观。卷木成型制胎工艺是木工技术向精、细加工方向发展的结果之一。

在楚国木胎漆器胎体的制作中，采用透雕、圆雕及浮雕工艺加工成型或再进行拼合制作成器物的方法比较复杂。[①] 主要有两种：一种是先将木料加工成器物形状的粗坯，然后在坯料上进行雕刻。如雕花板、漆瑟等就是采用这样的工艺。另一种是先用不同大小的坯料，分别雕成各种器型，然后再将它们用粘接、榫接等方法拼接在一起，组成一个完整的器物。如虎座飞鸟、彩绘木雕座屏等，它们的胎体就是采用这些方法加工成型的。这些制胎工艺与陶器中的镂孔、铜器中镂空和浮雕等工艺可能存在着密切的关系。

夹纻胎漆器即“脱胎”漆器。夹纻胎是采用苎麻纺成的织物为主要原料制成的一种漆器胎体，它具有轻巧及在气候变化时不容易变形及开裂等优点。苎，是麻的一种。[②] 苎麻纤维比较柔软，适于制造纺织品。苎麻，在《说文》中称为“苎”，《诗经·陈风》中记载，“东门之池，可以沤麻”，“东门之池，可以沤苎”。所谓“沤麻”“沤苎”，就是将刚砍伐的大麻或苎麻放在水池中浸泡一段时间，利用微生物发酵来除去麻纤维中的胶质，使麻纤维疏松并易从麻秆上剥离下来。“夹纻”可能是指两种意思：一种指夹纻胎是采用多层苎麻布，层层涂布漆灰，然后表面髹漆制成的，等于用漆灰和漆将苎麻布夹在中间的意思。另一种指，这种胎体采用了多层苎麻布，夹纻是指多层纻布。

夹纻胎漆器在制作工艺上的主要步骤是：在预先制好的模具上先薄涂一层漆灰，然后在漆灰上铺织物，织物上再涂漆灰，按此反复操作一至数次，等干燥后去除模具，再进行表面磨光、髹漆、彩绘。夹纻胎厚度薄，胎体轻，制出的漆器就显得轻巧美观。同时，夹纻胎采用纺织品和漆灰为原料制成，在气候发生变化时，膨胀或收缩程度也比较小，因此，夹纻胎漆器的外形稳定。

皮革具有轻巧、柔软、易于成型、不易开裂等特点，是制造甲胄的

---

① 张飞龙：《中国古代漆器制胎技术》，《中国生漆》2005年第1期。

② 古代种植的麻主要有两种：大麻和苎麻。我国是这两种麻的原产地，所以国际上也将大麻叫“汉麻”，把苎麻叫“中国草”。大麻纤维比较粗硬，易于制造绳索等。

好原料。但皮革有怕潮湿、外表不美观的缺点，所以楚国人在制作甲胄时要对皮革进行髹漆，即所谓的“漆甲”，这些皮革就是皮胎。我国最迟应该在商代就有了漆甲。由于甲、盾是战争中的防身武器，而坚韧的牛皮，特别双层牛皮制成的合甲，对于防护当时以青铜为主要材料的武器的进攻是很有效的，所以楚人常用牛皮来制造甲盾。长沙楚墓出土的彩绘皮盾和漆甲，它们的胎体就是用牛皮制成的。从出土的皮胎漆器来看，制胎时曾做过较为细致的整形工艺，后经裁剪、打孔、刮漆灰、髹漆及彩绘而成。

楚国的竹胎漆器以竹编织物最为精致，是楚人日常用品之一。目前出土的楚国漆器中的竹编织物，是采用髹红、黑两色的细篾片编织而成的，出土时颜色还很鲜艳。[①] 竹胎漆器的制作过程应是这样的：削制篾片——髹色漆——编织成形。

三、髹饰

调制好油漆，制作好漆器的胎体，就要将油漆涂到胎体上并进行修饰，这就是髹漆工艺。从出土的漆器来看，先秦时期楚人髹漆的过程与现代基本上一样，主要分打底、上漆、彩绘（或装饰）三个步骤。[②] 也有不经打底直接上漆的。从装饰工艺上看，楚人的漆器彩绘，大多数还处于“绘画”的范筹，即所谓“漆画”或“描漆”。楚国漆器的彩绘主要是线条画与平涂画相结合，这种画法可能是从青铜器上的平块花纹和线条纹饰发展而来的。

楚国漆器的髹饰工艺中最具有特色的是描金、针刻和金属镶嵌。

描金也叫金髹。具体操作中，一般是金银同时采用，所以现代人又称之为“描金、银漆装饰法”。一些大中型楚墓中出土的漆器上较多见到这种装饰，这是由于黄金的昂贵。出土的楚国漆器中还有一种贴金装

① 陈振裕：《楚国的竹编织物》，《考古》1983 年第 8 期。

② 郭德维：《我国先秦时期漆器发展试探——兼论曾侯乙墓漆器的特点》，《江汉考古》1988 年第 3 期。

饰，它是用漆作粘接剂将金箔贴在髹饰好的漆面上。这也属于金髹的一种，它与描金有相似之处，只不过描金用的是金粉，贴金用的是金箔。

针刻是在已经髹好的漆面上用针或其他尖利的工具刻画出细如发丝的花纹线条，与漆器的彩绘相似。但“针刻”不是用色漆来描绘花纹，而是用刻出的阴纹来表现花纹的，在刻出的花纹内也可以填上不同的色料，从而显示美丽的图案。针刻漆器，在楚国的出土漆器中数量很少，这种工艺可能属于一种新工艺。从工艺原理上看，针刻中也包含着雕漆、填漆、论金等工艺的萌芽。

扣器是金银嵌漆器的早期形式。它把一种金属圈安放在漆器的口沿部分，即扣在上面，最初可能主要是用于加固，但镶上金属后，漆器显得富丽美观，后来就发展成一种独特的漆制品。这种工艺方法可能是在错金银青铜器制造方法的影响下产生的。

楚人的铜器髹漆工艺也是独树一帜的。在青铜上髹漆大致有两种作用：第一是改变金属的外观，使青铜表面从单一的亮青色变成鲜艳的彩色，从而更形象地表现出器物的细部结构。第二是防止金属的锈蚀，这说明了天然漆的使用范围扩展到了一个新的领域——金属防腐。

楚国漆器不仅仅是在制造工艺方面取得了令人瞩目的成就，而且在器物造型、装饰图案、绘画等方面形成了自身特点。楚国劳动人民正是通过这些表现方式，来反映生活、表达理想，从而成就了内容极为丰富的“漆器文化”。

第七节　其他科技

先秦时期，生活在荆楚大地上的人们除了在天文历法、水利建设、冶金、髹漆等方面独树一帜，在其他领域诸如数学、建筑技术、玻璃工艺等方面也成就卓著。

一、数学

在远古时代，人们出于计数与测量的需要，采用了“结绳记事”与“左准绳、右规矩”的原始数学方法，产生了算术与几何的经验与知识。在长期的生产生活实践中，数学得以逐步积累与发展。

先民们在生产活动中受到启发，发明并使用十进制计数法。[①]人们在各自的环境和条件以及习惯下形成多种多样的记数方法和记数系统，交流和进行公共管理等方面的需要使得一种共用的记数法成为必须，以十指为基础的十进制计数法，大概是远古中国各部落采用较多的记数法。除十进制外，先秦时期还有一种干支记数法。它主要用来记时。干就是天干，即甲、乙、丙、丁、戊、己、庚、辛、壬、癸十个符号；支是地支，即子、丑、寅、卯、辰、巳、午、未、申、酉、戌、亥十二个符号。[②]天干可能来源于原始历法。干支搭配形成60种组合。干支记日法是一种序数记法，它与60进制有关，但不能算作60进制。楚人的祖先所擅长的天文观测和历法计算都离不开数学，他们完全可能在从事天文历法活动的实践中见证或者影响了数学的发展。

先民们还发明了算筹作为计算工具。算筹起源很早，有算、筹、策（或筴）、筹算、筹策（筴）、算子等名称，它是一种长条形物品，一般用竹或木制作，也有用象牙或骨制的。算筹按一定的方式摆放可以很方便地表示任意的自然数，并可用以进行四则运算。在楚地战国墓葬考古发掘中，已经多次发现了算筹实物，可见楚人很擅长使用算筹进行数学运算。[③]

在具体的数学运算中，先秦的人们使用算筹做加减法，面对比较复杂一些的乘除运算时，要经常使用到“九九”乘法表。“九九”乘法

---

① 邹大海：《中国数学的兴起与先秦数学》，河北科学技术出版社，2001年，第36页。

② 陈久金：《天干十日考》，《陈久金集》，黑龙江教育出版社，1993年，第59—75页。

③ 严敦杰：《中国古代数学的成就》，中华全国科学技术普及协会，1956年，第3页；张沛：《出土算筹考略》，《文博》1996年第4期。

表起源很早，从文献中的记录来看，最迟西周时已经出现，现存最早的“九九”表可见于清华大学图书馆藏的楚简中。[①]根据《韩诗外传》等传世文献记载，“九九”算表在春秋早期已经是家喻户晓的常识。

有了十进位值制、算筹工具和九九乘法表，任意整数的乘除运算就迎刃而解了。数学运用到更具体工作中的实例，如《左传·襄公二十五年》载：“芀掩书土田，度山林，鸠薮泽，辨京陵，表淳卤，数疆潦，规偃豬，町原防，牧隰皋，井衍沃，量入修赋。”这里需要调查统计、测量计算各种土田的情况和数量，包括山林的、薮泽的各种资源，水利河防及相应的田土、盐碱地、干湿土壤、各等井田等的情况和数量，这些调查统计需要用四则运算、测量、比例算法等多种数学方法。“辨京陵”即分辨山势的高低，可能还要用测望技术。

算法式数学发展并达到它第一个高峰时，数学还出现了一种新动向——理论思辨倾向。[②]它较为关注抽象的概念及其间的联系，注意与数学推理相关的逻辑方法和思想。在楚国，哲学促进了数学的发展。楚国哲学是以老子、庄子为代表的道家哲学。《老子》中提出了一个最高范畴“道”，并描绘了一种宇宙演变图式：由“道”这一宇宙的本源衍生分裂出世界无穷的事物，这一无穷演化过程没有尽头，不会完结。庄子继承和发展了老子的学说，对“无穷”这一哲学概念——同时也是数学概念，作了更为深刻、辩证的论述。《庄子·天下篇》中给出了一个论断：“一尺之棰，日取其半，万世不竭。”这是中国算学史上第一个无穷小数列。道家的无穷思想对中国后世的数学产生了深远的影响。三国时期给《九章算术》作注的刘徽认为，用无穷多个圆内接正 n 边形去分割逼近圆这一无穷过程可以完结，由此来计算圆的面积，在此基础上建立了他超越时代的极限思想。南北朝时期的祖冲之父子继承和发展了刘徽的“割圆术”，求出了比刘徽确定的圆周率 $\pi=3.14$ 更精确的结果：

① 邹大海：《清华简〈算表〉学术研讨会在清华大学举办》，《中国科技史杂志》2014 年第 2 期。

② 邹大海：《中国数学的兴起与先秦数学》，河北科学技术出版社，2001 年，第 218—445 页。

3.1415926<π<3.1415927，并推导出正确的球体积公式。这些成就比其他文明同样的工作至少要早一千年。

二、玻璃工艺

玻璃是现代生活中无法或缺的必需品，它的出现至今已有数千年的历史，远在3000多年前，古埃及人就能制造玻璃。随着中国境内考古发掘的开展，楚地出土的古玻璃实物越来越多，有学者提出了我国的古玻璃可能是自发自产的观点。[①]

目前考古发现的玻璃制品相当部分是从楚文化范畴的墓葬中发掘出来的。由于先秦时期的楚墓常常有夯实的填土、密封的膏泥层以及厚实的棺椁等多层保护，加上玻璃制品本身稳定性强，因此，尽管这些玻璃制品比较小、性脆，也能较为完整地保存到现在。这些出土玻璃制品中最早的为公元前5世纪的遗物，大部分为公元前4世纪及公元前3世纪前半叶的遗物。统计考古发掘资料发现，以湖南省长沙为中心的“南楚”一带，出土的玻璃制品无论是品种还是数量在楚墓中都占首位，超过了以江陵为中心的楚国腹地。出土玻璃制品的楚墓中不仅有大、中型墓葬，更有许多小型墓葬，说明玻璃制品受到各阶层百姓的喜爱和广泛使用。

玻璃制品总是与同类型的玉石等质地的器物一起出土。这些出土的玻璃制品以不透明和半透明者占绝大多数，完全透明的器物几乎没有。这种情况似乎表明，当时的楚国玻璃制品的功能类似于当时的玉石等，很有可能是玉石等质地器物的代用品。除“蜻蜓眼”式玻璃制品外，楚墓中出土的玻璃制品大都是具有楚地风格的产品，例如具有典型楚地风格的玻璃剑饰、玻璃印章、玻璃璧等。对近百个样品进行分析测定得知，从化学成分上看，楚墓出土的玻璃制品，均属于硅酸盐玻璃的范畴。从富含氧化铅、氧化钡来看，这类玻璃又称为铅钡玻璃，是我国古

① 后德俊:《谈我国古代玻璃的几个问题》,《江汉考古》1985年第1期。

代玻璃制品中独具特色的一种。毫无疑问，这些玻璃是在中国制造的，因为 19 世纪以前在世界其他地方完全不知道这类组成[①]，而在西方含大量氧化铅的古玻璃中，从没有发现这样高的氧化钡含量。

需要特别注意的是曾侯乙墓出土的“蜻蜓眼”式的玻璃珠。其中一件绿色料珠，从化学成分上看，除二氧化硅外就以钙和钠为主，几乎不含钡、铅。这件玻璃珠在产地上曾经引起了学者的激烈争论。有学者认为，阿拉伯产玻璃珠以钙和钠为主，中国则是以钡、铅为主要成分，故它是阿拉伯产的玻璃珠。还有学者认为，该玻璃珠的钙和钠含量高是因为楚人使用了硝石（主要成分为硝酸钾，硝酸钾含钠元素），而西方玻璃珠含钾是中世纪的事情，故该珠极有可能是楚人自己制造的。[②]

河南省固始县侯古堆夫差夫人墓中出土的“蜻蜓眼”式玻璃珠，是属于二氧化硅、氧化钠、氧化钙类型的玻璃，无论是外形还是化学成分都与西方古代玻璃珠基本相同，应为从西方传入中国的产品。

发掘资料表明，“蜻蜓眼”形式的装饰图案，除在春秋战国时期的玻璃制品上出现过之外，没有在其他的出土文物上见到过。同时，楚地制造的玻璃制品上出现“蜻蜓眼”装饰是从战国时期开始的，也就说这种装饰风格不是楚地固有的。这表明，最晚在战国初期，西方的玻璃制品已经传入楚地，并为楚人所喜爱，楚人利用自己的技术与本地的资源仿制出了大量的“蜻蜓眼”式的玻璃制品。

从考古发现和有关的文献记载，并联系上述楚地出土玻璃制品的情况，可以看到：西方玻璃制品首先是通过商业贸易及文化交流传到印度等南亚地区，再通过民间往来辗转地经过缅甸等地进入中国、传到楚地，其线路即南方丝绸之路；或是西方的玻璃制品首先传到印度等地，然后通过海上贸易，经东南亚的马来半岛、越南等地，传到中国的东南沿海地区，进而传到楚地，其线路即海上丝绸之路。

---

① 赵匡华、周嘉华:《中国科学技术史 · 化学卷》，科学出版社，1998 年，第 55—67 页。

② 后德俊:《楚国制造玻璃问题试探》,《中原文物》1989 年第 4 期。

第五章 思想与学术

东周是中国古代社会秩序变动的重要时期，王室式微，诸侯兼并，私学趁势兴起，乃至政治与经济、思想与学术等都发生巨大变动，形成诸子百家争鸣的局面。与北方诸侯势均力敌和裂土而治的政治军事格局相比，南方楚国一枝独秀，通过兼并弱小诸侯国逐渐走向统一。为躲避战乱和宫廷斗争，中原民族南渐加剧，他们为南方带来先进思想文化与科学技术，在民族的大交流大融合中，逐渐构建出大中华广土巨族的雏形。南下民族和江汉土著民族在漫长的文化演进过程中相互滋养，最终形成了与中原文化既有联系又有差异的荆楚思想与学术，在历史长河中熠熠生辉。

第一节 楚地思想和学术概述

在楚国始祖鬻熊受封前后，周在荆楚大地上还相继分封了许多诸侯国，使得大量的中原文化因素在楚地萌芽扎根，与南方文化相互滋养。楚国的思想和学术一方面吸收中原文化的精髓，另一方面融合本土文化的营养，形成了一种“亦华亦夷”的荆楚文化，其衍生出的道家思想独树一帜，楚辞奇幻瑰丽。楚地优渥的自然条件和高度发达的政治经济让“诸子百家”纷至沓来，到楚地讲学、游说，传播思想理念。战国时期，楚国兰台一度成为与齐国“稷下学宫”齐名的学术中心。

一、楚地思想与学术的来源

任何伟大思想和学术都不可能凭空而生，楚国的思想和学术亦是如此。楚国思想学术上的蓬勃发展与其对先祖文明的传承密不可分。张正明先生认为："楚文化的主源可推到祝融，楚文化的干流是华夏文化，楚文化的支流是蛮夷文化。"[①]楚国思想和学术受这三者影响极大。

其一，祝融部落农业文明的传承。楚人思想与学术源头可以追溯到楚人先祖——祝融部落集团，这是民族发展所留下的文化痕迹。

《史记·楚世家》和《国语·郑语》都提及楚人先祖为祝融，祝融八姓，芈姓一脉实为楚人。楚人先祖的官职与观象、授时、祭祀等活动密切相关，《国语·郑语》记载祝融在高辛时为火正，能"淳耀敦大，天明地德，光照四海"，楚人为祝融的后裔，或许拜日崇火的风俗就由此而来。这样的思想也蕴藏在后世楚国的学术著作中。《离骚》开篇"帝高阳之苗裔兮"之高阳，传统说法认为是人名。张正明先生认为："高阳为夏人所尊崇，是炎帝的古称。称高阳也罢，称炎帝也罢，都是太阳神的化身。"有学者认为高阳是天上初升的太阳，体现太阳崇拜。[②]因此，正是由于楚人开启了太阳、星象的思考，才有了《楚辞·天问》中"天式从横，阳离爰死"的句子。

楚人思想学术的来源除了与先祖祝融有关，还与殷商祭祀思想有关。入商之后祝融集团的发展并不顺利，受到商王朝的压制，尽管如此，祝融各族长期生活在商王朝的政治统治和优势商文化之下，在文化上必然与商较为一致。殷商文化中宗教气氛极为浓烈，在殷人的统治下，楚人文化思想也必然受到殷商巫鬼文化的强烈影响。商代晚期，芈姓季连部族还曾与商王族联姻，部族中必然有较深厚的商文化传统。到了西周，他们对周王室还有了与祭祀有关系的义务，齐桓公伐楚的理由中，有一项便是"尔贡包茅不入，王祭不共，无以缩酒"。除此之外，楚重巫鬼、好祭祀的传统也成为思想学术上创作发挥的源泉，无论是《离骚》中的巫咸降神，还是《招魂》里的巫阳下招，都是深受巫鬼文化影响的产物。

---

① 张正明：《楚文化史》，上海人民出版社，1987年，第26页。

② 李炳海：《祖宗谱系神话的遗失和疏离》，《绥化师专学报》2003年03期。

商人崇拜玄鸟，所谓“天命玄鸟，降而生商”，鸟崇拜习俗或许正是由商人习俗进入芈姓季连部族，芈姓部族发展成为楚国后，商人的鸟崇拜发展为凤鸟崇拜，形成了有楚人特色的文化符号。这一文化符号对楚国后世的学术思想有极大的影响。楚人喜欢以凤喻人，论述学术思想也经常以凤为例阐述道理。楚庄王曾言“三年不蜚，蜚将冲天；三年不鸣，鸣将惊人”，自喻为鸟，这鸟实际上与凤无异。不仅如此，屈原所创作的诗歌中亦有许多凤凰的意象。如《离骚》云：“凤凰翼其承旗兮，高翱翔之翼翼。”又云：“鸷鸟之不群兮，自前世而固然。”“吾令凤鸟飞腾兮，继之以日夜。”《涉江》：“鸾鸟凤皇，日以远兮。”《怀沙》：“凤皇在笯兮，鸡鹜翔舞。”等等。

其二，受中原文化的影响。对中原文化的吸收和借鉴是楚国文化能够迅速发展的重要原因之一。楚国虽然号称“我蛮夷也，不与中国之号谥”，但实际上对中原文化的学习和吸收一刻也没有停止，中原的文献典籍和礼仪规范甚至成为楚国贵族必学之内容，《国语·楚语上》记载楚国太子授课的主要内容：“教之《春秋》，而为之耸善而抑恶焉，以戒劝其心；教之《世》，而为之昭明德而废幽昏焉，以休惧其动；教之《诗》，而为之导广显德，以耀明其志；教之《礼》，使知上下之则；教之《乐》，以疏其秽而镇其浮；教之《令》，使访物官；教之《语》，使明其德，而知先王之务用明德于民也……”太子要学的有《春秋》《世》《诗》《礼》《乐》《令》等典籍，此外还有许多实际的礼仪与行为规范课程，如“威仪以先后之，体貌以左右之，明行以宣翼之，制节义以动行之，恭敬以临监之，勤勉以劝之，孝顺以纳之，忠信以发之，德音以扬之”。一方面可知楚国王室的教材有《春秋》《世系》《诗》《乐》等，另一方面可知楚国也十分看重中原的礼法制度。显然，楚国王室希望子女学习并掌握中原的思想文化体系，并以此为基础治理国家。

此外，据《左传》记载，楚人无论是在国与国聘问、会盟上，还是在国内议政时，都能显示出较高的中原文化修养。《左传·襄公二十七年》记载，楚人的薳罢到晋国盟会，受到晋国国君的宴飨，他将要离开晋国时，赋《既醉》。此种举动得到了晋国叔向的高度评价。此外，楚灵王要修筑章华台，楚臣无宇劝谏时就引用了《小雅·北山》中的诗句。

楚国的思想与学术蕴含了许多中原文化的因素。楚人留下的著述，因为既有浓厚的楚民族风俗，又有中原文化底蕴与内涵。然而，我们既不能简单说中原文化因素是楚文化核心，也不能说楚地特色仅是楚文化的外表，两者水乳交融，不可分割。

其三，对蛮夷文化的吸收。商末以后，芈姓季连一支南迁进入楚地，吸收学习了楚地诸多部落的文化因素。蛮夷文化对楚地思想与学术的影响虽不如中原文明和祝融部落农业文明那么深刻，但也不可忽视，《史记》载楚人受封前就“或在中国，或在蛮夷，弗能纪其世”。后来，芈姓虽然在西周初期受封为子男，仍常被排除在中原正统体系外，多被视为“蛮夷”。但楚人对此并不在意，还常以蛮夷自诩。

西周之初，楚人被分封在丹阳，随后“辟在荆山，筚路蓝缕，以启山林”，楚人“建国于楚蛮之地，不可避免地要受楚蛮影响，西周晚期时又主动与楚蛮打成一片，则楚国在文化上当会受到楚蛮的影响”。[①]故此，蛮夷文化对楚国文化影响较大。在长期岁月里楚人都与荆楚地区的蛮夷混杂相居，还出现过楚国国君“甚得江汉间民和”的景象，所以楚文化能杂糅吸收蛮夷文化的特色并不奇怪。楚人与楚文化在这片土地发展壮大，使得“蛮夷皆率服”，并成为这片土地的主宰。

楚人被认为是蛮狄，在中原人的眼里，楚人是否吸收了蛮夷文化的因素是一个不必讨论的话题。后世楚人的浪漫、奔放、率性等人文性格，即与蛮夷文化有关。《穀梁传》说：“荆者，楚也。何为谓之荆？狄之也。何为狄之？圣人立，必后至；天子弱，必先叛。故曰荆，狄之也。”从传统中原文化的角度上看，以武力征服他人无疑是蛮夷的行为。

---

① 刘玉堂等：《楚蛮与早期楚文化》，《湖北大学学报（哲学社会科学版）》2010年第1期。

二、南方思想和学术交流的中心

春秋至战国晚期，楚国国力强盛，文化繁荣，在诸国当中有极大的吸引力。这一时期“百家争鸣”的局面形成，各家学派都渴望能实现政治上的理想。楚国凭借较为优越的基础条件，不仅使得诸子百家接踵而来，还吸引没落贵族奔楚隐居，很快成为南方思想与学术交流的中心。这一现象并非偶然，是在多方面因素共同作用下逐渐形成的。

（一）南方思想和学术交流中心形成的原因

首先，生产力的进步与“百家争鸣”局面的形成，为各国招贤纳士的风气提供了时代背景。春秋战国时期正处于社会历史的大变革阶段，铁器牛耕的使用推动生产力进步，进一步把人从劳作当中解放出来。随着物质生活日渐富足，人们更加重视精神方面的创造和探索。这一时期，各个学派悄然兴起，代表不同阶级、不同国家、不同政治势力的学者，根据自己的理解开始对世界起源、对万事万物、对社会秩序作出不同的解释，同时提出了不同的政治主张。他们纷纷开派立说，主动传播政治主张，渴望自己的政治理想得以实现。因此，诸子百家游说各国，著书立说的风气日渐浓厚，成为一股不可小觑的力量。同时，楚国在这一时期称霸一方，安定的环境和优越的物质条件促进了其在文化上的进一步探寻。他们不愿只满足于生活上的富裕，开始追求精神上的富足，从而给予了思想学术生根发芽的土壤。

其次，兼收并蓄的文化特质是南方学术中心形成的重要条件。楚国立国以来，一直秉承着“抚有蛮夷，以属诸夏”的传统，学贯南北的人文习性与开疆拓土、海纳百川的国运态势相结合，使得楚人长期习惯于汲取新增疆域和周边地方的文化营养。《列子·说符》记载，鲁国施氏之子因为好兵法，到楚国之后，楚王十分高兴，并让其担任了“军正”的职位。但是施氏的邻居孟氏凭借兵法武功到卫国谋取官职，不仅没有成功，反而被卫国国君砍去双腿再送回鲁国。此处可见两国之区别，楚人虽然尚武，且国力远远比鲁国强大，但并没有因为自己强大而轻视鲁人施氏之子的兵法武功，反而任命其担任要职，人尽其才。楚人除了尚武，对道德修为和价值取向也十分重视。晋楚邲之战后，楚国大胜，楚臣潘党想让楚庄王修建“京观”，以显示楚国之武力，庄王却拒绝了他的提议。庄王说：“非尔所知也。夫文，止戈为武。武王克商。作《颂》曰：‘载戢干戈，载櫜弓矢。我求懿德，肆于时夏，允王保之。’又作《武》，其卒章曰：‘耆定尔功。’”（《左传·宣公十二年》）在这里，庄王不仅仅提出了止戈为武的思想，同时还引用时代经典《诗经》中的句子来证明自己的观点。另外，春秋时期，各国之间的盟会十分频繁，楚人在盟会上的表现亦十分突出，不仅言辞得当，还能赋诗言志，足以显示楚人重文之风。

楚地贵族墓地中出土的大量竹简，足以证明楚人对知识的喜爱。如，郭店出土的竹简当中有儒、道两家的文献；上海博物馆所藏楚简内容更为驳杂，包含了儒家、道家、兵家、杂家等学派的文献，更是楚国思想学术上吸纳百家、兼收并蓄的力证。以上种种，不难看出楚人在尚武的同时也重文，这显然是楚人思想与学术上兼收并蓄的文化特质。

最后，楚人对各派学说的重视和利用以及对人才尊重的风气，是南方学术中心形成的主观因素。楚悼王时期，任命法家学派的吴起为令尹，开始对楚国进行变法改革。经过变法后，楚国“使私不得害公，谗不得蔽忠，言不取苟合，行不取苟容，不为危易行，行义不辟难，然为霸主强国”（《史记·范雎蔡泽列传》），在军事上取得了巨大成功。

多数楚国贵族、大臣也较为重视人才。《史记·春申君列传》云“春申君客三千余人，其上客皆蹑珠履以见赵使”，可以看出春申君门客不仅多，而且享有极高的待遇。有学者统计“春秋时楚国的客卿凡可考者有 20 人”[①]。由此可见，楚国上层对外来人才十分尊重。

楚重视人才，并非说楚未曾有不尊重人才的问题，也并非说楚国就未有人才流失的现象，相反，楚国也是人才流失较为严重的国家。康

① 罗运环：《论楚国的客卿制度》，《武汉大学学报》1990 年第 3 期。

王末年至昭王时期，楚国政治较为黑暗，王位更替频繁，权贵斗争暗流涌动，致使许多人才受到排斥而流失到晋国、吴国、越国等地。这一时期，楚国流失人才最著名者有伍子胥、范蠡、文种等，他们投奔吴越，直接推动了吴王阖闾、越王勾践成就霸业。在伍子胥帮助下，吴师入郢，楚一度有亡国之危；范蠡、文种则帮助勾践兴越灭吴，雪会稽之耻，领一时风骚。

《淮南子·道应训》还记载了这样一则故事："墨者有田鸠者，欲见秦惠王，约车申辕，留于秦，周年不得见。客有言之楚王者，往见楚王。楚王甚悦之，予以节，使于秦。至，因见予之将军之节，惠王见而说之。"这个故事在《吕氏春秋》中亦有记载。田鸠是墨家学派的学者，在秦国三年都未能见到秦王，但是楚王却对他欣然见之，听取意见。田鸠见了楚惠王之后发出了"不识道之可以从楚也"的感叹，由此可见楚国礼贤下士风气之影响。楚王对人才从来不会吝啬钱财、官职，愿以高官厚禄聘请有识之士来楚国。楚威王就曾想用重金聘请庄子，并许诺让他做宰相。此外，荀子也曾在楚国担任兰陵令。甚至楚威王还"学书于沈尹华"（《吕氏春秋·去宥》），楚国国君求贤若渴的态度使得诸子百家能纷纷活跃在楚国政治舞台之上。

另外，王子朝奔楚之事对南方思想学术中心的形成也有重要影响。公元前 520 年，周景王去世，王室动乱，内斗不休，四年后，"王子朝及召氏之族、毛伯得、尹氏固、南宫嚚奉周之典籍以奔楚"（《左传·昭公二十六年》），即周王室的典籍有许多被带到了楚地。直到公元前 505 年，王子朝被杀，他在楚地生活有十一年，其间对当地的文化发展应该有所贡献。而他所带的典籍有一部分有可能散落在楚地，所以《左传》中有"天子失官，学在四夷"（《左传·昭公十七年》）的说法。

（二）儒、墨等北方学术流派在楚国的传播

诸子百家是对春秋战国时期学者、学派的总称，大大小小有十余个学术流派，其中又以儒家、道家、墨家三家之学术体系最为系统，对后世影响深远，且这三家都在楚国有过重要的学术活动。儒家、墨家虽然

是北方的学术流派，但是两家学者为了“寻求‘治国平天下’的良策，纷纷南下楚国，以遂‘兼济天下’之愿”[①]，儒、墨两家在楚国的大地上生根、发芽，在楚国思想与学术史上留下了光辉的一笔。

1. 儒家学派在楚国的传播

儒家对楚国学术思想有重要的影响，从孔子开始，儒家学派就在楚国有所活动。孔子“游楚”的经历，可以算是儒家学派在楚国流传的开端。孔子晚年周游列国，长居南方，到过楚国，楚昭王甚至以高规格接待孔子，“以安车象饰因宰予以遗孔子焉”（《孔子家语·记义》），还想“将以书社地七百里封孔子”（《史记·孔子世家》）。

孔子在南方居住时，与楚人叶公、白公交往甚密，谈论政治。叶公名为沈诸梁，是楚国名臣，曾平定白公之乱而担任楚国令尹兼司马，因其食采于叶邑，故又名叶公。《史记·孔子世家》曰：“孔子自蔡如叶，叶公问政，孔子曰：‘政在来远附迩。’”孔子认为，为政的道理在于招纳远处贤能而使近人归服。《论语·子路》中还记载了一则故事：“叶公语孔子曰：‘吾党有直躬者，其父攘羊，而子证之。’孔子曰：‘吾党之直者，异于是，父为子隐，子为父隐，直在其中矣。’”这里便是叶公与孔子谈论应该如何审理案件，两人的意见不一致，之后叶公想再次与孔子见面却错过。但是，我们可以从后面叶公的行为知道，孔子的思想对叶公有一定影响。根据《庄子》记载，叶公出使齐国时，担心自己所谋之事若成功会遭楚国国内的人嫉妒，若失败会被责备，于是向孔子请教。孔子先以君臣父子之理告诉叶公：“子之爱亲，命也，不可解于心。臣之事君，义也，无适而非君也，无所逃于天地之间。”（《庄子·人间世》）即强调君臣、父子之间的伦理是天地之间不可违背的道理。后来，孔子又告诉叶公安心做事即可，他说“为人臣子者，固有所不得已。行事之情而忘其身，何暇至于悦生而恶死？夫子其行可矣！”（《庄子·人间世》）叶公应该听从了孔子之言，接受了孔子的思想，不仅把叶这个

① 徐文武、邹时雨：《楚国的“反儒”与“兼儒”思潮》，《文史博览（理论）》2011 年第 3 期。

地方治理得井井有条，还平定了楚国的白公之乱，立下赫赫功绩，这亦可视为践行君臣之礼的行为。

继孔子之后，儒家诸多弟子不约而同南下，形成了北方儒学在楚国传播的又一次高潮。韩非子认为孔子以后儒家可分为八派，即子张之儒、子思之儒、颜氏之儒、孟氏之儒、漆雕氏之儒、仲良氏之儒、孙氏之儒以及乐正氏之儒，其中既有孔子嫡传的“七十子”，又有“七十子”再传后学，他们极有可能都在楚国有过学术活动。

孔子弟子中，有证据表明曾在楚国活动过的有子张、曾参、漆雕开、子宫、澹台灭明等。据《史记》载，孔子死后，其弟子游居各国，其中“子张居陈”，子张在陈国居住的第二年，陈国就被楚国灭国，后来成为楚国的陈县，所以子张应该居于楚国境内。相传曾子是在楚地开始跟从孔子学习的，根据《孟子》中的记载曾子还有楚国游历的经历，《韩诗外传》中说他“尝南游于楚，得尊官焉”。曾子的弟子乐正子春到了楚国，深得楚王重视，成为令尹子春。[①] 漆雕开是蔡国人。当时蔡国实际上是楚国的附庸，后来被楚国灭国。《孔子家语》记载子路“亲殁之后，南游于楚”。子贡相传“为信阳令”，有楚国为官的经历。澹台灭明后来也在楚国活动，《史记·仲尼弟子列传》：“澹台灭明，武城人，字子羽。少孔子三十九岁。状貌甚恶。欲事孔子，孔子以为材薄。既已受业，退而修行，行不由径，非公事不见卿大夫。南游至江，从弟子三百人，设取予去就，名施乎诸侯。”又，《史记·儒林列传》云“澹台子羽居楚”，可见其曾在楚国居住、传道。儒家中较为有影响力的荀子也曾两次入楚为官，《史记·春申君列传》载“春申君相楚八年，为楚北伐灭鲁，以荀卿为兰陵令。当是时，楚复强”，后来荀子虽然被免，但又复为兰陵令。有学者还认为《荀子·赋篇》可能与楚国的巫术文化有关系，显然荀子不仅居于楚国传播学术，同时也受到了楚国文化的影响。

① 马承源主编：《上海博物馆藏战国楚竹书（八）》，上海古籍出版社，2011 年，第 211 页。

楚地出土的简中有大量的儒家文献，从另一个角度证明了儒学南传楚国的史实。郭店简中有大量的儒家文献。李学勤认为，其中的《缁衣》《五行》《性自命出》《成之闻之》《尊德义》《六德》是子思一派的作品。儒分为八后，子思之儒、孟氏之儒在学缘关系上接近，且后世影响较大，并称为“思孟学派”，郭店简的出土让我们更进一步认清楚了儒家在楚国的传播。虽然学者指出郭店简中的篇目也许不能全部认定为是子思学派的作品，但可以看作“孔子、七十子及其后学的部分言论与论文的汇编、集合”[①]。上博简中“发现了很多《孔子世家》和《仲尼弟子列传》中的人物，如颜回、仲弓、子路、子贡、子游、子夏、曾子、子羔、子思等人，有些甚至就是以他们的名字题篇”[②]，其中有一篇《颜渊问孔子》或许与颜氏之儒密切相关。如此种种都足以说明儒家学派在楚国的传播，并且，如此多数量的楚简牍出土在楚地贵族墓葬中，还证明了儒家学派在楚国上层社会有极大的影响力。

另外，还有不少楚人也是儒家学派的杰出弟子，一定程度上证明了儒学在楚国的影响力。《仲尼弟子列传》记载：“孔子传《易》于瞿，瞿传楚人馯臂子弘”，可知楚人馯臂子弘是孔子《易》的嫡系传承者。如今上博简出现了《周易》，可能与馯臂子弘有某种关系。另外，还有与孟子同时代的楚人陈良“悦周公、仲尼之道，北学于中国”（《孟子·滕文公》），其学术水平十分之高，学成后他或在南方开派立说，传授儒学。

2. 墨家学派在楚国的传播

墨家学派作为与儒学分庭抗礼的“显学”之一，也在楚国有较为广泛的传播，有“盛誉流于北方，义声振于楚越”（《吕氏春秋·当染》）的说法。楚惠王时期，墨子就曾到楚国传播其“非攻”思想。相传楚惠王时期，楚国想攻打宋国，墨子听闻后“起于鲁，行十日十夜至于郢”

---

① 郭齐勇：《郭店儒家简与孟子心性说》，《武汉大学学报（哲学社会科学版）》1999 年第 5 期。

② 卫云亮：《楚国儒学研究》，华中师范大学博士学位论文，2014 年。

（《墨子·公输》），劝说楚王和公输班不要攻打宋国。楚惠王最终听从了墨子的劝说，放弃攻宋。另外，墨子也曾阻止楚平王之孙鲁阳文君攻打郑国，“鲁阳文君将攻郑，子墨子闻而止之”（《墨子·鲁问》），墨子一番游说之后，阐明战争是“不仁”“不义”“不利”之举，鲁阳文君心悦诚服，便放弃了攻打郑国的计划。楚惠王末期，墨子还“献书惠王，王受而读之，曰良书也”。之后，楚国大臣穆贺与墨子相谈，其过程是“子墨子说穆贺，穆贺大悦”，可见两人相谈甚欢，穆贺应是认同了墨子的理念。

墨子弟子中也有多人曾游历楚国。墨子弟子耕柱子曾在楚国做官。墨子其他的弟子去探望耕柱子，其“二三子过之，金食之三升，客之不厚”。耕柱子还解释说：“后生不敢死，有十金于此，愿夫子之用也。”墨子赞叹道：“果未可智也。”（《墨子·耕柱》）墨家巨子孟胜为了守义，与弟子死于楚国阳城君的封地：“孟胜曰：‘不然。吾于阳城君也，非师则友也，非友则臣也。不死，自今以来，求严师必不于墨者矣，求贤友必不于墨者矣，求良臣必不于墨者矣。死之，所以行墨者之义而继其业者也。’”（《吕氏春秋·上德》）从孟胜的言语中可以推测两点：其一，阳城君与孟胜的关系是亦师亦友，至少阳城君是接受了墨家的思想与学说的。其二，墨者为了贯彻自己的理想甚至愿意付出生命的代价。

阳城君之外，鲁阳文君也是与墨子及其弟子来往较为密切的楚人之一。“《墨子》中的《耕柱》和《鲁问》两篇中共有六则子墨子和鲁阳文君的对话，其中有五则是墨子向鲁阳文君宣传其‘非攻’思想的，最后一则是子墨子与鲁阳文君讨论何谓‘忠臣’的问题。”[①]墨家的观点除了“非攻”，还有“救守”。“非攻”是反对“大攻小、强执弱”，即反对大国、强国攻伐掠夺小国、弱国。“救守”是“守小国”。[②]

战国时期，楚国成为南方墨学的中心。《庄子·天下》有“相里勤

① 高华平：《“三墨”学说与楚国墨学》，《文史哲》2013年第5期。

② 孙中原：《墨学通论》，辽宁教育出版社，1993年，第247页。

之弟子五侯之徒，南方之墨者苦获、已齿、邓陵子之属，俱诵《墨经》，而倍谲不同，相谓别墨”，这里可见身处南方的墨者与别派已自成体系，成为“别墨”，有“以坚白同异之辩相訾，以觭偶不仵之辞相应；以巨子为圣人，皆愿为之尸”的特点，重名辩。

（三）其他流派在楚国的活动

春秋战国时期，齐国“稷下学宫”人才济济，与楚国兰台之宫呈南北交相辉映之势。《文心雕龙》中说：“齐开庄衢之第，楚广兰台之宫，孟轲宾馆，荀卿宰邑；故稷下扇其清风，兰陵郁其茂俗；邹子以谈天飞誉，驺奭以雕龙驰响；屈平联藻于日月，宋玉交彩于风云。”楚国与齐国并列为南北两大学术交流中心，是为春秋战国时期思想学术史上璀璨的一幕。

宋人惠施是名家学派开山鼻祖，惠施与楚国有千丝万缕的联系。其一，惠施在魏国为政，支持魏国和楚国联合抗击秦国。惠施还曾被魏王指派出使楚国，促进魏楚关系，楚王知道后以郊迎之礼来迎接他。其二，惠施和庄子交往密切，两人曾游于濠梁之上，留下了“子非鱼”的千古对论。惠子死后，庄子感叹道：“自夫子之死也，吾无以为质矣，吾无与言之矣。”（《庄子·徐无鬼》）惠子、庄子两人经常辩论，互相交流，实际上这也是道家学说和名家学派观点上的精彩碰撞。名家在楚国也相继与不同的学派发生交锋，产生出火花。楚国的墨家后期出现了“墨辩”的流派，“邓陵氏之墨”好辩“坚白同异”与名家思想有相似之处。

“农家”也是先秦诸子百家中主要的思想流派之一，农家强调“重耕织”“事农桑”，主张无论贵贱皆应该参加劳动。《吕氏春秋》中，《上农》《任地》《辩土》《审时》四篇农家文章，从文辞上有楚地南方之特点，从内容上看其耕作又与南方农业规律有所契合。战国时期，农家的代表人物许行就是楚国人。许行生卒年月无可细考，是约与孟子同时代之人。他还居楚国之滕文公处，“其徒数十人，皆衣褐，捆屦织席以为食”（《孟子·许行》），儒家学派陈良的徒弟陈相和其弟陈辛还曾自带农具去归附许行。

战国晚期，阴阳家也在楚国有一定影响，出现了南公等阴阳家。《史记·项羽本纪》曰："故楚南公曰：'楚虽三户，亡秦必楚也。'"南公便是楚国人，精通阴阳数术。《汉书·艺文志》中则将南公置于阴阳家之列。楚地是道家起源之地，多好玄谈，又重巫鬼，好占卜，自然而然就成为阴阳家学派的生长地了。

三、楚地思想、学术的特点

（一）兼收并蓄

在思想学术方面，楚人一直保持着兼收并蓄的态度，他们对先进文化采取了积极学习的态度，对落后的蛮夷文化也弃其糟粕取其精华。正是因为有"能够容纳和整合不同思想内容、不同风格流派的学术"[①]的特点，楚文化才迅速壮大，成为中华大地文化上美轮美奂、惊采绝艳的奇葩。

楚人思想学术上兼收并蓄特点的形成，从自然的角度看，"与荆楚的地理位置和居民的复杂性"[②]密切相关。荆楚地处黄河中上游文化与长江中下游文化交流的交通要道上，不仅有与长江流域的巴蜀文化、吴越文化直接交流的区位优势，也有与黄河流域三秦文化、三晋文化直接交流的区位优势，随着中国经济文化重心的逐渐南移，这种区位优势更加彰显。荆楚地区水路纵横，交通便利，适宜人居，北方不少部族迁徙于此处繁衍生息，相互融合，楚民族就此形成、发展、壮大，兼收并蓄的民族精神特质也由此慢慢形成。从历史人文角度看，自古以来，荆楚地区周边方国、部落众多，彼此往来与交流十分密切，攻伐与冲突亦同时并存，在此过程中多元性的价值观逐渐形成。正是多方面原因的结合造就了楚人思想与学术上的兼收并蓄，而这种开放的态度又使得楚文化

---

① 徐文武：《楚国思想与学术繁荣原因初探》，《长江大学学报（社会科学版）》2013年第1期。

② 罗运环：《论荆楚文化的基本精神及其特点》，《武汉大学学报（社会科学版）》2003年第2期。

迅速成长、壮大，兴盛繁荣。

（二）浪漫奔放

浪漫一词在中国古代多指任情、纵意、怠慢，如苏轼“年来转觉此生浮，又作三吴浪漫游”，如今“浪漫”的含义则是西方舶来的概念，多指浪漫主义。在西方，浪漫主义是与现实主义相对立的艺术创作理念。浪漫主义的手法实际上是对现实生活的反抗，强调应关注人的内心世界和个人追求，主张以热烈的想象抒发对未来的追求，注重用奔放的语言表达对理想的渴望，喜欢以瑰丽的想象来塑造完美的空间，表现出一种不甘沦落世俗之中的个人英雄主义情怀。如今，用此种观点审视楚国的思想与学术，浪漫奔放无疑是极为重要的一种特征。

荆楚地区地理环境较为优越，土地肥沃，水源丰富，所以“民生其际，多尚虚无”[①]。楚地思想学术上“浪漫奔放”特征形成的原因与其地理环境的造就密不可分，荆楚的水土，养育了楚人，也滋生出浪漫奔放的思想文化。楚人的思想学术，重神思，多玄妙，只可意会，不可言传，这实际上和浪漫主义强调想象的特点如出一辙。楚人文笔空灵诡谲，意蕴天马行空，创造出了极有审美特色的作品，形成了与中原迥异的风格。

（三）崇尚自然

荆楚地区处于北纬 30° 附近，日照充足，气候温润，这里有着宏伟的高山峡谷，又有着浩荡的江河湖泊，还有着一望无际的肥沃平原，然而鱼米之乡与洪水肆虐并无矛盾，大自然的伟力给荆楚人民带来无限的敬畏。荆楚先民虽然享受着自然带来的滋润，但也面临自然灾难带来的威胁。在荆楚地区奇特的自然地理条件下，楚地先民们不得不在利用自然的同时敬畏自然、尊重自然，尝试着与自然和谐相处，取得自然的庇佑。崇尚自然也是楚国学术与思想的一大特点，甚至“‘自然’一语，

---

① 刘师培：《刘师培清儒得失论》，吉林出版集团股份有限公司，2016 年，第 225 页。

主要见于道家典籍”[①]。

楚人在思想学术上的“崇尚自然”大概有两层含义，第一层含义是字面上对自然的尊重，即对自然事物，包括日月星辰、山川湖海、树木精怪的崇拜与敬意。虽然中原地区也祭祀日月星辰等自然之物，但是很少同楚国一般。楚国将这些自然景物人格化，使得神祇具有人的动作和情感。楚人所创作的文学作品之中，极为重视对自然的描写，对自然之物的刻画从不吝啬笔墨，庄子笔下的自然天地便是如此。随着人类逐渐走出蒙昧，楚人的思想体系中就将原始的自然崇拜转变为带有宗教仪式的活动，这也影响着楚人思考和观察世界的方式。

崇尚自然的第二层含义即指顺应世界万事万物运行的准则。楚先民对自然世界的尊重，衍生出荆楚先哲对于万事万物规律的思考，启发了从自然之物到哲学意义上“自然”的思考。衍生到具体人性上来说是指人的自然追求，即行为上的顺其自然和思想上的以纯真天性为最终目的。

楚人对自由的渴望，对天地之间的思考，对人间社会的理想，或多或少都体现了对自然本性的追求。“崇尚自然”的特质使得楚人在思想与学术上不仅有对人生、社会、世界的严肃探索，还让其蒙上了一层神秘的面纱，可谓意蕴深刻。

第二节　楚地哲人及其思想学术

先秦时期，楚地涌现了许多哲学家，他们在思想与学术上建树颇多，影响重大，为中华文化的形成做出了贡献，给我们后人留下了弥足珍贵的财富。先秦荆楚人的哲学思想，不仅来源于湖北区域的哲人、名人，还来源于生长在湖北区域之外但却是楚国人的哲人，这是由楚国都城郢绝大部分时间处于湖北境内这一性质决定的。道家学派发源于楚

---

① 罗安宪:《论老子哲学中的“自然”》,《学术月刊》2016 年第 10 期。

国，并在楚国壮大，对荆楚地区的学术影响最大。

一、老子及《老子》

老聃姓李名耳，道家学派创始人，世人皆称之老子。老子早年做过周的“守藏史”，晚年进行传道活动。老子著作《老子》，是荆楚哲学和中国哲学的一个高峰。

《史记》称老子为楚国苦县人，其出生地赖乡曲仁里本属陈国，地处今河南鹿邑与安徽亳州之间。相传老子活了一百多岁，即出生于楚庄王一度灭陈之后（约公元前570年以前），卒年于战国之初（约公元前470年后）。老子生活的时间里，陈国多数是以楚的属国乃至一个县而出现的，受到楚文化的极大影响。

相传“老子看到东周王室衰微的形势，便离开东周西去，至函谷关被关令尹喜挽留，著《道德经》五千言，然后出关而去，不知所终”[①]。《老子》哲学思想主要有以下几个方面。

（一）道与德、有与无之论

“道”是世界万物的本原，它“是一个概念，并不是所谓‘物’。它先天地万物而存在，是不可捉摸的东西；它是抽象的，不是具体的。”[②]《老子》以“道”事天，《老子·二十五章》云：“有物混成，先天地生。寂兮寥兮，独立而不改，周行而不殆，可以为天下母。吾不知其名，强字之曰‘道’，强为之名曰‘大’……”《韩非子·解老》云：“道者，万物之所然也，万理之所稽也。……道者，万物之所以成也。”《老子》赋予了“道”形而上的意义，认为它是天地万物存在的总原理。

道之作用是自然产生的，是无意而为之的。《老子·二十五章》曰：“人法地，地法天，天法道，道法自然。”“自然”既指客观规律，也指自然界。由于道为万物之所以生的总法则，故天地间一切事物都要遵循

① 张岂之主编：《中国思想史·上卷》，西北大学出版社，2012年，第77页。

② 童书业：《老子思想研究》，《东岳论丛》1980年第1期。

"道"，遵循其自然规律。道是天地之母，"乃成物所以生之原理，与天地万物之为事物者不同"[①]。这就是《老子·三十七章》所谓的"道常无为而无不为"。

有、无同出于道，世界万物皆出于有、无。道具有有、无的两面特性。一方面，世间万物皆可名，故可谓"有"。但道与世间万物不一样，它不可名，故道具有"无"的特性。《老子·一章》云："道可道，非常'道'；名可名，非常'名'。'无'，名天地之始；'有'，名万物之母。故常'无'，欲以观其妙；常'有'，欲以观其徼。此两者，同出而异名，同谓之玄。玄之又玄，众妙之门。"另一方面，道能生天地万物，有有、无的统一特性。《老子·四十章》云："天地万物生于有，有生于无。"即"道是有与无的统一"[②]。《老子·四十二章》云："道生一，一生二，二生三，三生万物。"

道是无，但非零，非没有。《老子·三十二章》云："道常无名。"《老子·十四章》又云：它仅是"无状之状，无物之象"。它具体存在，但摸不着，看不见，非具体事物的有，其中"有象""有精""有物"。《老子·二十一章》云："道之为物，惟恍惟惚。恍兮惚兮，其中有象。恍兮惚兮，其中有物；窈兮冥兮，其中有精。其精甚真，其中有信。"

老子贵德。《老子》认为，物得于道，谓之德。《老子·五十一章》云："道生之，德畜之，物形之，势成之。是以万物莫不尊道而贵德。道之尊，德之贵，夫莫之命而常自然。"

《老子》中道与德的关系，与《管子·心术》中的道与德关系大致相同，其云："德者，道之舍，物得以生生，知得以职道之精。故德者，得也；得也者，其谓所得以然也。以无为之谓道，舍之之谓德。故道之与德无间，故言之者不别也。"

① 冯友兰：《中国哲学史》，华东师范大学出版社，2000年，第136页。

② 张岱年：《中国哲学发微》，山西人民出版社，1981年，第341页。

（二）阴阳观及宇宙生成

阴阳是中国古代哲学的一对范畴，亦是老子哲学的理论基础。阴阳学说认为，天地间一切事物都存在相互对立的阴阳两面，两者之相互斗争、相互制约，以此推动事物处于相对稳定的动态平衡中。对个体而言，若处于阴阳协调的生理状态，则无病无恙；若阴阳失调，则会处于病理状态。老子认为，“道”（“无”“一”）作为宇宙本原得以化生出万物，阴阳是其中的“媒介”。《老子·四十二章》云：“道生一，一生二，二生三，三生万物。万物负阴而抱阳，冲气以为和。”“‘一’在物的行为上表现为‘冲气’，‘冲气’能‘为和’，能使物阴阳调和也能使物与外部世界保持和谐。”[①]“二”是有、无，亦是阴、阳。所谓阴阳，就是两个相互对立的因子，天地万物就是由它们化合而成的。老子根据阴阳的思想，提出许多矛盾的范畴，如长短、有无、动静、虚实、生死、祸福等，并认为这些矛盾是对立统一的，又可相互转化。《老子·二章》载：“有无相生，难易相成，长短相形，高下相盈……”《老子·五十八章》曰：“祸兮，福之所倚；福兮，祸之所伏。”这里虽然承认矛盾双方的对立与斗争、包含与排斥，但更强调矛盾之间的统一和协调。

《老子》认为“和”是事物保持阴阳动态平衡的根本要求，生命保持内部的稳定也需要“和”，求和是人生长的基本原则和要求。首先，人与自然要保持和谐一致，不要违反相对平衡的自然规律，单极发展只会受到自然的惩罚；其次，人与人应和睦相处，亦即《老子·四十九章》所言“善者，吾善之，不善者，吾亦善之”。做到这些，人类社会就会和谐地、可持续地向前健康发展。“人的思想能够反映自然规律，就能达到天人和谐。”[②]

（三）事物发展变化之两大通则：常、反

“常”具有普遍、永久之义。《老子》认为宇宙万事万物都是发展变

---

① 鄢圣华：《老子旨归》，安徽教育出版社，2013 年，第 265 页。

② 朱清国：《老子本义》，湖南大学出版社，2017 年，第 267 页。

化的，“常”是变化之通则。道有“常道”，德有“常德”。《老子·一章》：“道可道，非常道。”《老子·二十八章》：“常德不忒，复归于无极。……常德乃足，复归于朴。”

《老子》中的“常”还有很多，比如言有无之时，称“道常无名”（《老子·三十二章》）；言处世之道时，称“道常无为而无不为”（《老子·三十七章》）、“取天下常以无事”（《老子·四十八章》）；在言德之贵时，称“德之贵，夫莫之命而常自然”（《老子·五十一章》）；言天下之通则时，称“天道无亲，常与善人”（《老子·七十九章》）。

由此可知，“常”作为世界之通则，世人知“常”，则“明”，能“王”，故长久；不知“常”，则凶。《老子·十六章》：“复命曰常，知常曰明。不知常，妄作，凶。”

老子是可知论者，他认为世界的规律是可以认知的，同时他看见了世界的规律是循环的。知晓规律，就会明白事物如何发展变化，顺应而为，是为“明”。不去认识和掌握客观规律，任意妄为，将给自己和别人带来灾祸。

事物发展变化另一大通则，就是“反”，或称“复”。《老子·四十章》云：“反者道之动。”所谓“反”，是指事物发展变化达到极点，就会走向反面。《老子·十六章》云：“万物并作，吾以观复。夫物芸芸，各复归其根。归根曰静，静曰复命。”《老子·二十五章》又云：“大曰逝，逝曰远，远曰反。”《老子》认为，万物竞相繁衍，循环往复地发展；万物蓬勃地生长，都各自归返它的根上。

“反者道之动”的规律表现在方方面面，如“曲则全，枉则直，洼则盈，敝则新，少则得，多则惑”（《老子·二十二章》），又如“祸兮，福之所倚；福兮，祸之所伏。……正复为奇，善复为妖”（《老子·五十八章》），再如“天之道，其犹张弓与？高者抑之，下者举之；有余者损之，不足者补之”（《老子·七十七章》），还如“物或损之而益，或益之而损”（《老子·四十二章》）。凡此种种，皆是事物变化形成的物极必反通则。

“反”是道与万物共同的规律。“并作”与“复命”的过程，是一切自然社会变化的一般现象，合乎自然规律，才能符合“道”。万物从道中产生，分离即“往”“逝”，但有“往”必有“反”，必有“复”，万物最终返于道，这是因为道是万物之母。道与万物的关系就如江湖与海的关系，《老子》云：“譬道之在天下，犹川谷之于江海。”

（四）无为而无不为：静、弱

老子思想的一大重要主张是无为而无不为，引申到政治领域则是无为而治。《老子·三十七章》云：“道常无为而无不为。侯王若能守之，万物将自化。”《老子·三十八章》又云：“上德无为而无以为，下德无为而有以为。”

老子无为的政治思想理念源自其“道法自然”的宗旨。道“无为”，在自然运行而滋生万物，培育万物，功成弗居，任其相反相成、相因相生而自存自化。《老子·二章》云：“万物作而不为始，生而不有，为而不恃，功成而弗居。夫唯不居，是以不去。”《老子·五十一章》又云：“道之尊，德之贵，夫莫之命而常自然。故道生之，德畜之；长之育之；亭之毒之；养之覆之。”

“无为”是人生修为的表现，其中一个境界是“静”。《老子·十六章》曰“致虚极，守静笃”，静是为了保养人体生生不息的柔和之气，使人心境平和，内外协调平衡，不受外部环境干扰，这就是“无为自化，清静自正”。

老子“无为”思想的另一境界是处“弱”。“弱”一方面表示柔弱，《老子·四十章》曰“弱者道之用”，《老子·七十三章》又曰“勇于敢则杀，勇于不敢则活”。弱则活、强则死，事物过于强大了，就会走向衰弱。若有意造成事物的强大，就违反了道的原则，致使它早日结束生命。《老子·八章》说“上善若水，水善利万物而不争”，由于水不争，“故天下莫能与之争”（《老子·六十六章》）。老子根据其人生的体验，认为“弱柔”之道，是生命成长的必经之途，是天之道。“弱”的另一方面是无知无欲。“幼小的东西虽然是柔弱的，但却是充满生机的，可以在柔弱中壮大起来的，而强大的东西则往往丧失了生机而逐步迈向死亡。”[①]《老子·十九章》云：“见素抱朴，少私寡欲。”《老子·五十五章》：“含德之厚，比于赤子。蜂虿虺蛇不螫，攫鸟猛兽不搏。骨弱筋柔而握固。未知牝牡之合而朘作，精之至也。终日号而不嗄，和之至也……物壮则老，谓之不道，不道早已。”

弱以养生的根本就是恬淡寡欲，不为物扰，亦不自扰。老子根据经验认为，襁褓中的小男孩虽混沌无知，看似弱柔，但元气淳和，精气充足，与天地为一，是最有朝气的，因为他无欲无知，最能达到“婴儿”的境界。如若不寡知无欲，偏偏要纵欲逞强，就会衰老，乃至死亡。老子还把这种思想作了进一步的发挥，《老子·十二章》阐释说“五色令人目盲；五音令人耳聋；五味令人口爽；驰骋畋猎，令人心发狂；难得之货，令人行妨”，认为社会上的五音、五味、五色等各种欲望（特指一些腐朽文化）都会有损于健康。

（五）无为而无不为：俭，去奢

俭，是《老子》思想的“三宝”之一。俭，首先是要“啬”。《老子·六十七章》云：“我有三宝，持而保之。一曰慈，二曰俭，三曰不敢为天下先。慈故能勇；俭故能广；不敢为天下先，故能成器长。”《老子·五十九章》：“治人事天，莫若啬。夫唯啬，是谓早服；早服谓之重积德；重积德则无不克；无不克则莫知其极；莫知其极，可以有国；有国之母，可以长久；是谓深根固柢，长生久视之道。”啬，即吝啬，减少奢侈浪费。老子把“啬”当作“治人”“事天”的重要原则。据此治国（指简政、节俭），则国运长久；据此养身，则长生不衰。

俭，还表现在“去奢”。《老子·二十九章》云：“是以圣人去甚，去奢，去泰。”《老子》的去奢，表现为远离仁、义、礼、智等多余甚至是有害之物，统治阶级更应该戒除它们。有关“智”，《老子·八十一章》云：“知者不博，博者不知。”有关“义”“孝”，《老子·十八

---

① 朱晓鹏：《老子哲学研究》，商务印书馆，2009年，第225页。

章》："大道废，有仁义；六亲不和，有孝慈；国家昏乱，有忠臣。"有关"仁""礼"，《老子·三十八章》云："故失道而后德，失德而后仁，失仁而后义，失义而后礼。夫礼者，忠信之薄，而乱之首。"《老子·五十七章》云："以正治国，以奇用兵，以无事取天下。吾何以知其然哉？以此：天下多忌讳，而民弥贫；民多利器，国家滋昏；人多伎巧，奇物滋起；法令滋彰，盗贼多有。"总之，《老子》认为，以仁、义、礼、智、忠、信治国，是国家、社会混乱，家庭不和之后的表现。只要国家、社会不追求物质欲求，戒奢戒贪，俭朴自然，天下自然太平，六亲自然和睦，仁、义、礼、智等繁文缛节就不需要强调了。

在老子看来，宽而勿察、小国寡民是最理想的政治形态，他认为应该"实行无为而治，尽量减少政府的意志和不必要的干预，使人民与政府相安无事"[1]，《老子·五十八章》云："其政闷闷，其民淳淳；其政察察，其民缺缺……是以圣人方而不割，廉而不刿，直而不肆，光而不耀。"《老子·八十章》又云："小国寡民。使有什伯人之器而不用；使民重死而不远徙。虽有舟舆，无所乘之；虽有甲兵，无所陈之。使民复结绳而用之。甘其食，美其服，安其居，乐其俗。邻国相望，鸡犬之声相闻，民至老死，不相往来。"

老子"俭""去奢"的理论，表现在修身方面就是少私寡欲。老子视其为"重要的养生原则，认为沉溺于声色滋味等感官享受之中，将会大大地损害身体"[2]。具体表现在对于人的"精""气""神"的修炼上：关于养"精"，《老子·五十五章》认为"赤子"无欲而精气充足，《老子·十九章》提出"少私寡欲"。关于养"气"，《老子·十章》载："专气致柔，能如婴儿乎？"即认为修身要集结元气，使人体之气最好能像婴儿一样朝气蓬勃，生命旺盛。关于养"神"，《老子·十章》曰："载

---

① 白奚：《"小国寡民"与老子的社会改造方案——〈老子〉八十章阐微》，《安徽大学学报（哲学社会科学版）》2000年第4期。

② 吕锡琛、刘文杰：《论道家人生智慧的防腐养廉机制》，《华南师范大学学报（社会科学版）》2013年第2期。

营魄抱一，能无离乎？……涤除玄览，能无疵乎？”要求养生要形神合一、心神合一，要涤除杂念，心无旁骛，心如明镜。

（六）无为而无不为：全身避害，反对战争

在面对“名与身孰亲？身与货孰多？”（《老子·四十四章》）的问题时，老子主张生命重于名利，认为只有重视生命的人才会爱惜自己也爱惜别人。《老子·十三章》说“爱以身为天下，若可托天下”，倡导修身、养生是人事业的基础。在探讨修身、养生问题时，《老子·五十章》载：“出生入死。生之徒，十有三；死之徒，十有三；人之生，动之于死地，亦十有三。夫何故？以其生生之厚。盖闻善摄生者，陆行不遇兕虎，入军不被甲兵，兕无所投其角，虎无所用其爪，兵无所容其刃。夫何故？以其无死地。”老子认为，人之生，有的长寿，有的短命，这不决定于个人。但是也有的人本来可以活得长些，却自蹈死地，为什么？是其不善于摄生。所以他特别强调摄生，甚至把善于摄生之人描绘得出神入化。但这种养生不是一般人所理解的“厚生”：花天酒地，奢侈淫逸，或服食药饵以求长生。这种“厚生”恰恰是动之死地。由此可见，老子所批评的“厚生”，是追求物质享受、厚自奉养及餐石服药以求长生的生命观——这种生命观是一种世俗的带有普遍性的生命观。老子的全身避害思想，与其哲学思想精髓“自然无为”是一致的。老子全身避害思想夹杂消极遁世观念，故也被许多人认为是糟粕。

“慈”为《老子》“三宝”之一。以慈和全身避害为思想基础，《老子》反对战争，认为危害人们生命安全的不是兕虎等凶残猛兽，而是带来战争的甲兵，故《老子》认为兵是不祥之物，“仅仅在绝对必要的情况下才能发动”[①]，《老子·三十一章》云：“夫兵者，不祥之器，物或恶之，故有道者不处。君子居则贵左，用兵则贵右。兵者不祥之器，非君子之器，不得已而用之，恬淡为上。胜而不美，而美之者，是乐杀

① ［美］布鲁克·诺埃尔·穆尔、［美］肯尼思·布鲁德著，李宏昀、倪佳译：《思想的力量》（第9版），北京联合出版公司，2017年，第489页。

人。夫乐杀人者，则不可得志于天下矣。吉事尚左，凶事尚右。偏将军居左，上将军居右。言以丧礼处之。杀人之众，以悲哀泣之，战胜以丧礼处之。”

战争是统治阶级多欲和野心的结果，统治阶级往往为满足一己私欲而发动战争，因此要戒除不知足的心态，《老子·四十六章》云：“天下有道，却走马以粪。天下无道，戎马生于郊。祸莫大于不知足；咎莫大于欲得。故知足之足，常足矣。”

战争是不得已的事情，因此不能主动发展战争，战争只能是自卫的行动，《老子·六十九章》云：“用兵有言：‘吾不敢为主，而为客；不敢进寸，而退尺。’是谓行无行，攘无臂；扔无敌；执无兵。祸莫大于轻敌，轻敌几丧吾宝。故抗兵相若，哀者胜矣。”

二、庄子及《庄子》

庄子，名周，是继老子之后道家学派的代表人物，与老子并称“老庄”。庄子学问渊博，一生放荡不羁，崇尚自由而不应楚威王之聘，生平只做过宋国地方的漆园吏，故称“漆园傲吏”。庄子的代表作品为《庄子》，其中的名篇有《逍遥游》《大宗师》等。《庄子》一书在文笔上灵活多变，意蕴深刻，在思想上自由洒脱，想象丰富，是先秦重要的史料典籍之一。

史书对庄子生平的记载语焉不详，故后人很难勾勒出庄子的生平。《史记·老子韩非列传》中称“庄子者，蒙人也，名周”，仅仅记载了庄子是“蒙人”，未指出是哪一国的人。后人的研究对庄子其人属国问题也是众说纷纭。“庄子楚人说”颇受学界重视，宋代以来，学界不少人认为庄子为楚人。朱熹说：“庄子自是楚人，……大抵楚地便多有此样差异底人物学问。”（《朱子语类》）“庄子宋人说”亦有一定影响力，不少学者持此种说法。庄子究竟是何国人，今人恐怕难以追溯。

从现有传世材料来看，庄子与楚国、楚地有着密不可分的关系，其书中大量的事例与楚国有关。《庄子》中仅记载“楚国的人与事就有近

50件，占其总数的40%以上”[①]，至少我们可以知道庄子本人对楚国的风土人情相当熟悉。此外，从其作品思想性和文学性来看，庄子也与楚国有紧密的联系，有学者认为：“庄子的哲学思想是继承了老子的哲学思想，以丰富多彩的楚文化为背景孕育形成的。”[②]《庄子》一书在地域属性和文化属性上，有着浓厚的楚地特色，所以说庄子及其思想应是楚国思想与学术的重要组成部分。

（一）宇宙观：“道”

如何看待这个世界是人进行哲思的基础，庄子对世界的看法是对老子观点的继承和发展。庄子的思想体系中“道”是核心，认为“道”孕育了万物，是世界的本源。《庄子·天地》：“夫道，覆载万物者也，洋洋乎大哉！”《庄子·知北游》：“道不可闻，闻而非也；道不可见，见而非也；道不可言，言而非也。知形形之不形乎！道不当名。”

在庄子看来，“道”不仅包含世间的万事万物，也孕育了万事万物，每一个个体都由“道”孕育，并且存在于“道”之内，因此“道”的内涵和外延广大，但它不可闻、不可见，仅存在于天地之间。“道”孕育了世界，因为人间万物“皆往资焉而不匮，此其道与”（《庄子·知北游》）。“道”孕育万物的思想，显然是对老子“道生一，一生二，二生三，三生万物”的思想的发展。他还认为“道”的起源远在世界存在之前，《庄子·大宗师》：“夫道有情有信，无为无形；可传而不可受，可得而不可见；自本自根，未有天地，自古以固存；神鬼神帝，生天生地；在太极之先而不为高，在六极之下而不为深，先天地生而不为久，长于上古而不为老。”此处是庄子对“道”最为全面的论述。“道”先于天地而存在，孕育万物之生长，混成于宇宙之中，“道即是行于万物，统会一切殊理之大理”[③]，世间的一切都无法挣脱“道”的范畴独

① 蔡靖泉：《“庄子自是楚人”说》，《荆州师专学报》1998年3期。

② 任继愈：《中国哲学发展史》（先秦卷），人民出版社，1983年，389页。

③ 张岱年：《中国哲学大纲》，商务印书馆，2017年，第88页。

自运行。

但要注意，庄子所言之“道”，可以接近，亦可以了解，明白了“道”，便可得真知，达到一种深奥玄妙的精神体验，造福人间。因此，庄子举了大量实例来说明“道”的功用，《庄子·大宗师》：“豨韦氏得之，以挈天地；伏戏氏得之，以袭气母；维斗得之，终古不忒；日月得之，终古不息；……傅说得之，以相武丁，奄有天下，乘东维、骑箕尾而比于列星。”

庄子认为对“道”的追求是极为有意义的，他列举了许多人得到“道”之后造福人间的事例。可见，庄子之“道”与老子之“道”有所不同，老子说的是一个较为客观的意义，是指凌驾于万物之上的“道”。相较之下，庄子的“道”多了一分亲近，也更多了一分人性。虽然“道”无踪无迹，变幻莫测，但是万物生于“道”，长于“道”，融于“道”。总之，在庄子看来“道”是一种天然存在于世间的规律，也是普遍存在于事物之上的道理。如何才能追求到“道”呢，庄子对“逍遥”等命题的阐述，不仅引人深思，还给予了答案。

（二）自由观：“忘我”“物化”“逍遥”

庄子是中国古代最早提出“自由”这一命题的哲人，与他同时期的哲人对人生命题的思考往往集中在社会与人、人与人、人与自然上，而庄子则更多地将目光集中到人个体本身上。

庄子的“自由观”是在继承老子思想的基础之上发展而来的。《老子·五十一章》：“道生之，德畜之。物形之，势成之。是以万物莫不尊道而贵德，……生而不有，为而不恃，长而不宰，是谓‘玄德’。”老子认为道孕育万物，但自身却不约束万物，此乃老子所谓之“自由”。庄子在老子“无为而治”“清净”的基础之上，进一步发展了“自由”的思想，意在表明其渴望得到精神上的绝对超脱，绝圣弃智，来完成自我救赎的追求。

庄子和老子一样，对“自由”这一命题的阐释并没有直言，但其思想理念中无处不透露着自由。他将自由寄托在“忘我”“游心”“逍遥”

这三个主题上。庄子的“自由观”特别强调一种“忘我”的境界，这种境界上，个人超越了肉体的界限，使精神得到了解脱，达到了精神上无所约束的地步，从而自由翱翔，无拘无束。《庄子·齐物论》曰：“昔者庄周梦为胡蝶，栩栩然胡蝶也。自喻适志与！不知周也。俄然觉，则蘧蘧然周也。不知周之梦为胡蝶与？胡蝶之梦为周与？周与胡蝶则必有分矣。此之谓物化。”《大宗师》中亦有此类论述，其云：“堕肢体，黜聪明，离形去知，同于大通，此谓坐忘。”

庄子在思考人生之时，喜好摆脱肉体，探寻生命的本我，在思考中执着，忘却所有。庄子的“忘我”还是为了达到“游心”的目的，先“忘我”，再而“物化”，进而“游心”。使自己能够超乎外物，无所拘束。他追求的是精神上的自由，《庄子·在宥》云：“有大物者，不可以物；物而不物，故能物物。明乎物物者之非物也，岂独治天下百姓而已哉！”《庄子·知北游》云：“古之人外化而内不化，今之人内化而外不化。与物化者，一不化者也。安化安不化？安与之相靡？必与之莫多。”

庄子的“物化”理论是想让人的精神可以不受时间限制，挣脱空间约束，离开肉体界限，打破各种桎梏，得到真正的解脱。他期望人与物都遵循自然的天性，互相顺应，能真正做回自己，达到逍遥的境界，感受生命和自然给个体带来的欢愉。

庄子对“逍遥”这一概念描写颇多，他提出，遵循本心，勿强行改变万事万物的规律，应该任其发展，自由自在。《庄子·应帝王》讲述的中央之帝浑沌的故事就体现了这一观点：“南海之帝为儵，北海之帝为忽，中央之帝为浑沌。儵与忽时相与遇于浑沌之地，浑沌待之甚善。儵与忽谋报浑沌之德，曰：人皆有七窍以视听食息，此独无有，尝试凿之。日凿一窍，七日而浑沌死。”此段内容认为，人如果违背了自然的天性，就会被其所“害”。

此外，《庄子·至乐》也有则故事体现了类似的思想：鸟本栖息于山川河泽，不喜人类的音乐、饮食，强求不过三日，鸟儿便因此抑郁而亡。他还强调了每一个体的特异性——“鱼处水而生，人处水而死”，点明了个体性所存在的差异。不能以自身的喜好去考虑别的人，或者是别的事物。如果不考虑具体差异，强行将自己喜恶加给别人，那么就会事与愿违。

庄子的“忘我”“物化”目标是达到一种“逍遥”的境界。何为“逍遥”？王夫之认为：“逍者，向于消也，过而忘也。遥者，引而远也，不局于心知之灵也。”[①] 某种程度上来说逍遥是内心的释放，可以理解为“出入六合，游乎九州，独往独来”，这显然是一种超然的精神状态。庄子渴望得到一种精神上的解脱和超乎世俗的自由，这种自由是他叩问人生枷锁所出现的一种渴望，企图能够得到内心世界的绝对超脱，摆脱俗世的种种桎梏。《庄子·逍遥游》云：“若夫乘天地之正，而御六气之辩，以游无穷者，彼且恶乎待哉？故曰：至人无已，神人无功，圣人无名。”

《庄子·逍遥游》中俨然有一个无穷无尽、广阔远大的世界，这是一个比较自在的世界，空间无穷，时间无尽，一切都自然而生。可其中也有许多束缚，大与小、寿与夭、荣与辱等问题都客观存在。因此，这种世界中，不是任何事物都可以得到真正的“逍遥”。故而，庄子又提出了自由的标准——“若夫乘天地之正，而御六气之辩，以游无穷者。”庄子眼中，只有这样的人才能得到彻底的解脱，那么要了解真正的自由，就涉及庄子对于人生的看法了。

（三）人生观：“至乐而死”“养生”“真人”

要了解庄子对人生的看法，就要了解庄子对“生死”是如何看待的，这也是每一个哲人所思考的基本问题。庄子认为“死”不过是一种自然规律，所以我们迎接死亡之时要坦然面对，从而衍生出一种“至乐而死”的生死态度。《庄子·知北游》曰：“人之生，气之聚也；聚则为生，散则为死。若死生为徒，吾又何患！”《庄子·养生主》又云：“适

① 王夫之：《庄子解》，《船山全书》第十三册，岳麓书社，1996年，第81页。

来，夫子时也；适去，夫子顺也。安时而处顺，哀乐不能入也。”

这里可以看出，庄子对生死的看法是“淡然”的，在他心中，“气”是世界万物的本源。“气”聚可以凝练出形骸、生命，“气”散则意味着死亡和消失乃至沉寂于天地之间。因此，庄子心中生与死的概念只是后来天地间产生的“气”之聚散。《庄子·大宗师》云：“死生，命也，其有夜旦之常，天也。人之有所不得与，皆物之情也。”在他看来，生和死就像昼夜交替一般，不过是这世间万事万物的规律而已。

他将“死”看得和“生”一样重要。《庄子·大宗师》：“夫大块载我以形，劳我以生，佚我以老，息我以死。故善吾生者，乃所以善吾死也。”认为“生与死”都是“地”给予的安生，生和死都是人最重要的事情，方有“鼓盆而歌”的故事。他还看淡肉体形骸的存在，认为肉体并不重要，人终归是要回归于天地之间，散落于万物之中。《庄子·列御寇》曰：“庄子将死，弟子欲厚葬之。庄子曰：‘吾以天地为棺椁，以日月为连璧，星辰为珠玑，万物为赍送。吾葬具岂不备邪？何以加此！’”这里庄子不仅将生死等同，而且认为“死”在某一程度上是一种解脱。

庄子对死亡的态度是超然的，并不是消极的。他并非痛斥人世间的不快乐，而是想告诫人们，应该以一种坦然的态度去看待死亡。死亡是人生的归途，不是精神的尽头，反而是人生的另一种开始。

庄子看待生死的态度，高度反映了他对人在世间的看法，他提出人在世间应该注重“养生”。他的人生态度与儒家提倡的人生态度截然不同。儒家提倡克己复礼，出将入相，治国齐家。庄子则提倡安然处事，顺其自然，不图名利。庄子的人生观对后世影响极大，被隐士奉为圭臬。他追求的养生是“游于空虚之境，顺乎自然之理”，强调精神自由，顺应自然。

《庄子·养生主》一篇表面上是谈论人的养生之道，实际上却蕴含着庄子对人生的理解和看法。其云：“吾生也有涯，而知也无涯。以有涯随无涯，殆已！已而为知者，殆而已矣！为善无近名，为恶无近刑，缘督以为经，可以保身，可以全生，可以养亲，可以尽年。”

庄子对于知识的渴求与孔子也有所不同，孔子认为“朝闻道，夕死可矣”，儒家追求的是一种“学无止尽”的境界。庄子反其道而行之，认为用有限的生命去追求无穷尽的知识，是一种十分危险的行为。庄子并非号召世人不要去追求知识，他是想提醒世人，做事应该有一定的尺度，遵循规律，顺其自然，才能养护精神，安于人生。过度的追求往往只会“苦心劳形，以危其身”，得不偿失。因此他提出“清净”以“养生”，《庄子·天道》云：“圣人之静也，非曰静也善，故静也；万物无足以铙心者，故静也。”又云：“静而圣，动而王，无为也而尊，朴素而天下莫能与之争美。”

庄子提出人必须“清”，并非圣人要追求“静”，而是只有达到万事万物无法扰乱心境的地步，方能内心无所偏差，进而成事。这是一种至高的道德准则，更是一种难以跨越的境界。此外，他还提出“寡欲”，《庄子·天地》云：“一曰五色乱目，使目不明；二曰五声乱耳，使耳不聪；三曰五臭熏鼻，困惾中颡；四曰五味浊口，使口厉爽；五曰趣舍滑心，使性飞扬。此五者，皆生之害也。”

庄子认为过分地追求人生享受对人有极大损害，因此需要节制。庄子的一生都在践行此种思想。庄子希望用“养生”的方法来度过人生，追求一种“真人”的境界，渴望“能登假于道”（《淮南子·精神训》），达到“至人无己”“神人无功”“圣人无名”的地步，塑造一种完美的理想人格。何为“无己”？无己是一种不受生理、自我限制的自由，可以与世界万物相通，《庄子·齐物论》云：“至人神矣：大泽焚而不能热，河、汉冱而不能寒，疾雷破山、风振海而不能惊。若然者，乘云气，骑日月，而游乎四海之外。死生无变于己，而况利害之端乎！”这里的至人已经俨然超脱了人形体上的境界，挣脱了肉体的束缚，脱离了“自我”，达到一种自由的境界。

那么何为“无功”？《庄子·逍遥游》云：“藐姑射之山，有神人居焉，肌肤若冰雪，淖约若处子。不食五谷，吸风饮露。乘云气，御飞龙，而游乎四海之外。其神凝，使物不疵疠而年谷熟。”神人超脱于世俗之外，但又会庇佑人间，使之风调雨顺。“神人无功”即神人滋润万物，但并不以此为功。可见庄子向往一种不以功名利禄为人生追求的理想境界。

“神人”之上的境界即为“圣人”，《齐物论》：“圣人不从事于务，不就利，不违害，不喜求，不缘道；无谓有谓，有谓无谓，而游乎尘垢之外。”郭象说：“圣人者，物得性之名耳，未足以名其所以得也。”[①]他认为，此处“圣人之名”不足以道出“圣人”，“圣人”是用语言无法描述和表达的。可见圣人通晓万事万物，寄于天地之中，是故无名，可以说是无限地接近于“道”的本源。

（四）政治观：“无为而治”“顺其自然”“至德之世”

庄子生活于战国中晚期，这是一个动荡不安、战火连天、充满变革的时代，诸侯国之间的征伐导致众多百姓流离失所，所以许多思想家都著书立说，希望给予社会一剂救民于水火的济世良方。庄子也对政治、社会进行了思考。

庄子的政治观念来源有两处。其一，他的世界观、人生观一脉相承，对人生的看法多次提及“无功”“无名”等概念，其政治观点也从此处出发，讲“无为”，不主张对社会进行过多的约束，对人们进行过多的干预。其二，他的观点是对老子“无为而治”的继承和发展。

庄子的“无为而治”有着几个层面。首先庄子认为“无为”才能真正地了解和运管天下，《庄子·天道》曰：“夫帝王之德，以天地为宗，以道德为主，以无为为常。无为也，则用天下而有余；有为也，则为天下用而不足。”帝王统治天下应该遵循天地之道。无为，就能合理利用天下且感到有余；若有为，就不能尽用天下而感到不足有缺。何为天地之道？庄子认为“无为而尊者，天道也”。

“无为”是最高的理想境界，也最为接近“道”的根本。《庄子·在

① ［清］郭庆藩撰，王孝鱼点校：《庄子集释》，中华书局，1961年，第97页。

宥》曰：“故君子不得已而临莅天下，莫若无为。无为也，而后安其性命之情。故贵以身于为天下，则可以托天下。”在庄子看来，只有高品德的“君子”方能治理天下，君子治理天下应该是“无为”的，他们不去干涉民众生活，任其自然发展，君子应只看重自己的品德。但是，庄子并不认为所有人都应该“无为”，反而认为社会运作必须让臣民“有为”。《庄子·天道》：“上无为也，下亦无为也，是下与上同德。下与上同德则不臣。下有为也，上亦有为也，是上与下同道。上与下同道则不主。上必无为而用天下，下必有为为天下用。此不易之道也。”庄子反对儒家“夙夜在公”的政治哲学，主张上下各行其道，上层统治者应该注重自己的品德修养，下层统治者应该意在做有用之事。所以“有为而累者，人道也……臣者，人道也”。但统治者的“无为”或是“有为”都不能超脱天地、摆脱天性，应当顺其自然。人之性是人的本能，“无为”就是顺应人性的，这样的做法符合天道。人之“有为”，其实亦是顺应天性，满足人的基本生活。“无为”是在宏观的层面上讨论治国之举，“有为”则涉及每一个个体，人的行为不应该受到支配，人的天性不应该受到压迫。

人之天性又是如何？庄子认为：“性者，生之质也。性之动，谓之为；为之伪，谓之失。”（《庄子·庚桑楚》）又云：“性不可易，命不可变。”（《庄子·天运》）人的天性应该顺应自然，不应改变。但是受诸如对功名利禄的渴望等社会风气的影响，人往往要么湮没在世间的洪流中，要么与自我的天性对立。庄子笔下的“螳臂当车”等寓言都在反复阐述这一观点，所以他一直提倡统治者应该“无为”，让民众得以安生，他厌恶欺世盗名的伪“圣人”，还说“圣人不死，大盗不止”，痛斥虚伪的道德和规矩。

庄子渴望构建“建德之国”和“至德之世”。庄子的“建德之国”是他笔下的理想国度，《庄子·山木》曰：“南越有邑焉，名为建德之国。其民愚而朴，少私而寡欲；知作而不知藏，与而不求其报；不知义之所适，不知礼之所将。猖狂妄行，乃蹈乎大方。其生可乐，其死可葬。”“建德之国”重在对民众的描写，他所想象的“建德国”的民众是没有私心和欲望的，为人做事都是根据自己的想法来行事，不受规矩的束缚，但是一言一行都是符合天地之道的，其行为浑然自得。

庄子笔下的“至德之世”是对“建德之国”的进一步深入，更加注重对社会、国家层面的描写。《庄子·胠箧》曰：“子独不知至德之世乎？昔者容成氏、大庭氏、伯皇氏、中央氏、栗陆氏、骊畜氏、轩辕氏、赫胥氏、尊卢氏、祝融氏、伏牺氏、神农氏，当是时也，民结绳而用之，甘其食，美其服，乐其俗，安其居，邻国相望，鸡狗之音相闻，民至老死而不相往来。”从表面看，庄子的理想社会是远古时代那种原始的社会，但若深究庄子其人及其生活环境，会发现庄子之意并非如此。他生活在战火纷飞的战国，希望人们安居乐业，远离战乱纷扰。庄子实际上是借远古生活状态极言自己对和平宁静的向往，反对用“仁、义、礼、智”等道德手段来约束人们的行为，甚至用“仁、义、礼、智”来迫使人们进行战争、攻伐。

三、庚桑楚、老莱子、楚狂接舆等的隐士思想

（一）庚桑楚

庚桑楚，老子的弟子，又名亢桑子、庚桑子、亢仓子，是老子与庄子之间一位承前启后的道家人物。庚桑楚在道家发展史上具有重要地位，被后世尊为洞灵真人，为道教四大真人之一。《庄子·庚桑楚》记载有庚桑楚的事迹，其云：“老聃之役有庚桑楚者，偏得老聃之道，以北居畏垒之山，其臣之画然知者去之，其妾之挈然仁者远之……”

有关庚桑楚其人存在的真实性，历代都存在一定的怀疑。《庚桑楚》乃《庄子》“杂篇”的首篇，后人多认为其中记载之事是庄子后学杜撰的寓言故事，因此认为其中的人物也是虚构的。《史记·老子韩非列传》也说《庄子》中的“《畏累虚》《亢桑子》之属，皆空语无事实”。唐人柳宗元在《辩亢仓子》中也认为：“刘向、班固录书无《亢仓子》，而今之为术者，乃始为之传注，以教于世，不亦惑乎！”但这种推断是值得

怀疑的，“无事实”并不代表无其人。或许人物是存在的，只不过事迹是根据其人的思想归属和传说做一定的整理也未可知。

认为庚桑楚确有其人者亦多。据《庄子·庚桑楚》记载，南荣趎曾多次得到老师庚桑楚的教诲，但南荣趎向其请教如何达到“全其形生之人”时，庚桑楚以为自己才智不够，不足以点化南荣趎，于是指点他去向老子求教。南荣趎担着口粮“七日七夜至老子之所”，最终得到老子的教诲。这一事迹，汉代《新书》《淮南子》均有记载。今人黄方刚认为《庄子》一书中的人物关系可能者达七十九条，不可能者只有两条。①陈鼓应先生也持相同观点，认为《庄子》一书寓言中的人物行辈关系从无紊乱。②以《庚桑楚》作为篇名，应是建立在实有其人的基础之上。

有关庚桑楚的国籍，《列子·仲尼》载陈大夫称庚桑楚为“吾国”之圣人，如此则他应是陈国人，但司马彪注《列子》认为他是楚人。陈在春秋时期为楚之属国，在庄王、灵王、惠王时曾三次被楚所灭。由此可见，与老子一样，说庚桑楚是陈国人是为可信，而称其为楚人也并不矛盾。③

庚桑楚的思想，主要表现在三个方面：

一是继承了老子的“道法自然”思想，庚桑楚称之为“天道”。《庄子·庚桑楚》记庚桑楚对弟子说：“夫春气发而百草生，正得秋而万宝成。夫春与秋，岂无得而然哉？天道已行矣。”认为春华秋实这种自然规律并非没有任何依凭，而是自然规律——“天道”的运行结果。统治者治理国家也应该遵循天道，实行“无为而治”。庚桑楚认为治理畏垒之山，不能让老百姓率性自然无拘无束，遵循自然而生活，没有达到“至人尸居环堵之室，而百姓猖狂不知所如往”的效果，因此“不释于老聃之言”。

① 黄方刚：《老子年代之考证》，罗根泽编著：《古史辨》第四册，上海古籍出版社，1982年，第375页。

② 陈鼓应：《老学先于孔学——先秦学术发展顺序倒置之检讨》，《哲学研究》1988年第9期。

③ 徐文武：《楚国思想史》，湖北人民出版社，2003年，第124—125页。

二是继承了老子的“绝圣弃智”的思想，为政之道在于自然无为。庚桑楚坚决反对“举贤”和“任智”，抨击尧、舜，认为选贤任能使人相互倾轧、造成盗贼蜂起。《庚桑楚》提出，“举贤则民相轧，任知则民相盗”，才智的运用使人们相互欺诈、相互争斗，“贤”“智”正是社会道德退化的总根源，人们为了追逐利益，“子有杀父，臣有杀君；正昼为盗，日中穴阫”。这些社会道德败坏的现象，是举贤任智去追逐利益而带来的恶果。

三是发展了老子消极避世、消除私欲、返璞归真等方面的思想，即全形保生思想，这对后来庄子养生思想的形成产生了重要影响。南荣趎虔敬地向老师请教如何“年者已长矣”，庚桑楚认为，“全汝形，抱汝生，无使汝思虑营营”，即要做到全形保生，必须做到不使思虑为牟取私利而奔波劳苦。《列子·仲尼》还载庚桑楚曰：“我体合于心，心合于气，气合于神，神合于无……虽远在八荒之外，近在眉睫之内，来干我者，我必知之……”庚桑楚认为人体的“体”“心”“气”“神”“无”能结合为一，排除了一切感官映象和心智思虑，就能达到“视听不用耳目”的境界。

（二）老莱子、楚狂接舆等

老莱子，春秋末期（楚昭王、惠王时）楚人，早年从事著述与讲学，著有《老莱子》十六篇（一说十五篇）。[①]他别于老子，主张柔弱处世。在《庄子》《战国策》《尸子》《史记》《汉书》中均有记载。相传，今荆门蒙山（今名象山，因象山先生陆九渊讲学于此而更名）原有老莱山庄，现仍存有清乾隆十四年（1749年）所立的“老莱山庄”和“老莱子之位”石碑各一块。公元前489年，孔子到楚国时，曾遇老莱子。公元前479年楚发生“白公之乱”后，老莱子为避战乱隐居蒙山。其后，为避楚惠王出仕任官的聘请，老莱子再次隐居江南（今湖南），不知所终。《战国策·楚策四》载：“公不闻老莱子之教孔子事君乎？示之其齿

---

① 徐文武：《老莱子生平与思想考论》，《长江大学学报（社会科学版）》2004年第3期。

之坚也，六十而尽，相靡也。”而“舌柔顺，终不得弊”，道出了柔弱可以胜刚强的道理。

楚狂接舆，隐士，活动在楚昭王、惠王时期，主张全身避害。接舆因作《凤兮歌》讽刺孔子而闻名于世，《论语》《庄子》《史记》均有记载。《庄子·人间世》记载孔子南游楚国时，接舆曾在孔子门前唱了一首《凤兮歌》，其中如“福轻乎羽，莫之知载；祸重乎地，莫之知避”之语，表示出对孔子不知祸福的鄙夷以及对生命强烈的忧患意识；另外“迷阳迷阳，无伤吾行；吾行却曲，无伤吾足”一句，则表现出全身避害的人生观。《庄子·应帝王》载有楚狂接舆引用鸟儿为了躲避利箭而展翅高飞的事例，说明人类也应该避害全身。《庄子·逍遥游》还载有接舆对“藐姑射之山”上“神人”的羡慕之情。

第三节 楚人道德价值观

在楚地，爱国忠君、念祖怀乡、崇尚武德、开拓进取、重诺守信等道德价值观念尤为突出，甚至达到了翕然成风的地步。

一、爱国忠君

商周以来，楚先祖由北向南迁移，经丹水、淅水而抵荆山、汉水，与当地土著相融合，最终形成了新的民族共同体，建立起了自己的国家，从此楚族、楚国以其显赫的地位载入了史册。楚先民多在山惊水险的蛮荒之地和强邻窥伺的环境中发展，故对自己的家园有着特别的感情，养成了强烈的民族自尊心和自豪感，造就了鲜明的爱国忠君情怀。

在战争中，楚王多身先士卒，亲临战争的第一线，这些行为正是爱国精神激励的结果。楚武王在位不到三年便亲临战场，挥师伐权，还在此设立了中国历史上的第一个县——权县。楚武王生命的最后一刻，在伐随的征途中度过。楚庄王在各国争霸的战争中，亦曾亲领大军北上。邲之战，楚庄王饮马黄河，问鼎中原，完成春秋霸业。在历代楚王中，还有一些或暴虐或好大喜功而导致身败名裂者，但即使这样，国家强盛仍是他们心中最大的精神追求，即使在死亡面前，他们也未曾出现背叛国家的念头。楚灵王末年，发生宫廷政变，远离郢都的灵王面临全国通缉，他未采纳右尹子革“亡于诸侯”以保全性命的建议，而是自缢于返回郢都的途中。楚怀王好大喜功，被秦人多次愚弄，丧师失地，与秦昭襄王在武关会晤而被秦人扣留，秦“要以割巫、黔中之郡”（《史记·楚世家》），被楚怀王严词拒绝，秦无奈囚禁怀王直至其死亡。可见怀王宁愿客死他乡，也不肯捐弃一寸国土。

楚国的统帅，如有覆军之败，往往自尽以谢国人。即使贵为公子王孙，位至令尹、司马，也少有诿过和偷生者。[①]公元前699年，武王遣师伐罗，主帅屈瑕轻敌惨败，南逃，最终以死谢罪。公元前632年，晋楚城濮之战，子玉轻敌导致楚军败北，自感无颜见申、息两地父老，在归国途中自杀身亡。

武将在战场上为国尽忠，抛颅洒血，一旦战败，便深感有愧于国家，有愧于百姓，最终走上了那条道路——自裁谢罪。文臣们的责任担当则是以另一种形式来守护这个国家。

《战国策》记载，楚威王问莫敖子华，从先君文王到自己这一辈有哪些大臣不为功名利禄而忧虑国家社稷安危？莫敖子华以“彼有廉其爵，贫其身，以忧社稷者；有崇其爵，丰其禄，以忧社稷者；有断脰决腹，壹瞑而万世不视，不知所益，以忧社稷者；有劳其身，愁其志，以忧社稷者；亦有不为爵劝，不为禄勉，以忧社稷者”为标准，列举了一系列大臣，包括令尹子文、叶公子高、莫敖大心、棼冒勃苏、蒙谷五位。他们热爱自己的国家，忠于自己的君主。譬如，楚成王八年（公元前664年），前令尹子元被杀，子文上任。为了稳固楚国政权，子文上任后便“自毁其家以纾楚国之难”（《左传·庄公三十年》），即尽献家财以充实国库，缓和国家的危难。子文一生，清廉节俭，菲衣薄食以恤

① 张正明：《楚文化史》，上海人民出版社，1987年，第109页。

民，“缁帛之衣以朝，鹿裘以处”（《战国策·楚策一》），“三舍令尹，无一日之积”（《国语·楚语下》）；他自降俸禄，减削爵禄以恤民，并认为“民多旷者，而我取富焉，是勤民以自封也，死无日矣。我逃死，非逃富也”（《国语·楚语下》）。子文终其一生，为国为民，为楚国的霸业奠基了基础。

公元前506年，吴师破郢，楚昭王奔随，申包胥为求得救援，奔赴秦国，便有了“哭秦庭”而请救兵的故事。在楚国危亡之时，申包胥并未绝望，而是四处奔走。他分析当时的局势，认为只有秦晋两国有足够的实力可助楚国败吴，但晋楚长期处于争霸状态，自然不会加以援手。楚昭王是秦哀公的外甥，楚与秦之间有着亲密的血缘关系。如此一来，秦国便是最佳的选择。有高度政治眼光的申包胥洞察到了这一机会，于是“跋涉谷行，上峭山，赴深溪，游川水，犯津关，躐蒙笼，蹶沙石，蹠达膝曾茧重胝，七日七夜，至于秦庭。鹤跱而不食，昼吟宵哭，面若死灰，颜色霉墨，涕液交集，以见秦王”（《淮南子·修务训》）。申包胥向秦王控诉吴军之暴行，感怀秦楚两国的联姻关系，最终使秦王发兵救楚。楚昭王复国后要封赏申包胥，他坚持不受，带一家老小退入山中隐居。从此申包胥被视为中国的忠贤典范。

吴师入郢之时，楚国大夫蒙谷逆行于逃难的人流，深入大宫，背负《鸡次之典》，潜水逃出。昭王复国后，蒙谷献《鸡次之典》，使楚国在“五官失法”的情况下，又恢复了百姓大治的局面。

屈原生活在楚国由极盛到顿衰的节点时期，早年受楚怀王信任，官至左徒、三闾大夫，兼管内政外交大事；后因主张变法，遭贵族排挤诽谤，失去了怀王的信任，被先后流放至汉北和沅湘流域。秦将白起攻破楚郢都，屈原在流亡中听闻后悲愤交加，怀石自沉于汨罗江。屈原的一生，是曲折的，也是浪漫的，他写下了许多的爱国诗篇，如“诚既勇兮又以武，终刚强兮不可凌。身既死兮神以灵，魂魄毅兮为鬼雄”（《楚辞·九歌·国殇》），“惟夫党人之偷乐兮，路幽昧以险隘。岂余身之惮殃兮，恐皇舆之败绩”（《楚辞·离骚》）；忠君的诗篇，如“忽奔走以先后兮，及前王之踵武。荃不察余之中情兮，反信谗而齌怒”（《楚辞·离骚》）。屈原作为一位伟大的爱国主义诗人，以其精神上的高洁为千秋万代后人所景仰，成为民族脊梁的象征。楚人的这种爱国主义精神，超越了时空，已经融入中华民族血脉之中，代代相传，两千多年从未间断。

二、念祖怀乡

楚族是一个具有强烈怀旧情感的民族，除爱国忠君之外，念祖怀乡也是这种情节的重要表现形式。楚人缅怀先祖的丰功伟绩，故把先祖始兴之地奉为圣地。他们常以旧居的地名来称呼新居住地。“熊绎当周成王之时，举文、武勤劳之后嗣，而封熊绎于楚蛮，封以子男之田，姓芈氏，居丹阳。”在湖北的秭归、枝江，安徽的马鞍山都有丹阳这一地名，这些都是楚人迁居时留下的。武王末年或者文王初年，楚国迁都于郢，自此又多次迁都，新迁之处仍以郢为名。

楚人除对上天大地进行祭祀外，也对祖先进行十分虔诚的祭祀，湖北荆门包山、江陵望山和河南新蔡出土的众多楚墓卜筮祷祠简文足以为证。在这些卜筮祭祷简中，楚人对祖先的祭祀主要由楚先、历代先王和直系亲祖三部分组成：楚先通常有老童、祝融、穴熊等；楚王一般为合祭，主要是指从熊丽到主祭者亲祖之间的历代楚王，称“荆王”，或“某王以训至某王”，有时又选择几位著名的楚王为位祭祀，如楚武王、文王等；直系亲属一般为四代，即得氏之王、始封之君和分宗之后的各代亲祖。①

楚人对不念祖、不祭祖的族人极为痛恨，视其为大逆不道，并对之予以严惩。《左传·僖公二十六年》记载：“夔子不祀祝融与鬻熊，楚人让之，对曰：‘我先王熊挚有疾，鬼神弗赦而自窜于夔。吾是以失楚，又何祀焉？’秋，楚成得臣、斗宜申帅师灭夔。以夔子归。”夔子因先

① 参见杨华等：《楚国礼仪制度研究》，湖北教育出版社，2012年，第235—236页。

王熊挚红失国，由此不再祭祀楚祖先，但这一行为对于重祭祖的楚人来说，是十恶不赦、大逆不道的。楚人伐夔此理由或许是借口，但可以肯定的是，先祖在楚人心目中，神圣不可侵犯。

楚人对先祖故乡确有与其他诸侯国不同的特殊感情，这种情感在屈原的作品中表现得淋漓尽致。屈原对自己族源十分看重，他在《离骚》中说："帝高阳之苗裔兮，朕皇考曰伯庸。"此外，他还有许多恋乡的诗句，如"曼余目以流观兮，冀壹反之何时？鸟飞反故乡兮，狐死必首丘"（《楚辞·哀郢》），"陟升皇之赫戏兮，忽临睨夫旧乡。仆夫悲余马怀兮，蜷局顾而不行"（《楚辞·离骚》），"受命不迁，生南国兮，深固难徙，更壹志兮"（《楚辞·橘颂》）。

战国以来，荆楚地区出现的孝子众多，有许多故事流传于民间。春秋末期楚国人申鸣，以"孝闻于楚国"，且因孝而不做官，刘向《说苑·立节》载，申鸣因为孝敬父亲而不做官，但最终在父亲要求下当了楚国的宰相。申鸣死后，楚惠王伤心至极，便依照国家规定，将申鸣葬于楚国南地，封其子孙在申鸣为"土"的地方。战国时期，楚人老莱子在70多岁时，穿童衣演戏，愉悦寂寞双亲，后人以"莱斑衣""戏彩娱亲""莱子戏""斑衣戏"等典故来比喻子女对父母的孝顺。

念祖怀乡情感，在楚国800多年的历史发展中贯穿始终，它并不因楚国的灭亡而中断，它深深扎根于荆楚大地，影响着一代又一代中国人。

三、崇尚武德

《诗经·周南·兔罝》："赳赳武夫，公侯干城"；"赳赳武夫，公侯好仇"；"赳赳武夫，公侯腹心"。周人尚武，楚人尤盛。周初至战国中后期，楚人从方圆不足百里的蕞尔小邦，发展为方圆约五千里的东方第一大国，经历了约700年，仅春秋战国时期，有据可查的灭国就达六十一国。[1]以此为视角，说楚人尚武，当不为过。

楚人十分重视军功，败军之将，要么谢罪自杀，要么再战赢得战争以将功赎罪，方才归国。楚武王时期，屈瑕伐罗失败，自杀于归国途中。楚文王被巴人大败而归，大臣鬻拳不让他进宫，文王无奈只得移兵伐黄，最终获胜，但却病死于归国途中。楚成王时，令尹子玉败于城濮之战，虽然楚军主力（中军）损失不大，但申、息两县的军队伤亡惨重，于是成王遣使对归国途中的子玉说：有何面目见申、息的父老乡亲！子玉羞愧难当，自缢于方城之外。楚晋鄢陵之战，司马子反酗酒误事，被晋军所败，反思先辈战败之事，后效仿子玉自杀。平王时期，吴人掳走废太子建的母亲，司马芀越追赶不及，又不敢贸然进入吴国，最终在归国途中自缢。可见尚武作为一种特有的精神风习，植根于楚地，成为从楚君、大臣到士庶百姓共同崇信、竞相实践的最高道德原则。[2]

尚武精神是荆楚民族在求生存、谋发展的艰难历程中自然养成的。建立赫赫战功，是所有楚国将士的应尽之责，是代代楚王政绩考核的固有标准。作为楚国君王，开疆拓土、逐鹿中原的光荣使命，养成了楚国君臣上下共有的强烈的求胜心，即使是面对死亡，也要反思自己的武功。共王弥留之际，自称“亡师于鄢，以辱社稷”（《左传·襄公十三年》），要求大臣们在自己死后给自己加“灵”或“厉”的恶谥。楚康王在位五年未曾派楚军出国打仗，有出兵郑国的机会，故使人告令尹子庚云：“国人谓不穀主社稷而不出师，死不从礼。不穀即位，于今五年，师徒不出，人其以不穀为自逸而忘先君之业矣。”（《左传·襄公十八年》）楚王主政期间不能继承先君之业，不能出兵打仗，死后就不能按照王的规制安葬和享受祭祀，这种独有的尚武传统，在列国中恐怕绝无仅有。

楚人视死如生，尚武的传统在楚人墓葬中也有表现。先秦时，荆

---

① 何浩：《楚灭国研究》，武汉出版社，1989年，第4页。

② 宋公文：《略论楚人尚武》，《江汉论坛》1992年第1期。

楚地区楚墓出土的文物，兵器随葬常见，种类繁多。兵器在出土文物中也占有可观的比例，湖北襄阳蔡坡 11 座战国楚墓共出土随葬器物 1112 件，其中兵器和车马器占器物总数的 85%[①]；湖北江陵天星观邸阳君番勳墓出土随葬器物计 2440 件，其中兵器和车马器占器物总数的 94%[②]；湖北随州曾侯乙墓出土 7000 余件随葬品，仅兵器一项就达半数以上[③]。楚墓出土的兵器不限于楚器，还有许多其他诸侯国兵器，如湖北江陵望山 1 号墓出土了越王勾践剑，藤店 1 号墓出土了越王州句剑，马山 5 号墓出土了吴王夫差矛，襄阳蔡坡 12 号墓出土了吴王夫差剑，当阳金家山 43 号墓出土了许戈，45 号墓出土了番仲戈……楚墓普遍随葬兵器，这是楚俗尚武的实物见证。至于楚墓中出土的他国兵器，则是楚国与邻国剑拔弩张或礼尚往来的留影。越和吴号称“小霸”，而越王勾践剑和吴王夫差矛相继在故楚郢都城郊重见天日，由此可知楚的国势之强和兵威之壮。[④]

荆楚人尚武精神还表现在对武器的发明创造上。荆州博物馆有一种名为连弩的文物，扣动一次扳机可以连发十箭，这是迄今为止发现最早的连弩实物。

楚族虽尚武，但不穷兵黩武。他们一贯主张刑德并用，尚武的目的是禁止反叛、暴力，最终达到终止战争的目的。一生征战的楚庄王，提出“止戈为武”“武有七德”的思想。晋楚争霸之时，庄王围陈攻郑，但最终以德行（合约）使两国臣服。晋士会对楚庄王攻郑作了恰当的评价，“楚君讨郑，怒其贰而哀其卑。叛而伐之，服而舍之，德、刑成矣，伐叛，刑也；柔服，德也，二者立矣。昔岁入陈，今兹入郑，民不罢劳，君无怨讟，政有经矣……”（《左传·宣公十二年》）庄王在临死之时，嘱咐太子及大臣“无德以及远方，莫如惠恤其民而善用之”（《左

① 湖北省博物馆：《襄阳蔡坡战国墓发掘报告》，《江汉考古》1985 年第 1 期。

② 湖北省荆州地区博物馆：《江陵天星观一号楚墓》，《考古学报》1982 年第 1 期。

③ 随县擂鼓墩一号墓考古发掘队：《湖北随县曾侯乙墓发掘简报》，《文物》1979 年第 7 期。

④ 张正明主编：《楚文化志》，湖北人民出版社，1988 年，第 403 页。

传·成公二年》)。

四、开拓进取

楚人开拓进取表现之一是“筚路蓝缕”艰苦创业。《左传·昭公十二年》记楚右尹子革答楚灵王问:“昔我先王熊绎,辟在荆山;筚路蓝缕,以处草莽。”“筚路”,就是简陋的柴车;蓝缕,是指破烂的衣裳。“筚路蓝缕”是楚人艰苦创业、奋发图强精神的生动写照。春秋中叶,称霸中原的楚庄王,常教导国人,“训之以若敖、蚡冒筚路蓝缕以启山林。箴之曰:‘民生在勤,勤则不匮。’”(《左传·宣公十二年》)倡导艰苦创业的勤奋精神。[①]

楚人开拓进取表现之二是“抚夷属夏”的开放创新精神。楚人由环中原地区进入江汉平原,从不固步自封,而是一直保持开放的心态,不仅接受夏、商、周等中原礼制、乐舞的熏陶,还充分吸收巴蜀、吴越文化的建筑、冶炼、丝绸技艺,甚至吸纳南亚、地中海文明的玻璃制造技术,最终成就了炉火纯青的青铜冶铸、绚丽精美的丝织刺绣、巧夺天工的木竹漆器、义理精深的老庄哲学、惊采绝艳的屈骚文学和恢诡谲怪的美术乐舞。[②]《左传·襄公十三年》在记子囊与大夫商议楚共王谥号时云“赫赫楚国,而君临之,抚有蛮夷,奄征南海,以属诸夏……”,总结了楚国君臣奉行的开放政策——“抚有蛮夷”“以属诸夏”。

楚人开拓进取表现之三是“鸣将惊人”的自强不息精神。西周晚期,楚君熊渠甚得江汉间民和,以新得地分封诸子,均以“王”为名号。熊渠自有其理,说“我蛮夷也,不与中国(中原)之号谥”(《史记·楚世家》),自立自强,创造性地建设楚国。楚人的这种精神,用《史记·楚世家》记载楚庄王云即“三年不蜚,蜚将冲天;三年不鸣,鸣将惊人”。历代楚君大多秉承着这种精神率领臣民犯艰历险、励精图

① 罗运环:《论荆楚文化的基本精神及其特点》,《武汉大学学报(人文科学版)》2003年第2期。

② 王生铁主编:《楚文化概要》,湖北人民出版社,2013年,第20—192页。

治，“楚之祖封于周，号为子男五十里”（《史记・孔子世家》），然至楚威王时，楚国已积蓄了足以与任何强敌争胜的实力，此时版图，西起大巴山、巫山、武陵山，东至大海，南起五岭，北至汝、颍、沂、泗。[①]《史记・苏秦列传》记苏秦赞叹：“楚，天下之强国也；王，天下之贤王也。……地方五千余里，带甲百万，车千乘，骑万匹，粟支十年。”楚国俨然成为东方第一强国。

五、重诺守信

楚人重诺守信广为流传，诗人李白在诗《送储邕之武昌》云：“诺为楚人重，诗传谢朓清。”楚人诚信重诺的事迹，仅司马迁《史记》就记述有两则。

第一则是楚庄王事迹。昔者陈国发生内乱，源自大夫夏征舒不堪国君陈灵公的长期羞辱，一怒之下，弑杀国君而自立。这是有违君臣礼数的行径，楚庄王于是率军讨伐，他在出师之前声称：只诛弑君者夏征舒而已，陈人毋惊。然而，在楚师攻占陈都、诛杀夏征舒之后，庄王却宣布：灭陈国，改陈县。当时，楚国大臣都纷纷向庄王道贺，但大夫申叔时却对庄王说：你不是宣布只诛杀夏征舒吗，怎么不守信用把陈国灭了呢？庄王幡然醒悟，宣布收回成命，履行诺言，立即派人去把逃亡在外的陈国公子午迎回继承王位。《史记・陈杞世家》记载孔子读史书至楚复陈时赞曰：“贤哉楚庄王，轻千乘之国而重一言。”《孔子家语・好生第十》载有孔子相同评价：“贤者楚王，轻千乘之国而重一言之信，匪申叔之信，不能达其义，匪庄王之贤，不能受其训。”

第二件是秦汉名将季布之事。《史记・季布栾布列传》载：“季布者，楚人也。为气任侠，有名于楚。”他早年追随项羽南征北战，多次围攻汉王。然汉王得天下之后，悬赏千金捕捉季布，声称“敢有舍匿，罪及三族”。但仍有人设法收留季布。后来，季布因为贤能，被汉王任

① 刘玉堂：《楚民族精神略议》，《华中科技大学学报》（社会科学版）2004 年第 5 期。

为郎中。辩士曹丘生赞季布道："楚人谚曰：'得黄金百，不如得季布一诺。'"季布的诚信已为社会所公认。成语"一诺千金"就源出于此。重然诺、讲诚信，已然成为中华民族所公认的优良传统、社会风尚。

第六章 文学与艺术

先秦时代荆楚文学与艺术华彩斑斓、多姿奇伟。秀美绮丽的故楚之地，自古便传唱着铿锵有力的歌谣，诉说着奇伟瑰丽的神话传奇，在奇谲浪漫的巫风浸润之中，产生了一批批的文学家，在先秦文学史乃至整个中国文学史上书写了他们的传奇。而艺术方面，诸如绘画中的笔墨与色彩、漆器的造型与工艺、青铜的冶炼与装饰、乐器的制造与音律等都书写出了中华艺术文化的辉煌博大，尤其某些形态特征和文化观念更是直接对后世艺术的形成和演变产生重要影响。

第一节 文学

一、《诗经·二南》

作为中国首部诗歌总集，《诗经》收集了自西周初年至春秋中叶的305首诗歌，采取赋、比、兴的表现手法，依据音乐的不同，分为《风》《雅》《颂》三部分。其句式，多以四言为主，四句独立成章，间杂有二言至八言不等，节奏鲜明。反映了周代人民的社会生活及其思想与感情，是一部地域文化的史诗。其中的《二南》，则集中了以汉水流域为主线的南土的诗歌，在中国文学史上留下了浓墨重彩的篇章。

（一）自由开放的爱情婚恋曲

“二南”中最多也最为精彩的，是汉江流域先民们自由开放的爱情婚恋歌谣，有的是表达少女怀春、男子求偶之思，有的是表达求之不得、惆怅无奈之情，有的热情恣肆，有的婉转悠扬。比如：

《周南·关雎》

关关雎鸠，在河之洲。窈窕淑女，君子好逑。
参差荇菜，左右流之。窈窕淑女，寤寐求之。
求之不得，寤寐思服。悠哉悠哉，辗转反侧。
参差荇菜，左右采之。窈窕淑女，琴瑟友之。
参差荇菜，左右芼之。窈窕淑女，钟鼓乐之。

这首诗，以雎鸠开篇。雎鸠是一种水鸟，在每年的求偶季节里，结伴定偶后的雄鸟与雌鸟，会在江河湖泊中的沙洲上嬉戏觅食，其中一只鸟儿鸣叫一声“关”后，另一只鸟儿就会马上应和一声“关”，雌雄二鸟相伴相随，琴瑟和鸣。

自然界里和谐融洽的场面，难道不会引起人们的羡慕么？于是，歌者想到了自己钦慕爱恋者——那位在水边采荇菜的美丽女子，表露出自己想与之交好的心思，以至于寤寐思服、辗转反侧。想了好久，弹琴鼓瑟，用音乐来表达求取知音之情。

春暖花开时节，少女怀春，男子思偶，于是出游于山野、水滨，相互追求。《周礼·地官·媒氏》曰：“中春之月，令会男女。于是时也，奔者不禁。若无故而不用令者，罚之。”甚至诸侯国为男女约会设有专门的地方，《墨子·明鬼》曰：“燕之有祖，当齐之有社稷，宋之有桑林，楚之有云梦，此男女之所属而观也。”《关雎》便是描写水滨男子求偶的爱情歌谣。清越婉转、浪漫优美的歌谣，与奔放热烈、开放自由的感情融合一处，使这首爱情诗歌传唱千载。

与之类似的，还有：

《召南·野有死麕》

野有死麕，白茅包之。有女怀春，吉士诱之。
林有朴樕，野有死鹿。白茅纯束，有女如玉。
舒而脱脱兮，无感我帨兮，无使尨也吠！

这也是一首求偶的爱情诗歌。麕，是鹿的一种，即古书中的“獐”。獐和鹿都是佳品，所以在周代成为纳采之礼，《仪礼·士昏礼》载：“纳征：玄纁束帛，俪皮。”白茅，苞茅，即包扎成束的箐茅，产于江、淮之间。楚人最早向周王室进贡的贡物就有苞茅，其功能之一就是用苞茅缩酒以敬神。《国语·晋语》记周成王在岐山之阳与诸侯会盟时，楚君即“置茅蕝”，韦昭注曰：“蕝，谓束茅而立之，所以缩酒。”《左传·僖公四年》载齐侯率诸侯伐楚的理由时说：“尔贡苞茅不入，王祭不共，无以缩酒，寡人是徵。”男子用白茅束好了野鹿，将其送给美丽的姑娘，二人欢好。

《召南·摽有梅》

摽有梅，其实七兮。求我庶士，迨其吉兮。
摽有梅，其实三兮。求我庶士，迨其今兮。
摽有梅，顷筐塈之。求我庶士，迨其谓之。

这是一首少女怀春、渴望爱情的歌谣：此篇以梅起兴，一说梅子成熟后越落越少，就如同女子的青春稍纵即逝，不由得让人感觉得焦急。另有一说，按照古俗，青年男女相聚约会，用投掷梅子的方式向自己喜欢的人表达爱意。闻一多《诗经新义》谈道：“古俗于夏季果熟之时，会人民于林中，士女分曹而聚，女各以果投其所悦之士，中焉者或以玉佩相报，即相约为夫妇焉。”[①] 而歌中，用“其实七兮”“其实三兮”“顷筐塈之”描绘出梅子的迅速减少，又用一个“求”字，以“迨其吉兮”“迨其今兮”“迨其谓之”的递进层次，使得敦促喜爱的男子趁着好日子约会自己的那种急切感毕露无遗。

---

① 闻一多：《诗经新义》，《闻一多全集》第3册，湖北人民出版社，1993年，第274页。

《周南·汉广》

南有乔木，不可休思。汉有游女，不可求思。汉之广矣，不可泳思！江之永矣，不可方思！

翘翘错薪，言刈其楚。之子于归，言秣其马。汉之广矣，不可泳思！江之永矣，不可方思！

翘翘错薪，言刈其蒌。之子于归，言秣其驹。汉之广矣，不可泳思！江之永矣，不可方思！

此篇以南方乔木起兴，表达思慕之情。江之南乔木，高大易生长，而汉水之滨的那位美女啊，简直是难以追求到！烟波浩渺、广阔无边的汉江，既不能让人游过去，也无法让人坐木筏渡过去，歌者只能望江兴叹，内心充满了惆怅和感伤。于是，只有想象着，那乔木变成灌木丛，让我能割下那荆条和蒌蒿；幻想着，喂饱马和小马驹，接那姑娘做我的新娘……

歌谣里，用方言“思”作为语助词，反复咏叹，使诗歌的音韵更为轻柔婉转，抒发了歌者惆怅无奈的情感，那种可望而不可即的忧伤、踌躇和无限缠绵的情思，跃然而出。诗歌中这位求而不得的汉女，被逐渐神化为汉水女神的形象，甚至影响了后世数代的文学创作，被反复吟唱歌颂。

（二）神圣热烈的仪式诗歌

《二南》中还有一类仪式歌谣。如：

《召南·江有汜》

江有汜，之子归，不我以。不我以，其后也悔！

江有渚，之子归，不我与。不我与，其后也处！

江有沱，之子归，不我过。不我过，其啸也歌！

这首诗歌语句简短，节奏明快，感情炽烈，为先民在天降暴雨、洪水泛滥、江河溃决之时用于驱水仪式中的咒语型歌诀。[①] 由于先民的生活受到洪水、旱灾等自然现象的威胁，故而山川河流也是先民们尊崇和顶礼膜拜的对象。楚人在汉水以西建立国家之后，也将江、汉、睢、漳等山川河流作为“楚之望”。《左传 · 哀公六年》记：

初，昭王有疾。卜曰：“河为祟。”王弗祭。大夫请祭诸郊。王曰：“三代命祀，祭不越望。江、汉、睢、漳，楚之望也。祸福之至，不是过也。不穀虽不德，河非所获罪也。”遂弗祭。

不移罪于山川，足见以楚昭王为代表的楚人对山川的尊崇。

与其相类的，还有：

《殷有雷》

殷其雷，在南山之阳。何斯违斯，莫敢或遑？振振君子，归哉归哉！

殷其雷，在南山之侧。何斯违斯，莫敢遑息？振振君子，归哉归哉！

殷其雷，在南山之下。何斯违斯，莫或遑处？振振君子，归哉归哉！

雷，亦是楚人所崇敬的。楚以祝融为先，《国语 · 郑语》和《史记 · 楚世家》中均有记载。而祝融，既是火神，也是雷神。《国语 · 郑语》记西周末年郑国的史伯说：“夫黎为高辛氏火正，以淳耀敦大，天明帝德，光照四海，故命之曰‘祝融’，其功大矣！”此处的描写，与屈原所作《九歌 · 云中君》中对雷神的描写，“烂昭昭兮未央”“与日月兮齐光”“览冀州兮有余，横四海兮焉穷”等如出一辙。

楚人将传说中的雷神祝融作为祖先，世代祭祀膜拜，甚至因别封之

---

① 蔡靖泉：《楚文学史》，湖北教育出版社，1996 年，第 224 页。

君夔子不祀祝融而灭之，实际上反映的是先民们对自然现象的膜拜。

《桃夭》

桃之夭夭，灼灼其华。之子于归，宜其室家。
桃之夭夭，有蕡其实。之子于归，宜其家室。
桃之夭夭，其叶蓁蓁。之子于归，宜其家人。

这是婚礼时吟唱的仪式歌谣：桃，是汉江流域生长繁茂的植物。在以采集和渔猎为主要谋生方式的原始社会，桃应该是生活在此地域内人们的重要食物，而桃木结实且富有弹性，常被作为打击或防身器物，并逐渐成为辟邪的神圣之物。周代，桃木还是生活在此地的楚人向周天子进贡的主要物品之一，《左传·昭公十二年》载楚右尹子革说："昔我先王熊绎，辟在荆山。筚路蓝缕，以处草莽；跋涉山林，以事天子。唯是桃弧、棘矢，以共御王事。"诗歌中，通过对桃花盛、果多、叶茂的歌咏，向新人表达祝福。诸如此类的仪式歌谣，还有《鹊巢》《螽斯》等。

《召南·驺虞》

彼茁者葭，壹发五豝，于嗟乎驺虞！
彼茁者蓬，壹发五豵，于嗟乎驺虞！

这则是一首狩猎前举行祭祀仪式时的诗歌：驺虞，《说文解字》载："虞，驺虞也。白虎，黑文，尾长于身，仁兽。"《山海经·海内北经》载："林氏国有珍兽，大若虎，五彩毕具，尾长于身，名曰驺吾，乘之日行千里。"驺虞为上古神话中的神兽，也是巴楚民族的图腾。《吕氏春秋·仲夏记》载："帝尧立，乃命质为乐。质乃效山林溪谷之音以歌，乃以麋辂置缶而鼓之，乃拊石击石，以象上帝玉磬之音，以（致）舞百兽。"此处舞就是狩猎前举行的宗教祭祀祈祷仪式，祈祷能捕获更多的猎物。"彼茁者葭""彼茁者蓬"，是指草木茂盛、蓬勃的春季，祈祷能够"壹发五豝""壹发五豵"。"于嗟乎驺虞"，向驺虞祈祷，呼唤神兽驺虞的保佑。反复吟唱，增强了诗歌的感染力。

（三）质朴清丽的劳动歌谣

《二南》中采集的一部分诗歌，是伴随着人们的劳动节奏而吟唱的歌谣。这类歌谣文辞简短，节奏明快。

《周南·芣苢》

采采芣苢，薄言采之。采采芣苢，薄言有之。
采采芣苢，薄言掇之。采采芣苢，薄言捋之。
采采芣苢，薄言袺之。采采芣苢，薄言襭之。

芣苢，即车前草，生长于草长莺飞的春日，可食用。风和日丽，三五成群的女子们结伴去采摘芣苢，一边采一边唱着歌谣。"采"一个动作，构筑了全诗的场景，只有六个动词不断变化，形象地描述出采摘过程，其他则不断地重叠，产生了一种简单明快、往复回环的音乐感。清姚际恒《诗经通论》言："以韵分三章，章四句，然每二句只换一字，实六章，章二句也。极为奇变。"[①] 而其诗中蕴含的情怀，正如清方玉润《诗经原始》中所言："恍听田家妇女，三三五五，于平原旷野、风和日丽中，群歌互答，余音袅袅，若远若近，忽断忽续，不知其情之何以移，而神之何以旷。"[②] 此类劳动中产生的歌谣，质朴无华却韵味无穷。

《二南》中更多的，是通过劳动生活场景，表达其中蕴含之丰富情感和深厚文化的诗歌。如《周南·卷耳》之采卷耳，《召南·草虫》之南山采蕨，表达的更多的是思恋之情；《召南·采蘋》《召南·采蘩》等，则是描写蘋藻和白蒿用以祭祀宗庙的劳动场面。

《二南》采集了江汉流域楚地居民社会生活中的歌谣，由于汉水流

① ［清］姚际恒：《诗经通论》，中华书局，1958 年，第 27 页。

② ［清］方玉润：《诗经原始》，中华书局，1986 年，第 85 页。

域特殊的地理位置和自然环境，这里传唱的歌谣既有来自北方黄河流域的严谨浑厚，更多南方水乡泽国的浪漫清丽，在中国文学史上具有相当重要的地位。

二、楚辞

中国文学史上，先秦时期诗歌蓬勃发展，至战国时期，楚国诗人屈原以南方民歌为基础，采用楚方言，使用繁丽的文辞，容纳复杂的内容，表现丰富的思想情感，创作了新的诗歌体裁——楚辞，极大地丰富了诗歌的表现力，将楚诗歌推上了先秦诗歌的顶峰，为中国古代的诗歌创作开辟了新天地。

屈原之后，又有宋玉、唐勒、景差诸人，“皆书楚语，作楚声，记楚地，名楚物”，赋予了楚辞感情奔放、想象奇特，极具地域特色和神话色彩的特征，影响了中国文学史上浪漫主义诗歌创作的开端。“楚辞”之名首见于《史记·酷吏列传》，而西汉末年刘向辑录屈原、宋玉等人之作品，以及汉代人模仿这种诗体的作品，形成了第一部浪漫主义诗歌总集——《楚辞》，开启了后世之赋体文学，对历代散文创作之影响极为深远。

（一）屈原与楚辞

《史记·屈原贾生列传》载：“屈原者，名平，楚之同姓也。为楚怀王左徒。博闻强志，明于治乱，娴于辞令。入则与王图议国事，以出号令；出则接遇宾客，应对诸侯。”作为一位政治家，屈原的一生充满着跌宕起伏的转折变化；作为一名贵族子弟，屈原既接受了北方中原文化的熏陶，也浸染着南方楚地的文化气息。他关注现实，又幻想着理想的世界；他爱国，又憎恨一切黑暗的腐败统治者。所有矛盾的交集，产生了屈原笔下内容丰富、情感激烈、表达离奇的文学作品。

1. 屈原与《离骚》

屈原的作品，《史记·屈原贾生列传》中提及的有《离骚》《天问》《招魂》《哀郢》《怀沙》五篇，《汉书·艺文志》则著录“屈原赋二十五篇”，王逸《楚辞章句》中也认为屈原作品有 25 篇，但具体篇目与史迁所列不同。

《离骚》是其中最具代表性的诗作，刘勰《文心雕龙·辨骚》曰：“不有屈原，岂见《离骚》。惊才风逸，壮志烟高。山川无极，情理实劳。金相玉式，艳溢锱毫。”其文学思想、表达手法、艺术形象、语言风格等对中国文学史的发展具有重要的影响。

《离骚》全诗共 376 句、2486 字，是一首内容丰富、情感丰富的鸿篇巨制。“离骚”之名，司马迁《史记·屈原贾生列传》中曰：“离骚者，犹离忧也。”班固《离骚赞序》云：“离，犹遭也；骚，愁也。”东汉王逸《离骚经叙》曰：“离，别也；骚，愁也。”多以字面意思解释其义。宋项安世《项氏家说》中则认为其为楚语，曰：

> 《楚语·伍举》曰：“德义不行，则迩者骚离，而远者距违。”韦昭注曰：“骚，愁也。离，畔也。”盖楚人之语，自古如此。屈原《离骚》，必是以离畔为愁而赋之。

项氏之意，大抵是“离骚”即因背叛而忧愁。这种理解当是与《离骚》内容及写作背景相关的。

《史记·屈原贾生列传》曰：“王怒而疏屈平。屈平疾王听之不聪，谗谄之蔽明也，邪曲之害公也，方正之不容也，故忧愁幽思而作《离骚》。”屈原被疏远，是楚怀王之时的事情，其被放逐，则在怀王和顷襄王在位期间均发生过，故而，此篇产于怀王还是顷襄王时期，学术界一直存在争论。但它是一首阐发政治情怀的抒情诗，这是显而易见的。史迁曰：“屈平之作《离骚》，盖自怨生也。”

屈原在《离骚》开篇追溯了自己出身于王族的身份，其后阐明他自幼努力自修美德、培养才能，并决心报效国家的愿望，记述了自己希望君王“及前王之踵武”，使国家更为富强的政治理想。而当他努力协助君王开展政治改革之时，遭到了贵族们的谗害、诽谤，而楚王也听信谗言，疏远了屈原。国家岌岌可危，“路幽昧以险隘”，让屈原极度痛苦。屈原对楚王不辨忠奸、反复无常的行为非常不满，也极度愤恨贵族集团贪婪嫉妒、背法忘形的行为，在诗歌中表达了不屈服的斗争精神。

接着，屈原记述了女媭对他的明哲保身的劝诫。然而他通过向重华陈词，分析古往今来的史实，拒绝了女媭的建议，开始了“路曼曼其修远兮，吾将上下而求索”的历程。可无论是天阍，还是佚女宓妃、有娀氏女和有虞之二姚，都无法实现。

于是，屈原只好去找神巫灵氛占卜，灵氛劝他去国远游；他又去找巫咸问策，巫咸劝他暂留楚国以待明君。诗人犹豫不决，既想远离这个让他无望的国家，又舍不下一番爱国之心。当他最终决定升天远行之时，“仆夫悲余马怀兮，蜷局顾而不行”，决心“从彭咸之所居”，以死殉国。

《离骚》书写了屈原一生的经历，抒发了他对国家和人民的热爱与忠诚，揭露了楚国贵族集团腐朽黑暗的本质，表现了他追求真理、坚持理想而不屈不挠、九死不悔的精神，具有丰富而深刻的思想内涵。

《离骚》体现出屈原伟大的爱国情怀。虽然遭到楚王的疏远和放逐，屈原从未改变自己对楚国的眷念和热爱。这种思想也贯穿于他的其他作品之中，如《九章·惜往日》中：“宁溘死而流亡兮，恐祸殃之有再。不毕辞而赴渊兮，惜壅君之不识。”他对楚王流放他的行为，虽怀怨愤，怪他“荃不察吾之中情兮，反信谗而齌怒”，但他并无二心。

《离骚》中表达出屈原对“群小”的鞭挞。屈原所处的时期，佞臣们把持着朝政，为一己私利而置国家社稷于不顾。屈原揭露当时的社会现状，曰：“固时俗之工巧兮，偭规矩而改错。背绳墨以追曲兮，竞周容以为度。”“众女妒余之蛾眉兮，谣诼谓余以善淫。”“世溷浊而不分兮，好蔽美而嫉妒。”“众皆竞进以贪婪兮，凭不厌乎求索。羌内恕己以量人兮，各兴心而嫉妒。”在这样的乱世，屈原坚守信念“世人皆醉我独醒，世人皆浊我独清”“宁死流亡兮”体现了屈原不同流合污的独立精神。

《离骚》中充满了屈原锐意图强，执着追求美政的思想。他提倡的“美政”，是要君主重视民生，重视法治，远离谗臣，从而建立一个“诸侯毕极，立九卿只”的强国。终其一生，屈原都在执着地追求这种“美政”，“虽不周于今之人兮，愿依彭咸之遗则”，“伏清白以死直兮，固前圣之所厚”，“虽体解吾犹未变兮，岂余心之可惩”，“亦余心之所善兮，虽九死其犹未悔”。

《离骚》中借用屈原几次求女的经历，以喻之对理想的追求。为了求得心中理想的女子，他马不停蹄，“吾令凤鸟飞腾兮，继之以日夜”，好不容易来到高丘，高丘却无女可求；又令丰隆乘云赶路以求宓妃，得知宓妃外表虽美丽却不懂礼仪；赶至瑶台寻找有娀氏女，媒人鸩鸟却劝阻；继而远游，看到有虞氏二姚，却因“理弱而媒拙”而未果。不断地追求，却永远都不能实现，但他从不放弃，这与屈原追求“美政”的理想是多么相似。

2. 屈原作品的文学价值

作为中国文学的两大源头之一，楚辞在文学艺术上创造出了极高的成就，以《离骚》为代表，塑造了中国文学史上第一个形象丰满、个性鲜明的抒情主人公形象。《离骚》中体现的丰富思想内涵在其他楚辞作品中都有所体现，同时，它也感染了后世无数诗人，在中国文学史中的影响长久不衰。

《离骚》中使用了大量的象征手法，建构了以“香草”“美人”为典型的特殊意象。王逸《楚辞章句》曰：“《离骚》之文，依《诗》取兴，引类譬喻，故善鸟香草，以配忠贞；恶禽臭物，以比谗佞；灵修美人，以媲于君；宓妃佚女，以譬贤臣；虬龙鸾凤，以托君子；飘风云霓，以为小人。其词温而雅，其义皎而朗。”屈原用秋兰、杜若等香草来象征自己的洁身自好。他广植香草，“余既滋兰之九畹兮，又树蕙之百亩”，喜好佩戴和食用香草，“纫秋兰以为佩”，“制芰荷以为衣兮，集芙蓉以为裳”，“朝饮木兰之坠露兮，夕餐秋菊之落英”。

楚辞的象征手法，实则是诗歌体系中“比兴”手法的进一步发展。

楚辞之前，比、兴手法在诗歌中的运用，是“以此物比彼物”，“先言他物”而为“所咏之词”作铺垫，而楚辞中，并无本体和喻体之间的明确区分，通篇使用某种物象作为特定含义的象征物，并构成了一系列统一的象征体系，将形象不同但实质相同的象征物用来表达“善”与“恶”、“君子”与“小人”等特定的事物中，从而使诗歌反映生活、表达情感的艺术性和概括性达到了新的阶段，就如史迁所称：“其称文小而其指极大，举类迩而见义远。”（《史记·屈原贾生列传》）

屈原作品中“赋”的表现形式也是极为丰富多样的。相对于《诗经》中较为简单地运用白描勾勒，屈原作品中的铺陈方式“千态万状、层见叠出”[①]。《离骚》中大量使用铺陈，如铺叙香草，“擥木根以结茝兮， 贯薜荔之落蕊。矫菌桂以纫蕙兮，索胡绳之纚纚”，又如记叙“女媭之婵媛兮， 申申其詈予”之劝诫之言等，都是用了大量繁芜华丽的语言，反复叙述以明其详，穷尽其辞的陈述其形，而且叙事过程中又始终交融着抒情、状物之时也始终伴随着表达自己的喜怒憎恶，情景交融，意象相生。

《离骚》开创了骚体诗的格局。篇中吸取了楚地民歌的语言特点，打破了《诗经》四言句式的局限，使用了楚地长短不一的句式，交叉使用五字句、六字句、七字句、九字句，使其语言跌宕起伏、错落有致。作品中，语气词“兮”字使用得尤为广泛，增强了诗歌语言的音乐美，强化了诗篇的感染力。这些艺术特点，除《离骚》具备，屈原其他楚辞作品都概莫能外。

屈原楚辞，是中国诗歌浪漫主义的源头，《诗经》与之并称为“风、骚”。它对后世的文学创作产生了深远的影响，王逸《楚辞章句》：“屈原之词，诚博远矣。自终没以来，名儒博达之士著造词赋，莫不拟则其仪表，祖式其模范，取其要妙，窃其华藻，所谓金相玉质，百世无匹，名垂罔极，永不刊灭者矣。”

---

① ［清］刘熙载：《艺概·赋概》，江苏人民出版社，2019 年，第 365 页。

（二）风流才子宋玉

中国文学史上，宋玉常与屈原并提。《文心雕龙》之《辨骚》篇称："屈宋逸步，莫之能追。"《时序》篇则言："屈平联藻于日月，宋玉交彩于风云。"

史书中，宋玉生平事迹之记载甚少，除《史记·屈原贾生列传》《汉书·艺文志》中寥寥几笔之外，主要见载于西汉刘向之《新序》、韩婴《韩诗外传》，东汉王逸《楚辞章句》，西晋陆机《文赋》以及南朝刘勰《文心雕龙》等著述中。通过梳理，大致可以得知，宋玉为楚之鄢（今湖北宜城）人，主要活动于楚顷襄王时期。出身不高，经朋友推荐才得以做了大夫之职，但为才所累，遭到群小之排挤，始终不受君王重用，后失职。楚国国破后，宋玉避兵乱藏于今安徽境内之古衡山，后涉江辗转至今湖南临澧，卒老于此。[①]

由于宋玉是继屈原之后楚辞创作之集大成者，故而文学论述中常将其两人作为师徒，王逸《楚辞章句》中称："宋玉者，屈原弟子也。"习凿齿《襄阳耆旧传》也称宋玉"始事屈原，原既放逐，求事楚友景差"。事实如何尚不可得知，但宋玉在文学上承继了屈原之风是毋庸置疑的，同样，他也成为中国文学史上一颗璀璨的明星。

1. 宋玉文学作品

关于宋玉之文学作品，《汉书·艺文志》称"宋玉赋十六篇"，然具体篇目不详。东汉王逸《楚辞章句》收录《九辩》《招魂》两篇；南梁萧统《文选》中收入了《风赋》《高唐赋》《神女赋》《登徒子好色赋》《九辩（五首）》《对楚王问》《招魂》等篇章；唐代《古文苑》收有《笛赋》《大言赋》《小言赋》《讽赋》《钓赋》《舞赋》六篇。《隋书》《唐书》《新唐书》均载录《宋玉集》三卷或二卷，南宋郑樵《通志·艺文略》尚载有"楚大夫宋玉集二卷"，而至《宋史》则不再见载。可见，战国末期，宋玉创作的作品并未单独结集成书，大抵只是单篇流传，抑

---

① 刘刚：《宋玉年世行迹考》，《鞍山师范学院学报》2003 年第 5 期。

或是作为屈原及其他楚辞类作品的附属流传。但南宋以前，宋玉作品曾以专集形式流传于世。

宋玉所著作品中，影响最大者莫过于《九辩》。《九辩》共255句，1741字，开篇即以“悲哉，秋之为气也！萧瑟兮，草木摇落而变衰”发出慨叹，继而描绘了摇落之草木、翩翩之归燕、无声之秋蝉、宵征之蟋蟀、悲鸣之鹍鸡、离披之梧楸等一系列秋天的物象，展示出一幅富有感染力的秋景图。秋天，万物逐渐从夏日的繁茂生机中走向凋零，树叶飘落下来，百花凋谢成尘，满目萧瑟，这种大自然的变化，极易引起人情感上的感叹与悲伤。这也就是所谓的“悲秋”情怀。

这种“悲秋”感，自古有之，体现在不少文学作品中，《诗经》、楚辞等也有所表达。然而，《诗经》里的秋景言情，多是作为起兴的表达方式，并不作为主题存在；楚辞作品里，《九歌》中《湘夫人》和《山鬼》篇里屈原描述的秋景与愁情，更多的也是秋景起兴，表达自己的忧虑和喜好。宋玉在作品中，则体现出情景交融的艺术风格，运用多角度、多笔法，构建出“悲秋”的意象整体。《九辩》之“秋”，不仅是季节景物的转化，这种景与作者忧伤、悲哀的情绪浑然相融，抒情与写景结合得更为自然贴切。在某种意义上说，宋玉称得上“悲秋之祖”[①]。清贺贻孙《骚筏》中便指出：“从来未有言秋悲者，亦未有言秋气悲者，‘悲哉，秋之为气也’七字，遂开无限文心。”鲁迅亦评之曰：“虽驰神逞想不如《离骚》，而凄怨之情实为独绝。”[②]

描述美女，是宋玉文学作品中的出彩之笔。宋玉被称为风流才子，其一是因为他貌美且“好色”，其二当是因为在他笔下，诞生了很多光彩照人的美女形象。具有代表性的是《神女赋》中的巫山女神，以及《登徒子好色赋》里的邻家女子与郑、卫间的采桑女子，还有《讽赋》中客馆主人的千金。

---

① 徐少舟：《宋玉：是独绝千古的悲秋之祖》，《江汉论坛》2003年第11期。

② 鲁迅：《汉文学史纲要》，人民出版社，1973年，第25页。

《神女赋》中，他以“罗纨绮缋盛文章，极服妙采照四方”来刻画高贵华美、举止端庄的神女形象。《登徒子好色赋》里，他用“增之一分则太长，减之一分则太短”“著粉则太白，施朱则太赤”描绘了一位无可挑剔的邻家女子。在《讽赋》篇中，他以“翳承日之华，披翠云之裘，更被白縠之单衫，垂珠步摇”形容客馆家千金的惊艳。好美之心，人皆有之，而像宋玉这般，毫不吝啬地使用最为华丽的辞藻、优美的比喻和夸张的手法描绘美人，却并不多见。

纪山川河流，绘自然胜景，也是宋玉作品中的绝妙之处。对山水风景的描写，早前的《诗经》、楚辞等作品也都有所涉及，但直至宋玉《高唐赋》的出现，才让这一主题真正焕发出光彩。

《高唐赋》描述的是巫山高唐的山水风物，以楚王与巫山神女梦会的传说起笔，描绘了山间云雾变幻莫测、来无影去无踪的情景，又从不同空间和视角描写高唐波澜壮阔的澹澹稸水、烂若列星的绿树繁花、谲诡奇伟的磐石崎崖，以及芳草丛生的绝顶风光。宋玉穷尽笔力，铺陈其景，写高唐之水“濞汹汹其无声兮，溃淡淡而并入”，“奔杨踊而相击兮，云兴声之霈霈”；又描绘阳光照耀下，那郁郁葱葱的榛树林里，绿叶紫花红茎白蒂，五颜六色“烂兮若列星，曾不可殚形”。宋玉的《高唐赋》，向人们展示了一幅瑰丽神奇的巫山美景图。

历史上的文学作品，多以忠言直谏和微词讽谏表达出笔者的政治情怀。司马迁《史记・屈原贾生列传》说宋玉等人“皆祖屈原之从容辞令，终莫敢直谏”。宋玉自己也在《讽赋》和《登徒子好色赋》中承认“口多微词”。这种“微词”书于笔端，委婉地表达远大的政治志向和不为君王赏识的委屈与愤懑。

《对楚王问》篇中，宋玉以对问的形式，抒发个人失意情感。对问的形式，在屈原作品中已出现，而在宋玉作品中达到成熟。宋玉在遭到楚顷襄王“其有遗行与？”的询问和“何士民众庶不誉之甚也？”的质疑时，没有直接为自己辩解，而是通过“曲高和寡”的故事，用《阳春》《白雪》和《下里》《巴人》，以及凤凰与鷃雀、鲲鱼之伟岸高雅和尺泽之鲵之卑微庸俗进行对照描写，洋洋洒洒隐喻了自己鞭挞群小、讽谏君王的情感。《风赋》篇则生动描述了“大王之雄风”与“庶民之雌风”，极力铺陈这两种风横空出世、穿山越谷、飞沙走石、扬尘冲孔、扫尽六合的宏大场面，并用雄风穿过玉堂使王侯“发明耳目，宁体便人”，来夸饰雄风之威力，取悦于楚王，又以雌风穿过穷巷而使庶民“中心惨怛，生病造热”再现了当时楚国贫富分化的社会现实，隐含着对百姓生活的关切和对君王的讽谏，可谓微言大义。

2. 宋玉辞赋的艺术特征

宋玉作为继屈原之后的辞赋大家，其作品中体现出的鲜明特征，在中国文学史上具有承前启后的意义。

其一，铺采摛文，体物写志。

宋玉作品注重夸张渲染，极力地运用华丽的辞藻铺陈其事。刘勰《文心雕龙·夸饰》云：“自宋玉、景差，夸饰始盛。”在其作品中，有时是排比、对偶、夸张等各种艺术手法并用，极尽铺排之势，如《神女赋》中写神女之美曰：“茂矣，美矣，诸好备矣；盛矣，丽矣，难测究矣。上古既无，世所未见。瑰姿玮态，不可盛赞。”这还是给襄王介绍神女的第一印象而已，而进一步描写神女美貌的“其始来也，耀乎若白日初出照屋梁；其少进也，皎若明月舒其光。须臾之间，美貌横生，晔兮如华，温乎如莹。五色并驰，不可殚形；详而视之，夺人目精。其盛饰也，则罗纨绮缋盛文章，极服妙采照万方”之语，更是穷尽铺排夸饰之辞。

宋玉作品有时还有全方位、多角度的形象描摹。《招魂》篇运用了天地四方、高低远近的空间布局，以东、南、西、北、上天、下地之恶，衬中央楚地之美。《高唐赋》描绘了不同时间段朝云的形状变化。《神女赋》则全面描画了神女的容貌和服饰之美，进而谈论神女之性情。

同时，宋玉作品中还充分捕捉光、影、声，利用叠词和色彩鲜明的词语突出情感，有《高唐赋》中水石相击之时“砾磥磥而相摩兮，巆震天之磕磕”的波澜壮阔，又有《九辩》里“蝉寂寞而无声”的郁闷凄凉。

其二，始造对问，以申其志。

对问结构，始肇于屈原与女媭、渔父的问对。宋玉作品，已有两人问对、三人问对和多人问对，扩展了赋体的形式，为汉大赋之宏阔规模奠定了基础。此后，这种对问形式，成为文学史上重要的表达方式。

而这种对问式的作品，宋玉又创造了“首、中、尾”三段式赋体结构。按《文心雕龙》的说法，“首”即“述客主以首引”，通过主客之间的问答，作为引起正文内容的铺垫，引导话题深入；“中”即指正文主体部分，要“极声貌以穷文”，极尽铺陈华丽之词描写所要表现的事物；“尾”即在文章结尾部分“归余于总乱”，曲终奏雅，点明写作目的，达到讽谏之要旨。

其三，骈散结合，参差错落。

刘熙载《艺概·赋概》曰：“赋中骈偶处，语取蔚茂；单行处，语取清瘦。此自宋玉、相如已然。”宋玉作品中大量采用骈散结合的句式，使赋形成了参差错落的散文化格局。与骚体不同，赋中语助词“兮”字不再整齐划一，而是移动位置，使句子错综变化、张弛有度。其句式，则在骚体六字为主的句式中，加入三字句、四字句等样式的句式，各种句式参差跳跃，为文学所要表现的社会人生和个人情感创造了更为自由而灵活的表达方法。宋玉辞赋的语言或用韵，或不用韵，音调自由和美，既继承了古诗的整齐，又借用了散文的潇洒自如，于自由疏宕中见工整巧丽。

宋玉的赋体，对中国文学史上的赋体文学产生了直接而重要的影响。“体物浏亮”的特点，正来自宋玉之赋；后世所推崇的“悲秋”情怀以及巫山神女等文学艺术形象，同样出自宋赋之中。正因如此，宋玉也成为中国文人之翘楚，独领风骚。

三、《庄子》的文学艺术成就

作为先秦文学史上一座丰碑，《庄子》具有高超的文学艺术成就，其文汪洋恣肆，气势壮阔，想象丰富，瑰丽奇谲，对中国文学史的发展产生了深远的影响。

（一）包罗万象的散体形态

《庄子》常被推崇为先秦文学史上散文之丰碑。事实上，《庄子》的文体，除了散文，还包含着诗、赋、小说等，可谓包罗万象。

庄子的散文不同于其他诸子的哲理散文，不囿于一般的记事和说理，而是将天地鬼神、风光云气、山林河海、鸟兽虫鱼等各种自然生物、社会局面，以及人的想象、思维等全部纳入作品中，“意出尘外，怪生笔端”[①]，从而拓展了散文的领域。在庄子笔下，有水击三千里，抟扶摇而上九万里的大鹏；有十步一啄、百步一饮的泽雉；有非梧桐不止、非练实不食、非醴泉不饮的鹓鹐。作品中的人物，有肌肤若冰雪、绰约若处子的神人，有登高不栗、入水不濡、入火不热的真人，有身怀绝技的能工巧匠，也有奇形怪状的畸人。无论现实世界中存不存在的事物和人物，无一不能出现于其笔下，无一不能入其作品之中，庄子可以随意驱遣万物生灵，奇思妙想，肆意描绘，渲染夸张，从而构成了一个神幻莫测的浪漫主义世界。其表达方式虽天马行空，其内容却明确，且结构严谨。《齐物论》篇，先描述“南郭子綦隐机而坐，仰天而嘘，荅焉似丧其耦”，引出子游之问，继而展开层层议论，“层层相生，段段回顾，倏而羊肠鸟道，倏而叠嶂重峦”[②]，再以“庄周梦蝶”故事“转转益幻，想入非非”[③]，最后以“物化”二字点题作结，正“如红炉点雪，手法绝高”[④]。全篇洋洋数千言，想象丰富，但都围绕“齐物”这一主题。

《庄子》的出现，揭开了散文创作史上崭新的一页。历代作家或弘其义，或袭其文，或效其笔法，或被其风神，两汉鸿文、魏晋风度、盛

---

① ［清］刘熙载：《艺概·文概》，上海古籍出版社，1978 年，第 8 页。

② ［清］林云铭：《庄子因·齐物论》篇末总评，华东范大学出版社，2011 年。

③ ［清］陆树芝：《庄子雪·齐物论》评语，清嘉庆四年文选楼刊本。

④ ［清］刘凤苞：《南华雪心编·齐物论》篇末点评，清光绪二十三年晚香堂刊本。

唐之音，莫不披其流风。

《庄子》也是诗篇。王国维论其具有“诗歌的原质”，“即谓之散文诗，无不可也”[①]。一篇《逍遥游》，大鹏“九万里则风斯在下矣，而后乃今培风；背负青天而莫之夭阏者，而后乃今将图南”；一首《秋水》，大海“万川归之，不知何时止而不盈；尾闾泄之，不知何时已而不虚”……语言对偶，节奏明快，用韵悠长，诗情画意。再看《天运》篇：“天其运乎？地其处乎？日月其争于所乎？孰主张是？孰维纲是？孰居无事推而行是？意者其有机缄而不得已乎？意者其运转而不能自止邪？云者为雨乎？雨者为云乎？孰隆施是？孰居无事淫乐而劝是？风起北方，一西一东，有上仿徨。孰嘘吸是？孰居无事而披拂是？敢问何故？”与屈子《天问》如出一辙。《庄子》用极其凝练的诗歌语言，创造出了深邃隽永的意境，对后世诗歌创作中意境的形成具有极大的影响。

《庄子》还是赋的滥觞。刘勰《文心雕龙·诠赋》说：“赋者，铺也，铺采摛文，体物写志也。”这在《庄子》中已有诸多体现。《齐物论》中描写风：“夫大块噫气，其名为风。是唯无作，作则万窍怒呺。而独不闻之翏翏乎？山陵之畏佳，大木百围之窍穴，似鼻，似口，似耳，似枅，似圈，似臼，似洼者，似污者。激者、謞者、叱者、吸者、叫者、譹者、宎者，咬者，前者唱于而随者唱喁，泠风则小和，飘风则大和，厉风济则众窍为虚。而独不见之调调之刁刁乎？”笔者绘声绘色地描述了风的形成以及表象，逼真传神，后宋玉之《风赋》当体于此。又如《逍遥游》中描绘藐姑射神人：“肌肤若冰雪，淖约若处子；不食五谷，吸风饮露；乘云气，御飞龙，而游乎四海之外；其神凝，使物不疵疠而年谷熟。”其风采神韵，当比宋玉《神女赋》中之高唐神女。《人间世》描写支离疏：“颐隐于脐，肩高于顶，会撮指天，五管在上，两

---

① 王国维：《屈子文学之精神》，《中国历代文论选》第四册，上海古籍出版社，1980 年，第 383 页。

髀为胁。挫针治獬，足以糊口；鼓荚播精，足以食十人。”这种铺陈笔法，宋玉《登徒子好色赋》里也同样出现。足见《庄子》诸篇已有赋之雏形和特征，并深远地影响了其后的宋玉、汉赋大家。[①]

（二）恢诡谲怪的象征体系

《庄子》寓言，侧重于用形象的描绘来间接寄寓哲理，也就是“以象见义”的象征手法。如“庄周梦蝶”寓言，通过一场蝴蝶与人之间的梦，来阐述齐物之道，认为人们如果能打破生死、物我的界限，则无往而不快乐。此外，《庄子》中借“混沌之死”“庖丁解牛”“鲁侯养鸟”等寓言故事，喻示“去故与知”“因其固然”“因自然而不益生”的修养之法等，都以寓意为本体，以虚构假托的形象和故事为喻体来实现生动形象的表达。

《庄子》之象征手法建构了“以卮言为曼衍，以重言为真，以寓言为广”(《庄子·天下》) 的表现体系。

所谓“寓言”，如上所言是意在于此而寄言于彼，用比喻来阐述自己的观点，也就是为避免“言出于己，俗多不受”而“籍外论之”。

所谓“重言”，即借重先贤的言语，来表达自己的思想观点。林希逸《庄子口注·寓言》云：“重言者，借古人之名以自重，如黄帝王、神农、孔子是也。”“借重于耆艾之人，则闻者不敢以为非，可以止塞其议论也。”姚鼐《庄子章注·寓言》曰：“托己说于圣言以自重。”

所谓“卮言”，大致是由随寓言、重言所引发的延伸、阐发之言。而这多为文章的点睛之笔，是文章意旨之所在。如《逍遥游》中“至人无己，神人无功，圣人无名”就是反映篇目之主旨的总结性言论。

这三者，在《庄子》中是相互交错的。张默生说：“《庄子》书中，往往寓言里有重言，重言里也有寓言，是交互错综的。因此寓言的成分即使占了全书的十分之九，仍无害于重言的占十分之七。”[②] 如《逍遥

---

① 刘生良：《〈庄子〉文学研究》，陕西师范大学博士学位论文，2003 年。

② 张默生：《庄子新释》上册，台湾时代书局，1974 年，第 14 页。

游》开篇的寓言中，就有“小知不及大知，小年不及大年”之类的卮言，而《人间世》结尾的卮言中，又有“山木自寇也，膏火自煎也”之类的寓言，可以说《庄子》中寓言、重言和卮言交互错综的篇目比比皆是。

（三）纵横捭阖的辩对艺术

《庄子》作品中，大量使用辩对的形式，或用于说理，或用于批驳。辩论之文体多种多样，语言掷地有声。

《庄子》中的辩对，以两人或多人的形式，直接通过一问一答来表达思想。如《齐物论》满篇都以对问的形式论证观点。问答的双方，通常是尊长和弟子，内容多为请教性、探讨性的，还有彼此间为某种不同的观点产生的相互驳斥。典型的代表即《逍遥游》中庄子与惠子围绕“大瓠”“大树”来争论“大”是否有用。

《庄子》中还多使用具有故事情节的辩对。如《渔父》篇，并不是简单叙述人物间的对话，而是先从外部环境讲起，“弟子读书，孔子弦歌”。这个时候，渔父出现了，笔者对其外貌和举止进行了详细的描述，“下船而来，须眉交白，被发揄袂，行原以上，距陆而止，左手据膝，右手持颐”，直至一曲终了，方才开始谈论。

在辩对中，庄子表现出独特的语言能力。《列御寇》篇中，为反讽曹商向秦王献媚得车的行为，庄子用“破痈溃痤者得车一乘，舐痔者得车五乘，所治愈下，得车愈多”的奇辩妙论打击了曹商。《秋水》篇中，庄子与惠子的“濠梁之辩”更是绝妙机锋，语简而味长：

> 庄子与惠子游于濠梁之上。庄子曰：“鲦鱼出游从容，是鱼之乐也。”惠子曰：“子非鱼，安知鱼之乐？”庄子曰：“子非我，安知我不知鱼之乐？”惠子曰“我非子，固不知子矣；子固非鱼也，子之不知鱼之乐，全矣！”庄子曰：“请循其本。子曰‘汝安知鱼乐’云者，既已知吾知之而问我。我知之濠上也。”

围绕游动在水里的鱼是否感到快乐，二人展开了辩论，语言中针锋相对，看似绕口，却显示出一种哲学智慧。

“谲譬以指事”（《文心雕龙·谐隐》），也是《庄子》辩对中常用的手段。这种谲寓，托其他的人或事，来借喻自己想表达的观点。《天运》篇中“泉涸，鱼相与处于陆，相呴以湿，相濡以沫，不若相忘于江湖”，《秋水》篇中“坎井之蛙”“邯郸学步”等，都用了谲譬巧喻，增强了辩对的艺术性。同时，这种辩对之喻，形式非常丰富，语言高度概括，如《人间世》之“螳臂当车”，《知北游》篇之“人生天地之间，若白驹之过郤，忽然而已”，等等，都显示出绝妙的辩对智慧和语言艺术。

这种辩对艺术，对后世的文学作品产生了重要而深远的影响，比如其后的宋玉、唐勒等人的作品中就大多采用的问答式的辩对体赋。汉代的散体大赋中，辩对体作品也是承袭了《庄子》中的模式和风格。

此外，《庄子》中蕴含着丰富而深刻的审美理想。庄子一生追求美的生活环境和人生理想，并且用一种奇妙的构思和手法去表现这种人生观，他将哲学艺术化，其哲学理论中包含着文学艺术，又通过文学表现形式来反映出他的哲学思想，从而形成了独具特色的美学和文学思想体系，开拓了中国美学和文学理论及批评的领域，对中国文学史中美学思想和文学理论体系的建构有着巨大而深远的影响。

第二节　绘画

楚国绘画艺术繁盛，王逸在《楚辞章句》中为《天问》作序时说，楚国大夫屈原“见楚有先王之庙及公卿祠堂，图画天地山川神灵，琦玮僪佹，及古贤圣怪物行事。周流罢倦，休息其下，仰见图画，因书其壁，呵而问之以渫愤懑，舒泻愁思”。由于时代久远，屈原所见的楚壁画如今已不存在，而楚帛画和漆画仍然是艺术史中重要遗存，为窥探楚人的绘画艺术提供了可靠的实物材料。

一、帛画

帛画，这一以材质命名的绘画形式，是以笔墨在绢帛织物上进行绘画的一种艺术形式，它用“线条”承载着中华艺术的文脉。考古资料表明，在浙江地区新石器时代晚期的吴兴钱山漾遗址中就曾有绢帛残片发现。[①]20 世纪 70 年代末，在江西贵溪鱼塘岩墓中发现丝、麻织物，其中还有纺轮、清纱杆等织机零件和纺织工具。值得说明的还有，这座春秋末期至战国早期的墓葬竟出土了目前最早的带有白色花纹的苎麻布，足见丝织物与艺术结合的趋势已经是必然。楚国墓葬中大量出土的战国丝织制品更印证了在纸质材料产生之前，绢帛丝麻这类材质对艺术发展所起到的作用。湖北江陵马山一号墓以“丝绸宝库”的绢帛织绣艺术闻名遐迩，长沙楚墓中两幅绢帛绘画——人物御龙图和人物龙凤图则在中国艺术史、文化史上铸下鼎鼎大名。

（一）两幅长沙楚墓帛画的图像与形态

湖南长沙陈家大山楚墓的人物龙凤图，描绘了一位双掌合拢，五指微分的妇人形象。人物身躯直立，腰身略微前倾，长袍宽袖细腰侧面而向；目光微垂，视线汇于双手及凤鸟屈腿处；妇人着装华丽，垂地卷起的长衣延展开来，前面翘起至人物膝盖高度，后面舒展成纤细的尖状，前高后平，构成迎风而行的动势；袍衣之下，似新月一角在画面右下方露出，有乘借舟船行进之感；在妇人头顶正上方偏画面左侧位置绘一腾飞的凤鸟。凤鸟一足弯曲呈“V”字形，一足伸展成直线，有大型鸟类起飞瞬间的助跑与飞跃之势。凤鸟形象与妇人的形象占据了画面的重要位置。在图像的最左侧是一扭动身躯、俯视视角的龙形象，龙首竖直向上，龙尾卷曲，呈升腾状，较旁边浑圆的凤鸟相比，龙的描绘稍显单薄。（图 6–1）

① 浙江省文物管理委员会:《吴兴钱山漾遗址第一、二次发掘报告》,《考古学报》1960 年第 2 期。

图 6–1 长沙陈家大山楚墓帛画人物龙凤图

湖南长沙子弹库 1 号楚墓出土的人物御龙图，其主体是一男子驾驭龙形舟船行进的图像。图中男子身着拖地长袍，头系冠，脑后有飘带，腰间佩长剑，体态端庄，气宇轩昂，长袍拖地处两端成“山”字形上翘，与陈家大山楚墓帛画妇人袍衣下部有相似的上卷感；男子腰腹部有两条驾驭用的缰绳，手部持握动作细节并没有画出，但其掌控缰绳的态势已全然成于画面；男子居于画面的绝对中心位置，其头部之上有新月状伞盖。从画面中心移向画面左、右和下部，可见数只动物或灵物，男子缰绳所延伸的一侧，是一条长龙弯曲成“U”形舟船，画面左侧是龙首，高昂向上，画面右处为龙尾，弯折卷曲似云气，在龙尾上端立一凤鸟；凤鸟昂头朝向画面右上方，凤鸟嘴微张，呈长鸣状，一足直立，一足弯曲抬起；在画面的左侧下方，有一条用线勾写的游鱼形象。绘画线条的运用也流畅，可以推想当时美术技巧娴熟。（图 6–2）

图 6–2　长沙子弹库楚墓帛画人物御龙图

刘玉堂在谈及战国楚墓帛画的艺术表现力时，给予两幅帛画极高的评价——“堪称我国早期帛画的双璧”[①]。此言不为过，基于目前所发现的情况，绢帛绘画中年代最早、绘画水平最高的非这两幅楚墓帛画莫属。而这两幅作品先后“问世”所带来的轰动，却并不局限于艺术表现方面，功能、主题、内涵、寓意，乃至其与楚辞、楚俗、楚巫术的关系等诸多领域都是学者关注和探索的，从某种意义上讲，这两幅帛画的发现激活了先秦文化研究的诸多方面。

（二）楚墓帛画的论争与思辨

由于人物御龙图“问世”是在 20 世纪 70 年代，故而，比它发现更早的人物龙凤图最先被学者讨论。最早做帛画人物龙凤图专项考察研究

① 刘玉堂：《楚画散议》，《文史杂志》1987 年第 5 期。

的是历史学家郭沫若，他在1953年刊发的文章中指出了这幅帛画的基本面貌、出土（盗掘）时的基本状况，并根据中国科学院考古所[①]陆式熏的摹本进行讨论，文中所提“夔”而非“龙”的判断也是基于陆氏的摹本。梁思永对此画的解读也在这篇文章中被转述，在梁氏看来，图像所绘是龙凤斗争的情景，是生命与死亡相争的映射。同样，在郭氏的解读中也有“生命战胜死亡、和平战胜灾难”[②]等语句，可见当时的研究或受一些时代因素的影响。

刘敦愿在其文章中也对人物龙凤图进行了分析，指出鸟蛇斗争题材在战国时代是典型题材，鸟和蛇分别隐喻吉凶、福祸、生死，前者战胜后者也是画面中体现出来的社会状况和自然状况。[③]张正明则从图腾族属关系的角度阐释了不同灵物斗争图像的内涵。[④]龚维英也是从大的历史文化变迁的观念出发，认为龙和凤分别代表两个族属，并联系夷、夏的地理位置等情况，指出图像暗含了“楚人以龙族而崇凤”的隐晦文化关系。[⑤]诸如此类观点，可能受到早期学者对先秦图腾研究、上古民族融合等思维与视角的影响。

需要反思的是，图腾理论在早期文化的解读中可能会起到作用，但将其置于周代文化的讨论可能还缺乏有力的证据。关于这一点，其他学者也有同样的疑惑。曲枫甚至直接指出：“图腾制度是否存在于中国的史前时代及早期历史时代尚无法从考古学上得到证实。”[⑥]值得注意的还

---

① 考古所1950年筹建并成立，当时属于中国科学院；1977年中国社会科学院成立，考古研究所隶属于中国社会科学院，特此说明。

② 郭沫若：《关于晚周帛画的考察》，《人民文学》1953年第11期。

③ 刘敦愿：《试论战国艺术品中鸟蛇相斗题材》，湖南省文物考古研究所、湖南省考古学会：《湖南考古辑刊（第1辑）》，岳麓书社，1982年。

④ 张正明、滕壬生、张胜琳：《凤斗龙虎图像考释》，《江汉考古》1984年第1期。

⑤ 龚维英：《从楚帛〈龙凤妇人图〉探索古龙族凤族的斗争与融合——兼论楚文化在历史进程中形成的特色》，《荆州师专学报（哲学社会科学版）》1988年第3期。

⑥ 曲枫：《图腾理论及其在中国考古学上应用之检讨》，辽宁省博物馆编：《辽宁省博物馆馆刊》第三辑，辽海出版社，2008年。

有，将士一级墓葬中出土的图像提升至整个先秦民族融合、文化交汇的大体系下，似乎把问题扩大化了，同时也缺乏十足的证据，况且帛画也非历史进程的叙事展现。

其实，在郭沫若论断发表后的第七年，孙作云就质疑其“诗意”的解释，以善恶论的观点来阐释龙凤二灵的“斗争”似乎有以今律古的倾向。孙氏判断，帛画中所画妇人应为墓主人，而图像的寓意正是“使死者的灵魂早日升天”[①]。20世纪80年代早期，熊传新从资料重新认定的角度，辨别了所谓的“第一手材料”在第一次公布时的状况。他指出，原作在出土后并没有得到完善的科学清理，致使画面上的某些“污迹”被当作线条和图像被临摹出来，而导致学者们的误判。文中特意强调了该幅帛画的“原貌”，即提出湖南省博物馆李正光的新摹本是接近原作的可靠图像，并以此辩证，否定了郭沫若先前所提“夔”及相关图像阐释。他还对孙作云的认识表示赞同，并以新摹本为宗，重新审视了以往学界对人物龙凤图的研究：在谈及帛画内容时提出“引魂升天”应为帛画主题，这是“楚地信巫神和灵魂登天升仙迷信思想的反映”；而在帛画的功能方面则认为其性质是“铭旌”，且为目前发现的最早一件。[②]人物龙凤图早期摹本在画面理清污迹未完之际的摹写和发表，造成的一些误判至熊氏观点一出，彻底厘清。

熊传新文章刊发后，后续学者的研究多采用李正光临摹的新本，自此，开启了长沙两幅楚墓帛画研究的新阶段。刘信芳指出，楚辞中《九歌·河伯》描写的场景与人物御龙图绘画内容相似，因此可以图文对读，并认为该帛画具有招魂的功能和用途，还特意指出依图所证墓主亡灵应为水死之魂，此幅帛画也是根据这一情况“私人定制”的结果。[③]陈建宪则从中日“引魂之舟”相似文化的角度出发，联系到中国古代南

---

① 孙作云：《长沙战国时代楚墓出土帛画考》，《人文杂志》1960年第4期。

② 熊传新：《对照新旧摹本谈楚国人物龙凤帛画》，《江汉论坛》1981年第1期。

③ 刘信芳：《关于子弹库楚帛画的几个问题》，《楚文艺论集》，湖北美术出版社，1991年，第111—122页。

方的龙舟竞赛、船棺葬，甚至是“引魂之舟”信仰等情况。① 还有学者认为，战国帛画与汉代“旌幡”帛画作用相同，旨在“招魂入墓”。人物御龙图是墓主生前日常场景的再现，在江河湖泊荡舟是其“最为风光惬意的一幕”，这种创作目的在墓葬功能中则是利于招引亡魂，起到“识别”之用，而龙、凤等某些灵物往往是图腾象征物，人物龙凤图正是以象征的手法来传递民族情感的作品。②

在2000年之后，有一些新研究补充进来。傅举有以半讲解半陈述的口吻，再次揭秘了子弹库战国楚墓帛画与帛书的发掘和流传经过，其中不乏一些带有现场痕迹的细节。③ 贺西林曾撰文整理了马王堆漆棺画与帛画的研究，其中回溯了楚墓帛画的研究情况，他认为长沙楚墓两幅帛画图像与神仙思想有关，主题表现的是“引魂升天”。④ 黄震云指出，长沙楚墓帛画是“墓主人升天图”，而帛画的性质应该为“棺饰”，并从《仪礼》中找出对应，称其为“茵”。⑤

二、战国楚地漆画

（一）包山2号楚墓人物车马出行图

此图长87.4厘米，高5.2厘米，绘制于半径为14厘米的漆奁盖外侧立面上，画有人物二十六个、马十匹、雁九只、树五棵、车四辆、狗两条，猪一头。⑥ 这些人物与动物的集中描绘在楚地的漆画中可谓是第

---

① 陈建宪：《引魂之舟：楚人物龙凤帛画与日本竹原古坟壁画的比较研究》，《楚文艺论集》，湖北美术出版社，1991年，第123—129页。

② 胡志勇：《楚及西汉旌幡帛画辨析》，《湖北大学学报（哲学社会科学版）》1998年第4期。

③ 傅举有：《帛书、帛画出土记——长沙子弹库1号楚墓的盗掘与再发掘》，《上海文博论丛》2005年第2期。

④ 贺西林：《从长沙楚墓帛画到马王堆一号汉墓漆棺画与帛画——早期中国墓葬绘画的图像理路》，《中国汉画学会第九届年会论文集》，中国社会出版社，2004年。

⑤ 黄震云：《长沙战国楚墓帛画图考》，《中国文化研究》2009年第2期。

⑥ 湖北省荆沙铁路考古队包山墓地整理小组：《荆门市包山楚墓发掘简报》，《文物》1988年第5期。

一次出现，这也就更凸显此绘画的研究价值。（图 6–3）

图 6–3　荆门包山 2 号墓车马出行图

在探讨其中形态元素之前，需要指出的是，这幅绘画的构图关系是受限于漆奁的形状，因此在处理细部结构之时，就必须在展开后为长方形的平面中作画。这看似无关紧要的一个细节实际却导致了画面部分形式的变革。画面中的五棵树是分隔故事情节、连通画面整体的关键，但在具体形态上却被描绘成“S”型。表面看来，其作用是在美学上增加动感、在视觉上增加活力，但从写实绘画的角度来考察它的比例关系则可发现，每棵树的顶端均与绘画载体边界相切，树木的扭动屈身是避免因为保持真实的比例而超越画面的界线。这种因构图而产生的描绘方式的改变，正如唐代张彦远在《历代名画记》中谈到的“人大于山”，树木“若伸臂布指”的造型状态相类似，也就是说，战国楚地绘画的这种描绘意识在后世的绘画中得到接受甚至在一定时期内得以传承。[①]

如前所述，树木起到了分割画面情节的作用，叙事性也由此产生，五个段落基于树木的分隔而独立并连续：第一段落，左侧一人俯下身

① 张启彬：《包山楚墓〈车马出行图〉新探》，《湖北美术学院学报》2009 年第 2 期。

躯，拜倒在地躬身行礼。对面三匹马拉一辆车，三马颜色不同，中间枣红色，两边棕褐色。车上有三人，青衣御马者手持缰绳躬身前倾，身着黄衣的乘者站立在车中，目视前方，旁边有一人相陪。在车的后方有旌旗飘动，旗下是一位青衣者，紧跟其后有三人作奔跑状，在排列上呈现倒品字形。再后面是一乘两马拉的车，驾车者扬鞭催马向前，一位黄衣者正立在车上，另有一青衣人侧侍一旁。第二段落，一车三马前行，车上有三人，青衣者御马，黄衣人正立，另一人在侧面陪侍，车下后方一青衣人随行，行车的布局与第一段落相似。两只大雁绘于画面右上方，飞行方向与马车行进方向一致。第三段落，一只犬和一头猪在奔跑，从其四肢张开的尺度看，速度是极快的。第四段落，两青衣人并列站立背面对观者，旁边着黄衣人面向右方，与右边的出行者相向而行，似乎在迎接刚下车的宾客。再右边一车两马在旁作等待状，车上有一御者。马车朝向画面右端，马前有一犬。第五段落，两人面右前行，三人背对观者并列立于一旁。（图 6–4）

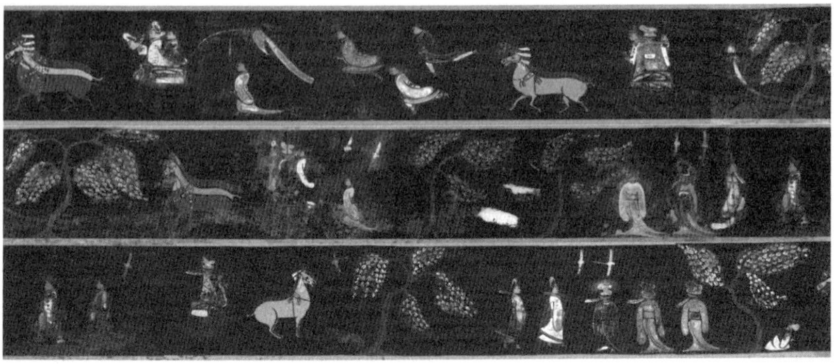

图 6–4　荆门包山 2 号墓车马出行图（展开）

由五个段落的绘画内容可以看出，这是一组带有叙事性质的绘画。李浴认为这是所见最早的贵族出行题材的画作[①]，彭德则考证其主题为

① 李浴：《中国古代美术史·夏商周篇》，辽宁美术出版社，2001 年，第 547 页。

"王孙亲迎"[①]。依据绘画的载体是女性所用的"梳妆盒"，以及图像中雁飞与树木的描绘所体现出来的季节性，可以判断该绘画主题应为"婚嫁迎亲"。

（二）曾侯乙墓彩绘鸳鸯盒绘画

曾侯乙墓中出土有一件鸳鸯形漆盒。漆盒全身以彩绘形式展开，盒盖部位浮雕龙纹，翅膀微微上翘，尾部平伸，下部爪子以卷曲的状态呈现。在色彩处理方面，以黑漆为地，其上描绘几种不同颜色的图案。颈部与腹部彩绘朱红色鳞纹，翅部、尾部则以红、黄两色相间绘锯齿状带纹、菱格纹及绹纹，爪部绘有龙身鳞纹。值得注意的是，除了彩绘鸳鸯盒器身的纹饰装饰外，在盒的两侧，即鸳鸯的腹部也绘有两幅具有场景性的画作。漆盒身左侧为撞钟击磬图，右侧是击鼓起舞图。画面中人物（神怪）形象极为模糊，不仅没有具体的五官，就连整体的体貌特征也不能确定到底是人装扮成的神怪，还是带有灵性的物象。（图 6–5）

图 6–5　曾侯乙墓彩绘鸳鸯盒

① 彭德：《屈原时代的一幅情节性绘画——荆门楚墓彩画〈王孙亲迎图〉》，《文艺研究》1990 年第 4 期。

（三）信阳楚墓彩绘漆瑟

1957年发掘的信阳长台关1号楚墓，其下葬时间大约为战国中期偏晚的时段。墓中共出土三件瑟，其中两件为木瑟，一件为彩绘锦瑟[①]。这件锦瑟的彩绘漆画部分，主要集中在瑟的首部、尾部以及首尾两端立墙上，按照考古报告中锦瑟纹饰复原的顺序，在瑟首部分从右至左依次为射猎图、巫师图、巫师持法器图、巫师戏蛇图、巫师持法器图、群兽图，以及燕乐图、巫师戏龙图；瑟的尾部则绘有射猎图、出猎图、狩猎图、巫师图、默祷图、缚兽图等。[②]现存的锦瑟由于部分是以残片的形式存在，故而被分割成了不同的片段及主题图像。锦瑟彩绘在用色方面极为丰富，以黑漆为地，使用红、黄、赭、灰绿、银灰、金等多种色彩塑造出各种人物、灵物、动物等形象，画面灵活生动，带有极强的场景性，视觉效果较为强烈。（图6–6）

图6–6　信阳长台关1号墓漆瑟绘画

① 这件带有绘画图像的瑟长约124厘米，宽约37厘米，瑟墙高6.3至7厘米不等。

② 河南省文物研究所：《信阳楚墓》，文物出版社，1986年，第29—31页。

（四）湖北沙市喻家台彩绘龙蛇凤纹漆瑟绘画

1992年，湖北沙市喻家台41号战国楚墓出土了带有彩绘的漆瑟[①]，长度为88.7厘米，宽度为41.5厘米，高度达10厘米，瑟面载体的两端分别绘有龙蛇凤鸟图和鸟树图。漆瑟左侧的龙蛇凤鸟图的核心部分为一只尾羽丰满的凤鸟，凤鸟的头下为一条盘曲成“8”字形的蛇，在凤鸟的尾部有一龙一蛇头尾相反作缠绕状，凤鸟的背部有一蛙形人似乎飘浮在空中，凤鸟的爪下还有一只小鸟。（图6–7）

图6–7　湖北沙市喻家台楚墓漆瑟龙蛇凤鸟图

（五）湖北枣阳九连墩楚墓漆木弩彩画

2003年，对湖北枣阳九连墩楚墓随葬器进行整理时发现多段漆绘木条，经拼对组合，确认为5件漆木弩，弩臂两侧彩绘有精美图案，其中4件绘制彩画，涉及弋射、侍候、嬉戏、游玩、迎候、舞蹈等内容，为研究战国中期楚国绘画艺术提供了宝贵材料。[②]（图6–8、6–9）

① 张正明、邵学海：《长江流域古代美术：（史前至东汉）绘画与雕刻》，湖北教育出版社，2002年，第56—57页。

② 湖北省文物考古研究所、襄阳市文物考古研究所：《湖北枣阳九连墩楚墓出土的漆木弩彩画》，《文物》2017年第2期。

图 6-8　湖北枣阳九连墩漆木弩（M1：728）左侧面第一段

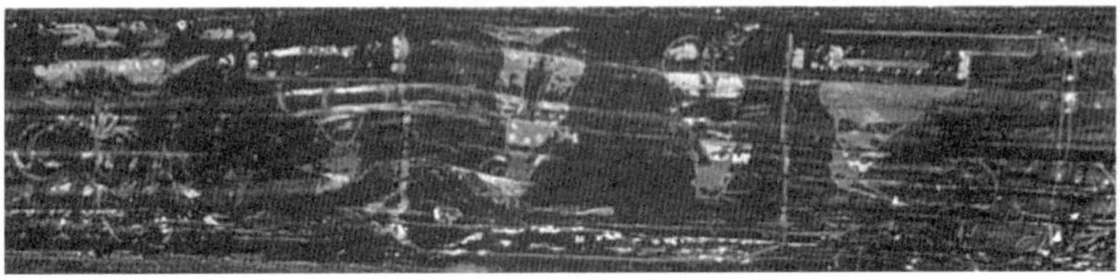

图 6-9　湖北枣阳九连墩漆木弩（M1：728）左侧面第二段

第三节　雕塑

从美术学科分类的角度看，楚国漆器和玉器造型艺术中不仅有二维平面的绘画艺术，有些器物还可以视为立体形态的雕塑艺术。战国时代大型楚墓中遗存较为丰富，种类多、样式全，是其他墓葬文化区域所不可比拟的。以天星观 1 号墓、2 号墓，江陵望山沙冢楚墓，江陵雨台山楚墓等为例，就可见其中端倪。

一、楚漆器雕塑

天星观 1 号墓为战国中期大型楚墓，出土漆器种类多样，主要有漆凭、漆几、漆耳杯、漆勺等实用器物。带有漆器装饰的剑鞘、弓箭、盾牌等兵器也在其中。[①] 值得注意的是，漆木鹿、虎座飞鸟等造型别致、样式特殊、具有特殊功能意义的漆制物件也保存相对完好，为楚国色漆精制工艺的重要代表。

① 湖北省荆州地区博物馆：《江陵天星观 1 号楚墓》，《考古学报》1982 年第 1 期。

在天星观2号墓中，除了楚墓通常出土的漆盘、漆杯之外，还出现了一些新见的漆器样式，凤鸟莲花豆的造型样式就是首次出现在楚墓之中。[①]凤鸟莲花豆，是组合形式的器物，它由莲花形豆盘、鸟造型与蛇造型拼接而成，在工艺上还使用了榫卯连接和生漆粘接的结合方式。该器物的鸟颈弯曲，鸟头向上而后仰，这种看似奇怪的造型实际是为了使上端的豆盘能够托举得平稳，同理，鸟身下面的蛇的造型也在一定程度上起到了稳定平衡的作用。此墓中许多漆器造型别致，其中蟾蜍状器座首次在战国墓葬中出现。从细部特征上观察，其身后部有一鸟尾状突起，“蟾蜍”也有是灵异怪兽的可能。在色彩上通身饰黑漆，有黄色条带纹连贯缠绕作为装饰。（图6–10）

图6–10　天星观2号墓凤鸟莲花豆

江陵望山沙冢楚墓出土一件彩绘木雕座屏。[②]屏雕由鹿、鸟（凤）、蛇、蛙四种动物（灵物）组成。布局对称，以双鸟争蛇为中心图像构成二方连续的整体图案。在胎体制作工艺上，先将动物造型以不同大小的木块雕造成型，再进行粘接和榫接使其连合成整体。在髹漆色彩上，以

① 湖北省荆州博物馆：《荆州天星观二号楚墓》，文物出版社，2003年，第221页。

② 湖北省文物考古研究所：《江陵望山沙冢楚墓》，文物出版社，1996年。

红、黄、蓝为主色调，描绘出动物身上的斑纹、翎羽等。这件座屏构思上将飞禽和走兽联系在一起，动物之间的穿插连接、对抗争斗情景极具戏剧性。此外，为保障座屏的稳定性，底部的缠蛇装饰也经过了细心的处理。（图 6-11）

图 6-11 江陵望山彩绘木雕座屏

在江陵雨台山楚墓的 558 座墓葬中，出土漆木器的墓葬多达 224 座，出土漆器数量多达 900 件。[①] 漆器的种类也颇丰，有豆、俎、耳杯等饮食用器，也有鼓、瑟等乐器，更有镇墓兽等丧葬用器。其中一件双头猪漆盒造型别致，犹如融合了创意的“雕塑作品”。这件漆盒是盛放酒具的储备盒，但它却被雕刻成憨态可掬的双头猪造型，传达出来的喜乐表情使得这件器物刻画的形象与严肃甚至狞厉的青铜兽面有着很大的区别。漆盒通体髹黑色，并用红、黄色彩绘描绘出卷云纹、旋涡纹等纹样。这件木胎漆器也是楚国髹漆制胎工艺的一个典型代表。（图 6-12）

图 6-12 江陵雨台山双头猪漆盒

① 湖北省荆州地区博物馆：《江陵雨台山楚墓》，文物出版社，1984 年，第 91 页。

通过以上几例战国楚墓漆器遗存，可以窥见楚地漆器雕塑的某些特质。从艺术形态及工艺手法来看，同一墓葬出土的某些漆器有可能是同一作坊来专门制作完成的。天星观 2 号墓的一系列漆器就是实例。双头猪漆盒、虎座鸟架鼓的虎座和鼓架残件、凤鸟莲花豆等，在髹漆色泽处理上有着高度的一致性。造型的整体美学特征也有着相似的特点，如双头猪漆盒与虎座鸟架鼓的虎座（图 6–13），两件器物的动物造型都呈现可爱、憨厚的美感，且在某些细部艺术形态的处理上也出于同一手法，如对圆眼睛的刻画；再者，这些漆器的表面装饰纹饰，都有“山”字波浪形式的翎羽纹。这一典型的装饰纹样大量而反复地出现在双头猪漆盒、虎座鸟架鼓的虎座和鼓架残件、凤鸟莲花豆等器物上，说明此纹饰的设计元素是成熟且经过推敲的，是带有标志性的设计符号，反映了这一典型纹饰的使用者应属同一制作团队，这也是漆器作坊成熟化的体现。

图 6–13　虎座鸟架鼓的虎座

值得一提的是，漆器的胎体制作工艺使实用器物具有了某种雕刻意识，髹漆技术为图绘及雕刻工具的运用提供了实验场地。出于这种情况，精美的漆器便成了一种“奢饰品”，而工艺上的“精美”则决定了它的奢侈程度。因此，漆器造型及相关装饰与绘画等工艺水平构成了漆器价值的核心部分。换言之，髹漆制作工艺的本体性地位在漆器发展过程中得到了显著提升。

二、楚地玉雕

楚国最初立国于丹淅之地，此地邻近蓝田玉的产地。西周晚期，楚人进入汉水流域，在“江汉间”或“江汉楚蛮之地”开疆拓土，西周末至春秋初年，楚核心区当靠近荆山——著名的玉石产区。春秋早期，楚武王熊通一统江汉，楚文王北上灭申、息、邓，占有南阳盆地，楚申县、今南阳市即著名的独山玉产地。可见楚国从熊绎初封起，其活动地区皆在玉石产地，而随着国力的增强，政治、经济与文化的发展，楚人对玉的需求必然增多，对玉的认识也在逐步深入。春秋中后期，楚国已经有专门治理和掌管玉的官员——玉尹，包山楚简记载楚国设有玉府专门管理和制造玉器。春秋早期，发生了著名的卞和献玉故事，中国历史上著名的无双宝玉——和氏璧，也就此出现在历史舞台上。

楚国玉雕艺术逐渐有别于中原玉器形成自己的审美风尚大致始自战国时代，组合、缠绕、对称、铰链等艺术造型及工艺技法逐渐形成，并由此孕育出新的审美观念和文化表达。

淅川下寺楚墓群，属于春秋中晚期的楚国贵族墓群。该墓群中出土玉器超过 1500 件，仅 2 号墓就出土玉器近千件，其中一件蟠虺纹玉璧格外引人注意。该玉璧扁圆，上下琢刻扉棱，璧面装饰蟠虺纹样，一改春秋早期之前玉璧造型较单一、素面无纹的作风，在造型和设计上都显示出向战国风格演变的过渡特征。

桓谭《新论》中对楚国都城繁华景象描写道：“楚之郢都，车毂击，民肩摩，市路相排突，号为朝衣新而暮衣蔽。”江陵曾为楚国历史上重要都城，熊家冢殉葬墓出土大量玉璧及多种玉器便见证了一座国都曾经的繁荣。

熊家冢墓地周边有特大型古冢十余座，大中型古冢数十座，小型古冢近百座，是东周楚国高等级墓葬集中区域之一。熊家冢主冢、陪冢旁有殉葬坑92座，在已发掘的35座殉葬墓中，随葬物品多为玉器，并有迹象表明，这批玉器中尚有未加工完成的。其中玉璧多达360件，此外，6件玉环，103件玉珩，39件玉佩，以及数量不等的玉牌、玉管、玉含、玉坠、玉饼、玉珠等都让世人瞩目。[①]

其中一双龙璧（PM4：56）主体部分刻有谷纹、蝌蚪纹等纹饰，形态简洁灵动；璧两侧附有作躬身回首状双龙，分别呈正反"S"形对称分布。龙身浅浮雕谷纹，周边雕凸棱边廓，尾端刻鬣纹。（图6–14）

图6–14　熊家冢双龙璧（PM4：56）

另一透雕蟠螭纹璧（PM14：2）呈圆形扁平体，由内外两环以及环间透雕纹饰构成，两面纹饰相同，造型透巧，彰显楚玉雕中的透雕工艺。外环有两道阴线刻廓，廓间雕云纹。内环同样阴线刻廓，廓间有谷纹及勾连纹。值得注意的是，两环之间精美透雕了4组共8条蟠螭，呈两两相连曲身交错状对称分布，螭首有双目、双耳，身背部刻有斜线

① 荆州博物馆：《湖北荆州熊家冢墓地2006—2007年发掘简报》，《文物》2009年第4期。

纹。这样的工艺及造型一改朴实无华的样式，进而标榜繁复、绚丽的审美追求。（图 6–15）

图 6–15 熊家冢透雕蟠螭纹璧（PM14：2）

熊家冢楚墓中除了有工艺非凡的玉璧之外，造型别致的玉佩也十分突出。其中一龙形佩（PM12：25）呈回首弯曲状，脊背上缘有一圆孔，周边外缘刻一周阴线廓，龙首刻眼、鼻、角，足部刻爪，尾部刻鬣。周身部分两面纹饰有所区别，一面以浅浮雕谷纹、蝌蚪纹为装饰，另一面则以阴线刻画卷云纹饰。（图 6–16）

图 6–16 熊家冢龙形佩（PM12：25）

另一龙凤形佩（PM16：11）由一龙一凤组合而成，龙体边缘刻一周阴线廓，首部对眼、鼻、角都有刻画，足刻爪，尾刻鬣，躯干刻云纹和谷纹。龙作低首曲躯状，卷尾与头部构成互相形式上的呼应，一凤栖于龙尾处，钩喙回首，身刻羽纹和斜线纹。（图 6–17）

图 6–17 熊家冢龙凤形佩（PM16：11）

此外，荆州院墙湾楚墓出土玉器 29 件，13 件为龙形玉佩，其中神人操两龙形玉佩、龙鸟鱼形玉佩、多首龙形玉佩等造型奇特，意象万千，在东周玉器中尚属少见。[①]

河南信阳长台关 1 号战国楚墓出土楚玉 30 多件，包括玉璧 9 件、玉管 3 件、玉璜 10 件、玉佩 7 件等。[②] 其中一件双凤纹佩，为战国中期

① 荆州博物馆：《湖北荆州院墙湾一号楚墓》，《文物》2008 年第 4 期。

② 河南省文物研究所：《信阳楚墓》，文物出版社，1986 年，第 62—63 页。

楚玉精品。值得注意的还有，长台关2号楚墓中出土的木雕女俑，俑身绘有玉饰纹样，更为直观地反映了楚人悬挂组佩玉饰的状态，可见“君子无故，玉不去身”“言念君子，温其如玉”的情况，也在楚国贵族妇女及家奴服装佩饰上有所呈现。

河南淮阳楚墓出土的玉器种类齐全，覆盖璧、环、璜、匕、带钩等多种，材质以新疆和田玉为主，雕工细腻，造型别致，线刻、圆雕、透雕等多种刻制方式相结合。[①] 在淮阳平粮台第16号战国楚墓出土的三十多件玉器中，有一件鎏金嵌玉镜架格外引人注意。镜架结构为铜质，在梯形框架中嵌入乳白色卷云纹玉。框架顶端有以绿松石嵌为兽眼的兽头。嵌玉镜架出土处伴有铜镜，由此可以想见战国时代楚人日常生活的情景和审美情趣。

战国中晚期的湖北枣阳九连墩2号墓出土玉器亦十分精美，如蟠龙纹佩（M2：C544）由四条呈“S”形的蟠龙两两对称围合而成；双凤纹佩（M2：C524）将两只顶吻翘尾的凤鸟侧面立像结合成一块玉佩。这些造型样式，视觉上富有节奏感，体现了楚人丰富的想象力，以及对玉质材料加工工艺的把控能力。楚人突破原有程式，进行组合类型的复杂创造，也是新审美观念的要求。（图6–18、图6–19）

图6–18　九连墩2号墓蟠龙纹佩（M2：C544）

---

① 河南省文物研究所、淮阳县文物保管所：《河南淮阳平粮台十六号楚墓发掘简报》，《文物》1984年第10期。

图 6-19　九连墩 2 号墓双凤纹佩（M2：C524）

安徽寿县战国晚期长丰杨公楚墓群中 2 号墓、8 号墓、9 号墓共出土有 79 件玉器，仅 2 号墓出土的玉器就多达 50 余件。[1] 邵学海指出，寿县长丰楚玉具备几个显著特点：一是玉璧以青玉为主，谷纹为其主要装饰纹样。二是璜、佩、觿的设计处理上，结合镂雕饰凤鸟纹、龙纹。这样的设计理念既展示了战国时期工匠的艺术水平，又表明了战国晚期佩玉的赏玩价值。三是楚玉出现新样式，如瓶形饰、条形饰等。这些饰件有可能为制作其他玉器余下的废料，工匠聪慧地将边角余料加工成了组佩中其他构件。

曾国处于楚地，为楚国附庸。以湖北随州曾侯乙墓为代表的曾国墓葬玉器为楚地玉器艺术研究提供了另一可作参考的坐标。曾侯乙墓出土玉器（石器）500 余件，其工艺之精美、种类之齐全令世人惊叹。类别方面，璧、环、琮、璜、珮、玦、挂饰、带钩、玉人、圆雕动物等无所不有。[2] 工艺方面，阴线刻、浅浮雕、平雕、透雕、圆雕、单面雕、双面雕等都有展现，且造型样式多元而有新意，如十六节龙凤玉佩、四节

① 安徽省文物工作队：《安徽长丰杨公发掘九座战国墓》，《考古学集刊》第二集，第 55—57 页。

② 湖北省博物馆：《曾侯乙墓》，文物出版社，1989 年，第 401—431 页。

龙凤玉佩，堪称战国玉雕工艺杰出代表。十六节龙凤玉佩，由5块青白色玉石雕成，十六节合为一可以活动折叠的龙形，每小节又分别采用阴线刻、平雕、透雕、透连接等手法塑造龙、凤，蛇，或是璧、环等形态，合计形成37条龙，7只凤，10条蛇的体量结构。这样的艺术造型与工艺处理，使得玉佩整体合一又不失生动细节，形象绮丽之中透露出匠人的职业精神与玉石的灵性内涵。有研究者据该玉佩放置的部位，结合文献“楚王绝缨之会”的记载，指出其功能可能为帽子上的装饰物，即“玉璎”。但从形制和尺寸来看，这也很有可能是佩戴在身上的装饰玉佩。（图6–20）

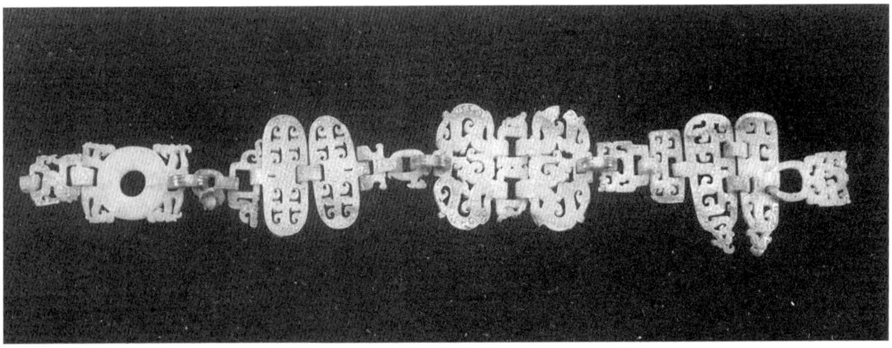

图6–20 曾侯乙墓十六节龙凤玉佩

曾侯乙墓葬中还出土21件用于塞入逝者口中的玉晗。《周礼·春官·典瑞》有：“大丧，共饭玉、含玉、赠玉。”这些玉晗被塑造成数量不等、形态各异的缩微牛、羊、狗、猪、鸭、鱼等形象，栩栩如生。如此繁复的玉料组合结构和精细化雕刻，势必要求当时工匠有着精妙的设计构思，并且运用合适有效的工具来实施构想，诸如锯、凿、锥、刻刀等金属工具应该在曾侯乙墓制玉工艺上得到很好的应用。需要说明的还有，曾侯乙墓的葬玉观念带有许多北方中原文化特征，如墓中玉玦、玉晗等都是中原葬区典型用器，这也见证了位于楚地的曾侯乙族群与中原文化之间的文脉联系。（图6–21）

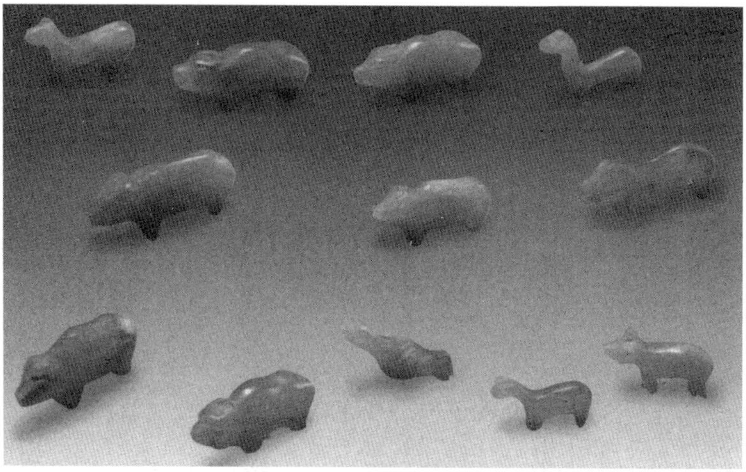

图 6-21　曾侯乙墓玉唅

此外，楚地玉器还得见于一些文博机构的收藏，如 20 世纪 50 年代湖南省文物管理委员会就曾征集若干玉件，尽管它们并非科学发掘所得，但经与考古得来的相关楚玉器比较研究，被认定为战国中晚期的楚玉。其中，“一”字形龙佩饰、三角形龙佩饰、“S”形龙佩饰、龙形璜等制作精巧、造型别致，现藏于湖南博物院。①

第四节　服饰

中国桑蚕养殖及丝绸织造历史由来已久。20 世纪 50 年代浙江吴兴钱山漾遗址中出土的丝织残片，为目前所知最早的丝织实物。《绎史》卷五引《黄帝内传》有“黄帝斩蚩尤，蚕神献丝”的说法。而从蚕纹陶器和陶蚕蛹等遗存上推断，中国养蚕历史可能达 7000 年之久。②

先秦时期楚地织物发展状况可见诸史料，《管子》中有楚国“贡丝于周室”的说法，可见春秋战国时期楚地的丝织品不仅产量丰富，质量

① 邓昭辉：《湖南省博物馆藏战国楚玉器》，《江汉考古》2002 年 1 期。

② 陶红、张诗亚：《新石器时代蚕纹陶器和陶蚕蛹新论》，《社会科学战线》2010 年第 3 期。

也应属上乘，足以作为贡品献给周王室。《史记》中记楚庄王“有所爱马，衣以文绣，置之华屋之下，啖以枣脯”。豪门之中牛马之类家畜走兽皆可享用如此锦衣华服，王公贵族穿戴服饰精美绝伦的程度想必更是有过之而无不及。从近几十年的考古发掘来看，楚墓中出土的丝织品可以窥见楚国丝织领域的强大，包括湖北荆州江陵马山1号墓在内的楚墓被冠以先秦地下“丝绸宝库”之称。

综合楚墓中出土的织物实物及文献记载，楚国织物种类涉及纱、縠、罗、绢、纨、缟、绨、组、绮、锦、绦等多种类型。按织物的组织结构与织造工艺的区别大致可以分为平纹织物、提花织物、编织织物这三种主要类型。平纹织物主要包括罗、纱、縠、绢、缟、绨、纨；提花织物主要有绮与锦；编织织物包括组和绦。

一、楚人服饰

楚人的服饰信息不仅可以从荆门包山2号墓漆奁车马出行图及长沙子弹库和陈家大山楚墓帛画中了解，更可以通过墓葬遗存的织物来直接感受。从现有的文献资料与考古发掘实物来看，楚人的服装不仅有单衣、袍、襦、群、袴等常服，也有甲胄、緥衣等具有特殊用途的服装，还有手套、衣带、鞋、帽等配饰，种类样式较为繁多。[①]

上衣下裳连体式的衣物有单衣与袍两类。单衣通常没有衣里，在古籍中也被叫作“禅”或“缟衣”。湖北荆门包山楚墓出土的竹简中便有关于白绢制成的“缟衣”的记载。湖北江陵马山1号楚墓的出土衣物中包含3件单衣，其中标号为N9与N13的两件单衣保存相对完整，前者以秀罗为面料，上绣龙凤虎纹装饰，后者以紫红绢为面料，上绣龙凤相蟠纹饰。两件单衣均为右衽，直裾。上衣均为6片，正裁，两袖各为2片，衣领位于上身正中，呈三角形，领缘下端延伸至外襟，直至裾上部。两件单衣的领、袖、裾的边缘都采用双层绣绢或是相对厚重的锦

① 湖北荆州地区博物馆：《江陵马山一号楚墓》，文物出版社，1985年。

料，这样处理不仅可以起到较好的装饰作用，同时也能让衣物的穿着效果更加理想，领襟处采用较硬较厚重的面料可以使衣物更加挺括，而袖缘与裾边所用的厚重面料可以使衣物在穿着时垂坠感更强。另外，由于衣物边缘处是摩擦较多、较容易受损的位置，采用更为结实厚重的面料也可以延长衣物寿命，可谓一举多得，对精微细小之处的格外关照足见楚人的细密心思与智慧。

袍则是另一种将上衣下裳融为一体的服装，与单衣不同的是，袍一般质地较厚实，起到御寒作用。《广雅・释器》中有："袍，长襦也。"江陵马山 1 号楚墓中有 7 件袍出土，根据剪裁方式可分为正裁与斜裁两类；根据衣物主体的装饰纹样特征则可分为三类，第一类为素色锦袍，第二类为黄绢面龙凤纹绣袍，第三类为菱形纹锦袍，均为右衽、直裾。

虽然江陵马山 1 号楚墓中出土的衣袍实物均为直裾形式，但同墓葬中出土的彩绘木俑却身着曲裾单衣。长沙楚墓中出土的木俑衣袍下缘也是一边较长，一边较短，长的一侧距离地面较近而另一侧则远离地面，不似直裾衣袍一般与地面水平。由此可见楚人常见的衣着形制既有直裾也有曲裾。另外，楚人衣着形制当中还有一点颇为引人注目，即超出一般长度的衣袖。江陵马山 1 号楚墓中编号为 N10 的袍，两袖平展长 158 厘米，如一般的长袖服装的长度，而编号 N14 的袍，两袖平展长达 182 厘米，编号为 N1 的袍与编号为 N12 的单衣，两袖平展分别长达 216 厘米与 274 厘米，编号为 N15 的袍更甚，两袖平展长达 345 厘米，而袍本身的长度为 200 厘米，远短于两袖平展的长度。由此可见楚人偏好长袖之风应盛行一时。

襦通常与裙、袴合用，做上衣下裳组合，上身着襦，下身着裙与袴。襦的长度一般到腰间至膝处，《说文》中有："襦，短衣也……其长及膝，若今之短袄。"《急就篇》中有"袍襦表里曲领帬（裙）"一句，注曰："短衣曰襦。一曰短而施要（腰）者。"样式有单襦、夹襦和复襦，其中夹襦有里衬，稍厚于单襦，复襦则又厚于夹襦，表层与里层之间通常夹有丝绵。配合襦穿着的裙由多幅面料拼缝而成，一般长及脚面或稍高于脚面。腰部有系带，通过系带将裙固定于腰间，遮蔽于上衣之下。袴又叫绔，《说文》中将其解释为“胫衣也”，《释名·释衣服》中有“绔，跨也，两股各跨别也”。由此可以看出袴类似于如今的裤，有两袴脚，即两条裤管，分别套于两条腿上。

袴一般有腰和袴脚两部分，左右两袴脚剪裁方式一般情况下完全相同，袴脚上端一侧与袴腰相接，另一侧则与袴裆相连，袴裆一边缝于裤脚上，另一边与袴腰相接，展开呈漏斗状，两裆之间不缝合，为开裆，因此袴相当于内衣，仅贴身与襦、裙、袍等其他衣物合穿。（图 6–22）

图 6–22　江陵马山 1 号墓袴脚残片

緥衣则为用途相对特殊的衣物，是给死者助丧用的服装，属于冥器。湖北江陵马山 1 号楚墓出土的一件带有签牌的竹笥中置有一件緥衣，签牌上书“以一緥衣见于君”的字样。整件衣物由一块完整的衣料裁剪而成，衣料上部左右横剪开来，上半部折叠成衣袖，下半部左右向内折成对开衣襟，衣长45.5厘米，袖展52厘米，腰宽26厘米，尺寸远小于同墓葬中日常实用衣物。

二、楚国织物图案纹饰

楚国织物品种繁多，纹饰更是别具特色。宋玉的《神女赋》中以“罗纨绮缋盛文章，极服妙采照万方”形容巫山神女的穿着，由此可以想见楚人衣着服饰之华丽，纹样之精美。楚国织物纹样按题材区分，大致可归纳为四类：几何纹饰、植物纹饰、动物（灵物）纹饰及人物纹饰。

楚墓出土丝织品实物中几何纹样出现得相对较多，尤在锦类织物中常见。织锦时经纬相交错的工艺使构成纹饰的线条多平直，曲折明显，棱角突出，因此几何纹样装饰较多。这些几何纹饰中，菱形纹比重较大，几何纹饰结构多以单一菱形纹或复合菱形纹的样式出现。单一菱形纹主要以简单的小菱形纹样为单位，作二方连续或四方连续排列，在小菱形组成的图形空隙中配以断续的直线，使图案更加富于变化。

复合菱形纹样则主要运用小菱形纹、塔形纹、三角形纹、六角形纹、十字纹等纹饰组合成大菱形纹饰，再做四方连续或二方连续排列布局。这种以菱形为纹样骨骼，辅以细节图案穿插交错的组合，使整体纹饰在彰显华丽繁复的同时，不乏秩序性和层次感。

楚国织物上常见的动物（灵物）纹样主要有龙凤纹、凤鸟纹、鹿纹等纹样，由于丝织工艺的性质，图案多作理想化、主观化的符号表达，鲜有写实的描绘。动物纹样也常与几何纹饰并用，成为复合菱形纹样。信阳楚墓中就有将抽象的燕纹填入菱形骨架而组成的复合纹饰。另外，将凤鸟形象与几何图形并置形成带状纹饰也是楚地织物中的一种常见做法。龙凤纹则摆脱了经纬织法的限制，得以充分发挥线条的表现力，平滑而流畅的线条使得图案当中的形象更显轻盈灵动，配合艳丽的色彩与繁复交错的构图，使整幅绣片颇具轻盈华丽、清新灵动之感。龙凤纹饰的形制也有蟠龙飞凤、对龙对凤、龙凤相蟠、一龙一凤、一凤二龙、一凤三龙、舞凤逐龙、舞凤飞龙、龙凤相搏、龙凤虎纹等多种，而又以凤鸟形象为主题的飞凤纹、凤鸟纹较为常见。凤的形象几乎成了动物纹饰中的主线，从这些装饰图案的组合中也能隐约窥见楚人尚凤的思想痕迹。凤鸟飞舞多姿、飘逸灵动，成为楚人艺术作品中最爱表现的题材之一，无论是漆器、玉器、青铜器，还是绢本绘画和服饰织物，多有以凤鸟作为艺术主题或装饰纹样的或具象或抽象图像表达。（图 6–23）

图 6–23　江陵马山 1 号墓织物飞凤纹绣

需要说明的是，凤鸟不仅在楚文化中为一大宗主题，在整个商周的文化体系中，凤鸟都是极重要的存在。《诗经·商颂·玄鸟》有："天命玄鸟，降而生商。"容庚曾对青铜器中的凤鸟纹做了相关分类研究，在《商周彝器通考》一书中他指出，凤鸟纹可分为凤纹与鸟纹两大类——鸟纹在商周时期盛行，身形较短、尾部下垂为商代鸟纹特点，西周鸟纹则多呈现长身卷尾的样式；而凤纹则始于商末期，至西周开始盛行。[①]尽管这些凤鸟纹来自青铜器，但其早期图像观念对楚凤鸟纹饰不无影响。"楚人尚凤"的观念也表明楚地文化与殷商理念有某种联通或承袭。（图 6–24）

图 6–24 江陵马山 1 号墓织物蟠龙飞凤纹

楚国织物中植物纹样也常与凤鸟、龙凤纹饰并存，通常以凤鸟形象为主纹，植物纹饰与主纹穿插错落形成精美的纹样。两两一对呈对称分布的虬与凤被蜷曲的植物纹样隔离开来，使整个画面布局得井然有序、鲜活灵动。此外，凤鸟纹与植物纹样并重作中心对称分布的纹饰也较为多见。（图 6–25）

① 容希白：《商周彝器通考》，台湾大通书局，1973 年，第 123—125 页。

图 6–25 江陵马山 1 号墓织物凤鸟花卉纹

楚国织物中还有以人物及其活动为题材的一类，以人物为主辅以简单的几何纹样、植物纹样或动物纹样来烘托所处场景及活动内容。

此外，也有反映田猎、舞蹈等生活场景的织物作品。田猎纹表现逐猎场景，以贵族为表现对象，人物身份体现在他的车骑配置上，在江陵马山 1 号墓出土的织物中就能见到，表现出楚人纯熟的丝织图案组织能力和图像叙事能力。（图 6–26）

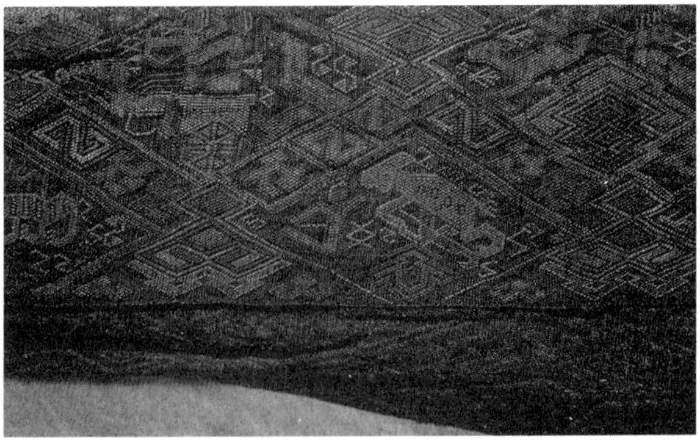

图 6–26 江陵马山 1 号墓田猎纹绦

第五节 书法

中国文字的构成方式与抽象化的形象表达有着密切关系。相传黄帝时期的仓颉，受鸟兽足迹启发，分类整理，创立汉字，以这样的方式建构了一套符号化表意系统。东汉许慎在其《说文解字》中对《周礼·地官·保氏》关于象形、指事、会意、形声、假借和转注的“六书说”进行了阐述。其中，“象形”是汉字的母体和根本，古代先民通过“仰观俯察”天地万物，从自然事物外在之“形”，到事物本身内核之“质”施以“文字化”处理，使中国的文字书写带有了某种特殊意象，中国书法也在此过程中被孕育出来。

一、楚金文书法

已知最早的楚系金文书法来自西周中晚期，这一时期楚文化地区文字受西周金文书写影响较大，但独立化的趋势初见端倪，西周中晚期的楚公家编钟、楚公家戈、楚公逆编钟、楚公逆钟上的铭文为其代表。文字书写在形体结构上与西周大篆并无大异，但不似西周成熟时期金文书法那样柔和整齐，同一字左右易位、增减笔画的情况时有发生，字体大小布局较为随意。一般笔画较为复杂的文字较大，而笔画相对简单的文字则较小。周人大篆中圆转的风貌和商代颇具象形意味的文字特征，在楚系文字中都可得见。西周中晚期，楚国金文中部分字体写法相对古朴，笔画较粗且尖状收尾，在很大程度上更接近于一些商末周初的金文形体。郭沫若在对比两周金文风格时谈道：“江淮流域诸国南系也，黄河流域北系也。南文尚华藻，字多秀丽，北文重事实，字多浑厚。”[①] 随着时代发展，“尚华藻”与“多秀丽”的整体特征，在春秋战国时期更加明显可辨。

群雄逐鹿中原，风云变幻的春秋战国，文艺思想观念空前开放，文

① 郭沫若：《两周金文辞大系图录考释》，科学出版社，1958 年，序言。

字书写的变化悄然发生。书法兼具审美心理与审美情趣，正如郭沫若所言："凡此均于审美意识之下所施之文饰也，其效用与花纹同。中国以文字为艺术品之习尚，当自此始。"[①] 周代富有王者风范的大篆随着周天子式微而逐渐隐退，随着"礼崩乐坏"，及各国上层注重享乐的风气见涨，追求外在形式的华丽优美取代了注重内在质朴、强调稳定性与秩序感的审美趣味。随着美术文字成为器表装饰的一部分，金文书法的装饰意味也在逐渐增强。以楚国为中心，连同楚周边的吴、越、徐、蔡、宋、曾等地域相近、文化背景相似的区域形成了这一时期的楚系书法圈。

从春秋早期开始，金文楚篆的笔画逐渐线条化，字形则向长方形过渡，并逐渐规整化。从春秋战国之交起，随着社会变革与发展，楚国与中原王朝其他诸侯国一道，在文字使用上愈加频繁，基于实用的目的，字形转向隶书趋势加速。大约始自战国初年，文字笔画出现了隶变迹象。步入战国中期以后，楚国金文，尤其是楚简帛书字形普遍开始由长方形变为正方形，甚至愈发扁方，工整的楚篆以及美术化字体也不断受到隶变文字的影响。时至战国末年，隶变篆字占据主流，楚王熊悍器群铭文字形便是范例。此时，美术化楚篆也难脱影响。

一般而言，春秋早期的楚系金文书法与西周时期相比，还停留在继承多而创新少的阶段。"中子化盘"铭文可谓这一时期的代表作品，在篇章结构上，文字大小不一的情况虽依旧存在，但可以看出这样的差距在逐渐缩小，书写时更注重保持文字大小一致与字距均等。在结体上，开始注重笔画间的呼应，上下左右处理得更加均衡对称，由之前较为松动的结构变成内聚外展，使得笔画能充塞字形的四角，形成方正的面貌。在笔画方面，笔画粗细较为均匀，不太注重粗细变化，弧形笔画依然居多，但随着字体趋向方正，横向取势的意识渐渐显露。

春秋中、晚期到战国早期的两百多年，被看作楚金文书法发展的黄

---

① 郭沫若：《周代彝铭进化观》，科学出版社，1957 年，《青铜时代》附录。

金时期。这一时期的金文书法风格变化相对剧烈，楚地独有的灵动优美风范在此时开始显露。在春秋战国之交，工整的楚篆在不同程度上受到了字体书写艺术化的影响。从春秋中期作品薳子昃鼎与王子婴次炉上的铭文可以看出此时的楚系文字字体修长而舒展，笔画上依旧以曲笔弧划居多，粗细匀称，篆字的笔意依旧可见。到了春秋中晚期，不仅出现了以楚王熊审盏铭文为代表的成熟、工整的长方形楚篆，而且出现了以王子午鼎、楚王熊璋戈铭文为代表的“美术字”（垂露篆和鸟篆），更逐渐形成带有美术表达意蕴的流畅线条，以及修长婉约的字体结构，王孙遗者钟铭文就是这类的楚篆。

公元前 555 年左右的王子午鼎铭文也将荆楚地区日趋成熟的金文书写中极具个性化的灵动秀美、精细华丽之感展现于今人眼前，字体颀长而笔画纤细均匀，横画多短平，竖画多长而带曲，显出摆动姿态，虽然没有后世铭文用类似鸟、虫形象笔画作修饰那样明显的美术化倾向，但部分文字已经有了“鸟虫篆”形象化意味，楚地风情已然扑面而来。（图 6–27）

图 6–27　王子午鼎铭文拓片

“鸟虫篆”作为楚金文书法的一个变体分支，代表着书法文字的艺术体装饰倾向，其不仅流行于楚国，也在楚国周边广为流传。鸟篆字体形状如鸟，有明显的类似凤尾般卷曲和鸟喙般尖锐的笔画，如越王勾践剑铭文，以及王孙鱼戟错金鸟书，均保留了横画短平而竖画长而多弯的体势长方特点。虫篆则字体形状似虫又如小龙，蜿蜒盘曲，中部鼓起，首尾尖出，长脚下垂。战国早期的曾侯乙墓出土的编钟钲部、鼓部的铭文便是典型的虫书，字体修长，上密下疏，形成反差、对比鲜明的同时，也使得字体的纵向笔画更显优美飘逸。这种书写全用圆笔，笔画飘逸潇洒，流畅自如，整体张弛有度，形成静中有动之势，与编钟这一打击乐器的品性相得益彰，极具装饰意味。

战国中晚期，竹简、帛书中的手写文字逐渐占据主导地位，金文书法式微在所难免。这一时期的文字结体趋向扁平欹斜，但体势长方的特点依然存在，笔画大多靡弱纤细且日趋简易，有明显的趋直迹象，但依然保留用笔的圆转与弧度，有若干简化字出现，书写显出粗率的迹象。铭文的应用范围变得更广，除礼器外，部分车马器、货币、度量衡器上都可见。整体而言这一时期的铭文趋向简短且刻款多于铸款。如鄂君启金节上的错金铭文，已带有明显的手写书体痕迹，字形体势上呈现出平扁的特点，已经不同于传统篆书的面貌，但笔画上圆转的特性使其仍与篆书保持着似有若无的联系。在这一时期，楚金文书法逐渐褪去春秋中晚期至战国早期字体长方取势、笔画圆转扭摆的处理方式，转而向手写书体靠近，使得金文书法与简帛书法的面貌逐渐重合，篆书隶变的脚步加快了。

楚金文书法还以其他呈现样式，印章篆刻就是其中的一个形态。楚玺文字是典型的楚系文字，与同时期的楚金文、楚简帛文字差异不大。楚玺文字多为白文，刀法酣畅，书法善用弧笔斜线，纵向、横向、斜向多为直线，其他笔画多以弧线塑造。在印玺谋篇布局方面，会有或简化，或烦琐的变化体相，且变化方式多样，有些部首混用，有些部首异构变形，有些则合文使用[①]，富有变化的文字体相为楚玺印增加了别样的艺术效果。

此外，如币文、兵器铭文等其他载体的文字资料也是楚系金文书法的重要遗存。楚国货币以金版和铜贝为主，其上的文字书法大多草率，因而准确考释较为困难。楚国兵器铭文大多为铸造而成，内容多为“物勒主名”，大体呈现两种类别，前期烦琐、后期简明。前一种为“鸟虫书”的装饰体，其笔画回旋缠绕，有图案性特征，富有装饰感；后一种则简易明确，更加务实。

二、楚简帛书法

西周以后，随着青铜器、玉石、简牍等多种文字载体逐步广泛应用，甲骨逐渐被其他媒材所取代。陈梦家推测“周世把占卜之辞另写在竹册上而藏起来”[②]，以筮法代卜法，卜龟刻辞另外书写，以致甲骨文逐渐没落消寂。钱存训也认为周代虽继承殷商的占卜观念，但在做法上有所区别，卜辞不再直接刻于龟甲，而是书写于简牍系于龟甲上。[③]包山楚墓出土竹简中的《卜筮祭祷记录》则从实物的角度证明了专家的说法。这一状况，也预示着先秦简帛书法时代的到来。

竹简、木牍被称为简牍，是古代书法遗留的重要载体之一。保留至今的简牍中，战国楚简为大宗。由于楚地特有的温润潮湿气候条件，竹、木材得以留存，又由于这些简牍文字由笔墨书写而成，因此简牍是窥见先秦书法尤其是楚书法的重要材料。

启功曾在《古代字体论稿》一书中提出“手写体”书法的概念，认为字体风格变化，手写常是开端，范铸刊刻也先由手写，那些直接刻画的也是用刀代替笔。[④]故而，楚地由笔墨直接塑造的简帛对于书法的研

① 王祖龙：《楚玺印风及其印学价值》，《三峡论坛》2013 年第 6 期。

② 陈梦家：《中国文字学》，中华书局，2016 年，第 127 页。

③ 钱存训：《书于竹帛：中国古代的文字记录》，上海书店出版社，2003 年，第 5 页。

④ 启功：《古代字体论稿》，文物出版社，1964 年，第 5 页。

究来说价值斐然。

湖南、湖北、河南等地是简帛发现的集中区域，早在南朝宋齐时即有简牍出土，《南史·王昙首传附僧绰弟僧虔传》记载："文惠太子镇雍州，有盗发古冢者，相传云是楚王冢，大获宝物：玉履、玉屏风、竹简书、青丝纶。简广数分，长二尺，皮节如新。有得十余简以示僧虔，云是科斗书《考工记》,《周官》所阙文也。"自20世纪中叶以来，战国简牍出土将近万枚，其中大都载有楚书法。谢桂华、沈颂金、邬文玲在对这一情况作了梳理：湖南长沙五里牌楚简37枚、仰天湖楚简43枚、杨家湾楚简72枚、河南信阳长台关楚简177枚、湖北江陵望山楚简272枚、藤店楚简24枚、天星观楚简70枚、九店楚简344枚、秦家咀楚简41枚、湖北随县楚简240余枚、湖北荆门包山楚简448枚、郭店楚墓竹简804枚、湖南慈利石板村楚简4557枚、河南新蔡葛陵楚简1500余枚、上海博物馆藏战国楚竹书1200余枚、湖南临澧1号楚墓竹简10枚、湖南常德市德山夕阳坡2号楚墓竹简2枚……[①]

提到楚简书法，就不能回避书写媒材对书法风格的影响。在中国书法艺术审美情态中，笔法作为一个极为重要构成元素，是客观工具与主观技法结合后所彰显出来的形式语言及美学意象。唐代书法理论家张怀瓘在《玉堂禁经·结裹法》指出："夫书第一用笔，第二识事，第三裹束。"元代书画家赵孟頫也有："学书有二：一曰笔法，二曰字形。"可见笔法的重要价值。而毛笔又直接导致书写者的用笔风格塑造。毛笔是楚地书写的重要工具，更是楚地书风笔法形成的物质基础之一。

1957年在河南省信阳长台关1号楚墓中有一支毛笔出土。该笔由通长23.4厘米、径0.9厘米的竹质杆和锋长2.5厘米的笔头组合而成，"笔毫系用绳捆缚在杆上，笔头仍套在竹管内"[②]。此外，一件长25.9厘米、径1.2厘米、壁厚0.1厘米，用于保护毛笔的中空竹质笔筒也在墓中出

① 谢桂华、沈颂金、邬文玲：《二十世纪简帛的发现与研究》,《历史研究》2003年第6期。

② 河南省文物研究所：《信阳楚墓》，文物出版社，1986年，第66—67页。

土。1987年在湖北省荆门包山2号楚墓中亦有笔筒和毛笔出土。“苇质笔杆细长，末端削尖笔毫有尖锋。”[①]笔身全长22.3厘米，笔毫长3.5厘米。1954年在湖南省长沙左家公山楚墓出土毛笔和笔筒。笔杆长18.5厘米、径0.4厘米、笔毫长2.5厘米。[②]鉴定表明，笔毛用上等兔毫做成的，其做法是将笔杆一端劈成数开，使笔毛夹在其中，再用细丝线缠绕使其固定，外层涂一层起黏合作用的漆。

理想毛笔的运用使得楚文字书写呈现出特有的书法意蕴。以郭店楚简为例，可以一窥楚书法的体势特点和美学意义。1993年，湖北荆门市沙洋区四方乡郭店村出土大量竹简，相关考古报告指出，该楚墓的下葬年代当在公元前4世纪中期至前3世纪初，属战国中期后段，绝对下限年代在楚怀王二十六年（前303年）以前。郭店楚简共804枚，其中726枚为有字简，总字数多达13000余个。整理出十八篇儒道文献，分别为:《老子》甲、《老子》乙、《老子》丙、《太一生水》《细衣》《鲁穆公问子思》《穷达以时》《五行》《唐虞之道》《忠信之道》《成之闻之》《性自命出》《六德》《语丛一》《语丛二》《尊德义》《语丛三》《语丛四》。这组材料不仅是先秦典籍的珍贵实物材料，更体现了战国中晚期楚地书法的面貌。郭店楚简书法应出自多个写手，存在不同书风。总体来讲，字体以方形为主或偏长，结体呈扁势且右举，结构紧密富有变化，用笔流畅清秀，落笔厚实收笔轻盈而中间饱满，应为长毫笔锋迅速勾写而成，笔法中初见隶书意味。（图6–28）

① 湖北省荆沙铁路考古队:《包山楚墓》，文物出版社，1991年，第264页。

② 湖南省博物馆等:《长沙楚墓》，文物出版社，2000年，第435页。

图 6–28　郭店楚简

另一批重要的楚简来自 20 世纪 80 年代发掘的湖北荆门包山 2 号墓，此座楚墓距离战国楚古都纪南城 16 千米，墓主为战国楚国左尹邵佗，下葬年代在公元前 4 与前 3 世纪之交，是楚国贵族墓葬，从这些信息中可以推测出包山楚简文字与书法的意义。包山楚简总字数为 12626 字，其中单字达 1605 个，合文 31 个。[①] 文字多数书写于竹黄面，部分书写于竹青面，墨迹清晰，书风秀丽。从字体风格和运笔习惯来看，简文似由多人书写。字形和字体变化多端，地域性特点明显，言语异声、文字异形的现象较为多见。竹简内容有遣册、卜筮记录和司法文书。司

① 湖北省荆沙铁路考古队:《包山楚简》，文物出版社，1991 年，第 1 页。

法文书部分应是由官吏书写，卜筮祭祷记录则来自贞人书写。罗运环将包山楚简的字体结构归纳为两类 14 种：第一类，3 种，与篆书较接近，文字显现出的隶变效果不强，视为战国楚篆类；第二类，11 种，虽然隶变的水平不均衡，仍可大体归类于楚古隶书，即所谓先秦“古隶”，书法界则习惯称之为楚简。[①] 包山楚简书法运笔圆转自如、轻松率意，少有方折，笔锋清晰。起笔重而粗，收笔轻且细、尖。由此可以推断：第一，富有弹性的毛笔已经在包山楚简书法塑造上起到了效果；第二，字体体势大都左低右高，应与书写者右手执笔的书写方式和习惯有关。在书写方式上，有学者认为，书写者左手握卷简，右手握笔书写，即“悬肘法”或“悬腕法”书写；也有人以为，竹简应置于案头，左手扶稳竹简，右手腕部枕于左手指上书写，即“枕腕法”书写。（图 6–29）

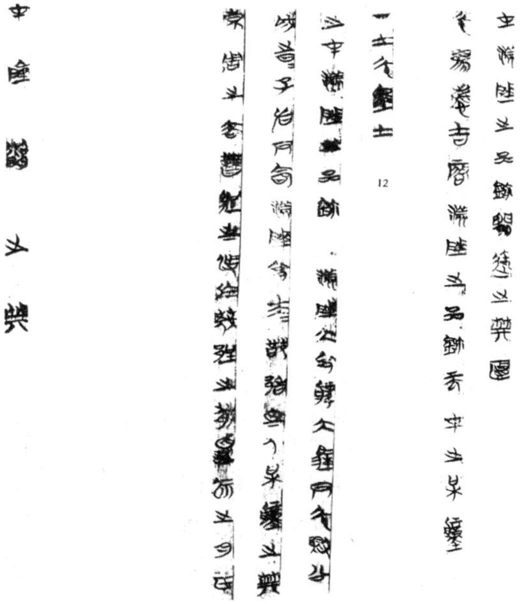

图 6–29　包山楚墓竹简

① 罗运环：《出土文献与楚史研究》，商务印书馆，2011 年，第 56—57 页。

上海博物馆藏战国楚竹书又称“上博楚简”，年代为战国中期晚段。这批竹简由上海博物馆于20世纪90年代先后两次从香港古玩市场购得，并非出自考古发掘，相传其出自楚地。这批竹简约1700枚，简文为先秦古籍，涉及儒家、道家、兵家、阴阳家等内容。简文字体隶变程度较深，依其风格来看，也应出自多个写手。

2008年，清华大学校友赵伟国从海外购得2388枚楚简，入藏清华大学，被称为“清华简”。由于此批竹简并非来源于科学的考古发掘，故而在认定上曾存在争议，李学勤判断，如果这批竹简出自湖北，它的制成年代便是在白起伐楚之前。后经碳–14年代测定，这批竹简年代为公元前305±30年，属于战国中晚期之作，根据竹简形制及文字看，这批竹简也应出自楚国故地。而简中编年体史书内容可与碳–14年代测定结果相印证。清华简简文墨书，字体多规矩精整、线条脉络清晰，少数简上有红色格线，即古人所谓“朱丝栏”。简文书写也来自不同写手，存在不同书风。

后世墨迹书法中不乏受楚简书法影响的作品，里耶秦简、居延汉简等简文笔法风格与楚简书法联系密切。以笔墨营造为基调的中国传统书写方式，在书写性与审美性的建立上无疑都得益于先秦墨迹书法，尤其是楚简书法。而在后世书法体势的形成和发展中，楚简书法也贡献了其形态与审美等方面的价值。

发现于湖南长沙子弹库楚墓的“楚缯书”又称“楚帛书”，是目前现存最早先秦时代完整的绢帛材质书法遗存。子弹库楚墓曾遭盗掘，楚帛书并未被盗墓者看重，被视为废物送予了当时古董商唐鉴泉，另一古董商蔡季襄在得知此事后买下，并撰《晚周缯书考证》，于1944年出版。真正意义上公布楚帛书材料是在抗战胜利后。受耶鲁学会派遣到长沙雅礼中学任教的美国人考克斯获悉帛书信息，大约在1946年将帛书带到美国，几度易手后，帛书归萨克勒所有，曾存放于美国纽约大都会博物馆，现存于美国华盛顿赛克勒美术馆。楚帛书全篇共有900余字，整体呈方形，上下长38.5厘米，左右宽46.2厘米，中心部分书写有方向互相颠倒的两大段文字，其中一段为13行，另一段为8行，可分为甲、乙编。四周是呈围绕状排列的12小段文字，可视为丙编，其中每三段列于一边，四方交角用青、赤、白、黑四木相隔，并有神怪图像附着旁边。值得注意的还有，帛书书写者还以一种朱色填实的方框作为标记符号，来划分语句层次。据研究，北方中原地区的“五行思想”与“阴阳术数”观念在楚帛书中有所体现，此外，春秋战国前，湖湘地区土著苗蛮先民的原始宗教信仰造成各种祖先崇拜和自然神崇拜在楚帛书中亦有所反映，故而楚帛书中文字与神怪图像融合在一起，构成了战国时期楚地特有宗教及神话表达方式。（图6-30）

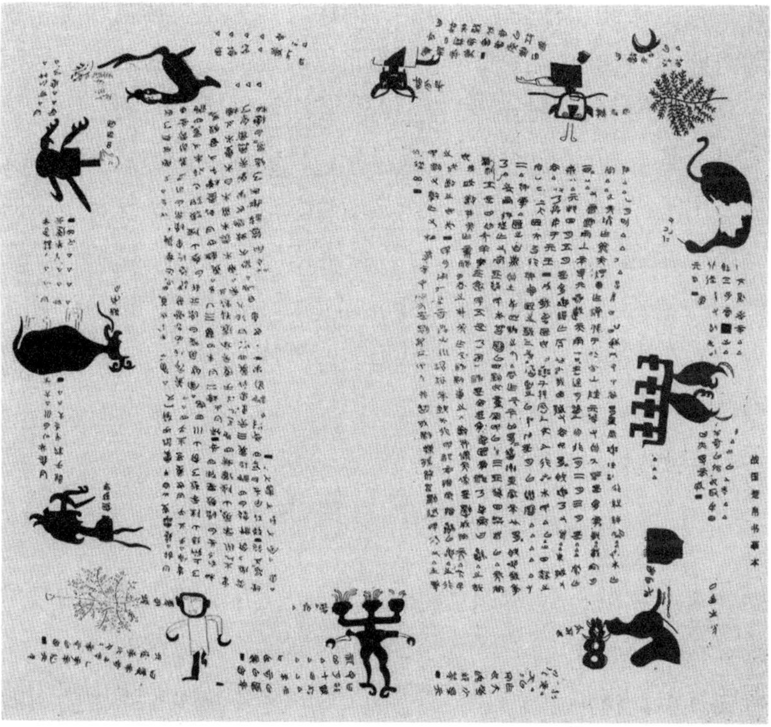

图6-30　战国楚帛书摹本

在内容方面，楚帛书甲编文字最多，以“敬天顺时”思想为主；乙编言说神话，与甲篇互为表里，充当甲篇神秘思想的背景；丙编为边文12章，每章对应一个月份，讲述该月宜忌，如对婚丧嫁娶、行师用兵、营筑宅室等方面的禁忌，属于占星、堪舆、卜筮之类的内容。就书法艺术风格而言，楚帛书的书体介乎篆隶之间，具有体势扁平的楚书风韵，从谋篇布局来看，整体均衡对称，端正严谨，间距几乎相同，可见书写者在运笔的过程中认真沉着的书写态度。字体笔法圆润流畅，直有波折，曲有挑势，点画顿挫中有节奏感，体现书者稳健端庄而又清新自然的书写追求。

楚简帛书法上承甲骨文、金文等篆字，下启隶书、草书、楷书等字体，处于中间转化的过渡阶段，因此，楚简帛书法风格在总体相似中还是存在着多样性。有些笔势劲健、结构奇异，有些运笔圆滑、字体匀整。湖南仰天湖楚简、慈利楚简，湖北包山楚简、九店楚简，河南信阳楚简、葛陵楚简等，多呈“扁势”。曾侯乙墓竹简字体则身形修长。整体上来讲，楚人书法字形或扁方或修长，且以扁方为大宗，结构或繁复或简洁，用笔提按分明，侧锋中锋相结合，行笔有节奏感，多弧曲而有劲，有纵横飘逸之势。“扁势”为其总体特征美学，这也是“隶变”过程中的一种轨迹。隶书萌生于先秦，来源于多方，楚国疆域面积广大，影响势力涉及南部大半中国，所以楚简的结体与用笔，无疑是隶书重要来源之一。

第六节 音乐

河南舞阳贾湖新石器时代遗址出土过一批带有人工痕迹的骨质管状物[①]，经中国艺术研究院音乐研究所研究测试，认定这些物体是作为伴奏乐器的骨笛，这批带有七声音阶的朴素吹奏乐器见证了中国史前音乐

① 河南省文物研究所：《河南舞阳贾湖新石器时代遗址第二至六次发掘简报》，《文物》1989年第1期。

生发的状态。

时至殷商，关于音乐的文字记载散见于龟甲卜辞中。西周时期，礼乐制度已经完备。礼乐制度中以“礼”来规范社会秩序，以“乐”来和同共融“礼”所建立的社会秩序，二者互相联系、相辅相成。同时出现了掌握着音乐教育和执行礼乐制度的专门职官“大司乐”。

春秋战国时期，楚地音乐盛行。屈原在《楚辞·招魂》中以“陈钟按鼓，造新歌些。《涉江》《采菱》，发《扬荷》些。……竽瑟狂会，搷鸣鼓些。宫廷震惊，发《激楚》些”来描绘楚国宫廷音乐的盛况。《九歌·东皇太一》里用“扬枹兮拊鼓，疏缓节兮安歌，陈竽瑟兮浩倡”来表现楚地祭祀活动时鼓乐齐奏、歌舞通神的场景。《吕氏春秋·本味》中记载“钟子期死，伯牙破琴绝弦，终身不复鼓琴，以为世无足复为鼓琴者。”“高山流水觅知音”的故事也出自此处。

楚乐的繁荣离不开制造精良的楚地乐器。楚乐器按照材质可分为金石类乐器与非金石类乐器两大类。从近几十年来荆楚地区音乐考古发现来看，楚墓及楚系墓葬中出土的音乐文物包含钟、镈、磬、铃、琴、瑟、鼓、笙、箫、篪等多个种类，如湖北枣阳九连墩1号墓椁室共出土金（铜）、石、革、丝、竹、匏、木七类乐器，其中金（铜）器有编钟1套，石器有编磬1架，革器有建鼓、单柄鼓各1件，丝器有瑟10件、十弦琴2件、五弦琴1件，竹器有舂牍1件，匏器有笙2件，木器有雅3件等[①]，可谓“八音”俱全。九连墩2号墓出土乐器22件（套），涵盖金（铜）、石、革、丝、竹、匏、木七类，其中木瑟座和竹舂牍、木雅、柷为首次认识，材料极为珍贵[②]。作为夫妻异穴合葬墓的这两座墓葬是迄今出土乐器数量最多、组合最齐全的楚墓，为研究楚音乐提供了重要资料。

---

① 湖北省文物考古研究所、襄阳市文物考古研究所：《湖北枣阳九连墩M1乐器清理简报》，《中原文物》2019年第2期。

② 湖北省文物考古研究所、襄阳市文物考古研究所：《湖北枣阳九连墩M2乐器清理简报》，《中原文物》2018年第2期。

一、楚地金石类乐器

钟，可谓楚地乐器的代表，属金类大型打击乐器。根据已出土钟的形制来看，演奏用的钟可分为甬钟与纽钟两类，一般不单个使用，通常按照大小、形制等序列进行编排组合，并悬挂于钟架上，故称编钟。出土于1993年，现藏于山西博物院的楚公逆钟，一组共八件，成于西周中晚期，见证了楚音乐文物在当时征战情况下被移作他用的另一状态。[①]而近年来新的考古发现，则再次用实物证明了古代楚地音乐文化的辉煌。2013年，叶家山M111大墓出土一组五件套的编钟，包括1件镈钟和4件甬钟，其年代为西周早期，可以说是迄今在南方发现年代最早、数量最多的编钟。经对编钟进行测音，发现其特点为一钟双音，具有跨越一个八度再加纯四度的音域，能够构成该音域内的六声音阶。[②]2012年，湖北宜昌万福垴遗址出土的西周中期甬钟12件，分为细阳线乳钉界格钟、细阳线圈点界格钟、阴线界格钟三类。[③]编钟形制与山西、陕西、河南、湖南等地出土的部分西周编钟类似，为研究和考察早期中原文化与楚文化交流等问题提供了某种探索的途径。

保存最为完好的楚文化系统的编钟当属1978年湖北随县出土的曾侯乙编钟。该编钟的构造形态及音乐制度受到楚和周的双重影响，有来自楚和中原文化等多方面的综合因素。[④]在音调方面，中层编钟基本为C大调音阶，下层编钟（低音）为C调十二律半音阶，可谓考古所见的在十二乐音体系中最早具有半音音阶关系的特大型定调乐器。[⑤]（图6–31）

---

① 段渝：《楚公逆编钟与周宣王伐楚》，《社会科学研究》2004年第2期。

② 黄凤春：《叶家山西周编钟的年代及所反映的若干问题》，《黄钟》2018年第3期。

③ 湖北省文物考古研究所、武汉大学历史学院考古系、宜昌博物馆：《湖北宜昌万福垴遗址发掘简报》，《江汉考古》2016年第4期。

④ 方建军：《曾侯乙编钟的音乐文化基质》，《黄钟》1998年第3期。

⑤ 王湘：《曾侯乙墓编钟音律的探讨》，《音乐研究》1981年第1期。

图 6–31　曾侯乙墓青铜甬钟

常与金属乐器钟并列使用的磬，属石类乐器，在《诗经·商颂·那》中可见“既和且平，依我磬声”的记载。在《尚书》《山海经》等文献中也能找到若干关于磬的记述，《尚书·禹贡》有“泗滨浮磬，淮夷蠙珠暨鱼”之说。

2014 年底至 2015 年初，为抢救性保护枣阳郭家庙曾国墓地文物，湖北省文物考古研究所、荆州文保中心等单位联合对该墓地曹门湾墓区进行了发掘。其中曹门湾 1 号墓中出土的音乐文物数量较多，颇具特色，主要有石磬、木质鼓、瑟及木质钟架、磬架、建鼓架等。其中，钟、磬架横梁均为两端圆雕龙首，通体浮雕配合彩绘变形龙纹；钟、磬架立柱均为圆浮雕的龙凤合体羽人形象，造型精巧别致。①

曾侯乙墓出土的编磬是保存较为完好的战国早期楚文化系统中的编

① 方勤、胡刚：《枣阳郭家庙曾国墓地曹门湾墓区考古主要收获》，《江汉考古》2015 年第 3 期。

磬实物代表。石磬主要由石灰岩或大理岩制成，共32枚石磬分上下两层悬挂于磬架之上。大小石磬厚薄各异但形制相同，上部为倨句状，即由一直线转折为略有弧度的线条，类似人屈身弯腰的姿态，下部呈弧形，鼓、股部相交处有一圆穿。错金纹饰青铜磬架共有两层，上层横梁两端以兽头作为装饰，下层两柱与底座呈兽形，与下层横梁相连。兽形柱身及柱座将龙头、鹤颈、鸟身、龟足等元素融为一体，造型奇异，颇具楚地特色。更为引人注目的是几乎每一枚石磬上都有铭文为其标音，通过对其铭文律名的对比与分析发现，来自楚国的律名在编磬中占绝大多数部分，十个律名直接来自楚国，另外一个律名（浊姑洗）的命名方式也源于楚法，并且在编磬的铭文中并无一例“曾侯乙作持”的字样，可见编磬应属楚制楚造，这与同墓出土的曾侯乙编钟在音乐文化体系上存在些许差别。[1]曾侯乙编磬的音色、形态、纹饰、铭文等都得以相对完整地保存下来，是难得的集音乐、美术、史料价值为一身的音乐文物。（图6–32）

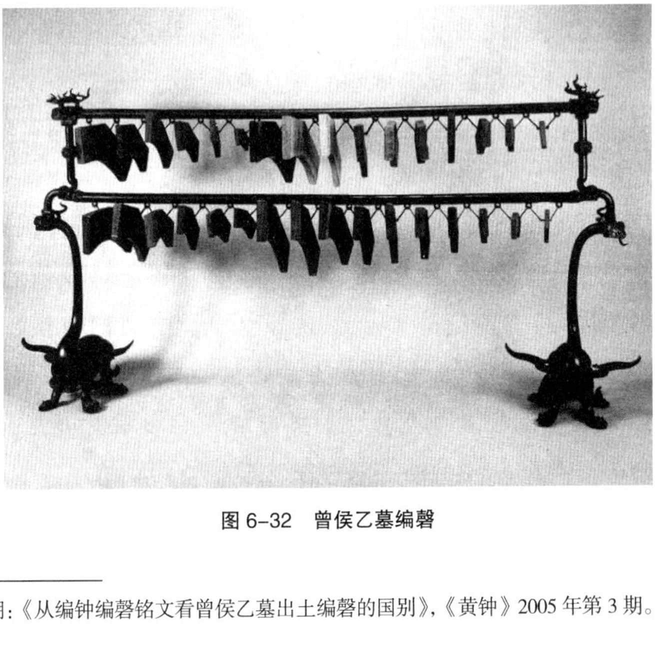

图6–32　曾侯乙墓编磬

① 王安潮：《从编钟编磬铭文看曾侯乙墓出土编磬的国别》，《黄钟》2005年第3期。

《吕氏春秋·古乐篇》中记载："听凤鸟之鸣，以别十二律。"1970年出土于湖北江陵的25件彩绘编磬正与此说相合，保存相对完好的石磬表面都有彩绘或类似浮雕的凤鸟纹饰，刻画于乐器之上，宛如和着雅乐一同翩跹起舞的形象，将楚人对凤鸟的崇拜与对音乐的热爱联系在一起，器物、音律与图案相互映衬，神圣而神秘。（图6–33）奏乐之器的纹饰陪衬华美考究，可见音乐在楚地权贵生活中所占据的重要地位。此外，湖北枣阳九连墩1号墓出土有石编磬1套4件。[①]

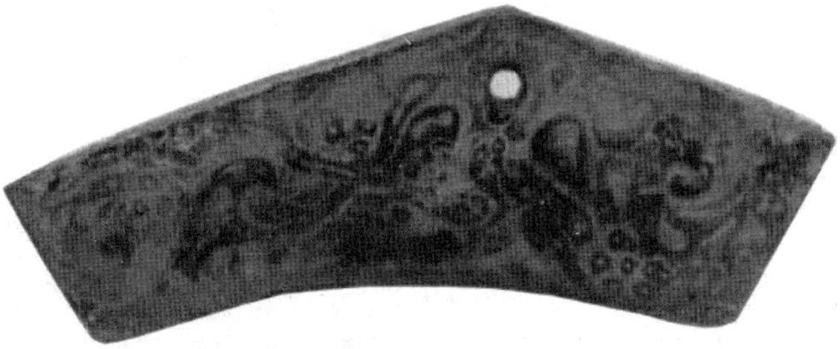

图6–33　江陵彩绘石磬

二、楚地非金石类乐器

中国丝类乐器音乐重要代表当属琴与瑟。《礼记·曲礼下》有"士无故不撤琴瑟"一说，由此足见琴与瑟在古代贤士心中的地位。《诗经》中每到情境动人之处，也不乏关于琴与瑟的描述，《周南·关雎》中有"窈窕淑女，琴瑟友之"，《诗经·小雅·鹿鸣》中有"我有嘉宾，鼓瑟鼓琴"，《诗经·郑风·女曰鸡鸣》中有"琴瑟在御，莫不静好"。琴与瑟的配合讲究琴为主瑟为伴的原则。《礼记·明堂位》中有"大琴大瑟，中琴小瑟"的记载。《古琴疏》载有："宋华元献楚王以绕梁之琴，

① 湖北省文物考古研究所、襄阳市文物考古研究所：《湖北枣阳九连墩M1发掘简报》，《江汉考古》2019年第3期。

鼓之，其声枭枭，绕于梁间，循环不已。楚王乐之，七日不听朝。”（图6–34）

图 6–34　枣阳九连墩 2 号墓浮雕十弦琴

楚系墓葬中出土的琴和瑟相对丰富。曾侯乙墓出土战国早期十弦琴、湖北荆门郭店 1 号墓出土战国中期琴、湖北枣阳九连墩 1 号墓出土战国中期偏晚期琴，均可谓现存古琴实物重要代表。此外，枣阳郭家庙曹门湾墓区出土的 3 张春秋早期瑟，当阳曹家岗 5 号墓、赵巷 4 号出土的春秋晚期瑟，以及曾侯乙墓出土战国早期瑟，均为楚文化体系中丝类音乐文物的重要代表。

瑟的种类、名目繁多。从出土楚瑟实物来看，若按弦数划分，可以分为：二十五弦、二十四弦、二十三弦、二十一弦、十九弦、十八弦。若依照楚瑟的结构来分类，可以分为：整木掏雕瑟体，添加底板与部件的瑟；独木凿成瑟面，四周腔板别围，另装底板的瑟；多块木板组装成形的瑟。若按瑟面纹饰的差异来分类，可分为素面漆瑟和彩绘漆瑟。若按尺寸大小的不同分类，可分为大瑟、次大瑟、中瑟、小瑟。仅曾侯乙墓出土的 12 件瑟，就可依其形制分为三大类：用整木雕成，通体施以彩绘的瑟 10 件；面板及侧板以整木雕成，底板由多块木板拼成，黑漆髹饰的瑟 1 件；整体都以木板拼成，无底板，无髹饰彩绘的瑟 1 件。而最早可以得见的瑟实物当属湖北枣阳郭家庙曾国墓地曹门湾 M1 出土的带有 3 个柄孔、17 个弦孔的瑟，此为瑟的早期形态。[①]

先秦时期，常见的竹类乐器主要有排箫和篪，两者都为吹奏乐器。屈原在其《九歌·湘君》中有："望夫君兮未来，吹参差兮谁思。""参差"当属排箫，由于排箫通常由长短不一的竹管组成，"参差不齐"也与排箫形象有所关联。排箫的演奏情况同样散见于传世文献中。《诗经·周颂·有瞽》就言："箫管齐举，喤喤厥声，箫雍和鸣，先祖是听。"

目前所发掘的音乐文物中年代最早的排箫为 1997 年出土于鹿邑县太清宫镇长子口墓的骨排箫，为禽类腿骨骨管制成，年代在西周初期，距今已有 3000 多年，现存于河南博物院。河南淅川下寺 1 号楚墓出土的石排箫属于排箫中较为特殊的一类，是现存最古老的石质排箫。该排箫用汉白玉制成，长 15 厘米，宽 8.3 厘米，共 13 管，管壁一般厚 0.1 厘米。[②] 管身长短不等，上沿平齐，下沿由长至短依次递减排列，呈展开的羽翼状，排箫上有一斜刻带状装饰。（图 6–35）

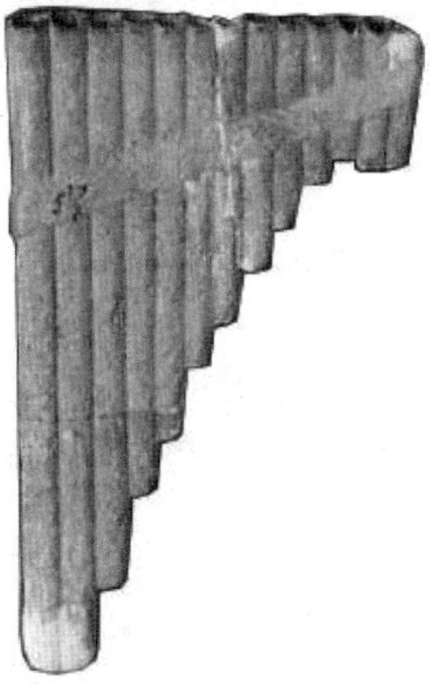

图 6–35 淅川下寺 1 号墓石排箫

① 方勤、胡刚：《枣阳郭家庙曾国墓地曹门湾墓区考古主要收获》，《江汉考古》2015 年第 3 期。

② 赵世纲：《淅川石排箫》，《乐器》1982 年第 6 期。

曾侯乙墓出土的两件排箫，可谓现存的竹质排箫的实物精品。两件排箫均由苦竹的竹竿加工而成，形制相同，仅在大小上稍有差异。其中一彩漆排箫由十三根箫管按长短依次排列组成，上沿平齐，下沿长短有别，呈翼状，以三个竹夹并经缠缚于竹管之上成形。黑漆为地，各管口有朱漆饰带，管身饰以朱色三角云纹彩绘。（图 6–36）

图 6–36 曾侯乙墓排箫

除排箫外，另一比较具有代表性的竹类乐器是篪，它与排箫一样同为吹奏乐器。文献中也不乏关于篪的记载，郑玄在《周礼》中有注："篪，如管，六孔。"郭璞在《尔雅·释乐》中也说："篪以竹为之，长尺四寸，围三寸，一孔上出，径三分，横吹之，小者尺二寸。"从记载中能够窥见篪的基本特征，即一种有吹孔与按孔，底端密封的横吹竹质乐器。

曾侯乙墓共出土的两件篪，与文字记载类似，均为吹孔在上的横吹单管乐器，形制大体相同。其中一件由苦竹制成，利用苦竹竹管本身的形态，竹管一端以竹节封底，另一端填塞。管身上还有一出音孔与吹孔开在同一平面，而与吹孔、出音孔相对的平面上则开五个指孔。根据其仿制品进行测音，该篪具有六声音阶结构，可吹奏出十二个半音。

楚地出土的音乐器物中还有一种颇具特色的木类乐器，以鹿的形态呈现出来，名为木鹿鼓。我国目前已知的木鹿鼓实物基本出自湖北地区的墓葬，除曾侯乙墓出土的木鹿鼓外，其余的木鹿鼓几乎都出自湖北江陵，如：江陵溪峨山 7 号墓、江陵雨台山 363 号墓、江陵雨台山 10 号墓、江陵秦家嘴 20 号墓、江陵拍马山 2 号墓、江陵拍马山 11 号墓。[①]

现存的木鹿鼓样式大同小异，均以卧伏在地的牝鹿为座，部分木鹿鼓因为出土时残损而不见鹿角或鹿角不全，江陵雨台山 10 号墓木鹿鼓与江陵溪峨山 7 号墓木鹿鼓都属此列，但从鹿头顶上对称的榫眼能看出完整的器物应有鹿角这一构件；而曾侯乙墓木鹿鼓与江陵拍马山 11 号墓木鹿鼓就属鹿角保存完好的木鹿鼓代表：鹿身一侧靠后腿跟部或臀部位置有一榫眼，其中榫插一面实心小木鼓，区别则主要体现在器物大小、色彩与纹饰上。（图 6–37）

《左传 · 哀公十四年》："西狩获麟。"杜预注："麟者，仁兽，圣王之嘉瑞也。"孔颖达疏："公羊传曰，麟者，仁兽也。"可见"麟"这样的神物在古代被视为瑞兽。《说文》："麟，大牝鹿也。"可见其形态面貌为大型的成年（带有角的）雄鹿。而楚故地长沙的马王堆 1 号汉墓漆棺绘画上有"神怪双手持鹿角"图像，更增加了鹿形象所蕴含的文化特征。因此，关于木鹿鼓的功能亦有不同的认知，有学者认为该种鼓应当只具备鼓的形态而没有实际演奏功能[②]；有学者认为其为陪葬用明器或工艺摆件[③]；还有学者认为木鹿鼓摆放在宫室之中，为装饰器物[④]；也有学者从木鹿鼓在墓室中放置的位置以及形制判断其有可能是一件有实用

① 王友华：《重新认识出土木鹿鼓》，《黄钟》2008 年第 4 期。

② 李纯一：《中国上古出土乐器综论》，文物出版社，1996 年，第 19 页。

③ 王子初：《中国音乐考古学》，福建教育出版社，2003 年，第 294 页。

④ 谭维四：《曾侯乙墓》，生活 · 读书 · 新知三联书店，2003 年，第 68 页。

功能的乐器[1]；另有学者认为它是具有实际演奏功能的乐器兼摆件[2]。

图 6-37　曾侯乙墓木鹿鼓

对木鹿鼓功能之争的核心是它是否能够如乐器一般发声，声音又是否达到一个乐器应具有的标准，即音量是否足够大，是否能让听者不费力地清楚辨认音节，音色是否足够中听。根据对湖北省荆州市博物馆复制的木鹿鼓的测音实验与实际演奏情况，木鹿鼓作为配乐的乐器与钟、磬、笙、瑟等其他春秋战国时期的典型乐器搭配，完全可以在显露自己特色的同时为整首乐曲增光添彩，因此，木鹿鼓不仅外形别致美观，而且在乐队演奏中占有一席之地。

革类乐器中最具代表者当属鼓类。《周礼·地官·鼓人》载："鼓人掌教六鼓、四金之音声，以节声乐，以和军旅，以正田役。教为鼓而辨其声用，以雷鼓鼓神祀，以灵鼓鼓社祭，以路鼓鼓鬼享，以鼖鼓鼓军事，以鼛鼓鼓役事，以晋鼓鼓金奏。"可见祭祀、军事、田役等重要场

① 方建军:《地下音乐文本的解读》，上海音乐学院出版社，2006 年，第 180 页。

② 张正明:《楚文化史》，上海人民出版社，1987 年，第 193—194 页。

合鼓乐都有重要作用。《仪礼・大射仪》中描述习射礼仪中乐队乐器排列时记载："乐人宿县于阼阶东。……建鼓在阼阶西。"郑玄有注将"建鼓"释为："建犹树也，以木贯而载之，树之跗也。"而《太平御览》中《通礼义纂》记载："建鼓，大鼓也，少昊氏作焉，为众乐之节。夏加四足，谓之节鼓。商人挂而贯之，谓之盈鼓。周人悬而击之，为之悬鼓。近代相承，植而建之，谓之建鼓。"

曾侯乙墓出土的建鼓原为木质鼓框，皮质鼓面。鼓身形似桶状，腰部股凸，通体朱漆，由多块腔板拼合而成，腔板两头略薄，中部较厚。木质支架呈柱状，贯穿鼓身，下部植入青铜底座。支撑立柱的青铜鼓座构思与制作极为精巧，颇具特色，八对大龙以立柱为中心盘桓缠绕，其间又有数十条小龙穿插相伴，龙身相互堆叠粘连之中留有镂空，复杂多变的线条之中不乏秩序感。当鼓乐响起，群龙仿佛也随乐舞动，充满神秘而浪漫的审美体验。

与曾侯乙墓建鼓同时出土的还有扁鼓、有柄鼓与悬鼓各一件，仅鼓类乐器就有如此多种的形制与讲究，由此一隅便足可以窥见春秋战国时期乐器的丰富性。

曾侯乙墓有柄鼓的鼓身与建鼓的鼓身有所相似，为腰部略微凸的圆桶状，由多块腔板组成，中间较厚而两头腔口处较薄。不同的是，有柄鼓的体型较建鼓而言小巧了许多，且并无鼓架支撑，而是在鼓身安放手柄，手柄形似葫芦，与鼓身相连的部分为葫芦嘴，而离鼓身较远的手柄外侧为形似圆钮的葫芦底，柄上刻有弦纹装饰。整体别致，设计考究。

曾侯乙墓悬鼓形制与扁鼓相似，都为中间凸的扁圆柱形，组成鼓身的十三块腔板也与上文中所提到的鼓类似，采用中间较厚两端较薄的处理方式。与其他鼓不同的是，悬鼓的腰部有三个铺首铜环，三个环间距几乎一致，将鼓腰周长均分成三等分，其中两个为横置，一个为竖置。与同时出土的曾侯乙墓扁鼓相似，曾侯乙墓悬鼓也为通体施以彩绘的乐器，鼓腔与皮面皆以黑色为地，朱漆为纹，皮面上饰以三角雷纹，鼓腹则以菱格纹作装饰。又因这面悬鼓与曾侯乙墓早已名声在外的青铜器鹿角立鹤同出于东墓室，且两者相临近放置，便有学者主张，这两件器物可能原本就是一个组合。况且鹿角立鹤的形态极为特别，鹤引颈昂首伫立，长喙上翘呈现钩状，鹤首两侧插有对称分布的铜质鹿角形枝杈。这样的高度和姿态恰好适合悬挂器物，也比较适合演奏者击打敲奏。有研究者尝试将两者等比例复制后进行组合，将悬鼓的竖环套在向上钩起的鹤嘴之上，并把两横环分别套于立鹤的两只鹿角上，悬鼓刚好能够悬置于鹤头与两角组成的圆形中空区域。由此可见，两者有可能是一套悬鼓中鼓身与鼓架的部分，故也有将曾侯乙墓悬鼓与鹿角立鹤合称“鹿角立鹤悬鼓”的说法。[①]（图 6–38）

图 6–38 曾侯乙墓鹿角立鹤

《礼记·名堂位》中有“夏后氏鼓足，殷楹鼓，周悬鼓”，可见悬鼓为周代形成、沿用至春秋战国时期的典型样式。楚地乐器中最为有特色

---

① 祝建华:《楚俗探秘——鹿角立鹤悬鼓、鹿鼓、虎座鸟鼓考》,《江汉考古》1991 年第 4 期。

的虎座鸟架鼓也为悬鼓。虎座鸟架鼓具有与曾侯乙墓悬鼓形制相似的鼓身，只在鼓架的造型上有所变化。河南、湖南、湖北等地的楚墓中都有虎座鸟架鼓出土。就目前已知的实物来看，虎座鸟架鼓鼓架形制都相似但又各具特色，通常以两只背向卧伏的虎为底座，两虎背上各有一只凤鸟背对而立，鸟颈伸展向上，尾羽尖端相连，凤鸟的头、颈、身体刚好构成一个两端外翻的“U”字形，造型舒展巧妙，鼓刚好可以悬置于两只凤鸟之间。

出土于天星观 2 号楚墓的虎座鸟架鼓颇为著名，现藏于荆州博物馆。这件战国晚期的音乐文物由鼓身与鼓架两部分组成，鼓架为木制，鼓身悬于木架上，鼓架和鼓腔都以彩绘装饰，黑漆为地，红、黄、蓝色绘制细部图案纹样，色彩绚丽丰富。（图 6–39）

图 6–39　天星观 2 号墓虎座鸟架鼓

楚地较为典型的匏类乐器有笙与竽，两者同为吹奏乐器。楚人吹笙在先秦时代就广受赞誉，《七国考》在《音乐》一门中引《阙子》讲

“楚笙冠中国”，足见楚笙影响力。湖北当阳赵巷 4 号墓就出土了有所残破的葫芦笙[1]，为春秋中期的音乐文物楚笙重要遗存。相比之下，曾侯乙墓出土的 6 件笙则保存相对完好。这 6 件笙的形制大体相同，大小则略有差异，均以范匏工艺为基础，经过再加工制成。与现在的葫芦笙类似，曾侯乙墓笙也是由斗、苗、簧三部分组成，苗即笙管，簧嵌于笙苗底部，笙苗底部透穿笙斗。楚笙的簧管通常不超过 19 管，目前所见的有 10 簧、12 簧、14 簧、18 簧等形式，而曾侯乙墓出土的 6 件楚笙实物中包含 18 簧笙两件，14 簧笙一件，12 簧笙两件，以及残损不易辨别的一件。其中的竹制笙簧，有些出土时还保留着相对完整的状态，应当为目前已知最早的簧片，尤为引人注目的是部分簧片上还留有白色蜡状物质，用于调节音高，这与一直沿用至今的“点簧”工艺相同。（图 6–40）此外，湖北江陵天星观 1 号楚墓也出土有两类形制的笙共 6 件，尽管均有残破，但也可一窥楚笙的面貌。[2] 楚地先民在两千多年前就已经利用簧片使乐器发声，足以见得楚地乐器制造工艺之先进精妙。

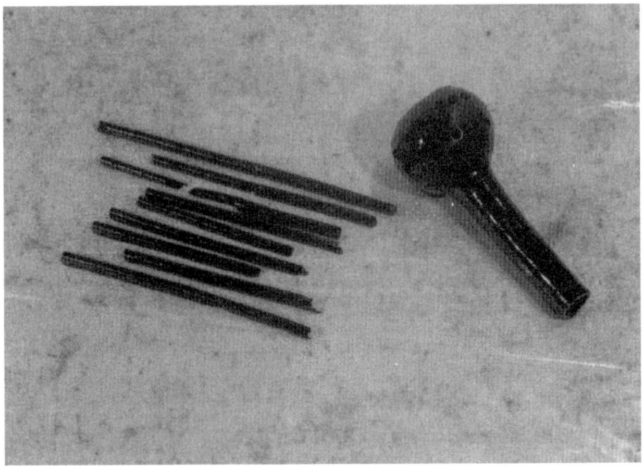

图 6–40　曾侯乙墓笙

① 宜昌地区博物馆：《湖北当阳赵巷 4 号春秋墓发掘简报》，《文物》1990 年第 10 期。

② 湖北荆州地区博物馆：《江陵天星观 1 号楚墓》，《考古学报》1982 年第 2 期。

第七节　舞蹈

清末学者刘师培在其《南北文学不同论》中讲："大抵北方之地，土厚水深，民生其间，多尚实际。南方之地，水势浩洋，民生其际，多尚虚无。"[①]南方的自然环境造就了楚人浪漫多情的品性，润泽葱茏的南土养育出楚地先民独特的具有仪式感的形体艺术——舞蹈艺术，形成了另一种形式的荆风楚韵。

一、楚舞典型

（一）巫舞

在用于卜筮和记录信息的甲骨文中可以发现，"巫"字与"舞"字同源，可见"巫"与"舞"的关联性在人类社会的早期阶段就已建立联系。虽不明确乐舞是否出于巫术，但可以明确奏乐鼓舞是古代巫术仪式中必不可少的环节。

楚国巫舞在先秦时期颇为盛行，也是最能体现楚文化特色的舞蹈。《国语·楚语下》："在男曰觋，在女曰巫。"郑玄《诗谱》："古代之巫，实以歌舞为职。"巫觋是负责沟通人神的使者，而楚国巫舞则是楚人通过肢体语言向鬼神传达意愿的一种形式。

《九歌》可谓当今知名度最高的楚国乐舞名篇，也是表现楚国民间祭祀活动中巫舞场面的珍贵文学名篇。《楚辞章句》中记载了此曲的由来："昔楚诸南国郢之邑，沅湘之间，其俗信鬼而好祠，其祠必作歌乐鼓舞，以乐诸神。屈原放逐……出见俗人祭祀之礼，歌舞之乐，其词鄙陋，因为作《九歌》之曲。"屈原因不忍民间祭祀中词曲之粗鄙，便在民间祭祀乐舞的基础上加以改编，以自己优美而充满浪漫主义色彩的文风弥补了其不足。《九歌》以十一个篇章记录了一场民间祭祀活动，将先秦楚地巫舞的风貌以文字的形式展现出来。其中第一篇与第十一篇分

① 刘师培：《南北文学不同论》，凤凰出版社，1997年，第560页。

别记叙了祭祀活动的迎神和送神场面，第十篇《国殇》是告慰将士英灵的曲目，其余各篇分别对应一位楚地所信奉的神灵。

巫舞的印记不仅留存于史料典籍之中，从湖北、河南、湖南等楚地的墓葬遗存中也可以推想出当时舞者的形态。河南信阳长台关楚墓出土的漆绘锦瑟上有几组巫师的形象，他们着广袖长袍摆出各种姿势。湖北曾侯乙墓内棺的装饰纹样中也有头戴面具似人似怪的形象，他们手中持戈，状若以戈敲击地面的同时顿足而舞，似在进行某种仪式活动。时至今日，华中某些地区仍然保留着类似先秦时期楚国巫舞的祭祀舞蹈，如鄂西北地区的“端公舞”就是与《九歌》结构相似的民间祭祀舞蹈。[①]

（二）优舞

文献记载，楚地盛行优舞。优舞与巫舞相比，舞者的身份与舞蹈所传达的内容有诸多不同。优舞的舞者是专门的舞蹈演员，在中国古代也被称为倡优或优人。

倡优表演深受春秋战国时代人们的喜爱，列国宫廷中有专供国君享乐的倡优队伍。春秋时期齐鲁两国“夹谷相会”，齐景公就让“倡优侏儒为戏而前”，此做法虽遭到孔子的非议，但也可以从中看出当时倡优活动之兴盛。春秋战国时期，各国倡优的表演风格存在差异，由于当时对倡优乐舞审美标准不同，存在着秦昭王“楚之铁剑利而倡优拙”的说法。典籍资料中有关于楚地倡优的文字记载，其中较为著名有楚庄王时期的优孟。据史籍《史记·滑稽列传》中记载，楚庄王宠其爱马，要用安葬大夫的规格厚葬死去的爱马，宫廷倡优身份的优孟假劝楚庄王以安葬君王的规格安葬马，借此巧讽庄王，终于使楚庄王幡然醒悟，而优孟凭借精湛的技艺扮作已故的令尹孙叔敖，机智地劝谏楚王不忘厚待功臣遗孤的事迹也随之广为流传。

（三）踏蛇舞

踏蛇舞，顾名思义是一种人蛇共舞的独特舞蹈。在楚故地墓葬中出

---

① 邵学海：《朝觐南土——楚国音乐、舞蹈、美术巡礼》，《寻根》1997年第2期。

土了很多以踏蛇舞场面为装饰画面的器物。曾侯乙墓漆棺的装饰性绘画中便出现巫师弄蛇的图像，其中巫师似人似怪，头有两角，双手操蛇，蛇以相互缠绕的方式盘于巫师头顶上方。河南信阳长台关楚墓出土的瑟上也有头戴鸟羽或高帽、以手持蛇的巫师形象。湖北荆门战国楚墓中出土的一件铜戚上，也饰有头戴羽冠、身披鳞甲的巫师表演踏蛇舞的图像。该巫师双手持蛇，双腿半蹲，大腿外分，裆部下沉，左、右两足分别踏在月、日之上，胯下有一龙，似乘骑状。巧妙的构图将具有象征意味的太阳、月亮、人、神、龙、蛇等符号安排在窄长的区域内，不仅生动地还原了舞者的姿态，也使整幅画面和其所表现的舞蹈本身充满了神秘诡谲的气氛。

踏蛇舞的奇异氛围与独特形式引起了诸多学者的兴趣，但关于这类舞蹈所要表现的意图与巫术含义的研究，至今尚未达成共识。与此相关的说法大体有三类：其一，楚人希望借此舞蹈为先祖“筚路蓝缕”的开拓精神歌功颂德。楚地气候湿热，蛇患较多，持蛇舞蹈象征不畏险阻，克服困难。其二，持蛇而舞的画面多见于墓葬绘画或陪葬器物的装饰图像中，因此踏蛇舞可能在丧葬仪式中进行，起到仿蛇护尸的巫术功效。其三，古代有蛇为生命之神化身的说法，暗喻生殖崇拜。神话中的伏羲、女娲人面蛇身，楚人执蛇而舞，寓意祈求子孙安康、生育繁盛。

（四）傩舞

傩舞，其历史最早可以追溯至殷商时期，人们相信通过头戴面具奏乐起舞的方式，能够驱逐鬼怪、远离疫病。在周代，傩舞祭祀遵循典章规范，每年三次，顺应时节变化：第一次傩祭在暮春三月。古人认为万物生长之时也是邪祟暗中滋生、疾病多发之际，以傩舞驱除疫鬼，祛除灾祸，制止春季里的不正之气十分必要。这次傩祭国都居民都要投身其中，也叫“国傩”。第二次傩祭在仲秋八月。此时跳起傩舞意在引导秋气通畅抒发。这次傩祭由天子举行，也叫“天子傩”。第三次傩祭在冬季腊月。意在隆冬时节到来之际送走严寒之气，祈求冬季的平稳安逸。这次傩祭由官员负责举行，也叫“大傩”。

《周礼·夏官·方相氏》中可见大傩祭典时的场面："方相氏掌蒙熊皮，黄金四目，玄衣朱裳，执戈扬盾，帅百隶而时傩，以索室驱疫。"而从主祭巫师方相氏"掌蒙熊皮""黄金四目"一类描述中可知，傩舞中巫师头戴面具做似人似兽打扮，极具特色。

（五）建鼓舞

建鼓，是一种楚地重要的革类乐器，建鼓舞围绕建鼓，并在其伴奏下进行舞蹈。描绘建鼓舞的图像可见于楚地出土的器物上。

曾侯乙墓出土的彩绘乐舞图鸳鸯漆盒不仅是别出心裁、精美绝伦的实用器具，也是弥足珍贵的舞蹈史料。漆盒一侧绘制的敲钟图曾是启发众多学者发现编钟演奏方法的关键，而另一侧的击鼓图表现的就是先秦楚人跳建鼓舞的场景。画面从左至右分别绘有舞者、建鼓及乐师。建鼓由一虎形鼓架、鼓及一根贯穿鼓身的木柱构成。乐师头戴高冠，双手执鼓槌，作击鼓状。舞者头戴高冠，腰配长剑，挥舞长袖，应着鼓声起舞。

简洁明快的画面，配合充满想象力的形象，使其中的舞蹈显示出别样的风韵。值得注意的是，画面中舞者大而乐师小，可见建鼓舞当中舞者为重，乐师负责伴奏处于从属地位。

（六）采桑舞

我国是种桑养蚕历史最为久远的国家。以蚕丝为原料的丝织品由于质地柔软细腻、光泽度强，备受人们喜爱。从传世文献及先秦时期楚墓葬中出土的大量精美丝织物来看，荆楚地区的丝织工艺在春秋战国时期已经达到相当高的水平，贵族对丝织品的大量需求使得种桑养蚕在民间盛行，采桑舞便在这种社会生活图景中应运而生。

河南辉县出土的战国铜壶盖的装饰纹样展现出采桑舞的风采。七名身形纤长、腰肢纤细的舞者身着长裙，有的扬臂挥袖、扭腰起舞；有的作跪地状，似乎在吹乐伴奏；有的作半蹲状，似正在采桑叶；也有的作弯腰状，似正将采摘好的桑叶放入竹篮中。女子辛勤忙碌的身影，被转化成图像以采桑的主题呈现出来，形成舞蹈实物资料而被世人所见。

二、楚舞审美风尚

（一）“小腰秀颈”的舒展舞风

楚舞对形体美的热衷与追求，从绘画作品中身着长袖长裙的人物中就能窥得一二。对照《楚辞·大招》中对于楚国美人“小腰秀颈，若鲜卑只”“长袂拂面，善留客只”“丰肉微骨，体便娟只”的描写，便更能领会楚人的审美标准。

湖南长沙黄土岭战国楚墓出土漆奁上的彩绘舞女图展现了楚人的审美情趣。画面中十一位舞女皆着曳地长裙，其中翩跹起舞的舞者长袖细腰，飘逸动人，衣着服饰线条与舞者的身形曲线相得益彰，女性特有的柔软纤细之美于此得以充分显现。

唐代杜牧有诗“楚腰纤细掌中轻”，可见楚国好纤细颀长之美的风气之盛，传至后世竟成了一个颇具楚地特色的“标签”。尤其《韩非子·二柄》中记载的“楚灵王好细腰，而国中多饿人”一说，更是广为人知，引得后人常以此为出发点，或借古讽今，或言物抒情。白居易的“楚袖萧条舞”、李商隐的“虚减宫厨为细腰”、汪遵的“贪向春风舞细腰”，多是将细腰与舞者相联系。其实，楚灵王所好“细腰”，并非只限于女性舞者，《墨子》中有：“昔者楚灵王好士细腰。故灵王之臣，皆以一饭为节，胁息然后带，扶墙然后起。比期年，朝有黧黑之色。”又有“昔荆灵王好小要。当灵王之身，荆国之士饭不逾乎一，固据而后兴，扶垣而后行。”《淮南子》中也有：“灵王好细腰，而民有杀食自饥也。”由此可见，楚国君对纤细身形的追求导致一时之间楚国宫廷上下无论男女都开始注意自己的身形仪表，这种激进风气的形成和持续，足以见得乐舞风尚对楚人生活的影响。

（二）巫舞中的生命意识

楚国管辖之内，河流纵横交错，湖泊众多，许多楚国舞蹈体现出与水有关的生命意识，而这种生命意识，不仅是乐“生”，还延伸到重“死”，对于“信鬼神，重淫祀”的楚人来讲，舞蹈似乎能够传达出某种特殊的情怀，尤其是楚巫舞，指向更加明确。

这类舞蹈中歌舞愉悦神明，达成诉求的目的较为强烈。似乎每一支舞的背后都有一个明确的“生命意识”在支持。如《九歌》中有篇章献给具体的楚地传说中的神明。傩舞有驱鬼逐疫的目的，是将疫病看作具体的病魔鬼怪驱退的舞蹈仪式。楚地人神交融的信仰体系，使舞蹈具有切实的根基，并承载着一种理想化的生活图景。正是这种现实与虚幻相交融的审美特征，才使得楚地舞蹈具有经久不衰的生命力。有学者甚至认为，楚舞的某些生命意识对汉代的抒情性即兴舞蹈也产生了影响。[①]

---

① 郑永乐：《汉代抒情性即兴舞蹈的情境分析》，《北京舞蹈学院学报》2020年第4期。

第七章　风俗与礼仪

风俗是区别各地区、各民族的重要文化形式之一。夏商时期，荆楚人民被称为楚蛮、荆蛮，其信仰、风俗异于中原。周代以来，中原文化的快速南渐、楚的建国及其对江汉土著的统一，使得荆楚文化呈现出兼收并蓄之势，可谓“外求诸人以博采众长，内求诸己而独创一格”[①]。一方面，“信巫鬼，重淫祀”是其特色，与中原的“敬鬼神而远之”有别。另一方面，随着时代的发展，楚文化中理性因素增加，与中原文化的信仰又呈现出融合的趋势，表现在对太一、北方神的祭祀上；而在风俗方面，崇凤、尚左喜赤、高冠长髯、好细腰、率性、喜楼榭等，则与中原多有不同。

在中原华夏的历史记忆中，楚国是礼仪不典的南蛮。而楚人有时也以蛮夷自居，西周末年，熊渠就说：“我蛮夷也，不与中国之号谥。”实际上，楚国贵族也追慕华风。楚庄王请士亹教傅太子，申叔时告诉士亹应向太子传授《春秋》《世》《诗》《礼》《乐》《故志》等经典知识，可见楚国贵族也重视礼乐教化。经过世代努力，春秋后期以降，楚国贵族的礼乐修养已不逊中原诸侯。公元前 256 年，楚国灭鲁，儒家礼乐的大本营并入楚国版图，进一步增加了楚文化中的礼乐内涵。

第一节　巫俗与信仰

《晏子春秋·内篇问上》记载：“古者百里而异习，千里而殊俗。”中国古人就处在这样一个大的风俗环境下。楚人立乎东南西北之中，介

① 张正明：《楚文化史》，上海人民出版社，1987 年，第 60 页。

乎华夏与蛮夷之间，既顽强地保持着充满浪漫情调和淳朴气息的传统，又在扩张、兼并的过程中采取了“入乡随俗”的政策。[①] 楚国文化兼收并蓄，形成了其独特的风俗信仰，并一代代传承，延绵不息。

一、信巫鬼，重淫祀

原始社会发展到一定阶段，就会产生以反映人和自然矛盾为主要内容的初期状态的宗教，这便是原始宗教。楚国的原始宗教，达到了空前繁荣的状态。

（一）尚巫喜卜

尚巫，是早期人民信仰的重要内容。随着时代发展，巫文化在中原地带开始衰退，但在蛮夷之地仍旧盛行，这一现象尤以楚地为甚。有学者认为，楚国的“国王，在政治上称王，在宗教祭祀上称‘灵修’——‘灵修’也就是巫长的意思”[②]，巫在楚国有着特殊的地位。

尚巫与淫祀，往往同时出现。祭祀的浓淡，往往与巫术的盛衰成正比。荆楚人需要祭祷的时候，常请巫觋歌舞以娱神。王逸作注《楚辞章句·九歌》言南郢、沅湘之地“信鬼而好祀”时说：“其祀必使巫觋作乐，歌舞以娱神。”后世论及楚地的巫风，无不引用王逸之言。

王逸就楚地祭祀道出巫的主要功用，巫工作的主旨是通神明、驱鬼邪。巫师不仅仅在祭祀中以歌舞娱神，他们更多在除灾祛病时以巫术作法来驱逐祟鬼。巫师虽有两种不同的称谓，男巫称“觋”，女巫称“巫”，但人们习惯多以“巫”来概称。“巫”这种概称，还可代指巫术。

楚国有专门掌管宫廷巫术的官职，称为“卜尹”，以男性任职，是楚之国巫。春秋之时，楚有世代以占卜为官的家族，人称“观氏”，大概其祖辈因能观测天象而得名。首为楚巫的观氏名叫观丁父，原为鄀

---

① 张正明主编：《楚文化志》，湖北人民出版社，1988 年，第 397 页。

② 孙作云：《楚辞九歌之结构及其祠神时神巫的配置方式》，《文学遗产增刊》第 8 辑，中华书局，1961 年，第 22 页。

人，楚武王伐鄀时被俘而留楚，官至“军率”，他在楚对州、蓼、随、唐等邦国的战斗中屡建战功。观丁父及其后人的一大重要职责是“佐开卜”，也就是做卜尹的助理。观氏之后有观从者，参与并谋划了楚平王反叛灵王的行动，故也有拥立之功，平王即位时让其自选官职，观从以祖辈做“佐开卜”之故，选择了卜尹之职，算是继承祖辈衣钵并将其发扬光大了。昭王之时，观氏家族有观射父者，被楚人视为国宝。《国语·楚语下》记王孙圉对晋大夫赵简子曰：“楚之所宝者，曰观射父，能作训辞，以行事于诸侯，使无以寡君为口实。”观射父受到楚国上下的尊重。昭王曾两次垂询观射父：一是咨询重、黎及重、黎的后代绝地天通之事；二是请教祭祖如何使用祭品，涉及祭礼知识。观射父或许仍是卜尹，其地位如同楚之国师。

楚民众信巫鬼风俗使然，不足为怪，一个国家，重视祭祀，礼天拜地，只要合乎礼制，本无可厚非，但君王迷信巫鬼则后人奇之。《新论·言休篇》载：“昔楚灵王骄逸轻下，简贤务鬼，信巫祝之道，斋戒洁鲜，以祀上帝，礼群神，躬执羽绂，起舞坛前。吴人来攻，其国人告急，而灵王鼓舞自若……”按照观射父的理解，只要保持敬仰肃穆，祭祀礼制完备但“不求丰大”就可以了。楚灵王作为国君，在外敌入侵之时，仍亲身娱神，痴迷于巫祝，就有失国家根本了。楚灵王痴迷巫祝之道并非仅此一端，《左传》还记载其因为占卜不吉而“投龟诟天”，这显然是信巫鬼而不尊重神灵的行为。灵王最终败亡，印证了《白虎通·五祀篇》“淫祀无福”的论断，此篇所指“淫祀”，当包含痴迷巫鬼之意。

春秋时期，楚国君王信奉巫卜之事的例子还有很多。如楚共王（楚灵王的父亲）晚年时，面对众多子嗣，难以决断谁可继承王位，害怕因选人不对最终引起朝廷纷争。几番思虑，他向卜尹求教，希望听取上天的旨意，卜尹说：“当璧而拜者，神所立也！”（《左传·昭公十三年》）于是楚共王派人拿一块玉璧在宗庙祭祀诸神——埋璧于宗庙，让五子轮流入拜神灵。结果长子跨璧，次子碰璧，三子、四子不沾璧，幼子即老五尚在襁褓，由人抱着拜祭，两次都拜在玉璧的纽上。据《左传》记载，共王的占卜竟然全数得到应验：共王死后，长子继位，是为康王；康王死，子继位，但被其二叔（共王次子）弑而代立，是为灵王；灵王晚年，其三弟、四弟、五弟谋反，灵王与三弟、四弟先后在暴乱中死去，最终五弟继承大统，是为平王。占卜准确应验的故事，或许是平王根据历史结果杜撰出来的，以证明自己继承大统是神明的安排。但此事不论真假，都能反映楚地巫风的炽烈。楚人相信，与巫有关的事情必然是真的，必然是灵验的，因此才会去宣传，或者去伪造。

遇上犹豫难断的军政大事，楚人也常以占卜解决。白公叛乱，陈人侵楚，事态紧急，楚人“枚卜”来确定统帅，对候选人一一占卜，判断吉凶，最终公孙朝当选，也就是屈原所说的“索藑茅以筳篿兮，命灵氛为余占之”（《楚辞·离骚》）。

炽烈的巫卜之风，还延续到楚人墓葬中。镇墓兽，是楚人放置在墓室的驱邪物件。在湖北江陵雨台山 530 座较完整的墓葬中，出土镇墓兽一共 156 件，分属 156 座墓。[①] 有镇墓兽随葬，构成了楚墓与其他东周墓不同的特征。在包山、望山、天星观、秦家嘴等许多楚墓中，还随葬有卜筮祭祷竹简。包山 2 号战国中晚期楚墓，有 54 枚卜筮祷祠简，简文内容主要是贞问身体是否有咎及其吉凶，或是“既祷至福”“出入侍王”是否顺利等[②]；江陵天星观 1 号楚墓的卜筮祭祷简简文，除了为墓主贞问疾病和祈祷之外，还有贞问“侍王尚自利顺”“（新室）尚宜安长处之”[③] 等。

先秦楚地的巫与医，是紧密相连的。《吕氏春秋·勿躬》：“巫彭作医，巫咸作筮。”巫彭是楚地的神巫，而巫咸则是楚地的神医。孔子曾言：“南人有言曰：‘人而无恒，不可以作巫医。’”（《论语·子路》）这里巫医也是连称的，“南人”即为楚人。战国扁鹊的出现，意味着职

① 湖北省荆州地区博物馆：《江陵雨台山楚墓》，文物出版社，1984 年，第 107、558 页。

② 陈伟等：《楚地出土战国简册（十四种）》，经济科学出版社，2009 年，第 92—96 页。

③ 晏昌贵：《天星观卜筮祭祷简释文辑校》，氏著：《巫鬼与淫祀——楚简所见方术宗教考》，武汉出版社，2010 年，第 345—370 页。

业医生开始出现，但这并不能表示巫和医的决裂。扁鹊之后，巫术仍以多种形式存于医道中，这种情况以楚地尤甚。长沙马王堆汉墓出土《五十二病方》中就出现许多巫医方，这些巫医方来源极为古朴，许多当是先秦遗留下来的经验巫方，其中巫术的种类有禹步、咀咒（如“斧砍若”）、葵茎、桃枝、桃箭祓除，月晦、朔日扫疣等，此外还有择日而行的巫术，如“以辛卯日，立堂下东向，向日，令人挟提癞者，曰：‘今日辛卯，更名曰禹’”[①]。楚人普遍认为，大禹具有神圣的力量，连其名字也可以辟邪祛病。此巫方何以在“辛卯”日东向命名？辛卯为干支之一，顺序是第二十八，似乎与二十八宿（神）有关。马王堆帛书《五十二病方》巫方中择日选时主要有选月相日（如晦日、朔日、望日、始毁日、月旬六日），选特殊的干支日（如辛卯、辛巳、己巳等），选岁时更替节点（如至春、夏日至、岁更等），选一日的某些特殊时辰（如旦、暮、晨、日中、日出、星出、月出、明月照）等方法，《五十二病方》中的巫方说明了早期巫医混杂的面貌，显然是先秦时期巫风炽烈的遗存证据。

（二）重淫祀，敬鬼神

淫祀之风，是先秦楚俗的重大标示。《白虎通·五祀篇》曰：“非所当祭而祭之，名曰淫祀。”楚地的祭祀规制，随时代不同而不同，单就春秋战国之际的楚国来说，楚昭王曾总结为：“三代命祀，祭不越望。江、汉、睢、漳，楚之望也。”（《左传》哀公六年）然而受淫祀之风的影响，楚人的祭祀往往超越规制。

楚立国之前，在荆楚大地生活的主体民族有三苗及其先民。三苗，九黎族的后裔。三苗巫风炽烈，史载有巫医苗父。三苗沿袭祖辈九黎的习俗——“民神杂糅”“民匮于祀”。《国语·楚语下》载：“及少皞之衰也，九黎乱德，民神杂糅，不可方物。夫人作享，家为巫史，无有要质。民匮于祀，而不知其福。烝享无度，民神同位。民渎齐盟，无有严

① 马继兴：《马王堆古医书考释》，湖南科学技术出版社，1992年，第482页。

威。神狎民则，不蠲其为。嘉生不降，无物以享。祸灾荐臻，莫尽其气。颛顼受之，乃命南正重司天以属神，命火正黎司地以属民，使复旧常，无相侵渎，是谓绝地天通。”颛顼的绝地天通，促使宗教职业者出现，一般百姓的日常事务不再与宗教发生联系。“高阳氏的首领是一位敢于大胆改革的宗教主”，徐旭生先生认为，这个改革的契机和中原华夏集团与江汉苗蛮集团的冲突有关，冲突与改革的结果是南方氏族被击败而遭流放，北方的大巫祝融深入南方以传播教化。[①]“绝地天通”的实质是民族间的征伐、移民和同化，征伐是华夏民族对苗蛮民族经年不断的战争，移民则是祝融部落及其后裔的南迁，同化则是征服者按照自己的文化风俗制定规则，然后对被征服民族进行文化改造。由此，江汉流域开始从“人人做巫、家家做巫的巫觋时代”向巫觋专业化管理的“绝地天通，无相侵渎”的时代过渡。[②]

实现绝地天通不是一蹴而就的，它历时长久且有反复，由此导致了第二次绝地天通。《国语·楚语下》又云：“其后三苗复九黎之德，尧复育重、黎之后不忘旧者，使复典之。以至于夏、商。”也就是说，在尧之时，九黎的后裔三苗重新崛起，他们进犯中原，“民神杂糅”“民匮于祀”的风习又有较大恢复。尧一面武力镇压三苗叛乱，一面再次启用了重、黎的后代，以宗教继续同化三苗，让三苗族按照中原的规制祭祀神灵，杜绝一般民众与神灵的沟通。第二次的绝地天通与战争征伐同步，一直延续夏、商两代，它与战争征伐是同步的。

楚国公族的祖先为祝融氏，“最早的祝融是重和黎两兄弟”[③]。祝融相传为高辛（帝喾）的火正，降至商代为“师火”，至周代称“火师”。“火正的职责主要有三项：一是观象授时，二是点火烧荒，三是守燎祭天。”[④]祝融第一项和第三项职责都与祭祀有关，即“掌祭火星”（《汉

① 徐旭生：《中国古史的传说时代》，广西师范大学出版社，2003 年，第 7—8 页。

② 陈来：《古代宗教与伦理》，生活·读书·新知三联书店，2017 年，第 23—24 页。

③ 张正明：《楚史》，湖北教育出版社，1995 年，第 10 页。

④ 张正明：《楚史》，湖北教育出版社，1995 年，第 8 页。

书·五行志》)。然而，在楚人自己的思想体系中，祝融为炎帝之佐，湖南长沙子弹库战国帛书《四时》载："炎帝乃命祝融，以四神降，奠三天……"《白虎通·五行篇》记："炎帝者，太阳也。"可见，炎帝即为日神，是太阳的化身；祝融即为火神，是火星的化身。拜日崇火，是楚先民原始崇拜、祖先崇拜的孑遗。拜日崇火的风习，至少延续至西周。

商周时期，古人的信仰发生了巨大的变化。原始的自然崇拜进入至上神（天、帝）为统领的多神崇拜，一些神的职能开始上升并专职化，神的祭祀规格、时间等趋于固定。周代，特别是进入东周时期，五行等思想在北方落地生根，道、阴阳思想在南方生长繁衍，而随着对天象、四时的了解，人们开始怀疑过往的东西，信仰日益多元：在中原，出现"敬鬼神而远之"的现象；在楚地，宗教信仰更加复杂，日、月神的崇拜和祭祀的重要性在下降，以北斗、北极星、二十八宿为主要对象的星辰崇拜在上升，至上神也由天、帝、上帝的崇拜向太一、道、北斗为综合体的崇拜转变，司职社会功能之神（如司命、司祸）的崇拜以及祖先崇拜、山川社稷崇拜也得到巩固。

事实证明，尧至商周时期，重、黎的后代对三苗宗教习俗的整饬并不彻底，民神杂糅的现象并没有大的改变。王逸《楚辞章句·九歌》云："昔楚国南郢之邑，沅、湘之间，其俗信鬼而好祠。其祠，必作歌乐鼓舞以乐诸神。"班固《汉书·地理志》云："楚有江汉川泽山林之饶；江南地广，或火耕水耨。民食鱼稻，以渔猎山伐为业，……信巫鬼，重淫祀。"《古今图书集成·方舆汇编·职方典》言荆州"信卜筮"，长阳县"信鬼神"，宜都县"敬鬼重祀"。这些典籍的记载，说明楚地"信巫鬼，重淫祀"之风不衰。

战国时期，或许因为"家有巫史"的承继关系，楚地的宗教信仰不同于他地，但总的来说，楚人宋玉《高唐赋》中所言的"醮诸神、礼太一"，大致能反映战国时期楚地一般性的宗教习俗。

于国家而言，祭祀因是楚国之大事而备受重视。早在西周熊绎时期，楚人对周天子的职分多与祭祀、祓除有关：一是守燎祭天，二是

“桃弧棘矢以共王事”，三是供奉“包茅”以“缩酒”。春秋时期，楚国的战争也多有祭祀参与其中：楚成王三十八年（前634年），夔子因不祭祀楚先祖祝融和鬻熊，遭受楚军队讨伐，最终亡国；楚庄王在邲大胜晋师之后，在黄河修宗庙，举行祭天地祖先仪式；楚平王即位之初，吴师犯境，平王认为楚国内乱刚刚结束，政体不稳，于是以“未事鬼神”为借口，否决了令尹子期讨伐吴国的提议。

对于祭祀，楚人有不同寻常的理解。观射父建言楚昭王，祭祀的要旨“不求丰大”但“求备物”，还需“齐敬”“齐肃”（《国语·楚语下》）。

20世纪以来，楚地墓葬出土了大量的祭祷简，楚人“醮诸神、礼太一”的祭祀风习得到进一步印证。综合传世与出土文献资料，楚地宗教信仰，由南而北，同中有异，呈现出三类神灵体系：

第一类是楚国郢都及周边地区所信奉的神灵体系。它代表着楚国公族生活区的神灵信仰，主要反映在包山、望山等楚墓出土的卜筮祭祷简中，其中以包山236—238简最为明晰：“与祷犬一糒；后土、司命各一牂。与祷大水，一糒；二天子，各一牂；佹山，一羖。与祷楚先老童、祝融、鬻熊，各两羖。享祭筥之高山、下丘，各一全豢。”[①]这组简的祭祀神灵分四部分：第一部分是“举祷”的太一、后土、司命等神灵；第二部分是“与祷”的大水、二天子、佹山等神灵；第三部分是“举祷”的老童、祝融、鬻熊等人鬼，为祖先之神；第四部分是“筥”祭的高丘、下丘等神，可能为沟通之神，或为邮递、土地神之类的小神。综考包山、望山简中的神灵，至上神为太一，但大水神的地位和祭祀规格与之对等，两者或为阴阳互补的关系，就如郭店楚简《太一生水》的太一与水的关系一样：“太一生水，水反辅太一，是以成天，天反辅太一，是以成地……”[②]包山楚简祭祀的神灵还有很多，如天神有司祸等，地

① 陈伟等：《楚地出土战国简册（十四种）》，经济科学出版社，2009年，第95页。

② 陈伟等：《楚地出土战国简册（十四种）》，经济科学出版社，2009年，第158页。

神有后土、地主、宫后土、宫地主、野地主、五山、宫行、行、渐木立（社神）、水上与溺人（水神）、东陵连嚣等，人鬼有老童、祝融、鬻熊、昭王、荆王、武王、文平夜君、新王父、司马子音、公子春、蔡公子家邵良、邵辰等。望山楚简祭祀的主要神灵如太一、后土、司命、司祸、大水、二天子等与包山简相同，但人鬼则多有不同，当与墓主的直系亲祖包括得氏之王、始封之君和分宗后的各代亲祖不同有关。①

第二类是淮、汉上游地区即楚国北部的神灵体系。这主要通过葛陵楚墓出土的卜筮祭祷简反映出来。葛陵楚简损坏严重，其神灵体系难以像包山简那样分类，但经整理发现，除大水出现较少之外（仅 1 次），人鬼有了较大变化，如出现了文王、昭王、荆王、境平王、子西君、文夫人等，但太一、后土、司命、二天子、三楚先（老童、祝融、鬻熊）等仍为常见的神灵，与包山、望山楚墓神灵体系大体相同，且太一仍旧是地位最高的神灵。

第三类是屈原《九歌》记录的神灵体系。《九歌》记录的神灵有东皇太一、云中君、大司命、少司命、东君、湘君、湘夫人、河伯、山鬼等。这一神灵体系依王逸所言，当是“楚国南郢之邑，沅、湘之间”所信仰，“沅、湘之间”，容易理解，就是指代沅水、湘江流域；“南郢之邑”，洪兴祖引《隋志》曰“荆州尤重祠祀”。② 王逸又云：“屈原放逐，窜伏其域，怀忧苦毒，愁思沸郁。”通过“屈原放逐，窜伏其域”这句话，可认为“南郢之邑”和“沅、湘之间”均属于屈原流放区域，与郢都纪南城无涉。因此，《九歌》中描述的应当是郢都以南特别是沅水、湘江一带的民间祭祀神灵，也就是王逸所提到的“（屈原）出见俗人祭祀之礼”。③ 其中“俗人”应理解为居于乡野之人。

除太一、司命外，《九歌》中的多数神灵并不见于楚卜筮祭祷简中。

① 杨华等：《楚国礼仪制度研究》，湖北教育出版社，2012 年，第 241 页。

② ［宋］洪兴祖撰，白化文等点校：《楚辞补注》，中华书局，1983 年，第 55 页。

③ ［宋］洪兴祖撰，白化文等点校：《楚辞补注》，中华书局，1983 年，第 55 页。

陈伟、刘信芳、晏昌贵等专家认为楚简中的“二天子”就是《九歌》中的湘君、湘夫人。[①]然而，河伯不是楚地神灵，说明《九歌》中的神灵是否完全属于楚地神灵体系还有待进一步考证。江林昌认为传统关于《九歌》是屈原在楚国民间祭祀乐曲基础上创作而成的认识并不全面：《九歌》中有海岱东夷族的《韶》乐、中原华夏族禹启时代的《虬歌》、东周时各诸侯国的生命生育祭歌以及流传于楚地的山川祭歌等不同层面。[②]这一观点对解释《九歌》与楚简神灵体系之不同有启发意义。

三种神灵体系同中见异。首先，传世文献与墓葬祭祷简中的神灵有差别，如屈原《九歌》的湘君、湘夫人不见于包山、望山、葛陵等楚墓祭祷简，而楚墓祭祷简中的大水、二天子、𠍵山等众多神灵也不见于《九歌》。其次，不同墓葬祭祷简神灵体系有差别，如包山简中出现较多的大水神和𠍵山神，在葛陵简中均只出现 1 次。此外，葛陵简出现了北方、公北、北宗等位置较高的神灵。其中北方神出现了 13 次，除与太一同出 3 次外，还有 2 次紧随太一之后；北宗、公北神各出现 3 次，且与地主、司命并出时位置居前，这些神灵在包山和望山两处楚墓卜筮祭祷简中几乎不见，显示出葛陵墓对北方神或北方星神的重视。葛陵楚简中的北方信仰，包山、望山楚简中的大水神信仰，屈原《九歌》中的湘水、湘君信仰，折射出楚境内不同地区宗教信仰的差异。

《周礼·春官宗伯·大宗伯》云：“大宗伯之职：掌建帮之天神、人鬼、地示之礼，以佐王建保邦国。以吉礼事邦国之鬼神示，以禋祀祀昊天上帝，以实柴祀日、月、星、辰，以槱燎祀司中、司命、飌师、雨师。以血祭祭社稷、五祀、五岳。以貍沈祭山林、川泽，以疈辜祭四方

① 刘信芳：《包山楚简神名与〈九歌〉神祇》，《文学遗产》1993 年第 5 期；刘信芳：《包山楚简解诂》，台湾艺文印书馆，2003 年，第 230 页；陈伟：《包山楚简初探》，武汉大学出版社，1996 年，第 169—170 页；晏昌贵：《巫鬼与淫祀——楚简所见方术宗教考》，武汉大学出版社，2010 年，第 151 页。

② 江林昌：《远古部族文化融合创新与〈九歌〉的形成》，《中国社会科学》2018 年第 5 期。

百物。”[①]《大宗伯》记载的这些神灵，或许是西周以来一直被中原民众祭祀的神灵，但综合《九歌》的神灵体系以及包山、望山、葛陵等墓葬的神灵体系可以发现，楚地神灵体系对中原神灵体系虽有吸收，但也有较大的改造。缘由有四：

一是楚文化圈道家哲学的影响。战国楚地墓葬祭祀中，中原传统的至上神昊天上帝被太一神、大水神取代。太一在楚人神灵崇拜和宗教仪式中“地位很突出”[②]。楚人至上神信仰由天、帝向太一的变化节点或在楚灵王时期，楚灵王曾有“投龟”“诟天”的举止，这或是神灵信仰发生微妙变化的标志。

礼太一之外，还有尚水思想。在楚人思想中，水在宇宙生成中地位仅次于太一。《老子》称“上善若水”。《太一生水》中，“太一”与“水”相辅相成以生天地、阴阳、神明、寒暑、冷热、四时，乃至“成岁”。在楚人神灵体系中，“大水”神的地位、祭祀规格均与“太一”相同。

二是对北极星、北斗星、岁星等天体的认识使然。星神（或北斗星）取代日、月神的地位，是道家哲学思想和天文知识进步双重影响的结果。楚人淫祀，由此重术数和方术，善于观测天象。楚国不仅有世代以“观”为姓的大族，还有甘德这样闻名先秦的天文学家。楚人发现，二十八宿乃至整个天体都围绕北极运转，北斗的指向与四季密切关联，北极和北斗给人以领袖群神的观念。战国楚人著作《鹖冠子·环流篇》谓“斗柄东指，天下皆春；斗柄南指，天下皆夏；斗柄西指，天下皆秋；斗柄北指，天下皆冬”，《鹖冠子·泰鸿篇》又称“中央者，太一之位，百神仰制焉”，《史记·天官书》亦云“中宫，天极星，其一明者，太一常居也”。

三是楚国官职体系的影响。司命、司祸、司禄、司折、司慎、司

① 郑玄注，贾公彦疏：《周礼注疏》，上海古籍出版社，2010年，第645—657页。

② 李零：《中国方术续考》，东方出版社，2000年，第207页。

救、司怪等神灵的出现，说明诸司之类的神灵得到加强和丰富，这是楚人神灵称谓“模仿俗世官府机构名称”的反映，也可说“是战国时期国家官僚机构在神界的反映”。[1]楚人认为天人是合一的，人类的任何发展都受天神的制约。

四是各地域祭祀神灵多有差异的结果。楚人淫祀，其祭祀的范围大都超越了本应有的范围，但总体来说各处有各自的地域特色。综合来看，楚地各处的神灵祭祀受地理因素很大，如湘江流域祭祀东皇太一、湘君、湘夫人，但在江陵一带，东皇太一变为太一神，没有了湘君、湘夫人，却多了大水神、二天子等重要神灵；在葛陵楚墓中，出现较多的北方神祭祀，湘江、湘夫人也未曾出现，大水神也较少出现。由此可见，楚国地域辽阔，北部、中部（主要是郢都一带公族生活的区域）、南部各地的宗教信仰，主要神灵框架虽大体相同，但仍有自己的特色。

综合《九歌》等传世文献和包山、望山、葛陵楚墓出土的祭祷简简文，先秦时期楚地祭祀的神灵主要包括：

天神方面，有太一（或东皇太一）、大水、东君、日、月、云中君、诸司神、玄冥（亦是水神）等。

地祇方面，社神有后土、地主、宫地主、野地主、大地主、公主等；山神有五山、五主山、俿山、三山、丘、高丘、下丘、旧丘等；水神有江、大川、汉女、湘君、湘夫人、大波、淮河、曲池、河伯、罔两等十数种之多。[2]此外，地祇还有山川、五祀（门、户、行、宫后土、灶）、渐木立、盟诅等。楚人祭祀水神众多，明显与水灾频繁有直接关联。

人鬼方面，有楚先、三楚先、先王、先公、昭王、荆王、惠王、相关直系亲属等，还有夭殇（无壮死、殇、殇君）、厉（不辜、强死者、绝无后者、水上、溺人、兵死者、格杀、车马下之人、厉等）、巫

① 晏昌贵：《巫鬼与淫祀——楚简所见方术宗教考》，武汉大学出版社，2010年，第113页。

② 杨华：《楚地水神研究》，《江汉论坛》2007年第8期。

鬼（巫、人禹、灵君子等）、荆亡（荆人的亡灵）、夏亡（中原人的亡灵）等。

在上述神灵中，大部分都是楚人需要虔诚祭祷的神灵，但也有少部分是作祟乃至需要攻解的神灵，譬如兵死者、殇、不辜、强死者、绝无后者、水上、溺人、建木立等，这些鬼神多是作祟的厉鬼，他们会导致疠疾的出现，因此需要采取攻、解、敓等方式祓除。楚卜筮祭祷简显示，楚人直系亲属的亡灵也会成为致生人生病的祟鬼，如包山楚简中伯父为“殇”，兄弟为“绝无后”，他们是作祟者，故也受到攻解。楚简中三代血亲为祟，与睡虎地秦简《日书》记载的情形大体相同。楚人卜筮，祭祷神灵仅是一方面，攻解祓除祟鬼则是另一方面，与之关联的是巫术。

二、拜日崇火，尊凤尚赤

（一）拜日

在商代早中期以前，楚族的起源及早期发展阶段在黄河中下游，且与夷夏两集团有密切关系。[①] 在神话传说中，楚人有两个远祖，即颛顼氏和祝融氏，他们早期活动于海岱与中原地区。东夷集团强大后，势力向中原地区扩展，颛顼氏也由海岱地区西迁到中原地区的商丘、濮阳一带，并逐渐向南发展，同时也带来了对太阳的崇拜。

楚人尊崇的天神有东皇太一、东君等，学界多解释东君为太阳神。而据《史记·司马相如列传》张守节《正义》所言，楚人必须祭祀的三祖先之一——祝融，就是身为日神的南方炎帝“之佐”，这也是对日神炎帝顶礼膜拜的表现。而据《国语·郑语》记载，“祝融亦能昭显天地之光明，以生柔嘉材者也。”这是自然崇拜和祖先崇拜融为一体，形成了荆楚先民强烈的拜日情结。[②] 在生产力低下的古代，太阳给人类带来

① 张正明:《楚史》，湖北教育出版社，1995 年，第一、二、三章。

② 张正明、刘玉堂:《荆楚文化志》，上海人民出版社，1998 年，第 398 页。

了光明与温暖，也被视为万物化生之神。正是因为有了太阳，人类才得以生生不息。

（二）崇火

天上有日，地上有火，楚人的崇火与拜日是相伴而生的。火象征着楚人的生活与事业，代表了楚人的性格和情感。楚人三祖先之一的祝融，曾任高辛氏的火正。《史记·楚世家》记：祝融是帝喾以重黎、吴回“居火正，甚有工（功），能光融天下”所赐之名。所谓火正，《汉书·五行志》称“掌祭火星，行火正”。可见火正的主要职责是守燎祭天，因此祝融生为司火之官，死为掌火之神。在远古先民的心目中，火与太阳有着天然的联系：地上的温暖来自火，天上的温暖来自太阳；地上之火由祝融司职，天上之火由太阳掌管，因此火和太阳、祝融和太阳神都有与光和热相关的内在联系。火是太阳降临在地上的替身，有了太阳和火，大地驱逐了黑暗和寒冷，万物可在险恶的自然环境中生存和繁衍。拜日必拜火，拜火必拜日。①楚人拜日崇火，绝不仅限于自然崇拜，他们确信自己是日神的后裔，火神的嫡嗣；拜日崇火也是楚人虔诚的祖先崇拜的表现。

（三）尊凤

楚先民以凤为图腾。《说文》云：“凤，神鸟也。”在楚人思想世界里，凤是具有神性的灵物。与龙一样，凤是各种动物组合体，美丽、吉祥等各种象征意义汇集于凤。楚人尊凤，表现在生活的各个方面。在各地出土的楚文物中，凤的图像屡见不鲜，如神奇壮美的木雕虎座鸟架鼓，彩翼穿云的凤鸟漆画和变化万千的凤鸟织绣等。“楚墓中出土的许多刺绣品，上面刺绣的花卉凤鸟，都有接引神灵、引魂升举的灵性，其巫术的用意亦十分明显。”②屈原辞赋中多有描绘凤凰风华绝代、卓尔不群的词句，如“凤皇翼其承旂兮，高翱翔之翼翼”（《楚辞·离骚》）、

---

① 张正明、刘玉堂：《荆楚文化志》，上海人民出版社，1998年，第399页。

② 孟修祥：《楚辞影响史论》，湖北人民出版社，2003年，第126页。

“众鸟皆有所登栖兮，凤独遑遑而无所集”（《楚辞·九辩》）等。可见，楚人信仰中，凤有着独特的地位。

楚人崇凤，源自对祖先的热爱，是拜日崇火习俗的延伸产物。如上文所言，楚人拜日崇火的习俗，与对祖先（日神之佐——祝融）的崇拜有关。楚人在拜日崇火之时，当然也看重日中之金乌——火鸟。最早的凤是红色的，即日中之火鸟。《白虎通·五行》记：“其神祝融，属续也。其精朱鸟，离为鸾故。”“鸾”即为凤的别称。《后汉书·张衡传》载：“前祝融使举麾兮，纚朱鸟以承旗。”李贤注：“朱鸟，凤也。”显然直至汉代，人们对凤理解仍以火鸟居多。楚人崇凤，往往以凤抒发胸臆，无论是以“一飞冲天”“一鸣惊人”自诩的楚庄王，还是写下“凤凰在笯兮，鸡鹜翔舞”（《楚辞·九章·怀沙》）的屈原，概莫能外。楚人对凤的崇拜还体现在以凤名地上：南朝庾仲雍《荆州记》谓荆州为“凤岗”；南朝马子严《岳阳甲志》谓巴陵界中游“鸣凤岗”。

在先秦，江汉地区的楚人崇凤，偏居荆楚西部山区的巴人则有崇虎的习俗。史籍中也记有楚人崇虎的习俗，从令尹子文由虎乳喂养的传说可见一斑。史籍中有关楚、巴的信仰融合的描绘则较少，但从楚庄王时逃亡夔国的楚人不祭祀祝融的史料来看，此时居住在峡江中上游的楚人可能已融入巴人的信仰系统。据《汉书·西南夷列传》可知，巴人最主要的祖先神为廪君，地方神还有盐水女神等。宜昌至恩施地区出土的战国至西汉青铜虎钮錞于等文物，是巴人崇虎的证据。

战国中期的江陵天星观 1 号墓出土有彩绘木雕虎座飞凤，其主体是一只正在昂首展翅、一飞冲天的凤，而在凤的脚下，是一只伏地欲立、温顺和蔼的老虎。凤飞翔于九天，虎驰骋于大地，凤与虎的组合，或反映了楚人动物世界天与地相互沟通的构思；若凤代表楚人，虎代表巴人，凤虎组合或反映楚人与巴人和睦共处的愿景；若凤代表楚王（楚庄王），虎代表令尹（子文），凤虎组合或反映了楚国大臣诚心辅佐君王的决心。同墓出土的还有虎座鸟架鼓，有学者认为此种造型还能让人产生“虎啸凤鸣”之感：“至击鼓之时，人们把鼓声的特质与雕像的具象相联系，自然而然地就会产生虎啸凤鸣的移情感觉。”[①]总之，凤与虎在楚人思想世界里，呈和谐相处之势。

荆楚的东部（近黄冈地区），被称为吴头楚尾之地，这里的人们与吴人、越人一样，有崇龙的习俗。吴越人断发文身、赤足，长期在水上生活。吴越先民信奉龙，以龙为图腾。吴越人每年都要举行龙图腾祭、划龙舟等活动，这与荆楚东部的习俗颇为相同。黄石西塞山端午龙舟会，祭祀神灵氛围浓厚，有别于三峡地区端午。而新石器时代，黄冈地区就有以龙为图腾的原始信仰。在20世纪湖北东部黄梅县濯港镇张城村焦墩大溪文化遗址考古发掘中，发现了一条距今六千余年的由古代先民用鹅卵石摆塑的巨龙，经考古专家考证后命名为“焦墩卵石摆塑龙”[②]，被誉为“长江流域第一龙”[③]，这是长江中下游地区先民龙信仰的最早证据。尽管战国晚期楚人已有调和龙凤的取向，楚人对龙的态度也由原来的漠视转向认同，但是在楚国故地，凤在楚人的心目中的地位仍然坚不可摧。荆楚地区对龙与凤的崇敬仍存在着某种差别，这不仅是因为这里的人们敬凤的情结比敬龙要强烈，更因为他们对凤是因尊而敬，对龙则是因畏而敬。[④]

在楚地东部、中南部与西部，灵物崇拜分别为龙、凤（后发展成为朱雀）与虎，在四象中代表东、南、西三个不同的方位。在楚国的东部，与吴越人杂居的楚人崇龙。在楚国中部和南部腹心地带的江汉平原和洞庭湖平原，楚人将凤尊为至上灵物，他们被北方人（中原诸夏）视为南人（或南蛮），凤恰好与南方对应。在楚国的西部，与巴人杂居的楚人崇虎。楚人三种主要的灵物崇拜及其代表的方位，分别与四象中东、南、西三个方位及其对应的灵物相吻合，这不应是巧合，当是民族交流与融合在楚人宗教信仰上的投影。曾国君主曾侯乙墓出土衣箱盖漆

① 武家璧：《虎座鸟架鼓辨正》，《考古与文物》1998年第6期。

② 任式楠：《长江中游新石器时代的显著成就和特色文化现象》，《江汉考古》2004年第1期。

③ 谭维四：《深切的怀念——痛悼苏秉琦先生》，《江汉考古》1997年第3期。

④ 张正明、刘玉堂：《荆楚文化志》，上海人民出版社，1998年，第406页。

画上的龙虎配二十八星宿图，是中国现存最早的星宿图。该图已带有初步的四象观念，如左边绘有青龙，代表东方；右边绘有白虎，代表西方；中央是二十八星宿围绕北斗，显然带有强烈的北方信息。作为楚国附庸的曾国，其文化属于楚文化范畴，其对四象的认知恰好与楚人的灵物崇拜观念相契合，这似乎说明四象的发明与楚人不无关联。

湖北江陵望山 1 号墓下葬年代为战国中期，该墓出土的彩绘木雕座屏，由龙、凤、鹿、虎、马、猪、狗、蟒、蛇、蛙、鱼、鸳鸯、鹤等 27 个镂空透雕的动物组成，布局严谨。一些动物形象逼真，如麋鹿惊惶奔逃，凤展翅翱翔，蟒蛇蜷缩一团……一些动物寓意深远，如青蛙象征多子多福，鸳鸯象征甜美爱情，龙腾凤舞象征国泰民安，猪狗象征农业丰收……总之，展示出一幅国泰民安、安逸恬淡的景象。

（四）尚赤

楚人尚赤的记载最早源自楚庄王，说明楚人在国力上升之后，开始着意于生活情趣的追求。《墨子·公孟篇》云“楚庄王鲜冠组缨，绛衣博袍，以治其国……”，绛衣博袍，是指火红色的宽袖大袍。《国语·楚语上》记楚灵王章华台“以土木之崇高彤镂为美”，所谓彤镂，就是丹楹刻桷。上行下效，楚王的朝服、华美的行宫都以赤为美，一般贵族官员以及平民定也争先仿效。这种推断，从楚墓出土文物中得到印证。楚王服饰和宫殿装饰喜欢火红之色，楚墓的陪葬品以红色为主色调，都说明楚人尚赤之风盛行。

楚俗尚赤，这由拜日、拜火的宗教信仰衍化而来的。在楚人眼中，日光和火焰都是红色的，拜日崇火自然尚赤。也有学者认为：“楚人所尊崇的图腾主要为凤，在《春秋孔演图》中说：‘凤，火之精也。’此‘火之精’即火正（祝融）的神灵。楚人认为自己是祝融的后代，火神的嫡嗣，因此，楚人尚赤在此也有了神话传说的佐证。”[1]

---

① 田云飞：《“楚人尚赤”背后的楚艺术色彩观》，《传统色彩与现代应用——海峡两岸传统色彩与现代应用学术研讨会论文集》，2010 年。

荆楚地区楚墓出土的漆器中，大量使用红彩。“镇墓兽”“虎座飞凤”等重要的木雕文物便是如此，曾侯乙墓中的外棺外壁于黑漆地上绘朱色和金色的花纹，内壁全髹朱漆；其内棺的内壁遍髹朱漆，外壁朱漆地上遍饰彩色花纹。[①]当阳金家山 9 号墓出土的竹席，以及各种彩色陶器，都采用了大量红彩。各种木制漆器生活用具，其内壁多用红彩。在生活器皿外壁中，其黑彩底纹上也有各种红色的精美花纹，黑红对照，红色显得更加醒目。墓葬中重要的部分，往往大量使用红色。棺材的内外部，底纹往往也采用红彩，其上再用金色的彩绘，如曾侯乙墓的内棺，襄阳蔡坡 9、10 号墓的墓棺皆涂红漆。[②]

喜好火红在出土织物中也有体现。被誉为“丝绸宝库”的湖北江陵马山 1 号墓，墓中出土的成批丝织品色彩缤纷，绢、锦、组、纱等各类织物上都使用了红彩。[③]楚人喜欢赤色衣物仅限于贵族之间，平民百姓因为财力限制并不总是着赤色衣、用赤色器。

秦汉之际，刘邦在沛县高举义旗，自托“赤帝子”，“帜皆赤”；刘邦自立汉王后，“以十月为年首，而色上赤”（《史记·历书》），这些可能是延续了楚人尚赤的风俗和文化传统。

三、尚东、重北、尊左

先秦时人在战争、祭祀、疾病、建房、移居、出行等生活的方方面面都需要占卜。占卜工具众多，最复杂神秘的当属八卦和式盘。占卜的基本要素中最离不开的就是方位和时间。古人认为，不同的方位和时间有着不同的作用。殷墟甲骨文中就有四方风（神），四方风对应不同的季候和不同的寓意，譬如“东方曰析”，对应春季，寓意大地解冻，万物复苏。楚人在方位的选择上多喜欢东方与北方，与殷人稍有不同。若

① 随州擂鼓墩一号墓考古发掘队：《湖北随县曾侯乙墓发掘简报》，《文物》1979 年第 7 期。

② 湖北省博物馆：《襄阳蔡坡战国墓发掘报告》，《江汉考古》1985 年第 1 期。

③ 荆州地区博物馆：《湖北江陵马山砖厂一号墓出土大批战国时期丝织品》，《文物》1982 年第 10 期。

是仅仅以左右区分，楚人则以左为上，这是自商朝以来固有的传统。

（一）尚东

日出东方，楚人尚东的习俗与拜日有着直接的联系。屈原在楚人最为敬仰的太一神和日神之前，多冠以“东”字，譬如《九歌》中的“东皇太一”和“东君”等。《新序》卷一记载楚人接待秦国使者，“昭奚恤发精兵三百人，陈于西门之内。为东面之坛一，为南面之坛四，为西面之坛一。秦使者至，昭奚恤曰：‘君客也，请就上位东面。’”可见楚人以东向座为尊。

楚贵族事死如事生，不仅生者尚东，墓葬朝向也多为东向。

尚东的习俗在楚贵族墓葬中较为明显。研究发现，已发掘的规格较高、棺椁情况较清楚的楚墓中，墓口在 10 米以上，带有斜坡墓道，墓主身份在大夫以上，头向一律朝东，如湖北江陵望山 1 号墓（三室，据考证，其墓主邵固是楚悼玉的曾孙，该墓出土有越王勾践剑），望山 2 号墓（三室），藤店 1 号墓（三室，该墓出土越王州句剑）……战国早期的湖北襄阳蔡坡 4 号墓，墓长 14 米，出土有“蔡公子□姬安缶”和“徐王义楚剑”，可知墓主身份不低，东向而葬；同一墓区内战国中期的 8 号墓，墓长 13 米，也是东向而葬。[①]楚国公族墓葬头向与墓向都从东，张正明先生在《楚文化史》中论述了这一现象的两种意蕴：一则，作为日神的远裔，应朝向日出的东方；二则，作为火神的嫡嗣，同样应朝向最初的火神所居的东方。[②]若将两种意蕴合二为一，则是《礼记・檀弓》所记载的“狐死正丘首”。

楚国贵族尚东的习俗在汉代仍旧保持。《史记・项羽本纪》记载鸿门宴时曰：“项王、项伯东向坐，亚父南向坐，亚父者，范增也。沛公北向坐，张良西向侍。”会见的座次中，项羽、项伯位最尊，东向坐；亚父次之，坐北面南；沛公北向坐，居亚父之下。《汉书・张陈王周传》

① 张正明主编：《楚文化志》，湖北人民出版社，1988 年，第 401 页。

② 张正明：《楚文化史》，上海人民出版社，1987 年，第 106 页。

记项羽为争夺人才，劫持了刘邦大将王陵的母亲，在礼仪上对王母十分尊敬，让王母东向上座。

（二）重北

楚国公族墓葬多向东，但非公族的贵族、一般中小型的平民墓葬则多向南。例如湖北襄阳山湾墓区33座中小型墓中，南向墓31座，占94%；湖北江陵雨台山墓地558座中小型墓中，南向墓369座，占66%。[①]湖北江陵天星观1号楚墓，墓分七室，有封土，墓口长41米，虽严重被盗，仍出土各类器物2400余件，此墓向南，墓中出土的文字资料表明墓主是邸阳君番勳。[②]番勳是番君的后裔，虽位居楚国封君之列，但其先祖不是楚人，故不必遵从楚人东向而葬之俗。

一般平民甚至一般贵族墓葬坐北朝南，这符合华夏民族的统一习俗。在楚地出土有祭祀四方的战国卜筮祭祷简，主要见于葛陵简、包山简、望山简、天星观简和秦家嘴简中，统计发现祭祀"北""北方""北宗""公北"等明显带有"北方"信息的神灵共计22次之多（不含北子），其中，北、北方16次，北宗3次，公北3次。北方信仰出现次数尤以出土于河南新蔡的葛陵简为多，江陵一带的望山简次之，呈现由北向南递减的趋势。[③]楚地卜筮祭祷简中的的北方信仰，以及屈原《九歌》中的"东皇太一"信仰，说明战国时期楚地重北与尚东已并存了。

战国至西汉时期，重视北方的习俗逐渐向南传播，并与楚地民间的"尚东"习俗完全融合，这在长沙马王堆西汉墓出土的帛书《五十二病方》中得到了体现。在《五十二病方》中，出现了大量有关四方的词汇，它绝大多数出现在祓禳灾祸的巫方中，以"北"和"东"为多，其中"东"13次，"西"2次，"北"11次，"南"3次，共计29次，涉及21方，约占总医方数（计283方）的7%。[④]楚人四方观念延续了商汤以

① 张正明主编：《楚文化志》，湖北人民出版社，1988年，第402页。

② 湖北省荆州地区博物馆：《江陵天星观1号楚墓》，《考古学报》1982年第1期。

③ 贾海燕：《战国至西汉楚地北方信仰的产生与发展》，《江汉论坛》2017年第11期。

④ 钟益研、凌襄：《我国现已发现的最古医方——帛书〈五十二病方〉》，《文物》1975年第9期。

来流被中原和楚地的巫鬼信仰和淫祀习俗，反映了楚人重北轻南、崇东抑西的四方观。[①]

（三）尚左

周人礼右，楚人尚左。楚国的职官，有左司马，也有右司马；有左尹，也有右尹，有左史，还有右史。这些官职，都以左为大。在楚国的三军中，除主力中军外，还有左军、右军之分，但左军为上。楚王的亲军，也分为左广和右广，但出兵次序以左广为先。楚人尚左的习俗，在诸侯中广为知晓，《左传·桓公八年》记随大夫季梁对随侯说："楚人上左，君必左，无与王遇。"

第二节　日常生活与审美观念

春秋战国时期，楚国国力强盛，经济繁荣，楚人的生活早已不是往日"筚路蓝缕"的状况。此时在楚国上层贵族之间，生则厚养，死则厚葬，膏粱文绣，竞相奢靡。与中原风俗比较，高冠长髯、好细腰、喜楼榭等审美倾向多有不同。

一、饮食合于时令

荆楚大地物产丰富。《楚辞》中记载有许多楚地名物。《吕氏春秋》称"菜之名者"有"云梦之芹"，"果之美者"有"云梦之柚"。荆楚大地江湖密布，鱼类水产异常丰富而闻名天下，据文献记载，楚国向北方输出的有鳌、鳖、鼋（大鳖）等珍异水产。陆地珍稀动物出现在楚国郢都的有大象、老虎、麋鹿等。这些动植物，或许就是当时荆楚人的饮食或药用资源。

楚先祖彭祖是道家"长生久视"[②]之先，他善于饮食养生，对中国

① 刘玉堂、贾海燕：《马王堆帛书〈五十二病方〉与楚人"四方"观念》，《中国文化研究》2011年第3期。

② 陈广宗：《道家先驱与养生论——彭祖考》，《中国道教》1997年第1期。

传统养生文化有重要影响。据《周礼·天官》记载，当时已有世界上最早的营养医师——“食医”。食医们通过调和食味使营养均衡，以预防疾病，增进健康，在某种意义上，食医的产生含有“上工治未病”的中医思想。受中原文化的影响，荆楚人亦十分讲究饮食养生。

周代的荆楚饮食，讲究五味调配。《招魂》写道：“大苦咸酸，辛甘行些。”提倡通过对五味的调配，来调和脾胃。荆楚地区的哲学家们十分重视五味调和，老子说“五味令人口爽”（《老子·十二章》），庄子则言“五味浊口，使口厉爽”（《庄子·天地》）。

荆楚人在民族节日中十分讲究饮食，中国第一部讲岁时的专著即南朝梁人宗懔所著《荆楚岁时记》，其中许多习俗在先秦就有出现。正月的人日，荆楚人有喝椒浆酒和屠苏酒、吃五辛盘的习俗。椒浆酒，《九歌·东皇太一》中有“奠桂酒兮椒浆”句，是说楚人喜欢芳香，不忘记在酒中加入椒、桂等香料，以增加酒的色泽和香味。夏天，荆楚气候炎热，荆楚人喜饮冰酒和辛、苦类的食物，《招魂》中有“挫糟冻饮，酎清凉些”和“清馨冻饮”的诗句，湖北随县出土的青铜冰鉴，也证实了荆楚人饮冰酒的嗜好。暑日，荆楚人尤喜甜、酸、苦味及冷饮，以消暑解渴。炎热而潮湿的气候，常有痢疾等疾病发生，而随着经验的积累，人们发现一些辛辣、苦味的食品不仅可以清热解暑，还具有防止痢疾的功效。贾谊《新书》记载“楚惠王食寒菹而得蛭”，“寒菹”，又名鱼腥草，为一味常用中药，鱼腥草味辛，食用可以开胃，中医用以清热解毒、消肿疗疮、利尿除湿和清热止痢，今天仍有鱼腥草针剂，用以抗菌、抗病毒、提高机体免疫力、利尿等。然而“楚惠王食寒菹而得蛭”的故事告诉我们，先秦时期楚人已开发天然药用植物作为开胃清热解毒食物。

二、高冠，繁佩

春秋中期之后，随着国家的强盛和经济的繁荣，楚人的生活与楚国早期“筚路蓝缕”的困顿景况已不可同日而语。在楚国的贵族圈内，追求奢华的生活已成为常态。这一时期，楚贵族服饰花样迭出，在冠戴与配饰方面极具个性，可谓“高余冠之岌岌兮，长余佩之陆离”（《楚辞·离骚》）。

楚人男性喜好戴冠，相比中原之冠，楚冠的独特性在于“高”。基于此，中原人称楚人之冠为“楚冠”，或谓“南冠”。《左传·成公九年》记楚人钟仪被郑人俘虏，送至晋国后仍着“南冠”，晋侯从远处一眼就认出其是楚人，可见楚冠之高。屈原在《离骚》中声称“余幼好此奇服兮”，在这些奇服中，当然包括高高的南冠，这符合屈原高雅的品位。有关南冠，《楚辞·离骚》描写为“高余冠之岌岌兮”，《楚辞·涉江》则描写有“冠切云之崔嵬”，“切云冠”当是南冠中的极品。长沙子弹库1号墓出土的人物御龙帛画中所见的高冠，应就是切云冠。除高冠之外，各式楚冠名称见于文献记载的，还有长冠、远游冠、獬豸冠、皮冠[①]等。

长冠在汉代还被皇室采用，《通典》载：“汉高帝采楚制，长冠形如板，以竹为里，亦名‘斋冠’，后以竹皮为之，高七寸，广三寸。”

与冠戴相呼应，荆楚人对头发的整理也十分重视。江陵马山1号墓的墓主是位十分注重仪表的楚国女性，年龄40余岁，使用假发。

自三苗至战国，荆楚地区存在髽首与冠笄融合发展的情况。髽首，本是荆楚原住民的生活习性，见于《淮南子·齐俗训》：“三苗髽首，羌人括领，中国冠笄，越人劗鬋，其于服，一也。”高诱注认为，“髽首”是用枲麻束发而结，与中原地区的“冠笄”（髻笄）有所区别。但在三苗时期，中原的冠笄习惯已开始影响到荆楚，如在青龙泉遗址的2、3期出土了骨笄，因为靠近中原，显然“接受仰韶、龙山文化系统的因素颇多”[②]。至东周时期，荆楚地区挽髻插笄已成为主流，“男子挽髻于头顶，以高椎髻为尊，低扁髻为卑。贵族女子椎髻于脑后，平民女子则

① 张正明主编：《楚文化志》，湖北人民出版社，1988年，第410页。

② 李学勤、徐吉军主编：《长江文化史》，江西教育出版社，1995年，第111页。

垂髫至颈”[①]。平民以至仆隶则戴形制简单的扁圆冠，见于各地楚墓出土的木俑、木质漆器漆画中。

楚贵族所着之履也形式各异，有玉履、珠履、豹舄、缟舄，都非常人所能见。但是就目前的考古材料来看，只在当阳金家山9号，江陵雨台山427号、557号和马山1号墓发现了麻鞋。

楚人的佩饰，有剑、佩、香囊、弁、缨等。楚墓出土的各种彩色木俑，就佩戴有瑗、珠、管、璜等饰物，是楚人喜好佩戴的直接证物。楚辞中也有大量佩宝剑、珠宝、香草的辞赋。《离骚》的“长余佩之陆离”，《涉江》的“带长铗之陆离兮”，《九歌·大司命》的“玉佩兮陆离”，《东皇太一》的“抚长剑兮玉珥，璆锵鸣兮琳琅”，讲的都是戴宝玉和佩长剑之类的事。《楚辞》中的“长侠”指佩剑；“陆离”则是指琉璃，是一种多彩料器，楚墓中多有出土，俗称“蜻蜓眼”，其主要成分为钠、钙，仅曾侯乙墓就出土有100多颗。这种有眼珠纹料器，有专家推测可能来自印度或者西亚，途径中印陆路商路，或称南丝绸之路。[②]楚人尚武，因此一般士人都有佩剑喜好，《吕氏春秋·察今》就有“楚人有涉江者，其剑自舟中坠于水”的记载，虽是寓言，存在虚构成分，但由此可见楚人喜好佩剑的生活习惯广为人知。

佩戴香草，是古代士大夫的一大通好，荆楚人也不例外。《离骚》中常用香草美人来比喻贤臣明君。“余既滋兰之九畹兮，又树蕙之百亩”中的“兰”“蕙”，是菊科植物佩兰、泽兰一类的香草，可以用作佩戴。在楚墓中，不仅出现熏炉、香囊等使用香料的器物，还出土过用于制作香料的药草，湖北江陵凤凰山167号汉墓以及湖南长沙马王堆1号、3号汉墓中，都出土了香草类药物，主要是桂枝、桂皮、茅草、花椒、杜衡、藁本、佩兰、高良姜、牡蛎、丹砂、苏合香等，它们多放置在棺椁旁的竹笥、漆奁或囊袋中。这些药物，许多在屈原的辞赋中出现过。楚

---

① 张正明主编：《楚文化志》，湖北人民出版社，1988年，第411页。

② 张正明：《料器与先秦的楚滇关系和中印交通》，《江汉论坛》1988年第12期。

人将这些药物（香料）随葬，说明这些药物是经常使用的。其中，苏合香产于印度、土耳其等地，它们在楚墓的出土也是古丝绸之路经济文化交流的印记。

三、长髯，小腰

长髯，即美髯，先秦文献称之“长鬣”。文献记载楚人以长髯为美至少有两处：一是楚灵王在章华台建成典礼之时，以国宴款待前来祝贺的鲁昭公，“使长鬣者相”（《左传·昭公七年》）。让长髯公在国宴中司职礼仪，是以长髯为美。二是在楚平王时，吴、楚发生“长岸之役”，楚人将先前夺得的吴水军旗舰“余皇”抬上岸，挖下深沟严守，以待吴军抢夺。吴公子光设计把“余皇”夺回。他先派三个武功高强的长髯者冒充楚人，潜伏在“余皇”不远处，吴军主力另行埋伏就绪。入夜，吴公子光高呼“余皇”，三个长髯者当即大喊三次响应。守护“余皇”的楚人大惊，以为吴人已抵近偷袭，急忙出动寻找，三个长髯者乘机混入楚军厮杀，楚军一时难分彼此，乱作一团，吴人伏兵四起，大败楚军，最终夺回“余皇”。由此可见，楚国战士多留长须。

喜欢纤细苗条是楚人的审美观，尤以楚灵王时为甚，文献多有记载。《韩非子·二柄》：“楚灵王好细腰，而国中多饿人。”《墨子·兼爱下》记：“昔荆灵王好小要，当灵王之身，荆国之士饭不逾乎一，固据而后兴，扶垣而后行。”“小要”，即细腰。小腰者应包括男士，即《墨子》所记的“荆国之士”。

有关楚王好细腰之说，还见于《管子》《晏子》《荀子》《尸子》《淮南子》等，其中《荀子》谓楚庄王好细腰。《西溪丛语》曰：“《墨子》云：‘楚灵王好细腰，故其臣皆三饭为节，胁息然后带，缘墙然后起。’《韩非子》云：‘楚灵王好细腰，而国有饿死。’又，《尹文子》云：‘楚庄王好细腰，一国皆有饥色。’刘禹锡《踏歌行》云：‘为是襄王故宫地，至今犹自细腰多。’未知孰是？”这些文献如此描述，虽或有言过其实之处，但都是说楚王的喜好，故并非不可用。谓其“言过其实”，是因为楚灵王十分好武，甚至因穷兵黩武、劳民伤财而导致叛乱，最终自身败亡。楚灵王常年对外发动战争，在其为王期间，不仅有“申之会”“陈之会”之类的诸侯之盟，也有伐吴、县陈蔡等开疆拓土之功，还有在栎、郏、赖、钟离、巢、州来、不羹、陈、蔡等众多边境之地筑城以“威诸侯”之举，此时楚国疆域达到前所未有的广度。这些成就若仅让节食而来的细腰士兵来完成，是完全不可能的。谓其“并非不可用”，是因为这则寓言真实地反映了楚人的审美倾向，女性以纤细为美，即使是男士也以精干为好。“楚墓中常有束腰用的带钩和细腰的木俑出土。由此可联想到楚礼器铜鼎和仿铜陶鼎的足皆细而高，且有棱有角，同时中原的鼎足却都粗而短，且敦实浑厚，应是体现了楚人与中原诸夏不同的审美心理。”[①] 至于楚王为何养成如此偏好，需要更多的历史素材来考证。

四、喜楼榭，觅知音

为了克服楚地夏天湿热的气候，荆楚古人十分重视养生，除了饮食讲究之外，他们还采用两种降湿热的方法：筑高台楼榭、赏音乐。

在荆楚的平原地带，多沼泽和江湖，常常面临水患，故房屋多背临高丘采用高台建筑。楚国都城，著名的章华台、渚宫，都是建设在紧邻江河的高地上。高台建筑，既能防水患，又能防湿热，是夏天解暑清心的好去处。

《楚辞·招魂》描写了楚王的宫殿：“高堂邃宇，槛层轩些。层台累榭，临高山些。”在江湖平原地带，亭台楼阁有多重好处：首先，房屋多建在平原的高丘之上，可以免除水患危险；其次，高台楼榭，有空灵之感，便于登高望远；再次，高台楼榭能通风解暑，防止疫病的产生。

楚国宫廷音乐十分气派，文献多有记载。《左传·庄公二十八年》记令尹子元挑逗王嫂夫人——楚文王遗孀（即文夫人，或称息夫人），

① 张正明主编:《楚文化志》，湖北人民出版社，1988 年，第 413 页。

在楚宫廷外举行大型乐舞“震万”。“震万”具体是什么宏大场面，后人不得而知，但关于楚国宫廷乐舞《楚辞》有过大量描述，如《招魂》描绘楚国宫廷乐舞道：“肴羞未通，女乐罗些。陈钟按鼓，造新歌些。《涉江》《采菱》，发《扬荷》些……二八齐容，起郑舞些。衽若交竿，抚案下些。竽瑟狂会，搷鸣鼓些。宫廷震惊，发《激楚》些。吴歈蔡讴，奏大吕些……”《大招》描绘道：“代秦郑卫，鸣竽张只。伏戏《驾辩》，楚《劳商》只。讴和《扬阿》，赵箫倡只。魂乎归徕，定空桑只。二八接舞，投诗赋只。叩钟调磬，娱人乱只。四上竞气，极声变只。魂乎归徕，听歌撰只。”

楚国的歌舞，一方面来自本土创造，如《涉江》《采菱》《扬荷》等饶有水乡的韵味，无疑是楚曲[①]；另一方面来自中原列国，譬如“代、秦、郑、卫”，以及“赵箫”“郑舞”“吴歈”“蔡讴”等地区。

楚之乐，被北方人称为“南音”。“八音之中，楚人所爱以钟为最”[②]，楚人的司乐之官以钟为氏。楚有钟仪者，被俘至晋，钟仪自称其族为“泠人”（即乐人），晋侯遂让其“操南音”，范文子评价钟仪说他是个君子，记得先人的职官，能奏家乡的音乐，是“不背本”“不忘旧”之人（《左传·成公九年》）。楚国之重器，是钟不是鼎。公元前506年，吴师破郢，“烧高府之粟，破九龙之钟”（《淮南子·泰族训》），“九龙之钟”为楚王权的象征。楚昭王返还郢都时，将妹妹嫁给有救驾之功的钟建，并“以为乐尹”（《左传·定公五年》），这是管理音乐的最高职官。

钟氏之族有钟子期者，以知音流芳百世。《吕民春秋》载：“伯牙鼓琴，钟子期听之，方鼓琴而志在太山，钟子期曰：‘善哉乎鼓琴！巍巍乎若太山。’少选之间，而志在流水，钟子期又曰：‘善哉乎鼓琴！汤汤乎若流水。’钟子期死，伯牙破琴绝弦，终身不复鼓琴，以为世无足复

① 张正明：《楚文化史》，上海人民出版社，1987年，第281页。

② 张正明：《楚文化史》，上海人民出版社，1987年，第121页。

为鼓琴者。”高诱注：“钟，姓也；……楚人钟仪之族。”可见，钟氏以知音为家族之本。

第三节 冠礼与婚礼

冠礼是中国古代的成人礼，婚礼则是二姓合好、继宗嗣后的重要礼仪。楚国作为春秋战国时期举足轻重的南方诸侯，冠婚仪式是否如礼经规定的那样克诚克谨？婚冠吉期又定在什么良辰？这是本节要讨论的内容。

一、冠婚日期

（一）冠礼日期

“筮日”，挑选行礼日期，是行礼的第一个环节。大多经学家认为冠礼的举行并无固定的月份。[①]那么哪些日子是楚人举行冠礼的吉日呢？九店楚简与睡虎地秦简《日书》中的“冠日”记载，为解决这一问题提供了可能。

九店楚简《日书》曰：“凡建日，大吉，利以娶妻，祭祀，筑室，立社稷，带剑、冠……”（简13）该简随后的几支竹简记有每月“建日”，这些日子均为冠礼吉日。睡虎地秦简甲种《日书》曰：“建日，良日也。……可以入人、始冠、乘车。”（简14）乙种《日书》亦称“建日……利冠。”（简38）

除此之外，楚简似乎还有另一套冠礼择日系统。九店楚简曰：“丑、寅、卯、辰、巳、午、未、申、酉、戌、亥、子，是谓禾日。利以大祭之日，利以冠。”（简36）睡虎地秦简乙种《日书》曰：“复秀之日，利以乘车、冠。”（简25）“六月：酉（柳），百事吉。以［生］子，肥。

① 陈立：《白虎通疏证》，中华书局，1994年，第496页；〔唐〕杜佑：《通典》，中华书局，1984年，第321页。

可始冠。”（简 91）“初冠：凡初冠，必以五月庚午，吉。凡制车及冠……申，吉。”（简 130）分析这些材料可知：第一，楚简和秦简大多将“建日”视为冠礼吉日。建日，是古代择日术中的“建除”十二神之一。楚国与秦国的“起建”之日略有差别（楚以辰日起建，秦以寅日起建），但原理并无二致。第二，“冠无常月”的经学观点得到了出土文献印证。每月皆有“建日”，故冠礼日期并不限定于某特殊月份。第三，秦、楚民间未遵从《礼记 · 曲礼上》“内事用柔日”的原则。所谓柔日，指十天干中的乙、丁、己、辛、癸之日。《仪礼 · 特牲馈食礼》贾公彦疏曰：“内事谓冠、昏、祭祀。”按此，冠礼应于柔日举行。然而，上引睡简《日书》简 130 有“凡初冠，必以五月庚午，吉”的说法，而庚午为刚日。又，“建日”中也不可避免地包含着刚日。如表 7–1 所示，若正月以甲寅为朔日，则逢寅、子的日子均有可能为建日。根据阴干配阴支、阳干配阳支的原则，寅、子之日必为刚日，与礼经柔日行冠礼的规定肯定不合。可见，刚日柔日系统并未行用于基层社会的冠礼择日中。

表 7–1　正月建除

正月	建	除	盈	平	定	执	破	危	成	收	开 / 建	闭 / 除
	寅	卯	辰	巳	午	未	申	酉	戌	亥	子 / 寅	丑 / 卯
			辰	巳	午	未	申	酉	戌	亥	子 / 寅	丑 / 卯
			辰	巳	午	未	申	酉	戌	亥		

（二）嫁娶日期

与冠礼筮日相似，婚礼日期的选择也基本包括建除、星宿等择日系统。由上引九店楚简《日书》简 13 可见，“建日”亦为婚礼吉日。除“建日”之外，据九店楚简所示，盜日、城日与散日亦是嫁娶良日，“利以娶妻嫁女”。星宿系统未见于九店楚简，但见于睡虎地秦简。

除以上两大系统之外，还有以下婚嫁忌宜之日散见于楚地简牍。

其一，稷辰（丛辰）。

睡虎地甲种《日书》曰："秀，……可取妇、嫁女。"（简32正）"危阳，……不可取妇、嫁女。"（简36正）又，九店《日书》有"阳日，百事顺成"（简26）和"阴日，利以为室家，祭，娶妻，嫁女，内（入）货，吉"（简29）的说法。《史记·日者列传》提到"丛辰家"为当时诸占家之一，而《协纪辨方书》将"丛辰家"与"建除家"归为一家，所谓"建除同位异名"。

其二，牝月牡日。

睡虎地《日书》甲种曰："牝月牡日取妻，吉。"（简12背）"牝月"为三月、四月、九月和十月；"牡日"即子日、寅日、卯日、巳日、酉日、戌日。据九店楚简所揭"楚月建日"，远夕（楚三月/牝月）建日在卯（牡日），九月（牝月）建日在酉（牡日），十月（牝月）建日在戌（牡日），这些"建日"都符合"牝月牡日"的条件。由此，楚人的婚礼吉日，只要符合牝月牡日的组合即可，《夏小正》《周礼》将婚姻固定在春季的规定，似乎在楚地并不通行。

综上，从楚地出土简牍来看，冠婚的举行皆无固定月份。《日书》所见婚冠择日，并不遵循礼经"内事用柔日"的原则。

二、冠礼服饰

按《仪礼·士冠礼》规定，冠礼服饰从上到下依次为：冠（头衣）、上衣、下裳、蔽膝、带、屦。楚人冠礼服饰有别于先秦其他各国，打上了明显的地域烙印，被称为"楚服"。在包山、望山、仰天湖、信阳长台关等地楚简中，有不少包含衣冠、服饰记录的遣策。

（一）冠

楚冠形制独特，有"南冠"之称。楚简遣策中出现的冠有獬冠（见包山M2简259、望山M2简62）、纚（见包山M2简259）、紫韦之帽（见包山M2简259）、大冠（见望山M2简49）、纺冠（见望山M2简61）、疏布之帽（见仰天湖M25简8）、紫里之绢（绢指冠，见长台关M1简2-015）、帛里之纺冠（见长台关M1简2-013）等。

传世文献记载的獬冠和纚可与出土简牍形成互证。《淮南子·主术》高诱注谓："獬豸之冠，如今御史冠。"獬是传说中的一种独角兽（神羊），能触邪恶，獬冠可能就是楚人模仿神羊之角而制的帽子。纚则是一种丧冠。至于其他冠就很难判断形制了，像纺冠、疏布之帽等是否为楚地独有，难以确定。

（二）衣、裳

楚简遣策所见衣、裳主要有如下数种：

1. 狐青之表（见包山 M2 简 262）。这是一种上衣。用青色的狐皮制成，有紫色的衣里，以绣、锦作缘饰。

2. 缟衣（见包山 M2 简 260 下）。用白色的丝制成，没有衣里，以赭黸、乐成为缘饰（赭黸、乐成为何种缘饰尚不清楚）。

3. 纷袷（见包山 M2 简 260 下）。可能是绣有粉白色花纹的袷衣。袷是只有表里而内中无絮的夹衣。

4. 灵光之袄（见望山 M2 简 61）。袄，可能指袍，用丝绵制成，缟里，以素缕缘为缘饰。

5. 纺衣（见仰天湖 M25 简 1）。有绿色里子的丝衣。

6. 疏衣（见仰天湖 M25 简 3、简 4）。为疏布之衣，以绮缟、锦等为缘饰。

7. 结衣（见仰天湖 M25 简 5）。或即曲裾衣，衣裾斜下绕至身后掖入腰带的一种衣服。

8. 缃衣（见长台关 M1 简 2-07）。缃衣为何种形制尚不可知。结合简文的意思，缃衣有锦緅之夹，可能是纯色的衣里，有组缕。

9. 留衣（见长台关 M1 简 2-013）。衣衽较长，下至膝，将衽之两角挽起结于衣前成兜状，用以盛物。

10. 丹緅之衦（见长台关 M1 简 2-015）。衦，可能指汗衣，近身受汗垢之衣，用缃做衣里，以组为缘饰，有锦缕。

11. 緂裳（见长台关 M1 简 2-015）。此裳为白色，用帛做里，以赭黸为缘饰。

根据出土实物和遣策的记载，楚国的服装大致有长、短两种形制。《史记》载，叔孙通“服短衣，楚制，汉王喜”。河南信阳长台关楚墓中出土一件瑟，四周边缘彩绘有着短衣紧身裤的人，可作短衣之证。长衣可能是袍一类的服饰[①]，采用交领形制，两襟相交垂直而下，质地较为厚实，衣袖宽大呈圆弧形，至袖口部分则明显收敛。

颜色方面，楚地衣着有青、白、紫、丹黄等色，其衣里的颜色非常鲜艳（如紫色、绿色）。《礼记·玉藻》曰：“衣正色，裳间色。”上衣下裳的颜色有严格的规定，但楚遣策所记载的衣裳，颜色混杂，不同于礼经。

（三）鞋

楚简遣策所见鞋履如下：

1. 鱼皮之屦（见包山 M2 简 259）。可能是一种用鳄鱼皮或鲨鱼皮制成的鞋。

2. 鞮屦（见包山 M2 简 259）。在遣策中出现最多，可能是以革制成的鞋。

3. 緅屦（见望山 M2 简 49）。可能是以苞草编织而成的鞋。

4. 红緅之㡣屦（见长台关 M1 简 2-02）。形制、质地不明。

5. 有苴疏屦（见仰天湖 15 号简）。有草垫的疏屦。

6. 丝屦（见望山 M2 简 49）。用丝制成的鞋。

由上，楚人除了使用传统意义上的葛麻和皮革制鞋外，还用了鱼皮、生丝等一些并不常见的材料。

鞋的实物见于长沙楚墓，考古报告记载：“麻鞋底 3 件，出于 2 座墓中。M869：19-13，黑褐色，有少许黄泥，已残损，似用双股麻线从内向外平绕 8 圈再编织而成，目前共存 16 行，为使鞋底加厚，而编织时在麻线打有许多结，现已压成方、圆、梯形等多种形状的小颗粒，径

① 熊传新：《长沙出土楚服饰浅析》，《湖南考古辑刊》第 2 辑，岳麓书社，1984 年，第 175—180 页。

约 0.3 厘米。”[①]

（四）佩饰

带、带钩、佩玉是楚人的常见配饰，带佩与玉饰搭配垂挂。望山 M2 简 50 记载得非常详细：“一革带，佩一□□□，一囗，一端环，一绲带，一双璜，一双琥，一玉钩，一环。”与礼书上的带相比，楚遣策中较有特色的是缂带。朱德熙、裘锡圭认为“缂”应为“缝”，缂带是缝制而成的带子，用来挂佩玉。

从考古实物来看，楚人的带精巧美观。江陵马山 1 号楚墓出土的彩绘着衣木俑，“腰间用丝带束缝，外系长 19.2、宽 2.3 厘米的灰黑色皮带。皮带两端钻有小孔，以黄色锦带相连”[②]。信阳长台关二号墓出土的木俑腰间均绘有较宽的带，带上有刺绣或是织结出来的花纹。[③]

冠礼服饰只是楚服的一部分，而遣策所记服饰也只能代表楚国中上层贵族的服饰情况。礼书反映的“华夏”服饰或中原地区的服饰，形制严格、等级森严；而从出土简观之，楚国贵族服饰似乎款式更为多样，色彩艳丽，搭配组合也较灵活。这种楚服所展现的“蛮夷”风格，与楚人“我蛮夷也，不与中国之号谥”的文化认同相映成趣，既是江汉平原生活环境所致，背后也不乏活泼灵动、乐于创新的精神推动。

三、立后与娶妇

王后作为天子或国君的配偶，具有与丈夫相齐的重要的地位。严格意义上说，楚国国君的正妻当名之以“夫人”而非“王后”，这在青铜器铭文中亦得到一些佐证，例如，现藏于上海博物馆的“君夫人鼎”，可能就是某位楚王或封君夫人之器。当然，楚王正妻的名号也可能称为“王后”“太后”。例如，安徽寿县李三孤堆楚王墓所见有铭铜器中，属王后、太后者共 6 类 15 件，包括“太后脰官鼎”“王后少府升鼎”等，

① 湖南省博物馆等：《长沙楚墓》，文物出版社，2000 年，第 417 页。

② 湖北省荆州地区博物馆：《江陵马山一号楚墓》，文物出版社，1985 年。

③ 河南省文物研究所：《信阳楚墓》，文物出版社，1986 年。

分别是幽王为其母考烈王后及为其正妻王后所铸。[①]

王后、夫人虽地位尊贵，但婚礼仪节与士庶阶层基本无别，都包括：纳采、问名、纳吉、纳征、请期和亲迎“六礼”，所谓“昏礼有六，尊卑皆同”（《仪礼·士昏礼》贾公彦疏）。发生在楚郏敖四年（前541年）的一个事例，依稀展现出楚国贵族娶妇的一些信息。《左传·昭公元年》载：

> 元年春，楚公子围聘于郑，且娶于公孙段氏。伍举为介。将入馆，郑人恶之，使行人子羽与之言，乃馆于外。既聘将以众逆。子产患之，使子羽辞，曰：“以敝邑褊小，不足以容从者，请墠听命。”令尹命大宰伯州犁对曰：“君辱贶寡大夫围，谓围将使丰氏抚有而室。围布几筵，告于庄、共之庙而来。若野赐之，是委君贶于草莽也，是寡大夫不得列于诸卿也。不宁唯是，又使围蒙其先君，将不得为寡君老，其蔑以复矣。唯大夫图之。”……正月乙未，入，逆而出。

将以上文字与《周礼》《士昏礼》和《昏义》等文献进行比较，至少可以得知以下三点：第一，从引文最后一句“正月乙未”可见，楚公子围的婚期在周历正月（夏历十一月）。经学家关于婚期有“仲春说”与“秋冬说”两种。即使考虑到周历与夏历对四季划分的不同，楚公子围的婚期，也并未严格遵照“仲春之月令会男女”（《周礼·地官》）的精神。第二，从“布几筵，告于庄、共之庙而来”观之，楚国贵族的婚礼当有“告庙”之仪，这与礼典记载完全契合。《礼记·文王世子》云：“五庙之孙，祖庙未毁，虽为庶人，冠、取妻必告。”正因为公子围娶妇

① 李零：《论东周时期楚国的典型铜器群》，《古文字研究》第19辑，中华书局，1992年；刘彬徽：《楚系青铜器研究》，湖北教育出版社，1995年，第35—367页；张闻捷：《寿县楚王墓的礼器组合研究》，《江汉考古》2014年第1期。

之前已斋告庄王、共王之庙，伯犁州才底气十足地拒绝郑国“请墠听命”的请求，而坚持要在公孙段氏之庙中行亲迎之礼。第三，此次婚礼所见仪节主要就是纳征（“聘于郑”）和亲迎（“逆而出”）。从楚公子聘于郑，到乙未娶妇而出，即从礼聘至亲迎，仅半月之长，不见得“六礼”齐备。这或许与楚郑关系中楚国居于强势地位有关，即使不太“合礼”，郑国也只能忍辱嫁女。

关于婚龄，《周礼·媒氏》曰：“男三十而娶，女二十而嫁。”但天子与诸侯的婚龄都较为提前。《左传·襄公九年》曰：“国君十五而生子。冠而生子，礼也。”可见，国君及其夫人只要行过冠笄之礼便可谈婚论嫁。《史记·楚世家》曰：“平王二年，使费无忌如秦为太子建取妇。……建时年十五矣。”这一材料恰与《左传》互证，楚王和太子的婚龄应该就在十五岁左右。

“同姓不婚”是婚姻制度的基本原则。邓曼（楚武王夫人）、秦嬴（楚平王夫人）、息妫（楚文王夫人）等女子皆非楚人，她们与楚王的结缡确实反映了春秋战国之时“同姓不婚”“诸侯不内娶”的原则。

妾媵制度是婚礼制度的另一个重要方面。按周代婚姻制度，诸侯若娶某国之女为夫人，女方必须以侄（兄弟之女）、娣（妹妹）随嫁，同时还须从另外两个与女方同姓的国家各请一位女子陪嫁（“媵”）。妾媵随嫁，既保证了子嗣充盈，又可防阻国君淫佚。嫡妻死后，按礼不再更立夫人，但在祭祀宗庙和管理内事等宗法事务中，其地位由众妾依次递补，作为继室的某侄或某娣可以摄行夫人之事，但不能称“夫人”之名号。依“春秋笔法”，若无大事则不书媵妾之名，故《左传》中没有媵楚的记载。幸运的是，楚系青铜器铭文填补了一些空白。

楚系青铜器楚嬴盘与楚嬴匜铭曰：“唯王正月初吉庚午，楚嬴铸其宝盘（匜）。”[①] 嬴盘、嬴匜就是专为楚夫人嬴氏所铸之器，但由于楚人多次与秦国嬴姓女子通婚，这些器物究竟是哪位嬴姓夫人之器，则难有

① 刘彬徽、刘长武：《楚系金文汇编》，湖北教育出版社，2009 年，第 49—50 页。

定说。另外，传世器中楚季苟盘、樊君鬲、邛仲嬭南钟、上鄀公簠、鄬仲姬丹盘（匜）等几件器物，均与楚国媵女制度有关。[①] 樊君鬲铭文可从曾侯簠中找到与之相互印证的文例。曾侯姬姓，其女叔嬴是嫡，樊君则，其女则为媵。樊君以来媵国的名义，为曾国主嫁及己国芈姓妾媵作器。[②] 上鄀公簠的情况与此例类似。铭文“叔芈番妃”亦当分指“叔芈”和“番妃”两人。李零认为，该簠是上鄀公为叔芈和番妃出嫁所制作的媵器。叔芈是芈姓之女，番妃则是番国女子，她是陪前者出嫁之女。[③] 鄀国本为允姓，但为楚所灭后，其贵族被赐芈姓。[④] 樊君鬲和上鄀公簠均反映的是来自不同国家的女子共嫁一国的情形。这样的例子还见于“叔姬簠”，其铭文曰：“叔姬霝迮黄邦，曾侯作叔姬、邛嬭媵器。”郭沫若指出，该簠显示的是曾女适黄、楚女适江之时，曾侯以主嫁国的身份作器媵女，同时复媵适江之女。[⑤] 鄬仲姬丹盘（匜）的受器者鄬仲姬，当为楚王族成员。鄬氏家族的器物多出土于淅川下寺楚墓，其中一件倗（鄬）子青簠明确标示出该家族为芈姓，可知鄬氏即王族的一支。[⑥] 鄬仲姬出嫁时，蔡侯作盘、匜以赠。这些资料，均为研究楚国或楚系婚礼实态提供了实物佐证。

从以上分析来看，楚国的冠礼与婚礼制度，与“三礼”所代表的北方礼制系统和地域文化相比，或许存在着更多自己的特点。

---

① 刘彬徽、刘长武：《楚系金文汇编》，湖北教育出版社，2009 年，第 48、51、57、64、65、110、119 页。

② 李学勤：《光山黄国墓的几个问题》，《考古与文物》1985 年第 2 期。

③ 李零：《再论淅川下寺楚墓——读〈淅川下寺楚墓〉》，《文物》1996 年第 1 期。

④ 刘彬徽：《楚系青铜器研究》，湖北教育出版社，1995 年，第 301 页。刘著论及鄀国之姓的问题时，亦提及黄盛璋先生的不同意见，即鄀国本为芈姓，所谓允姓乃史籍误载。参见黄盛璋：《鄀国铜器》，《文博》1986 年第 2 期。

⑤ 郭沫若：《两周金文辞大系图录考释》，科学出版社，1957 年，第 165 页。

⑥ 李零：《再论淅川下寺楚墓——读〈淅川下寺楚墓〉》，《文物》1996 年第 1 期；刘彬徽、刘长武：《楚系金文汇编》，湖北教育出版社，2009 年，第 706、712 页。

第四节　丧礼

丧礼，包含丧和葬两个仪式阶段，在“五礼”中属凶礼。准确地讲，丧礼包括丧和葬两个部分。对楚国丧礼的研究，一方面要采取与研究中原文明丧礼相同的方法，把考古发掘、出土文献与传世记载相互对证；另一方面，还要把复原出来的“楚礼”与中原礼制进行对比，求其异同。

一、招魂

招魂又称“复”。先秦招魂辞仅存两篇，即《楚辞》中的《招魂》与《大招》（下简称“二招”）。这两篇是战国时期楚地的招魂辞，反映的是楚国的招魂礼仪。下面将以“二招”为主要资料，从招魂仪式与招魂者、招魂辞、招魂地点及道具等方面，研究楚国的招魂礼。

（一）招魂仪式与招魂者

据“二招”，楚丧礼中招魂仪式大体是：首先，举行盛大的卜筮仪式，检测魂魄是否离散，决定是否要招魂。其次，正式举行招魂仪式。由扮演“巫阳”的男巫受上天之命，下至人间召唤游魂，诵招魂辞。同时，男巫或许还会配合相应的乐器，歌舞以娱神。不同于周礼的北向招魂，楚丧礼中，招魂者会向天上、地下、东、南、西、北六个方向招魂，相同的动作重复六次，呼唤死者的灵魂。再次，待到扮演“巫阳”的男巫循循诱导，将游魂招至郢都城门时，在此等候的工祝等人手持招魂工具收魂，将亡魂一步一步地引入城内。最后，招魂者还要向着死者生前起居的方向，一路继续引导，直至将游魂引领到死者生前故居，使其复归于原来的体魄。至此，招魂仪式才圆满结束。

楚礼中的招魂者至少有巫阳、工祝和其他助祭者三种：巫阳是主要执行者，受上帝委托，特下人间为逝者招魂，并致招魂辞。工祝协助巫阳的工作，等候在郢都城门外，将巫阳招引而至的亡魂继续引入楚国境内，直至逝者的故居。战国时期祭祀仪式中除了主祭者，还有助祭者。

“二招”中的“二八接舞，投诗赋只”，估计写的就是“巫阳”“工祝”的助祭者[①]。

（二）招魂辞

《士丧礼》所载周礼中士一级贵族的招魂辞十分简洁：“皋，某复！”楚丧礼招魂辞却非常丰富，洋洋洒洒，用奇幻的想象、强烈的对比手法，极尽渲染铺陈之辞，具有非常强烈的感染力和诱惑力。

简而言之，开始是以恐吓、威胁的手段让亡魂回归。楚人认为天上、地下、东、西、南、北六方，全是些嗜好吃人的奸贼猛兽，处处都有危险，亡魂只有回到郢都旧地才最为安全。所以巫师反复大呼：“魂兮归来！反故居些！”（《楚辞·招魂》）随后，又用利诱的手段招魂。先是诱之以“高堂邃宇”“层台累榭”的华丽宫殿，继而又以“峨眉曼睩”的美色、“翡帷翠帐”“文异豹饰”的行宫苑囿，以及肥牛之腱、鱼鳖羊羔、琼瑶佳酿等美食，还有楚人喜欢的动人音乐和曼妙舞姿，乃至作赋下棋等高雅的文化活动来引诱亡魂，最后用“雄雄赫赫”，德可配天、流泽万民的王者之政来招魂。种种诱惑无不令人头晕目眩，向往不已。它们与天上、地下、东、南、西、北六方的众多妖魔鬼怪形成极其强烈的反差。亡魂自然抵御不了如此巨大的诱惑，必会惧怕外面未知世界的重重危险，从而更加留恋昔日奢华安逸的生活，最终回到故居。

（三）招魂地点、道具

关于招魂地点，“二招”所涉极微，开始仅言“巫阳焉乃下招”，究竟下至何处进行招魂，语焉不详。后又提到“魂兮归来！入修门些！工祝招君，背先行些！”“魂兮归来！反故居些！”从这里我们才知道，“修门”和“故居”是其中两个重要的招魂场所。前者指当时楚国郢都的库门。招魂者在此举行招魂仪式，使游离楚地的亡魂得以回归楚国境内，不要四处游荡。待到确认亡者的游魂回到楚境内后，招魂者又在亡者以前起居的故所招魂，让游魂进一步回归，彻底稳固下来。

---

① 彭鸿程：《〈招魂〉、〈大招〉与祭祀》，《社科纵横》2002年第5期。

战国时期楚丧礼所用的招魂道具同周丧礼大致相同，重点强调的是衣物和竹笼两种。“二招”中描述招魂道具有“秦篝齐缕，郑绵络些，招具该备”之句。陈子展将其译为：“秦制竹笼、齐产丝线，郑人缝结衣服啰，这些招魂的道具齐备。”[①]可见在楚国丧礼中，准备好衣物和竹笼这两种物品，招魂道具也就基本齐全了。

这里还需一提的是招魂幡。招魂幡其实也是一种招魂道具，即用以招引逝者亡魂的旌幡。一般在死者始卒时就已准备好，用过之后入棺随葬。招魂幡在古代丧礼中使用颇为频繁。在战国时期，楚丧礼中招魂幡的使用也十分普遍，但需要注意的是，它并不完全等同于礼经中的“旌铭”，而是具有独到的地域特色。

战国楚墓中共出土了四幅帛画：江陵马山 M1 帛画、帛书十二月神图、人物御龙图和人物龙凤图。此外，在包山楚墓和长台关楚墓也发现了一些织物的遗迹。其中，在包山楚墓椁盖板边缘的草层上，发现一块长 20 厘米，宽 10 厘米的红色丝织物印痕，在墓道底还发现了一根竹枝，发掘者推测这块红色丝织物，就是与竹枝相配合的旌铭。[②]长台关楚墓 M1 的棺盖上也发现有丝制品痕迹，发掘报告称“出土时棺盖表面有朱色纺织品两片，可能是麻布之类”。[③]由于遗物残损严重，这些丝织品的性质还不能完全肯定。

有学者将帛画按内容分为天界主题、人间主题和冥界主题（即旌幡）三大类。根据这种划分标准，上述战国楚墓中出土的四幅帛画，除帛书十二月神图属天界主题外，其他三幅都可归类于旌幡，而且是“非衣”的一种，主要作用为招逝者之魂。“非衣”之名来自马王堆汉墓 M1 的遣策自铭：“非衣一，长丈二尺。”唐兰先生考释“非衣”就是此墓出土的一幅 T 形帛画，形似短袖上衣。后来就用“非衣”表示与衣服形式

① 陈子展：《楚辞直解》卷九《招魂》，复旦大学出版社，1996 年，第 330 页，。

② 湖北省荆沙铁路考古队：《包山楚墓》，文物出版社，1991 年，第 49 页。

③ 河南省文物研究所：《信阳楚墓》，文物出版社，1986 年，第 18 页。

相仿的专用作死后助丧的衣物。但它并非穿在人的身上，只高悬在灵堂上用以祭魂，高举在出殡队伍中用以招魂，下葬时覆盖在棺盖上用以安魂、护魂，以免死者的魂魄逃离其躯体。[①]这在学界已是一种带有普遍性的观点。因此，说这三幅帛画便是保存至今的战国时期楚人丧礼中所使用的招魂幡，大概是可信的。

礼书中将招魂幡称作“旌铭”。“旌铭”的主题思想在《礼记·檀弓下》中有明确阐释：“铭，明旌也。以死者为不可别已，故以其旗识之。”意思是：担心死者灵魂不知道自己的体魄所在何处，因而特意用旌铭——死者生前的旗帜作为标识，便于亡魂识别自己一度离开的躯体。

至于楚地招魂幡的主题思想，有“引魂升天”和“招魂入墓”两种说法。[②]从招魂最本质的目的——招引游魂复归体魄而言，招魂幡的主要用途应该为招引游魂返归至逝者的体魄中，使其魂、魄重新合二为一，固于墓中。将《楚辞·招魂》内容与几幅汉墓帛画（如甘肃武威磨嘴子汉墓帛画、山东临沂金雀山汉墓帛画）进行对比研究，也可以看出楚地招魂幡同礼书之“旌铭”所表达的思想相差无几，均为招魂、固魂。此外，目前已经出土的楚地帛画中，有两幅出土时都卷有细细的竹条，可以佐证它的作用类似于礼书中所记载的“旌铭”。所以，楚地招魂幡仅仅是一种招魂工具，其作用并非“引魂上天”，而是“招魂以复魄”，将墓主的游魂召回到体魄中来，使墓主灵魂和肉体合一，在阴间

---

① 唐兰等：《座谈长沙马王堆一号汉墓》，《文物》1972年第9期；商志䭣：《马王堆一号汉墓“非衣”试释》，《文物》1972年第9期；俞伟超：《马王堆一号汉墓帛画内容考》，俞伟超：《先秦两汉考古学论集》，文物出版社，1985年，第154—156页；刘晓路：《中国帛画与楚汉文化》，吉林教育出版社，1994年，第63—69页。

② 熊传新：《对照新旧摹本谈楚国人物龙凤帛画》，《江汉论坛》1981年第1期；萧兵：《引魂之舟——楚帛画新解》，《湖南考古辑刊》第2集，岳麓书社，1984年；孙作云：《长沙战国时代楚墓出土帛画考》，《人文杂志》1960年第4期；胡智勇：《楚及西汉旌幡帛画辨析》，《湖北大学学报》（哲学社会科学版）1998年第4期。

能够继续过着安定幸福的生活。

楚地招魂幡与旌铭是什么关系呢？在表现招魂主题上，二者手法可谓大相径庭。《仪礼・士丧礼》载：“为铭，各以其物。”为死者建旌铭，首先是选择他生前使用的旗帜，以表明他的身份等级；如果死者身份过低（“无命之士”），没有旗帜，才考虑做一种杂色布旗。贵族生前所用旗帜分别是“王则大常，诸侯则建旂，孤卿建旜，大夫士建物”[①]。根据《周礼・春官・司常》，天子之旌铭为有日月标志的大常；诸侯之旌铭为有交龙标志的旂；上大夫的旌铭为用有鸟隼标志的通帛（同一种帛）做成的旜；下大夫、有命之士的旌铭则是用有鸟隼标志的杂帛（不同种帛）做成的物。无命之士由于生前没有旌旗，其旌铭以缁布做成，其下缀有红布，死者的姓名写在红布上。甘肃武威磨嘴子汉墓出土的“旌铭”证明了礼书的记载，“旌铭”上方只简单地绘有以金乌、蟾蜍或金乌、蛟龙为代表的日月，下方则用方正宽博的篆书写明墓主人的籍贯姓名，没有繁复的人物画面。[②]

与之相比，楚地招魂幡所用手法则相当巧妙，纯粹采用丰富的图画象意，不添加任何文字，通过大胆的虚构来表达丰富的主题思想。人物御龙图和人物龙凤图的画面上均未见任何文字，但整个画面意境非常鲜明，身为墓主的御龙男子和身着盛装作祈祷态的妇人，分别借助龙、凤、舟等引魂、渡魂之物，前往属于他们的极乐世界。两幅帛画用艺术的手法，不仅行云流水般地表达了招魂的主题，而且留给人们无限的遐想空间，这一切远非周礼“旌铭”所用的简单图案和文字可比拟。

形制方面，中原的“旌铭”和楚地招魂幡都是由旌旗和竹竿组成，但仍存在具体差别：第一，大小不一。据《士丧礼》，无命之士的旌铭长三尺，宽三寸，分别约合现在的 67 厘米和 7 厘米。有命之士以上阶层

① ［清］孙诒让：《周礼正义》，中华书局，1987 年，第 2037 页。

② 甘肃省博物馆：《甘肃武威磨嘴子汉墓发掘报告》，《考古》1960 年第 9 期。

的旌铭仅知长度[1]，分别约合今天的 67 厘米、113 厘米、156 厘米、201 厘米。据发掘者分析，楚地的马山 M1、长沙子弹库 M1、陈家大山 M1 这三座墓墓主身份分别是上士、下大夫和下士，墓中出土三幅画的大小分别为：25 厘米 ×37 厘米、37.5 厘米 ×28 厘米、31 厘米 ×22.5 厘米。将它们与周礼中相同阶层所用的旌铭相对比，面积都偏小。但是到了汉代，原楚地招魂幡也从小向大发展，长沙马王堆汉墓中出土的招魂幡面积都远远大于战国楚墓中出土的招魂幡——马王堆 M1 非衣长 205 厘米，马王堆 M3 非衣长 234 厘米，金雀山 M9 非衣长 200 厘米 ×42 厘米。

第二，旗杆高度不一。周礼中天子旌铭旗杆高六丈三尺，约合今 14 米；诸侯旗杆高四丈九尺，约合今 11 米；卿大夫旗杆高三丈五尺，约合今 7.7 米；有命之士旗杆高二丈一尺，约合今 4.6 米；无命之士旗杆高三尺，约合今 0.67 米。楚地招魂幡中仅知道马山帛画旗杆的确切高度，为 1.3 米。马山 M1 的墓主绝对能够算得上有命之士，但其招魂幡旗杆比起周礼中有命之士所用长达 4.6 米的旗杆，显得短多了。

第三，周礼中无命之士的旌铭除正幅外，还附有长一尺的“赪末”，即赤色的缀饰。自天子至有命之士的旗帜，尾部也均缀有“旆”。“旆”，即指常、旂、旐等旗帜后面的垂缀物。然而战国楚地的招魂幡仅有正幅，迄今尚未发现其他装饰物。

关于“旌铭”在墓室中所处的确切位置，礼书中并未指明，不过却留有线索可查。据《士丧礼》和《既夕礼》，在整个丧礼过程中，“铭”的摆放位置随仪节变化而移动：“始死”仪节时，铭置铭于房屋西阶上；小敛前，铭移至中庭；大敛后，铭置于肂；启殡前，由祝人将铭置于重，准备出发前往墓圹时，铭又被置于茵。

此后，《既夕礼》中未见铭的出现。所以可以确定，铭最终与茵一起埋入墓圹内，茵在墓室中的位置即旌铭在墓室中的位置。《既夕礼》叙述下葬过程时曰：“至于圹，陈器于道东西，北上，茵先入。”茵既然

① ［清］孙希旦：《礼记集解》卷十《檀弓下》，中华书局，1989 年，第 254 页。

是最先入圹，那么它只可能位于墓穴的底部。因此，按周礼，丧礼中旌铭在墓室中所处的位置与茵相同，为墓穴底部。

但战国楚地的招魂幡在墓室中的位置则与周礼所载迥异，它们均被放置在椁盖下的棺盖上。马山 M1 帛画出土时平放在棺盖中部左侧，人物御龙图出土时平放在椁盖板与外棺之间的隔板上面。[①] 唯独人物龙凤图出土位置有些争议，该画由盗墓者盗出，所以它的确切出土位置不详。学者据经验提出人物龙凤图出土位置的两种可能：一是在椁盖板下面的顶板上，二是由于摆放位置还很不严格，也可能在椁边箱内的随葬器物上。[②] 根据马山 M1、马王堆汉墓的发掘出土情况[③]，第一种推测似更可信。

通过以上对周丧礼的“旌铭”和战国时期楚地招魂幡的比较，不难发现二者有相当多的共同之处，应属于同一性质，都是招魂之物。但是它们之间的差别也颇多。楚地招魂幡具有某些区域特点，主要表现在表现手法、形制设计，以及摆放方式等方面。而这些特色正好证明，战国楚地招魂幡并不完全等同于礼经中的“旌铭”，因此不能简单地将周礼“旌铭”的称谓移置其上。将楚地的招魂幡命名为“旌幡”比较合适。

综之，战国楚地的招魂幡即“旌幡”，它与周丧礼的“旌铭”其实是招魂幡的两种不同形式，二者之间应是平行、并列的关系。楚地属于楚文化圈，远离位于中原地区的周文化圈，受其影响小，在招魂幡的制作、置放上一直保持着自身的地域特色。直至秦灭六国，西汉建立，荆楚旧地仍在楚文化的笼罩下，所以马王堆汉墓中出土的系列招魂幡，仍保留着战国时期楚地招魂幡的特色。

---

① 湖北省荆州地区博物馆：《江陵马山一号楚墓》，文物出版社，1985 年，第 9 页；湖南省博物馆：《新发现的长沙战国楚墓帛画》，《文物》1973 年第 7 期。

② 熊传新：《对照新旧摹本谈楚国人物龙凤帛画》，《江汉论坛》1981 年第 1 期。

③ 长沙马王堆一号汉墓的招魂幡出土时平铺在锦饰内棺的棺盖板上。参见湖南省博物馆、中国科学院考古研究所合编：《长沙马王堆一号汉墓》，文物出版社，1973 年，第 39 页。

二、敛尸

招魂程序结束，斯人已逝不可复生的事实得到确定，敛尸是商祝对死者尸体进行的一系列处理和修饰工作，过程相当复杂，包括为死者饭含、袭衣（穿衣）、覆衾（盖被）及佩戴掩、幎目、决、握等饰物。楚人的敛尸仪式缺乏专门的文献记载，研究的途径便是从已发掘的楚墓入手，利用其中出土的实物资料，与反映中原周礼的“三礼”对征考察，以复原当时当地敛尸的大体情况。目前，这一方面资料最丰富、全面的莫过于江陵马山M1楚墓。墓中出土了捆附在墓主身上的大量丝织品，展示出敛尸之后相当完整的下葬原貌。墓主为一名女性，身份属“上士”级别。另外，曾侯乙墓、长沙楚墓、江陵九店东周墓和苏州真山墓中也发现了一些零散的敛尸资料。

（一）敛尸程序

战国时期楚人的敛尸程序与周礼基本相同，包括饭含、佩戴饰物和袭衣、覆衾等一系列环节。饭含现象在楚地相当普遍。迄今为止，在河南信阳楚墓、曾侯乙墓、包山楚墓，以及当阳赵家湖墓等多座战国楚墓中都发现了饭含的实例。如曾侯乙墓墓主的口腔、颅腔内，出土了21件经精细加工的玉琀和一些玉片、碎玉料。[①]

袭衣和佩戴饰物这两个环节在楚地敛尸礼中也不可或缺，如马山M1墓主身上穿着四套衣服，掩、幎目、冒、握等饰物佩戴齐全。该墓葬的衣衾包裹亦保存得最为完好：墓主所着衣4层，所包裹衣衾13层，外加最外面2件衾、袍，共19层。最贴身的衣物为一件凤鸟卉纹绣绢面绵袴，其次为一套深黄色绢面夹衣和深褐色绢裙，然后分别为一件舞凤飞龙纹绣土黄绢面绵袍和一件E形大菱形纹锦面绵袍。E形绵袍之上，套有“冒”（从头至腹部为一长方形锦巾，从腹部至脚为一条黄绢裙）。死者头部覆盖着一件梯形绢巾，是为“幎目”；双手各握一卷长条状绢

① 湖北省博物馆：《曾侯乙墓》，文物出版社，1989年，第426—427页。

团，是为“握”；脚上穿一双土黄绨面麻鞋。[1]在这些外面，是达 12 层之厚的衣衾包，从里向外，依次为：一件小菱形纹锦绵袍、一件对凤对龙纹绣浅黄绢面绵袍、一件一凤一龙相蟠纹绣紫红绢面单衣、一件单衣、一件凤鸟花卉纹绣浅黄绢面绵袍、一件龙凤纹绣罗单衣、一件深黄绢面绵袍、一件对凤对龙纹绣浅黄绢衾、一小块长方形丝绵、一件凤鸟凫几何纹锦衾、一件舞人动物纹锦夹紟，最外层用九道锦带捆扎。衣衾包裹外又单独置放了一件素纱绵袍和一件蟠龙飞凤纹绣浅黄绢面衾，袍在外，衾在里。[2]

周礼中敛尸衣包结构由内至外为：死者所穿衣物→带→祭服→散衣→衾→绞带→衣→衾→紟→绞带。周礼敛尸，带在其中起了重要作用，敛尸的每一个步骤完成之后，都会用绞带来捆束。从马山 M1 衣衾包看来，楚人敛尸只用了一根带来捆束，虽然衣衾包的顺序也是衣服、被衾、束带，却是将饰物佩戴妥当、将衣物穿戴整齐后，直接加盖衣袍、衾、紟，最后用一根丝带捆扎固定。这是楚制与周礼之不同。此外，马山 M1 裹尸时在用绞带捆扎好的衣衾包外，还附加了一件绵袍和一条被衾，这也是与《士丧礼》描述相异的地方。

（二）楚墓敛尸所用的衣、衾、紟、带

1. 衣

（1）数量。马山 M1 共用衣 13 套。《士丧礼》载，始死敛袭衣三称（三套）；小敛用散衣、祭服共十九称；大敛用散衣、祭服和君襚共三十称；另外沐浴完毕要给死者着明衣一套。《士丧礼》文后又附言“不必尽用”，所以最后总的用衣件数不详。但无论如何简省，仍极有可能超过马山 M1 的用衣数量，也多过长沙马王堆汉墓 M1 的用衣数量。

（2）种类。礼经中规定大夫、士敛尸所用衣服种类仅限“复衣”，也就是绵袍一种；诸侯国君敛尸所用衣服有复衣和夹衣两种，单衣不在

---

① 彭浩：《江陵马砖一号墓所见葬俗略述》，《文物》1982 年第 10 期。

② 湖北省荆州地区博物馆：《江陵马山一号楚墓》，文物出版社，1985 年，第 11—16 页。

敛尸衣服之列。[1]然而马山M1所用的13件衣服按种类计算，除了有复衣即绵袍8件外，还有1件在周丧礼中仅国君大敛时才有资格用到的褶衣即夹衣，以及《士丧礼》中未曾提及的3件单衣和1件单裙。长沙马王堆汉墓M1也用了7件单衣。

（3）款式。礼书中死者的贴身衣物是一套“明衣”，“言明者，取明洁之义”[2]。明衣以帷幕为布料，衣和袖都用整幅的布做成，衣长至膝下；裳分前后，前裳三幅，后裳四幅，腰部没有褶皱，长及脚面；裳的边缘为红色，衣的领口和袖口为黑色。马山M1墓主所穿最里层的衣物是一件绵袴，形制与礼经所述“明衣”迥异。《既夕礼·记》曰：“设明衣，妇人则设中带。”中带即今内裤。古代衣服有衣、裳之分，男子有衣有裳，妇女仅有衣而无裳，故敛尸时需另加中带。楚制衣、裳也是分开的。《离骚》曰：“制芰荷以为衣兮，集芙蓉因为裳。”疑此处的“绵袴”不是明衣，而相当于“中带”。不过在形制上与“中带”并不完全相同。它里、面俱全，中间还填充了绵，而礼经中的中带仅为单层。

“明衣”之外，周丧礼中还要“袭三称”，分别是：爵弁服、皮弁服及褖衣。爵弁服乃死者生前戴爵弁冠时穿的衣服——“纁裳，纯衣”（《仪礼·士丧礼》），就是浅红色的裳加上黄黑色的衣。皮弁服则是戴皮弁冠时穿的衣服——“素积”，用白缯作料，腰两侧有褶。褖衣为士一级的礼服，褖又作“税”，《礼记·杂记》《丧大记》中均称“褖衣”为“税衣”。郑玄注：“黑衣裳，赤缘之谓之褖。”所以褖衣即黑色的衣和裳，并镶上红边。马山M1墓主在绵袴外层，由里到外也分别穿着一套夹衣和绢裙、一绢面绵袍、一锦面绵袍。这与《士丧礼》所谓“乃袭三称，明衣不在算”相符。但是马山M1墓主所着三套衣服的款式与上述周服大不相同。它们的质料不是绢就是锦，而非布；上面全都绣有龙、凤和菱形图案，而非素面；颜色主要有深黄、深褐及土黄几种，

① ［清］孙希旦：《礼记集解》，中华书局，1989年，第1162页。

② ［清］胡培翚：《仪礼正义》，江苏古籍出版社，1993年，第1672页。

而非黑色、红色或白色。[①]这些差别应该与二者各自代表的年代、地域（楚地与中原）、性别（礼书记载以男性为主）的不同有关。例如楚丧礼敛尸衣物多用丝质的锦衣和绢衣，而不用布衣，应该是楚地处于南方，气候条件适宜养蚕植桑，丝织业比较发达所致。楚地所产的丝织品一直是朝贡周天子的贡品，《尚书・禹贡》记载的荆州贡品就包含有丝织品。到了战国时期，楚地丝织业更加发达，丝绸服饰相对其他地区而言更易得，所以贵族们举行丧葬仪式时摒弃布衣，纷纷采用锦衣和绢衣。

（4）颜色。周礼中用以敛尸的衣服颜色主要为黑色和红色，楚人敛尸所用却多为黄色。马山 M1 中墓主敛尸所用 13 套衣服中可以辨认出黄色的有 5 套，明确为红色的只有 1 件红色单衣。这与当时楚国丝织品所流行的颜色有关。有学者对楚墓出土的丝织品的色彩作了统计研究，发现在马山 M1、包山楚墓 M2、江陵九店楚墓、长沙楚墓等楚墓出土的丝织品中，黄色所占比例大大超过红色。[②]

2. 衾、紟、带

衾和紟都是指敛尸时覆盖在死者尸体上的被子。衾为棉被，紟为中间不夹棉絮的夹被。马山 M1 墓主共用衾 3 件，分别是搁置在衣包上面的蟠龙飞凤纹绣浅黄绢面衾、衣包第二层的凤鸟凫几何纹锦衾和第四层的对龙对凤浅黄绢衾；用紟 1 件，即处于衣包第一层的舞人动物纹锦夹紟。所用的衾、紟数量与礼经的相关记载一致。

形制方面，礼经记载国君、大夫、士敛尸用紟全都是“五幅，无紞”（《礼记・丧大记》），所谓紞，就是缝在被头的“被识”。马山 M1 墓主敛尸使用的紟展开后呈“亚”字形，没有缝制被识，同周制相近。但是马山 M1 墓主敛尸使用的衾完全不同于礼经的记述。《丧大记》载国君敛尸用锦衾，大夫用缟衾，士只能用缁布作面、红布作里的布衾，无紞。然而马山 M1 墓主作为一个士妻，所用不是锦衾就是绢衾，按周制，

① 彭浩:《楚人的纺织与服饰》，湖北教育出版社，1995 年，第 219 页。

② 夏晓伟:《从楚墓出土丝织品的色彩看楚人“尚红”》，《江汉考古》2003 年第 3 期。

是僭用了大夫之礼甚至国君之礼。而且，其中的蟠龙飞凤纹绣衾的绣面是由二十余片绢片缝合而成，一端正中有凹口，缝有黄、褐、红三色条纹窄边。[①]这窄边正是被识，即“纨”，这与周礼规定不符。此外，3件衾都为浅黄色，而非礼经中的“缁衾，赪里”（《仪礼·士丧礼》）。

绞带是敛尸过程中必不可少的捆束用具，衣衾穿着、包裹妥当后，需要用它来捆束扎紧。战国时期楚地敛尸所用的带无论就数量、形制还是捆束方法，都不同于中原敛尸礼。马山M1衣衾包中仅见绞带一根，位于最外层，捆扎着整个包裹。发掘者称：此锦带一边有边维，估计是用整幅的锦对分为二之故，使用时或叠成双层或叠成三层。可见它的形制是“一幅为二”，既不同于周礼中小敛绞带“广终幅，析其末”，也不同于大敛绞带“一幅为三”的形制。捆束方法更是同周制相去甚远，既非“横三缩一”，又非“横五缩三”，而是横向捆束九道，纵向不加捆扎，绞带的结头分左、右两排系于包裹正面。这种“横九”的绞带捆缚方式在楚地敛尸礼中相当普遍，同期的很多楚墓都采用了横向九道的捆扎敛尸衣衾包的方式。如江陵九店M711内的尸体也经丝织物包裹、捆束，尽管外面的织物已碳化，但捆扎的丝带痕迹得以部分保存，可以辨析出也是横捆九道，并在包裹上面之间打结。无独有偶，九店M511同样用丝绸包裹，又用丝带捆系，横向也为九道，另纵向加捆了三道。所以，可以将“横九”的绞带捆缚方式归纳为战国楚地敛尸礼中的一个特色。而且这一特色一直持续到西汉时期。长沙马王堆汉墓M1衣衾包外的丝带也是自头至脚横向捆缚九道，纵向不加捆束，结头同样在衣衾包正面，分作左、右两列。[②]

以上讨论表明，战国时期楚地的敛尸礼与礼书所载部分相当，但在一些细节上有所不同，凸显出地域特色和时代特色。

① 彭浩：《湖北江陵马山砖厂一号墓出土大批战国时期丝织品》，《文物》1982年第10期。

② 湖南省博物馆、中国科学院考古研究所合编：《长沙马王堆一号汉墓》，文物出版社，1973年，第30页。

三、棺柩

招魂、敛尸、祭奠等一系列仪节完毕后，便是对棺椁进行捆束和装饰，准备下葬。在战国楚墓中发现了大量被捆缚的棺木和一些棺饰物。

（一）棺束

战国时期楚丧礼中棺束的质料大致有麻绳、麻布（葛布）、丝帛、丝绳和篾绳等几种。其中以麻绳最为普遍，在92座有棺束的楚墓中，明确用麻绳缚棺的有70座，占76%以上。其次是麻布，有12座，约占13%。以丝帛或丝绳缚棺的则较为少见，仅出现在大、中型墓中。另外，还有用篾绳和皮革作为棺束的，江陵太晖观M50与江陵溪峨山M5等楚墓便用篾绳来缚棺，而长沙烈士公园M3中发现了捆缚外棺的皮革。在此墓中还有一个有趣的现象，其内棺棺束有丝帛和麻绳共同组成，用丝帛束好后又加上了麻绳。

天子和诸侯的棺束都是"横三缩（竖）二"，至于大夫、士则应为"横二缩一"[①]。楚人丧礼中棺束的形式同上述周礼略有出入，主要有横三竖二、横三、横三竖一这三种，且以前二者居多。迄今为止，除长沙楚墓M109、江陵马山M2、包山M2内棺的棺束形式是横五，江陵望山M1、M2第二层棺束形式是横七，荆州秦家山M2的棺束形式是横九外[②]，其他战国楚墓的棺束形式皆为横向捆束三道，尚未见到横向捆束二道的情况。并且，周礼中棺束的形式随墓主身份不同而呈现出来的等级差别，在战国楚丧礼中已经荡然无存，无论封君还是最下层贵族士的墓，其棺束形式相差无几。

尽管战国楚墓中棺束的横、纵道数大体相同，但每道的周数却迥然有异。一般而言，横向棺束每道3至4周，纵向棺束每道2至4周，但也有例外者，如包山M1横向棺束每道5周，纵向每道1周；包山M4

① ［清］孙希旦：《礼记集解》，中华书局，1989年，第236页。

② 荆州地区博物馆：《江陵马山砖厂二号墓发掘简报》，《江汉考古》1987年第3期；湖北省荆州博物馆：《湖北荆州秦家山二号墓清理简报》，《文物》1999年第4期。

横向每道6周，纵向每道2周；长沙左家山战国墓横向棺束每道7周。更有甚者，江陵九店M744、M451横向棺束每道达8至9周之多。

战国时期楚丧礼中棺束的捆缚方法都是由棺盖至壁板底部整个捆束，以麻绳为束物，先横捆后竖捆，绳通常卡在棺盖两侧和两端转角处的凹槽（亦称捆绳槽）中。在纵横交叉处，又用另外一截绳索缠绕加固。为了束得更紧更牢，在横绳下还普遍使用木楔将绳索楔紧。仅有横向的棺束，其捆缚方法与之相同，只是因无纵向交叉，便不存在交叉处的加固问题。以麻布或丝帛为束物的则是直接捆缚；棺盖两侧及两端无捆绳槽，也不用木楔；在麻布和丝帛上，一般连同棺身棺盖涂有油漆或桐油之类的东西。

棺束的固棺功能毋庸置疑。《礼记·檀弓上》孔颖达疏："棺束者，古棺木无钉，故用皮之合之。"在已发掘的战国楚墓中，确实很少见到棺钉。除在其接合部位涂漆、用衽以外，棺束当然是一种行之有效的重要方法。棺束作为丧礼的一个方面，也不可避免地发挥着礼制应有的作用。除实用性以外，它还具有社会文化和功能。具体说来，就是比较集中地彰显贵族等级的差别。丝帛、麻布（葛布）、麻绳三种棺束质料，分别代表着当时社会中三种不同身份等级的人群。棺束捆缚方法上的繁简程度也反映出社会等级的存在。在迄今发掘的数千座战国楚墓中，以江陵望山M1、M2，长沙烈士公园M3的棺束捆缚方法最为繁复，都经过两次捆扎，丝帛之外又加丝带或绳索。据发掘者研究推测，三墓墓主身份大致都相当于下大夫级。

（二）棺饰

1. 荒帷

江陵马山M1出土了一件荒帷，用深棕色绢支撑，状如未开口的长方形蚊帐，罩住整个棺木。荒帷由四整幅和两条长绢拼缝而成，展开后呈"亚"字形，中间两幅各长356厘米，两侧两幅长200厘米，每幅宽皆为45厘米。周边饰大菱形锦缘，宽7.2厘米。锦缘与绢之间又用宽

1.8厘米的针织绦带连接。连周边锦缘在内，荒帷总宽200厘米。[①]这件荒帷和周礼所描述的大体相同，有荒、有帷，锦缘与绢之间的针织绦带应该是纽，也与考古发现的山西横水西周墓和河南新郑战国墓中出土的荒帷相似。只是这些出土的荒帷实物都没有像礼书中记载的采用“龙帷”“画帷”“黼荒”“画荒”，也没有“黻三列”和“火三列”的图案。周礼中规定士应该使用“布荒”和“布帷”，但这一规定在战国楚墓的棺饰中荡然无存。马山M1墓主身份等级属“元士”，然而她使用的是“绢帷”。

值得关注的是，马山M1在荒帷上还置放着一件棺饰物，它纵向置于棺盖头向一端、荒帷的中间，是由黄色纱束串联的一支琉璃管和一颗琉璃珠。黄色纱束长54厘米，由两条长条纱拧在一起组成，一端中间打结，尾端散开，另一端尾部则打结。[②]这种荒帷上的玻璃饰品非常独特，周礼中从未提及，它带有明显的楚国地域特色。随着西方玻璃制造技术的传入和楚人自己制造玻璃技术的日渐成熟，公元前5世纪至公元前4世纪，楚国非常流行使用玻璃制品。这一习俗也影响到楚国丧礼。这些随葬玻璃的楚墓，下葬年代主要是战国中期或战国晚期。马山M1荒帷上的玻璃棺饰物有可能是墓主生前所使用或者珍爱的饰品，死后带入墓中，以起到安魂的作用。

2. 池和池饰

很多楚墓的棺盖上铺盖着竹帘，学者们已将其确认为“池”。[③]池由竹片纵向排列而成，横向用篾绳或棕麻绳编连。竹片数量一般同棺盖的面积成正比，从几根到几十根不等。周礼规定天子四池、国君三池、大夫二池、士一池。池的划分以竹帘的数量为据，在战国时期楚人丧礼中，池的数量几乎全部都是一池，未见因身份不同而相异者。黄冈曹家

---

① 湖北省荆州地区博物馆：《江陵马山一号楚墓》，文物出版社，1985年，第9页。

② 湖北省荆州地区博物馆：《江陵马山一号楚墓》，文物出版社，1985年，第9—10页。

③ 彭浩：《楚墓葬制初论》，《中国考古学会第二次年会论文集》，文物出版社，1982年，第33—40页。

岗 M5 葬具为一椁三棺，随葬大量铜礼器，计有铜鼎 5 件、铜敦 2 件、铜壶 2 件，其墓主生前身份一定属大夫一级，可是棺木上仍只有一池。[①]这一点与周制不符，表现出楚地丧葬礼俗对池的等级差别并不重视。

池上一般悬挂着铜鱼和其他饰物，以到达所谓“鱼跃拂池”的效果。和许多西周墓葬有鱼形遗物出土[②]相类，楚墓中也发现了池饰。随州擂鼓墩 M2 外棺周围散有的鸟形、鱼形、方形铜板饰件，很可能原来就是悬挂在池上的装饰品。[③]而且，鄂城钢铁厂 M53 棺盖上有一用竹条和布带串起的锡环，这种极重的锡环应该也是池上的装饰物。

3. 翣

翣通常以双数出现，是一种扇状的棺饰品，用木为框，蒙以白布，有柄，送葬时有人持之，以为仪仗，入圹后放在棺的两旁。战国楚墓中也发现了作为棺饰品的翣。这些翣形制多样，有羽翣和竹翣，有长柄翣和短柄翣，有大翣和小翣。羽翣在周礼中是天子饰棺所用之物，而在楚墓中大夫都用了羽翣。其中江陵天星观楚墓出土了长柄羽翣，但仅有 1 件。柄呈长方形，首端细，末端粗。首端由一横木和半圆形竹片组成扇形，扇面由羽毛拼接而成，茎端用丝带缠裹在柄上，柄末端与竹片连接，柄髹黑漆。该翣长 212 厘米[④]，它不同于中原地区西周和春秋墓葬中出土的形制较小的铜翣[⑤]，想必是墓主平时所用之翣，用以随葬作为棺饰，而不是特意制作。

四、典型丧礼

除出土文物之外，传世文献也揭示了些许楚国贵族丧葬的历史信

① 黄冈市博物馆、黄州区博物馆：《湖北黄冈两座中型楚墓》，《考古学报》2000 年第 2 期。

② 河南省文物考古研究所、三门峡市文物工作队：《三门峡虢国墓地 M2010 的清理》，《文物》2000 年第 12 期。

③ 湖北省博物馆、随州市博物馆：《湖北随州擂鼓墩二号墓发掘简报》，《文物》1985 年第 1 期。

④ 湖北省荆州地区博物馆：《江陵天星观 1 号楚墓》，《考古学报》1982 年第 1 期。

⑤ 王龙正、倪爱武、张方涛：《周代丧葬礼器铜翣考》，《考古》2006 年第 9 期。

息。如前述，《春秋》对楚国丧礼的记载有限，但《左传》对楚王丧礼的记录相对充实，这为今天复原楚人丧葬礼制度提供了有益线索。

（一）楚康王的丧礼

关于楚国丧葬礼仪最重要的史料，是《左传·襄公二十九年》和《礼记·檀弓下》的两段记载。鲁襄公于二十八年（前545年）十一月前往楚国参加盟会，他经郑至汉，听说盟主楚康王薨逝，欲返回鲁国，但为了“远图”，仍勉强前往，不想这次赴楚竟滞留至第二年夏五月才返鲁，历时达七月之久。这期间，他与鲁、陈、郑、许各国君主都亲历了整个会葬过程，并送柩于楚都的西门之外。《左传·襄公二十九年》载：“楚人使公亲襚，公患之。穆叔曰：‘祓殡而襚，则布币也。’乃使巫以桃、茢先祓殡。楚人弗禁，既而悔之。……夏四月，葬楚康王，公及陈侯、郑伯、许男送葬，至于西门之外，诸侯之大夫皆至于墓。”又，《礼记·檀弓下》曰：“襄公朝于荆，康王卒。荆人曰：‘必请袭。’鲁人曰：‘非礼也。’荆人强之。巫先拂柩，荆人悔之。”

细读上述两段文献，有一些信息值得注意：

第一，《春秋》不屑于记载楚国国君的葬礼，但明确记载了楚康王的死亡日期是襄公二十八年十二月乙未。所幸《左传》记载了楚康王的葬礼是在第二年（即襄公二十九年）夏四月，中间相隔五个月。这与前引各类礼书所记载的“诸侯五日而殡，五月而葬”的原则完全相合，说明楚还是遵从了周礼。

第二，诸侯会葬，一般不是诸侯亲至，而是遣使而来。诸侯之丧，各国应当派士来吊丧，派大夫前来送葬。但楚康王的这场丧礼中，鲁襄公与陈侯、郑伯、许男亲自参加，或许是慑于楚国的势力，显然是违礼的。

第三，楚人强迫鲁襄公“亲襚”，意欲把鲁襄公当作鲁国派来的吊丧使臣，明显带有侮辱的性质。但是，鲁襄公采取了君临臣丧而派巫人先用桃、茢拂除邪秽的办法，反使楚人受辱。鲁襄公让巫祝用桃、茢“祓殡”时，楚人没有及时制止，既而悔之，说明楚人对丧礼的熟悉程度有限。同时，楚人把既殡后的致檖称为“袭”，与初死沐尸时穿衣的叫法混同，也是对丧礼不够熟悉的表现。

第四，《左传》的记载特别提到，送葬的队伍“至于西门之外”，说明楚康王的埋葬地点在楚都城西，恐亦不合礼。《礼记·檀弓下》云：“葬于北方，北首，三代之达礼也。”郑注：“北方，国北也。”夏、商、周三代为什么都将墓地安排在城北，经学家都以所谓“神尚幽暗，往诣幽冥”来解释，不一定正确，这或许与华夏民族最早居住地的地形（比如北方地势较高）有关。但是，楚康王的送葬队伍却向西出西门，这或许与楚郢都纪南城的地形有关，目前所知纪南城附近的墓地大多集中在西部或西部偏北，北部和东部墓地较少。[①]《左传》从北方中原的丧葬习惯出发，以楚康王的葬地为异，特费笔墨记之，是可以理解的。

（二）楚郏敖的丧礼

楚康王死后，年幼的郏敖继位，康王的弟弟公子围一直觊觎王位，平时就十分招摇，从不把郏敖放在眼里。公元前 541 年，被任命为令尹并掌兵权的公子围与伍举一起出使郑国，半路听说楚王郏敖患病，早就预谋篡位的公子围马上赶回楚国，以探病为由用冠缨勒死了郏敖及其儿子。接着他就派使者向各国赴告报丧，赴告时称郏敖死于疟疾。当赴告者赶到郑国时，还在郑国的伍举询问谁将是楚王的后继者，使者的措辞是“寡大夫围”，伍举立刻教他把赴告之辞改为“共王之子围为长”（《史记·楚世家》），试图跳过郏敖的世系，强调公子围以共王子、康王弟的顺位继承政权，具有兄终弟及的合法性。

《左传·昭公元年》所记与《楚世家》相同，杜预注谓：“伍举更赴辞，使从礼。此告终称嗣，不以篡弑赴诸侯。”日本的《史记》学名家中井积德、竹添光鸿均有类似见解。[②]由此事可以发现楚人对于丧礼的

① 关于楚都纪南城周围的墓葬分布，可参郭德维：《楚系墓葬研究》，湖北教育出版社，1995 年，第 111 页。

② ［日］泷川资言：《史记会注考证》，北岳文艺出版社，1999 年，第 2495—2496 页。

理解和行事原则：第一，春秋晚期楚国仍与其他诸侯一样，仍遵循着君薨赴告的礼制。第二，旧君故去后君位由谁继承，这是楚人赴告时必须知会对方的内容，即礼制所谓“告终称嗣”。第三，楚人也认为篡弑是违礼之举，而不愿意因此而被其他诸侯小觑。第四，楚灵王还为郏敖举行了盛大的葬礼，葬于郏地（郏敖因之而得谥），并请其他诸侯前来会葬，郑国大夫游吉就曾前来。看来，春秋晚期楚人的丧礼赴告、会葬制度，基本遵循了当时的礼制主流。

《左传·昭公十三年》载，楚灵王末年，诸公子内乱，灵王逃到楚国西北的山中，因为新即位的楚平王下令“有敢饷王从王者，罪及三族”，所以无人敢收留灵王。只有芋尹申无宇的儿子申亥因为自己父亲两次触怒灵王而未被杀，所以感恩收留了饿倒的灵王，后来灵王在他家中自缢而死，申亥竟然“以其二女殉而葬之”。关于楚国的人殉，目前所知的只有河南淅川下寺二号墓，即楚国令尹子庚的墓葬，其形制是卿大夫等级，随葬器物颇丰，陪葬有妻妾数人及16个侍婢。[①] 申亥以二女殉楚灵王之事，发生在公元前529年，就在此前近一百年，秦穆公下葬时也以秦国的三个大夫（奄息、仲行、针虎，人称“三良”）殉葬。差不多与申亥以二女殉楚灵王同一时期，孔子从人道主义立场出发，对人殉制度大加抨击：“始作俑者，其无后乎？”说明当时中原文明已经抛弃人祭人殉的恶劣丧俗，只有边缘地带的秦、楚还存留有少许遗迹。

第五节　祭礼

《礼记·祭统》曰：“礼有五经，莫重于祭。”祭祀的对象不限于祖先人鬼，古人的泛神论思想使得其祭祀范围十分宽泛，日月星辰、风雨雷电等天神，社稷、山川等地祇，以及门户井灶土“五祀”，均可

① 河南省文物研究所、河南省丹江库区考古发掘队、淅川县博物馆：《淅川下寺春秋楚墓》，文物出版社，1991年；张剑：《淅川下寺楚墓的时代及其墓主》，《中原文物》1992年第2期。

享祭。

一、祭祷仪式

20世纪以来，楚地发掘出土了大批卜筮祭祷简。从中可见，楚人祭祷鬼神的方式很多，包括举祷、能祷、赛祷、侑祷、厌、告、餗等二十多种；祭祷时间重在夜间；祭祷时用乐为一大特色。

（一）举祷

楚地卜筮祭祷简中，“举”字有时写作獤，有时写作舉，有时写作遻。例如：

獤（举）祷于宫地主一羖。（包山M2简202—203）

舉（举）祷楚先老僮、祝融、鬻熊各一牂，思攻解于不辜。（包山M2简217）

遻（举）祷太佩玉一环，后土、司命各一小环，大水佩玉一环。（望山M1简54）

“举”就是祭祀之义。[1]《周礼》中《内饔》《膳夫》两职所记的“举”，都是指君主生前的食馔之礼。将生人举食之礼移植到死后的祭祷仪节中，可以归之于中国古代常见的事死如事生的礼义原则。由此，卜筮祭祷简中常见的“举祷”，应是指楚人以杀牲盛馔的举食之礼来祭祷鬼神，简言之，就是给鬼神进贡肉食之饭。

楚人举祷的对象既包括太、司命等天神，也包括社、后土、宫地主、大地主等地祇，还包括楚人的先公先王与夭殇、荆亡、夏亡等，以及五祀和巫鬼、四方神之类，范围极广。

① 董珊：《楚简中从“大”声之字的读法》，见北京大学中国考古学研究中心等编：《古代文明》第8卷，文物出版社，2010年。

（二）夜祷

楚人祷祠鬼神，重在夜间。新蔡葛陵楚简有以下几条简文：

> 庚申之昏以起辛酉之日祷之。（简甲三 109）
> 甲戌之昏以起乙亥之日荐之。（简甲三 119）
> 戊申之夕以起己酉……（简甲三 126）

“以起”可读为“以迄”，“某日之昏 / 夕以起某日”即从前一天夜晚开始，到次日为止。上引简文所记录的祭祷活动都带有巫术性质，之所以选择在夜间举行，可能与当时人对于鬼神活动规律的认识有关。人间世界与鬼神世界是阴阳对立、明暗决然的两极，趋明避暗是人类的本能追求。楚辞中凡是神灵到来之时，气氛都被渲染得幽暗不明、阴森可怖，如，“夜皎皎兮既明”（《东君》），“处幽篁兮终不见天”“雷填填兮雨冥冥”（《山鬼》）。

既然楚人认为鬼魂都在夜间活动，那么对鬼魂的祷祠也自然要在夜间进行，否则就不能“邀神”。九店 M56 楚简《告武夷》是一篇为兵死者招魂的祷辞，其结尾之句称：“君昔（夕）受某之聂币、芳粮，思某来归食如故。”[①] 意即武夷神今夜享受某人的聂币、芳粮之后，诚恳地希望你能让某人之魂归来，饮食如故。这是一篇祭祷鬼神、进行招魂的祝祷辞。从内容来看，祝祷的仪式无疑也是在夜间举行的。另，云梦秦简《日书》中有《日夕表》，而香港中文大学所藏汉初《日书》中也有与之相类的《日夜表》，其中，云梦简《日书》的“夕”字均写作“夜”[②]。

（三）用乐

新蔡葛陵楚简多次提到在祭祷时用乐的情况，如：

---

① 湖北省文物考古研究所、北京大学中文系：《九店楚简》，中华书局，2000 年，第 105—110 页。

② 陈松长编著：《香港中文大学文物馆藏简牍》，香港中文大学文物馆，2001 年，第 40 页。

[乐]之，百之，贡之。举祷于子西君特牛，乐……（简甲一27）

……中特牛，乐之，就祷……（简甲三14）

……钟乐之。（简甲三98）

相同的内容也见于天星观1号楚墓卜筮祭祷简中。[①] 另外两支比较完整的天星观卜筮祭祷简，说明了祭祷用乐的场合：

祷卓公顺至惠公大牢，乐之，百之，赣。占之：吉，亙岁期中将有喜。[②]

侍王尽亹月，尚自利训（顺）？占之恒贞吉。諆然有外慽，有敚（祟），敚之，举祷祏特牛，乐……[③]

天星观和新蔡葛陵墓主均为封君，规格较高，祭祷祖先时使用乐，这是其他楚简中少见的。新蔡简显示，祭祷时不仅用乐，乐还与贡和馈结合起来。乐、百、贡一起，形成祭祷时的一个仪式组合。“赣（贡）”是向神祇进献物品。“百”应读如字，后代写作“貉”或“貊”。貉（貊）与祭祷有关，《周礼·春官·肆师》：“凡四时之大田猎，祭表貉，则为位。”综合各家经解，“貉（貊）”有两种解释：一是军事祭祷；二是貉、百同音（同在鱼铎部），以本音读之，貉读为十百之百，意即以十百倍之气势祷祠，而求十百倍之神佑。回到新蔡祭祷简文的“百之”。从简文祭祷的对象来看，似乎不是兵祷。上古练兵和田猎时树木为标，以正行列，称为“表”。楚人祭祷中的“百之”，应当是立标而祭，这与

---

① 滕壬生：《楚系简帛文字编》，湖北教育出版社，2008年，第451—452、1002页；晏昌贵：《天星观“卜筮祭祷”简释文辑校》，丁四新主编：《楚地出土简帛文献思想研究》第2辑，湖北教育出版社，2005年。

② 滕壬生：《楚系简帛文字编》，湖北教育出版社，2008年，第1172页。

③ 黄锡全：《湖北出土商周文字辑证》，武汉大学出版社，1992年，图版179。

楚简中常见的“为位”可以互证。“百之”应当是一种动作，即以十百倍之虔诚进行祭祷，其中必定包含着号祝。祭祷简中的“乐之，百之，贡之”，盖指用乐舞娱神、为神灵立位祭祷、为神灵供奉祭品，这是楚人高级贵族祭祷礼仪中的三个节目。

简文中多次提到祭祷时用钟乐娱神，所用的钟是“脠钟”。“脠钟”就是“前钟”，加上金部，就是“鏰钟”。[①]李家浩先生认为，信阳简和天星观简中的“前钟”应读为“栈钟”，“栈”有“编”义，栈钟即编钟。[②]编钟是礼乐重器，为高级贵族的身份象征。楚地已出土的编钟近30批，达300件之多。[③]成组的大型编钟也出土不少，一般都见于较高规格的楚墓，如淅川下寺、信阳长台关、随县曾侯乙、枣阳九连墩等。

天星观、新蔡等祭祷简文说明墓主生前将编钟用于祭祷礼仪。那么，此种作乐祭祷的场所在哪里呢？据礼制，祷祠之地在坛墠，祭祀之地在宗庙。桓谭《新论》记载：

> 昔楚灵王骄逸轻下，简贤务鬼，信巫祝之道，斋戒洁鲜，以祀上帝，礼群神，身执羽绂，起舞坛前。吴人来攻，其国人告急，而灵王鼓舞自若。顾应之曰：“寡人方祭上帝，乐明神，当蒙福佑焉。不敢赴救。”而吴兵遂至，俘获其太子及后姬以下。

楚灵王在吴师压境之下，仍遍祷群神，地点正是“坛前”。这与楚简中的“乐之，百之，贡之”这一仪式组合，大概可以相印证，“百之”如果理解为“立表、为位”，则与为坛的祭祷差不多。在宗庙之内举行的祭祖仪式当然也需用到乐舞。在宗庙中进行乐舞娱神、设立神位、供奉

① 陈伟：《新蔡楚简零释》，陈伟：《新出楚简研读》，武汉大学出版社，2010年，第82—85页。

② 李家浩：《信阳楚简“乐人之器”研究》，中国社会科学院简帛研究中心编：《简帛研究》第3辑，广西教育出版社，1998年，第1—7页。

③ 张正明、刘玉堂：《从楚人尚钟看钟氏的由来》，《江汉论坛》1985年第6期；杨匡民、李幼平：《荆楚歌乐舞》，湖北教育出版社，1997年，第242—256页。

祭品这三个节目便易于理解了。

二、庙制

楚人之有太庙明载于文献。楚共王择立太子，就是“埋璧于室内”，此“室”即太室祖庙。祖先之祭是楚人祭礼中最重要的内容之一，楚系青铜器有不少铭文都提到楚人的祭祖礼，如蛮书缶载：“元年季春元日己丑，余畜孙书以择其吉金，以作铸缶，以祭我皇祖，吾以祈眉寿。”[①]王孙遗者钟曰：“用享以孝于我皇祖文考，用祈眉寿。”[②]铭文所谓“皇祖”，是对祖先的敬称。

周人祭祖，庙数有定，天子七庙：太祖（后稷）；文、武二祧；四亲庙（高祖、曾祖、祖、父）。四亲庙是周礼中祖先祭祀的核心内容，随着等级的不同而递减。那么，楚人祷祀的直系亲祖中包括哪些人呢？

楚人亲祖祭祀结构可以概括为三部分：得氏之王；始封之别子；再分宗后的各代亲祖。包山简中提到的“文坪夜君”子良，即楚昭王之子、楚惠王之弟，因为没有当上令尹而改封于平夜（舆），位居封君。[③]世袭的封君属新蔡平夜君成这一系，而包山墓主邵佗家族显然属于平夜君的旁系，从郚公子春以后便另立一支了。换言之，平夜君相对于楚王室而言是小宗，而邵佗家族相对于平夜君而言更是小宗的小宗。这样，邵佗的直系亲祖的祭祀结构就是：三代小宗（分宗始立之君郚公子春及其后裔司马子音、蔡公子家）；上溯一代始封别子（平夜君文）；上溯一代得氏之王（昭王）。可见，与邵佗之祖、父辈属于堂兄弟关系的历代平夜君并未享祭，只有一代始封之君享祭；与邵佗之祖、父辈属于族兄弟关系的历代楚王，也只有始出之王即得氏之王（昭王）一代受到祭

① 刘彬徽、刘长武：《楚系金文汇编》，湖北教育出版社，2009年，第290页。

② 刘彬徽、刘长武：《楚系金文汇编》，湖北教育出版社，2009年，第93—94页。

③ 裘锡圭：《谈谈随县曾侯乙墓的文字资料》，《文物》1979年第7期；吴郁芳：《包山二号墓墓主昭佗家谱考》，《江汉论坛》1992年第1期；何浩：《文坪夜君的身份与昭氏的世系》，《江汉考古》1992年第3期。

祀。这似乎意味着，楚人小宗没有祭祀大宗的资格和权力，这是非常符合中原礼制的。

再看望山楚简。墓主悼固是从楚悼王得氏，所以悼固上祭的五代祖先，包括三代楚王和悼氏的两代直系亲祖，前者即楚悼王的直系后裔是大宗，而后者相对于楚王室而言是小宗。可见，悼固的直系亲祖祭祀的结构应该是：两代小宗（分宗始立之君东宅公及其后裔王孙喿）；上溯三代大宗（得氏之王［悼王］及上溯两代楚王［声王、简王］）。然而，如果把楚肃王也放入这个祭祀系统的话，则与周礼所谓“支子不祭”的原则相背离。因为悼固属于小宗，楚肃王为楚悼王之子、东宅公的兄弟，那么墓主悼固的祭祀对象就已扩延至祖父昆弟；换言之，他以旁系小宗的身份祭祀了王室的嫡裔大宗。

祭祀制度与宗法制度应联系起来考察。《左传》称“楚国之举，恒在少者”，“芈姓有乱，必季实立”。早有学者指出，楚人立嫡以幼少为先。[①] 但也有学者认为楚君之立仍以嫡长子继承制为主。[②] 比较折中的说法是，楚人实行的是选立制（“立王”“立君”），即在所有直系诸子中预定储君，此种情况下，不分长幼，一旦完成选立，诸王子之间才有明确的嫡庶之分。[③] 楚简所见楚人小宗可祭大宗的事例，似乎可以与楚人长幼嫡庶之别不甚分明的历史现象相互印证。[④]

三、祭祷诸神

从传世文献和已经公布的楚简材料来看，楚人祭祷的神灵包括天神、地祇、人鬼、五祀等。限于篇幅，以下择要进行论述。

---

① 童书业：《春秋史》，山东大学出版社，1987 年，第 48 页；赵锡元：《论商代的继承制度》，《中国史研究》1980 年第 4 期。

② 何浩、张君：《试论楚国的君位继承制》，《中国史研究》1984 年第 4 期。

③ 唐嘉弘：《论楚王的继承制度》，《中州学刊》1990 年第 1 期；罗运环：《楚国的太子制度研究》，《江汉论坛》2000 年第 7 期。

④ 贾海生：《楚简所见楚礼考论》，《文史》2008 年第 4 期。

（一）山神

1. 二天子

“二天子”之名首见于包山楚简，如：

> 赛祷太佩玉一环，后土、司命、司祸各一少环，大水佩玉一环，二天子各一少环，峗山一珏。（简 213 — 214）
>
> 赛祷行一白犬，归冠带于二天子。（简 219）

对于“二天子”的含义，或释为“帝之二女”[①]，或以为山名[②]，或认为属于地祇[③]。陈伟进而认为，帝之二女当系指洞庭之山，即湘山。[④]还有学者认为“二天子”是人神的天神化，又是山川神灵，身兼三种神格。[⑤]新蔡葛陵简出土后，关于“二天子”的记载大大增加，该墓所见相关简文有：

> ……荐祷一鹿，归佩玉于二天子，各二璧……（简甲一 4）
>
> ……举祷于二天子各两牂，瓔之以兆玉……（简甲三 162、166）

---

① 刘信芳：《包山楚简神名与〈九歌〉神祇》，《文学遗产》1993 年第 5 期。

② 汤余惠：《包山楚简读后记》，《考古与文物》1993 年第 2 期；陈伟：《包山楚简初探》，武汉大学出版社，1996 年，第 169—170 页。另见汤余惠：《湖北荆门包山卜筮楚简所见神祇系统》，《考古》1999 年第 4 期；李家浩：《包山卜筮简 218—219 号研究》，长沙市文物考古研究所编：《长沙三国吴简暨百年来简帛发现与研究国际学术研讨会论文集》，中华书局，2005 年，第 193—195 页。

③ 李零：《包山楚简研究（占卜类）》，《中国典籍与文化论丛》第 1 辑，中华书局，1993 年。

④ 陈伟：《包山楚简初探》，武汉大学出版社，1996 年，第 169—170 页；另见陈伟：《湖北荆门包山卜筮楚简所见神祇系统》，《考古》1999 年第 4 期。

⑤ 晏昌贵：《楚卜筮简所见地祇考》，武汉大学历史地理研究所编：《石泉先生九十诞辰纪念文集》，湖北人民出版社，2007 年，第 341—367 页。

“二天子”之祭还见于天星观 M1 楚简[①]：

解于二天子与云君以佩珥。
举祷于二天子各两牂、两牂。

“二天子”一般处于“地主”“后土”“大水”之后，“峗山”之前，属于地神系列当不成问题。由上可得出两点结论：第一，“二天子”为山神的说法基本可信。对“二天子”的祭祷方法，大都以牺牲与玉搭配献祭。第二，“二天子”为两座山或两个神灵。在上引楚简中，对此神的祭祷，大都用到“各”字，或为“各两牂”，或为“各一少环”“各二璧”，说明二天子是并列的两个神祇。

2. 峗山

包山卜筮祭祷简中首见“峗山”神名：

太、后土、司命、司祸、大水、二天子、峗山既皆成。（简215）
举祷大水一犠，二天子各一牂，佹山一羖。（简 237、243）

原释作“峌”山，陈伟将此字释作“峗山”，认为可能是《汉书·地理志》所载南郡之高成县下的“洈山、洈水所出”之地。[②]在新蔡简中，危字不从山，而从邑，整理者隶作“峌山”，今俱改释为“郈山”：

……佩玉，於郈山一琥璜……（乙三 44、45）
……三楚先、地主、二天子、郈山、北［方］……（乙四 26）

① 关于天星观楚简的材料，参晏昌贵：《天星观“卜筮祭祷”简释文辑校》，丁四新主编：《楚地出土简帛文献思想研究》第 2 辑，湖北教育出版社，2005 年。

② 陈伟：《包山楚简初探》，武汉大学出版社，1996 年，第 170 页。

由上，峗山常跟在大水、地主、二天子之神的后面受到祷祠，当属山神无疑。晏昌贵认为峗山就是文献中的“三危山”。在传世文献中，“三危”常与世居江汉的“三苗”相关。另外，“三危山”又是楚人神话中的长寿不死之地。[①]《尚书·尧典》《大戴礼记·五帝德》《史记·五帝本纪》《汉书·地理志》都记载，帝尧“杀三苗于三危，以变西戎”，“三危山”似乎在西方，与岷山相近，具体地点不详。

3. 武夷、复山、不周山

江陵九店M56简43—44，是一篇被整理者称为《告武夷》的祝祷之文：

> ［皋］！敢告□綸之子武夷：“尔居复山之基，不周之野。帝谓尔无事，命尔司兵死者。今日某将欲食，某敢告以其妻□妻汝，［聂］币、芳粮以量犊某于武夷之所，君夕受某之聂币、芳粮，思某来归食如故。”（简43—44）

武夷、复山、不周是本篇连续出现的三个神灵。武夷是战争之神，主司战死者。西汉文献中有“武弟（夷）子”“武夷君”，东汉镇墓瓶上出现“武夷王”，应是同一个神。[②]武夷神地位的提升，似在汉武帝时期，它陪祭于太一神坛。

“不周”是中国古代神话中的名山，见于《列子》《淮南子》等文献。注家或认为，不周山在西北之极，昆仑山北。但具体所指，亦不得其详。夏德安推测，“复山”就是“不周”的别名，“不周”可能实际上

① 晏昌贵：《楚卜筮简所见神灵杂考（五则）》，武汉大学简帛研究中心主办：《简帛》第1辑，上海古籍出版社，2006年，第231—233页。

② 李家浩：《论〈太一避兵图〉》，袁行霈主编：《国学研究》第1卷，北京大学出版社，1993年，第284—285页。

是“复”的语音切分。[①] 李家浩否定了这种意见，他引用《山海经·大荒西经》中“西北海之外，大荒之隅，有山而不合，名曰不周负子，有两黄兽守之”的记载，认为“不周”与“负子”为山之两峰，复山当指的就是负山。一方面，“复”和“负”有音通关系；另一方面，因“有山而不合”，故将其中的一峰名为“不周”，而另一峰对不周山来说，是重复的山峰，故将其名为“复山”。后来人们把这座不合之山的山峰，统名为不周山，复（複）山的名字遂逐渐被人们遗忘。[②] 饶宗颐据《水经注》认为，春秋时期庸国所属的鱼人，其地在巴国东境，称为鱼复，复山之名即出于此。[③] 刘昭瑞认为《告武夷》中的复山，当是位于淮水之源平氏县境内的大复山，这里也是古复（復）国的所在。[④] 总之，复山和不周山都是传说中的神山，若欲将其落实到楚地某一具体的地方，恐有难度。

（二）水神

1. 大水

“大水”祭祀出现在包山、望山、天星观、新蔡楚简中，如：

> 举祷大水一膚。（包山 M2 简 238、244）
> 举祷大水一牺马。（包山 M2 简 248）
> 享荐大水一佩玉环。（天星观简）

从地望来推测，楚人所祀“大水”可能是长江或汉水。

---

① 夏德安：《战国时代兵死者的祷辞》，中国社科院简帛研究中心编：《简帛研究译丛》第 2 辑，湖南人民出版社，1998 年。

② 李家浩：《九店楚简“告武夷”研究》，《著名中年语言学家自选集·李家浩卷》，安徽教育出版社，2002 年，第 318—328 页。

③ 饶宗颐：《说九店楚简之武䢵（君）与復山》，《文物》1997 年第 6 期。

④ 刘昭瑞：《安都丞与武夷君》，《文史》2002 年第 2 辑。

2. 大川 / 大川有介

新蔡楚简中多次提到“大川”之祷，如：“食，昭告大川有介：小臣……”（简甲三 21）

“大川”目前仅见于新蔡简，疑即平夜君封地内的某条大河。值得注意的是，“大川”之后加上“有介”二字，究竟指什么。《楚辞·九章·哀郢》：“哀州土之平乐兮，悲江介之遗风。”朱熹《集注》：“介一作界，间也。”出土简文中的“大川有介”与传世文献中的“江介”是一回事。新蔡简文中的“介”字从水，是其意符。其“大川有介”的“有”字，并无实义，用以足句，如同古籍中常见的“有夏”“有扈”之类，新蔡简中提到“大川有介”的文例都是册告祝辞，尤其注重音节和文辞，用到此虚词，在所必然。“有祟见于大川有介”，意即有祟鬼在大川之水边降临。“昭告大川有介”是指平夜君成因此而对大川及其水边举行册告仪式和祭祷巫术。

3. 大波

天星观卜筮祭祷简有：“溺于大波一牂。”[①] 有学者认为“大波”即“大水”。[②] 疑“大波”泛指波浪水神。《淮南子·览冥训》曰：“武王伐纣，渡于孟津，阳侯之波，逆流而击，疾风晦冥，人马不相见。”阳陵是汉之封国，高诱注曰：“其国近水，溺水而死，其神能为大波，有所伤害。”可知在汉人心目中，南方确有水波之神。至于此种水波之神的来历和人格化，为汉人所附会，当是后来之事。

（三）社祭

社既是上古时期的地域单位，又是土地神和地域神。对于社的祷祀，在卜筮祭祷类楚简中记载尤多，如包山楚简曰：“举祷社一全豬。”豬，即干猪肉。年代相当的望山楚墓卜筮祭祷简中有“社”，如简

---

① 滕壬生：《楚系简帛文字编》，湖北教育出版社，2008 年，第 312、325、807、808 页。

② 晏昌贵《天星观“卜筮祭祷”简释文辑校》，丁四新主编：《楚地出土简帛文献思想研究》第 2 辑，湖北教育出版社，2005 年。

115：“……□东宅公、社、北子、行、□□……”；天星观1号楚简的卜筮祭祷简中也有“冬夕至，尝于社，特牛”的记载。①

除了“社”之外，战国楚简中对于社祭还有其他几种称呼：一是“地主”，如“厌一豭于地主”（包山简219）；二是“侯土”，如“举祷太佩玉一环，侯土、司命各一小环”（望山简54、55、56）。除此之外，还有“宫侯土”“野地主”和“野侯土”之称。它们虽然与“社”名称相异，但所指都是楚地社祭。②

综上，从目前的楚简材料来看，楚人祭祀之礼似乎并未超出中原礼书的框架，虽然其中僭越之处甚多。正如王国维所说：“《楚辞》序祭祀事，与《特牲馈食》《少牢馈食》略同，惟尊卑有殊，而节目不异。”③

第六节　宾礼

《周礼·春官》有云，宾礼功能在于“亲邦国”。狭义的宾礼，是指诸侯与周天子之间或各诸侯之间交往的礼节。先秦时期的宾礼有比较规范的行礼程式，这在《仪礼》《礼记》及《周礼》中均有所记载。这些礼书材料，可以作为我们研究楚国宾礼的基础。

一、朝觐礼

据礼书，周天子为了便于统治，将各诸侯国按照距离京畿位置的远近，划分为“六服”：侯、甸、男、采、卫、要。服数不同，朝见天子的频率便不相同。楚国的诸侯地位确立，当以周成王“封熊绎于楚蛮，封以子男之田”（《史记·楚世家》）为始。作为子男之国，楚国应每三年朝见周天子一次。但楚国自武王始自号为王，与周天子维持着若即若离的邦属关系。先秦时期楚国和周王朝之间的往来不算频繁。每当新的

① 滕壬生：《楚系简帛文字编》，湖北教育出版社，2008年，第28页。

② 陈伟：《包山楚简初探》，武汉大学出版社，1996年，第164页。

③ 王国维：《王国维学术随笔》，社会科学文献出版社，2002年，第10页。

楚王即位，按礼应举行朝见礼，表示楚国统治继承人接受周天子赐命，但楚国并未严格执行这套礼仪。尽管如此，由于周王室式微，周王仍赐胙于楚王，认可其诸侯身份。

周天子赐胙之事多次出现在楚简中，而且被楚人视为大事，用以纪年。例如，包山楚简称："东周之客䛠绖致胙于栽郢之岁。"[①]东周之客就是东周国派遣的使者。据学者研究，"致胙"一事发生于楚怀王十二年（公元前317）。[②]此时，楚国已成为战国七雄中最具实力的霸主之一，国运垂危的东周"致胙"于楚，当是不得已而为之。传世文献中没有关于此事的记载，楚简写作"致胙"而非"赐胙"，虽一字之别，但周王室与诸侯关系的微妙之处由此可见。

楚王对周天子的朝觐礼鲜见于史书，诸侯之间的朝见活动倒较常见。按照西周礼制，诸侯之间行朝礼仅限于新君即位之时，这种情况在战国时期依然存在。秦惠文王初即位，以及后来惠文王卒、其子武王即位时，由于楚秦实力差距已非常明显，楚均赴秦行朝礼。战国晚期，楚怀王朝见秦昭王时，竟被秦国扣留。《史记·秦本纪》记载此事谓："楚怀王入朝秦，秦留之。"一个"朝"字，体现出双方地位差距。

然而春秋时期，楚国在其势力非常强盛的时候，也受到弱小国家的朝见，且朝见契机并不局限于新君即位。公元前545年，郑伯与鲁公、宋公、陈侯、郑伯、许男一起朝楚，郑国为姬姓旧戚，曾经夹辅王室，在周王朝系统中具有重要地位，其国君每次亲自出访他国时，都要依礼专门除地筑坛，但这次朝见却茅草不除临时搭起帐篷，随行的外交官表示不解，与郑君同行的子产从大国与小国关系的角度做了一番解释："大适小，则为坛。小适大，苟舍而已，焉用坛？"小国国君出使到大国，如果提出一些不切实际的要求，便会引祸上身。子产对外交礼制的

① 湖北省荆沙铁路考古队：《包山楚简》，文物出版社，1991年，简13。

② 李学勤：《有纪年楚简年代的研究》，李学勤：《文物中的古文明》，商务印书馆，2008年，第444页。

解读，完全从政治军事力量的悬殊对比出发，也可见楚国在朝觐礼仪上的强势。

举行朝礼期间，双方要互赠礼物。诸侯觐见天子，赠礼包括布帛、玉器及本国特产重物。他国朝楚的朝见礼，双方所赠礼物多样，赠礼仪节虽未见记载，但《左传》记载，楚王在赠礼与获礼后，有时会表现得非常无理。公元前 642 年，郑文公朝楚，楚王一时兴起，竟把贵重的铜赐给郑文公，后来马上反悔而与之盟誓，令其不能用这些铜铸造兵器，对方只好用之铸了三枚乐钟。公元前 535 年，楚国章华台落成，鲁昭公朝见楚王以示祝贺，楚王赐予昭公名为“大屈”的大弓，继而悔之，又派薳启强去索要，鲁昭公不得不归还。公元前 507 年，蔡侯朝见楚王，赠以一佩一裘，令尹子常亦想索要之，遭到蔡侯拒绝，于是楚国扣押蔡侯三年。凭借军事的强势，楚人享受了诸侯的朝觐礼，且屡次将回赠礼物视同儿戏，这在礼制尚未崩坏的西周时期或中原诸侯之间是不太可能发生的。

春秋时期，前来朝见楚国的主要有郑、宋、蔡、鲁，其共同点是军事实力不强，面对楚国时不得不放低身段。特别是郑、宋两国夹于齐、晋、楚三大强国之中，在受到某一强国武力威胁或慑于某一强国势力的情况下，通常会借助朝觐强国来赢得帮助。因此，郑国和宋国是朝见楚国次数最多的国家。

二、聘问礼

楚国举行聘问礼来结交华夏诸侯的最早记载是在公元前 671 年。《春秋·庄公二十三年》称“荆人来聘”。随后，楚国和中原交往日多，聘问较多的国家是晋、鲁、齐。楚国聘问活动名目多样，由头集中于以下四个方面：

第一，通嗣君与聘立君。楚国新君即位，会以聘问的方式通知他国，如《左传·襄公三十年》记载：“楚子使薳罢来聘，通嗣君也”；又《左传·昭公元年》载称楚灵王即位时，“郑游吉如楚葬郏敖，且聘立君”。

第二，寻盟与莅盟。寻盟，即盟会之后通过聘问活动重温盟约，加强国与国之间的交往。莅盟，即参与盟会。春秋时期，楚国的许多聘问活动围绕着和其他诸侯建立同盟关系而开展。例如，晋国联合鲁国、卫国攻打齐国，楚国准备发动阳桥之役来救援齐国，于是派巫臣到齐国聘问，告知出兵日期，可见这次聘问活动的目的就是建立军事联盟。另外，也有为了参与盟会并使盟会顺利进行而展开的聘问活动，如《左传·成公十二年》所谓“晋郤至如楚聘，且莅盟”。

第三，聘女与省亲。春秋时奉行“同姓不婚”的原则，因此邦国之间君主及卿大夫的联姻比较普遍，很多的聘问活动都和嫁娶有关。

第四，报聘与拜谢。报，即回报。每当他国来聘问之后，受聘国往往也要遣使回聘，称为“报聘”。《左传·成公九年》与《左传·昭公六年》分别记载，楚国派公子到晋国去报聘。另外，聘问也是表达对他国谢意的契机，如《左传·昭公十九年》记“令尹子瑕聘于秦，拜夫人也”，说的就是楚平王娶妻于秦之后的答谢。

春秋时期，楚国在聘问礼仪中常能遵照当时通行的礼节规范。首先，楚卿出聘，有介随行。“介”分为上介与众介，是使者的副手，在整个聘问过程中起辅助作用。若主使为卿，则上介为大夫，众介为士。《左传·昭公元年》记载：“冬，楚公子围将聘于郑，伍举为介。未出竟，闻王有疾而还。伍举遂聘。”这与《仪礼·聘礼》中当正使因故不能进行聘问可以由介代行其事的规定相吻合。

其次，聘问礼仪中必须准备好圭璋璧琮、布帛、马匹等礼物，这些礼物统称为“币”。《左传》记载，楚国大夫道朔率巴国行人韩服聘问邓国以结好，但在邓国南部遇到鄾人的攻击，携带的礼物被抢（“夺之币”）。这个故事透露出楚使前去邓国聘问时是持币而往。

再次，聘问过程中，出聘国若遇到需要路过其他诸侯国的情况，为了表示对所经国家的尊重，应行“假道之礼”，即入境之前要奉束帛告知并请求向导，在得到所经国家允许之后，要在国境边上立誓后再行进入。楚国在行聘礼的过程中，若遇途经他国的情况，也行假道之礼。《左传》记载，楚公子弃疾将聘于晋国，以答谢去年韩宣子如楚致女一事。途径郑国，行假道之礼。郑简公率三卿亲自慰劳弃疾。按照《聘礼》中的规定，接待过往使者之事应由下大夫负责，此处郑简公竟亲自出动，弃疾“辞不敢见”。之后，弃疾以“私面”之礼见郑伯与三卿。“私面”即《聘礼》所谓“私觌”，是外臣在正式的行使聘问使命之外以私人身份见东道国之君及卿大夫等人。弃疾因受到隆重接待而行私觌之礼以示感谢，属于对礼制的灵活运用。

当然，楚国有时也会在礼容等方面有所忽视。《左传》记载：“楚子越椒来聘，执币傲。叔仲惠伯曰：‘是必灭若敖氏之宗。傲其先君，神弗福也。’”子越椒依仗自己是楚国令尹子文之从子，在行礼时容色傲慢，遭到受聘国鲁国的反感。有时，楚国甚至故意违背礼制规范，将其作为挑衅聘问国的一种外交策略，从而达到自己的政治和军事目的。如前所述，楚人对“假道之礼”并非无知，但楚王遣申舟聘齐，路过宋国，故意不行假道之礼。由于此礼是表示对所经之国表示尊重的重要礼节，不行假道之礼将遭受所经之国的愤恨，宋国因此杀掉楚国的使者，此举正中楚国的计谋，楚国便以此为由围攻宋国。又，公元前546年，晋、楚在宋国举行弭兵之会，盟会规定双方的附从国将依次去对方主国朝见，所以次年蔡侯先到晋国朝见。按照盟会上的誓约，郑国国君本该亲自来朝见楚国，但郑国由于遭受灾害，便派大臣游吉来楚国聘问。楚国没有按照礼制规范对来访使者予以招待，反而加以拒绝，没有让游吉完成聘问就使之回国。《仪礼·聘礼》的“记”列举有使者出聘后在特殊情况可“变礼”的情况，不过一旦进入聘问国国境，即使传来本国君死亡的消息，也应将聘问活动如约完成，这就是所谓“聘君若薨于后，入境则遂”。楚国的做法仍是从国家利益出发，而忽视礼仪规范本身。

按《聘礼》规定，当来访使者到达近郊时，主国国君应先派遣下大夫向来使询问来访事由，并“使卿朝服用束帛劳”。可是，《左传·昭公六年》有载，“韩宣子之适楚也，楚人弗逆”，更有甚者，“徐仪楚聘于楚。楚子执之，逃归，惧其叛也，使薳洩伐徐”。楚国将前来聘问的小国徐国使者扣留，之后还对其发动战争。这都是楚国自身倨傲态度的表现。

楚铜器铭文及楚简中的“大事纪年”简，有不少聘问活动的记载。涉及楚国聘问活动的简文，例如：

齐客陈异致福于王之岁（新蔡简甲三 217）

秦客公孙紻（鞅）问王于菽郢之岁（天星观 1 号墓简，秦家嘴 99 号墓简）

齐客申䁷问王于菽郢之岁（天星观 1 号墓简）

齐客陈豫贺王之岁（包山 M2 简 8）

东周之客䌛绖致（归）胙于栽郢之岁（包山 M2 简 13）

这些材料中，可与传世文献相对照、并能确定聘问参与者及聘问时间的，有“秦客公孙紻（鞅）问王于菽郢之岁”一条。在天星观 1 号墓中的卜筮记录中，三条简文均记有“秦客公孙紻（鞅）问王于菽郢之岁”的文字[①]，此一纪年同样也见于秦家嘴 99 号墓简文中。可见秦客公孙鞅使楚，是战国中期楚国政治和外交方面非常重大的事件。

楚系铜器中的相关聘问记载也出现在“大事纪年”中，主要有：

秦客王子齐之岁，大府为王飤晋镐。集脰。

郾（燕）客臧（臧）嘉䎽（问）王於纪郢之䢧（岁）。

向寿之岁，襄城公競脽所造。

王章之岁，□□□之告（造）戟□。

陈旺之岁，俈（造）府之戟。

① 湖北省荆州地区博物馆：《江陵天星观 1 号楚墓》，《考古学报》1982 年第 1 期。

青铜铭文中大事纪年的方式较楚简更为简略，这些材料所反映的具体聘问事件尚难考证，但可以肯定的是，战国时期楚国与其他诸国之间仍存在比较频繁的聘问往来。

先秦时期与楚国相关的使节聘问活动，大多是以楚国作为出聘方，到其他国家进行聘问。从公元前 671 年楚国聘鲁、始通中原之后，楚国在中原地区的影响力不断增强。特别是齐桓公去世之后，晋楚争霸，两国或战或和。双方交战时，楚国会聘问他国谋求军事合作；而更多的情况是双方想要和平修好之时，两国遣使互访，由此，楚国遣使出访聘问晋国的次数最多。降至战国，楚国任人唯亲的贵族政治渐趋衰落，因而面对激烈的兼并战争，楚国不断受挫，传世文献中已少见他国前来朝见楚国之事，怀王入秦朝见，甚至遭到秦国扣留。

三、会盟礼

按照西周礼制，盟会之权完全掌握在周王室手中，诸侯之间不允许擅自结盟。春秋初期，诸侯会盟，也仍需得到周天子的认同。西周时期的会盟还有着严格的夷夏之防，夷狄之君与会却不得与盟。《国语·晋语》曰："昔成王盟诸侯于岐阳，楚为荆蛮，置茅蕝，设望表，与鲜牟守燎，故不与盟。"楚国作为蛮夷之邦，起初是不能以与会者的身份参加会盟的。然而，随着实力增强，楚国先是凭借武力，与周边小国形成结盟关系。公元前 740 年，熊通自封为王，以强大的武力强迫周边的随、郧、绞等国与楚结盟。之后，楚国的势力伸入中原。邲之战的胜利，使楚庄王成为霸主，晋、楚两国开始交替作为盟主召集盟会。两次弭兵之会就是晋、楚两国争霸过程中的角力，史书中对此着墨颇多，楚国在这些盟会中的表现颇具特点。

公元前 579 年，晋、楚在宋国的西门外结盟。盟书约定双方停止战争，同仇敌忾，并用严格的诅辞以防止背盟。但是这次会盟只是实现了短暂的和平，仅隔三年，楚国就又打算向北部用兵，虽然大夫子囊以楚、晋之间立有盟约来提醒楚王，但楚国司马子反的话反映了楚王对盟会的看法："敌利则进，何盟之有？"在楚王看来，盟会并不能约束楚国出于利益而进行的扩张，首次弭兵之盟以破裂告终。

公元前546年，由楚国主盟，晋楚两国举行第二次弥兵之会。参加盟会的楚人在外衣下穿好甲衣，以备会盟不成，随时开战。晋国太宰伯州犁以盟会重信为由，建议楚人脱去甲衣，楚国令尹子木却振振有词地表达了自己对盟会的看法："晋、楚无信久矣，事利而已。苟得志焉，焉用有信？"在楚人眼中，盟会只是标榜自身实力和获取外交利益的方式。

在盟誓的歃血仪式中，晋、楚就谁先歃血再次发生争论，因为通常先歃血者被视为盟会的主盟者。最终，晋国的叔向劝说赵孟以楚为先，承认了楚国的主盟者地位。

宋之盟后，晋、楚邀众诸侯在虢（在今河南郑州北）相会，重申宋盟之好。晋国再次同意由楚国主盟，从中可以看出楚国的实力确实得到了中原各国的认同。此次盟会还有一个细节可以体现楚国实力之强。与会的均为各诸侯的权重之臣，楚国派出的是令尹围，他出席盟会时，身着君服，由两卫士开道，用这种方式来炫耀自身地位，表现出对其他与盟国的轻视，引起与会者的纷纷议论。楚国在会盟过程中，凭借自身强力对其他与盟国任意践踏，这在之前的中原盟会中是很少见的。同样是在此次虢之会中，鲁国执政季武子率兵攻打莒国，于是莒人到盟会上控告鲁国的行径。楚国作为主盟者，认为鲁国亵渎了盟约，应该杀掉鲁国的与会使者。后来因晋卿赵文子为之求情，楚令尹围才赦免了他。从中仍可看出此次盟会中楚国对于晋国有压倒之势。公元前538年，楚灵王主持的申之会，来参加会盟的徐国国君之母是吴国人，楚王据此怀疑徐对楚不忠，竟囚禁了徐国国君，引起其他与盟国的不满。

楚国在盟会中的这些表现，一方面是因为有强大实力作支撑，另一方面与楚国独特的身份也有关系。楚国身处南方蛮夷之地，虽学习了许多中原礼仪，但本身仍保存了很多蛮夷之风，行为处事经常表现出残酷、野蛮的一面。歃血是会盟礼中十分重要的环节，通常用牲血，多用牛血。《左传》却记载楚昭王与随国结盟，竟然割剖随从公子结之心取血，野蛮之风显而易见。

楚国在和其他国家结盟之后常常违反盟约，因此楚国主盟时也会担心其他诸侯盟而无信，所以楚国与他国经常交换人质，以确保双方对盟约的遵守。比如《左传》载：宋与楚讲和后，宋臣华元为质。至战国时期，这一现象更为常见，并且为了保证盟会效果，人质多由国君之子或兄弟来充任。如《战国策·楚策二》记载“齐、秦约攻楚，楚令景翠以六城赂齐，太子为质”，就是楚国以太子出质的方式，赢得齐国的信任。又如《史记·张仪列传》“大王诚能听臣，臣请使秦太子入质于楚，楚太子入质于秦”有互以太子为质之例。

综上所述，楚国的宾礼主要分为朝觐、聘问和会盟三项。用“三礼”和其他文献规定的宾礼程式来检视，楚国在与中原各国的交往中，逐渐受到中原礼仪制度的影响，能在一定程度上遵从各项礼制的一般仪节规范。当然，楚人违礼的事例也不少，这与楚国军事政治实力的消长关系密切。

第七节 军礼

春秋时期的战争与后世不同，参战者多为贵族，他们即使在战斗中也严格遵守着礼制。虽然在当时中原人的观念中，楚国还不属于华夏诸侯，但从《左传》《国语》等典籍来看，楚国对周文化存在一定程度的认同。下文拟对楚国战争前的军礼（治兵、授兵等）、战争进行中的军礼（致师）与战争结束后的军礼（献捷、饮至）加以探讨，考察楚人对中原军礼文化的吸收程度。

一、治兵、授兵、观兵

“治兵”的本义是修缮兵器。至春秋时期，治兵就成为军事演习甚至战争的代名词。“治兵”之前，还有一项“授兵”仪式——兵器归国家统一掌管，战前拿出来在祖庙中郑重颁授给兵士，这是为了取得先祖护佑。这种仪式在楚国也有，《左传·庄公四年》称：“春，王三月。楚武王荆尸，授师孑焉，以伐随。”授师即授兵，楚国伐随战前向军队授戟（“孑”）。

“观兵”是显示军威的方式之一，楚国至少举行过两次，最著名的是公元前606年，楚庄王问鼎中原时的观兵：“楚子伐陆浑之戎，遂至于雒，观兵于周疆。定王使王孙满劳楚子。楚子问鼎之大小、轻重焉。”（《左传·宣公三年》）楚庄王要在周之王畿进行阅兵仪式以显示兵威，使得周王不得不派外交专家与之交涉。此外，公元前537年，楚国在伐吴之前也曾“观兵于坻箕之山”（《左传·昭公五年》）。

类似观兵的行为在战争之后也有，典籍称为“京观”，就是将敌人的尸体收集起来筑成大丘，以纪念武功。晋楚邲之战后，潘党劝楚庄王将晋国战死将士的尸体聚集成“京观”，而楚庄王的回答却体现了周代礼乐文化的味道：“今我使二国暴骨，暴矣。观兵以威诸侯，兵不戢矣。”（《左传·宣公十二年》）楚庄王将筑京观说成“观兵以威诸侯”，可见“观兵”与“京观”同义。楚庄王还说，筑京观在前代就有，做法是把罪魁祸首杀掉后筑成大封以示惩戒，后来则慢慢变成了将所有敌人的尸体堆积起来以震恐敌军。庄王认为有德之君不能随意用敌方士兵的尸体建造京观以示惩戒。庄王之所以在后世被尊为春秋霸主，与齐桓、晋文相并列，除显赫的武功成就外，这种对于周礼的认同可能也是原因之一。

二、致师

致师是一方派出少数勇士，通过一系列行为向对方炫耀武力。春秋时期，将“致师”的作用表现得十分明显的就是楚国。公元前597年，晋楚邲之战，楚军向晋军致师。致师礼对战车上的御者、车右、车左各有要求：御者要将战车驶得飞快，以至于车上的旌旗像倾倒一般；车右要冲入敌方营中，杀死敌人取其左耳，还需生擒一个俘虏回来；车左则要发射利箭并代替御者把持缰绳。此举引起了晋人的愤怒与追击。

需要指出的是，致师与请战不同，致师更多是礼仪性的，而后者偏重实战。公元前632年，晋楚城濮之战，“子玉使斗勃请战，曰：‘请与君之士戏，君冯轼而观之，得臣与寓目焉。’”这里的请战，就是在两军对垒时，一方派出勇士与另一方比试。可能由于这种方式特别适合于勇武的楚人，所以在后世也能见到，《史记·项羽本纪》载：“项王谓汉王曰：‘愿与汉王挑战，决雌雄。’”《集解》引李奇曰：“挑身独战，不复须众也。”从春秋到秦汉之际，虽然致师、请战的形式、目的有所不同，但其中所体现出的楚人尚武精神却一以贯之。

三、献捷与饮至

战争结束后，胜利一方在回到本国时也要举行一系列的仪式，主要是告祭神灵和实行奖惩，目的不仅在于庆功、获得神佑，也在于显示威严。见于楚史的重要仪式是献捷与饮至。献捷就是胜利者在战争结束后向神灵进献战俘与战利品，饮至则是归国欢迎仪式。商代已有献捷，但并未严格制度化。[1]西周时期，献捷礼进一步发展，并常与饮至礼一起举行，所以也有学者将饮至仪节归入献捷。[2]以下就结合文献对楚国的献捷礼与饮至礼加以讨论。

公元前639年，宋襄公与楚子、陈侯、蔡侯、郑伯、许男、曹伯在宋国的盂地盟会，希望获得霸主地位。但由于宋襄公并无声望，其他国君对其称霸意图很反感，所以与会的楚国就带头控制了襄公，并以之为人质攻打宋国。是年，楚成王派大夫宜申到鲁国献捷。翌年，楚国又发生了一次献捷。为救郑国，楚与宋在泓水交战，宋襄公大败。战后，郑文公为报答楚国，派夫人芈氏、姜氏慰劳楚王，楚王借机展示了战争中获得的俘虏，以显兵威。《左传·僖公二十二年》载：“楚子使师缙示之

---

① 杨志刚：《中国礼仪制度研究》，华东师范大学出版社，2001年，第423页。

② 景红艳、辛田：《先秦献捷礼考论》，《中国文化研究》2005秋之卷。

俘馘。”俘就是战俘，馘就是战争中割下的敌人的耳朵。这实质上就是献捷。当然楚王这次献捷不是在本国的宗庙中举行，对象也不是神灵而是郑国的两位夫人，但其显示武功的本质没有改变。

按礼书规定，献捷之时要对有功之臣行“饮至礼”，嘉其凯旋。饮至礼最早见于周原出土的甲骨卜辞 H11“王饮臻”。这里举行饮至礼的应该是周王。[①]公元前 570 年，楚吴交战，楚国子重率军攻吴，虽夺下鸠兹，但损失很大，然后他还是在回国后行饮至礼，庆祝获胜。清华简中有《旨夜》篇可与《尚书·西伯勘黎》篇对读，反映了周武王率军攻打商地黎而凯旋之后举行饮至礼的场面。[②]从文字风格等方面判断，这批竹简当属战国时期楚人的文本。结合以上材料可以推测，楚国施行饮至礼大概是受了周文化的影响，楚人对于周人的饮至礼是十分熟悉的。

四、不灭国与对等意识

春秋时期的战争多以迫使敌方屈服为目的，因而军事威慑多于会战。当时固然存在大国兼并小国的现象，但大、中型国家交战时，彻底摧毁对方政权、灭绝宗祀的情况还是很罕见的。[③]一般来说，当目的达成，战胜国就会停止军事行动，给对方继续生存的机会。

春秋时期楚国也逐渐接受了这种观念，几次不灭敌国的行为被《左传》记载下来。例如，许国降楚，君主“面缚，衔璧，大夫衰绖，士舆榇”，楚国则像当年周武王克殷后的表现一样，“亲释其缚，受其璧而祓之，焚其榇，礼而命之，使复其所”（《左传·僖公六年》）。同样的事情也出现在春秋后期，楚王对降楚的赖国国君亦亲释其缚。从两次楚王

---

① 李学勤、王宇信：《周原卜辞选释》，《古文字研究》第 4 辑，中华书局，1980 年。

② 李学勤主编：《清华大学藏战国竹书（一）》，中西书局，2010 年，第 63—74、149—156 页；伏俊琏、冷江山：《清华简〈旨夜〉与西周时期的“饮至”典礼》，《西北师大学报》（社会科学版），2011 年第 1 期。

③ 黄朴民：《从“以礼为固”到“兵以诈立”——对春秋时期战争观念与作战方式的考察》，《学术月刊》2003 年第 12 期。

的态度来看，其对周文化的认同显而易见。

楚国之所以不敢轻易灭国，还出于对敌国祖先神灵的尊畏。楚国曾经围困郑国长达十七天，得知要与楚人决战后，郑国城中之人在太庙大哭，守城将士也在城墙上大哭，楚王于是退师。但郑人立刻又修城防守，楚军再次围城，用三个月攻破了郑国。郑降于楚，郑伯提出“若惠顾前好，徼福于厉、宣、桓、武，不泯其社稷，使改事君，夷于九县，君之惠也，孤之愿也，非所敢望也”，于是楚王“退三十里而许之平”（《左传·宣公十二年》）。楚国不灭郑国，原因之一是郑伯提到了祖先厉、宣、桓、武的神灵。

对于蛮人，楚国也要在战胜后为其重新立主，不使其祖先绝后。《左传·昭公十六年》曰：“楚子闻蛮氏之乱也，与蛮子之无质也，使然丹诱戎蛮子嘉，杀之，遂取蛮氏。既而复立其子焉，礼也。”可见在当时人的观念中，战胜国对于战败国的祖先神灵相当敬畏。凡一国进入另一国，都是进入了一个对方国神灵护佑的领土，这时需要极其谨慎，否则会受到神灵的惩罚。①

除不灭国意识之外，春秋时期还流行一种“对等意识”。公元前597年，晋楚邲之战，战斗中晋军颓败，有几辆兵车由于陷于坑中而不能前进，这时楚国的士兵并未趁机发起攻击，而是告诉他们抽掉战车前的横木，这样晋国的兵车稍稍前行了一点，但很快又原地打转，楚国的士兵就又告诉他们将战车上的大旗和车轭去掉，晋国的战车这才向前逃跑。楚国士兵的行为，与泓之战中宋襄公的想法一样，都是不愿在不平等的状态下攻击对方。楚国不仅不乘人之危，而且当敌国有丧事时也不肯发动攻击。《左传·襄公四年》载：“三月，陈成公卒。楚人将伐陈，闻丧乃止。”杜预注谓：“军礼不伐丧。”楚国此时如此遵守军礼，与春秋早期不择手段消灭周围各国来扩张自己的情形已完全不同。这一转变

① ［日］高木智见：《关于春秋时代的军礼》，刘俊文主编：《日本中青年学者论中国史》（上古秦汉卷），上海古籍出版社，1995年，第152—153页。

的关键原因，可能仍要归结为中原礼乐文化的熏染。

楚国不仅发扬了西周军礼中的尚武精神，还在思想上对周代军礼有所贡献。《左传·宣公十二年》记楚庄王之语曰："夫文，止戈为武。夫武，禁暴、戢兵、保大、定功、安民、和众、丰财者也。"庄王的"武"观念，是对周文化的发挥，也是其积极融入华夏态度的体现。

楚国不仅努力吸收周文化，还不断地延续并发展周文化，从而成为中国文化的重要组成部分。正如学者所指出的那样："对于任何外来的事物，凡是受他们喜爱的，楚人的'三部曲'就是：始则仿制，继则改作，终于别创。"[①] 这一判断能从楚国的军礼中得到充分的印证。

第八节 燕飨礼

燕礼与飨礼是宗周贵族的待宾礼仪。飨礼的主题是"敬"，在神圣的宗庙中举行，行礼双方在庄敬的仪容中互献酢酬，但不饮不食。燕礼则主欢，在寝中举行，行礼双方以饮酒为主，以醉为度，表达主宾欢乐之意。燕、飨礼可单独举行，但在多数情况下，常与其他礼仪（聘礼、觐礼、军礼、婚礼、祭礼等）组合而行。飨礼与燕礼也不相互排斥，飨礼毕后，接着举行燕礼，在宗周礼乐系统中也是常见现象。

楚国的燕飨礼也反映了楚人欣羡、模仿、借鉴中原礼乐文明的历史过程。当然，在这个历程中，楚人并不是被动接受，而是采取一种"为我所用"的务实态度，既有借鉴，也有创新。

1978 年，河南淅川下寺 M2 出土王孙诰钟，其铭文曰："简简龢钟，用宴以喜，以乐楚王、诸侯、嘉宾，及我父兄诸士。"[②] 与此钟出土于同一墓中的还有王子午鼎。王子午，又名子庚，是楚庄王之子，康王时为令尹，死于公元前 552 年。由此，王孙诰钟的制作年代不会晚于公元前

① 张正明、刘玉堂：《荆楚文化志》，上海人民出版社，1998 年，第 73 页。

② 刘彬徽、刘长武：《楚系金文汇编》，湖北教育出版社，2009 年，第 90—91 页。

552 年。根据铭文来看，王孙诰制作此套编钟的目的在于“用宴以喜”，即在燕礼中奏乐以欢娱宾客，而所燕对象包括楚王、别国来聘之诸侯、嘉宾及族内父兄等。

在楚国金文中，类似铭文很常见。如春秋晚期的王孙遗者钟铭曰：“用宴以喜，用乐嘉宾、父兄及我倗友。”子璋钟铭曰：“子璋择吉金，自作龢钟，用宴以喜，用乐父兄诸士。”楚大师登钟铭也称：“用宴用喜，以乐诸侯及我父兄。”[①]由此可见，楚人在铸作宴飨乐器时，已具有格式化的语言。这或可说明，宴飨礼在楚国贵族生活中，已具有一定普遍性。器主生前用此器招待楚王、诸侯、嘉宾等贵族，死后又用此类器物陪葬，则可见楚人对此类礼器的重视程度。不过，楚人燕飨礼的实际情况到底为何，很难从格式化的金文语言中探知。下文我们结合传世文献和出土资料，论述楚人在燕飨活动中的遵礼或违礼情况。

一、“金奏作于下”

《诗经》曰：“我有嘉宾，鼓瑟吹笙。”楚人在燕飨礼中，与华夏贵族一样，同样用乐。不过，楚国历史上一次非常著名的燕飨活动却标新立异地制造了一出“混乱”。《左传·成公十二年》载：

> 晋郤至如楚聘，且莅盟，楚子享之，子反相，为地室而县焉。郤至将登，金奏作于下，惊而走出。子反曰：“日云暮矣，寡君须矣，吾子其入也！”宾曰：“君不忘先君之好，施及下臣，贶之以大礼，重之以备乐，如天之福，两君相见，何以代此？下臣不敢！”子反曰：“如天之福，两君相见，无亦唯是一矢以相加遗，焉用乐！寡君须矣，吾子其入也！”

---

① 周亚：《楚大师登编钟及相关问题的认识》，《上海博物馆集刊》第 11 期，上海书画出版社，2008 年，第 46—167 页。

楚王以飨礼招待晋国使者郤至，当郤至将登堂时，突然钟磬之声从地下室内传出，郤至大受惊吓，逃出庭外。楚国此次飨礼的违礼之处非常明显：

第一，楚国僭取周天子的“金奏”之乐。用“金奏”之乐，僭取天子之礼。《左传·襄公四年》载，晋侯招待叔孙豹，“金奏《肆夏》之三”，又“工歌《文王》之三”，叔孙豹均不答拜，表示不接受。韩献子不解，叔孙豹回复，“金奏《肆夏》”，乃天子招待诸侯之长所用之礼，自己作为诸侯之卿，当然不能接受。照此，作为晋国大夫的郤至，在楚国被以天子之礼相待，自然惊恐万分。

第二，置乐器于地下室，于礼不合。在宗周礼乐制度中，不同阶层的乐器数量和摆放位置有着严格规定。郤至是大夫，按礼应在庭中以“一肆分悬”（东悬磬一堵，西悬钟一堵）的方式摆放钟磬乐器。但是，楚国把乐器摆放在地下室内，这与周礼严重不符。

第三，奏乐时机不恰当。古人奏乐与行礼，往往相配合而行，有一定的节奏。行礼双方入门前行揖让之礼，入门时钟磬声响起，至堂下阶前，又揖让以准备登阶升堂，但主、宾升堂时，奏乐声须停止。郤至将登堂时，乐声从下面地室突起，且是天子之乐，来宾受到惊吓就不难理解了。

楚国燕飨礼不合宗周礼制者，在其他地方也有所见。

> 楚庄王赐群臣酒，日暮，酒酣，灯烛灭，乃有人引美人之衣者，美人援绝其冠缨，告王曰：“今者烛灭，有引妾衣者，妾援得其冠缨，持之，趣火来上，视绝缨者。”王曰：“赐人酒，使醉失礼，奈何欲显妇人之节而辱士乎？”乃命左右曰：“今日与寡人饮，不绝缨者不欢。”

楚庄王宴会群臣至日暮酒酣，可见宴饮时间之长。从《仪礼·燕礼》中的“执烛”“为大烛”等礼文来看，楚庄王与群臣饮酒到日暮酒酣并不违礼。燕礼虽以醉为度，但主宾不能忘礼。按《燕礼》，宾虽醉，仍需取君所赐荐脯，在奏《陔》的乐曲声中出门，并将所得荐脯赐给奏钟之人。燕礼虽以欢乐为本，但毕竟仍是一种礼仪，“醉不忘礼”是底线，君臣之义还是要讲究的。然而在楚庄王的燕礼中，竟有人在灯灭之后借机“引美人之衣”，而楚庄王却表现出令人意外的大度，不欲为彰显妇人名节而惩罚违礼者，以揽士人之心。楚国君臣之间，一方敢于违礼，一方容忍违礼，显示出楚人的实用主义倾向。

楚国礼制中的实用主义原则，在与他国国君所行燕飨礼中亦展露无遗。燕礼主欢，但飨礼须以敬为本，而楚人却常以强势凌驾于弱国之上，并将飨礼作为争取本国利益的手段之一。《左传·昭公十一年》曰：“楚子伏甲而飨蔡侯于申，醉而执之。”又，王子围以飨礼招待赵文子，赋《大明》之首章。王子围，即篡夺侄子位的楚灵王，《大明》首章的大意是歌颂周文王之光明烛照于下。王子围以文王自拟，暗示欲夺王位，故礼毕赵文子问叔向：“令尹自以为王矣，何如？”可见王子围完全抛却飨礼敬义不顾，毫不隐讳地表达自己的政治野心。

综上，不管是“金奏作于下”“醉饮绝缨”，还是“醉执蔡侯”，楚国的燕飨礼都缺少宗周礼乐制度所要求的严肃、雍容，体现出的是楚人的灵活和实用之风。

二、“九献”与“庭实百旅”

楚国僭用天子“金奏”之礼招待晋国大夫郤至，而楚王与其他诸侯行飨礼时，有时会要求或逼迫对方用更高规格之礼待已。《左传·僖公二十二年》云：“丁丑，楚子入飨于郑，九献，庭实旅百，加笾豆六品。飨毕，夜出，文芈送于军。取郑二姬以归。”春秋争霸，齐桓公死后，霸主之位暂时出现了空缺。楚成王积极进取，北上图霸的野心日益增大。郑国慑于楚国锋芒，不得不服事楚国，为之附庸。在楚王入飨郑国之前，楚助郑打败宋、卫、许、滕联合军队的入侵，且与宋开战于泓，大败宋襄公。可以说，成王时代是楚国力量最强大的时期之一。在这样的历史背景下，楚王到郑国参访，郑国必然郑重其事。在这次郑文公招待楚成王的礼仪中，有三个仪式特别值得注意，即九献、庭实旅百、加笾豆六品。

“九献”是九个“一献”之礼的总合。主宾之间，主人献宾，宾酢主人，主人再酬宾，献、酢、酬俱全，是为完整的一献之礼。《周礼·秋官·大行人》称：“上公之礼，飨礼九献。”据此，身任子爵的楚国国君无权享用上公“九献”之礼。郑慑于楚国实力，用之以招待楚王，楚王也以霸主自许泰然受之，均是违礼行为。“庭实旅百”是说玉帛、马匹、饔饩、米筥、刍禾等陈列于庭中的贡献之物有百数之多。施用“庭实旅百”礼有两种情况，一是大国回赠小国之聘，二是诸侯朝见天子。郑伯用以飨楚王的情形与二者均不符，因此是不合礼制的行为。“加笾豆六品”是正献之后为优待宾客再次添加食物的仪节。天子加笾仅四品，而楚王加笾竟有六品，明显僭越礼制。

总之，只拥有子爵的楚王，在这次飨礼中所享受的礼节均与其身份不符。而礼毕之后，不仅让郑文公夫人文芈送他回驻军之处，还从郑国掳娶两位姬姓女子而归。整场飨礼，楚成王以无礼始，以无礼终，难怪受到郑国大夫叔詹的讥讽：“楚王其不没乎！为礼卒于无别，无别不可谓礼，将何以没？”（《左传·僖公二十二年》）六年后，楚成王败于城濮之战，十一年后，被世子商臣所弑，似乎验证了叔詹的预言。

三、落礼

“落礼”是宫室完工后所行的落成典礼，常与衅礼、燕飨等仪式相伴举行。楚国的落礼见于《左传·昭公七年》：

> 楚子成章华之台，愿与诸侯落之。大宰薳启强曰：“臣能得鲁侯。”……楚子享公于新台，使长鬛者相。好以大屈。既而悔之。

楚灵王篡夺侄子之位自立于王，不得人心，故欲借落礼之机笼络诸侯。鲁昭公亲自前往参会，灵王在新建章华台上为鲁昭公举行燕飨之礼，且用美须者司仪，送昭公以大屈之弓，以示夸耀。但灵王后悔，又追回了大屈宝弓。此段材料显示出两点值得注意：第一，楚国落礼后，有燕飨之礼，与中原落礼无甚差别。第二，楚灵王故意求新，向诸侯炫耀，以及赏人礼物后又追悔的反复无常行径，体现出楚人不遵礼制的态度。

上海博物馆战国楚竹书中的《昭王毁室》一篇，也是楚国落礼的相关记载：

> 昭王为室于滑之浒。室既成，将落之，王戒邦大夫以饮酒。既落之，王入将落，有一君子丧服蹒庭，将蹠闺。寺人止之，曰……（简 1）

楚昭王新筑宫殿完工后，邀请大夫参加落成典礼。在一番祭祀典礼后，昭王进入宫殿准备宴饮，结果一位穿丧服的“君子”越过中庭，欲进入内门，被寺人阻止。从《昭王毁室》所载落礼来看，主要仪节分为两部分：“落之”与“饮酒”。“”，整理者隶定为“蔔”，董珊等学者释作“刑”，读为“衅”[①]，仪式为“杀牲涂血”[②]。至于“饮酒”，即祭祀后的君臣宴饮活动。《昭王毁室》所载楚国落礼，与中原落礼既有祭祀仪式、又有宴饮活动是相一致的。

综上所述，飨礼行礼双方不饮酒、不食肉，仪容庄重，以此显示主宾之间有恭俭之心。与之相反，燕礼饮酒食肉，以醉为度，氛围轻松欢快。不过，“燕”毕竟仍是礼，“尊尊”原则仍然存在，“醉不忘礼”也是基本要求。

---

① 董珊：《读上博藏战国楚竹书（四）杂记》，简帛研究网 2005 年 2 月 20 日。

② 杨华：《先秦衅礼研究——中国古代用血制度研究之二》，杨华：《新出简帛与礼制研究》，台湾古籍出版有限公司，2007 年，第 207 页。

楚国的燕飨礼明显呈现两个特色，一是借用宗周燕飨的一般礼仪为我所用；二是僭越等级，并不严格遵循礼制。之所以如此，首先是因为楚国融入华夏文明有一个漫长的过程。其次，春秋时代，楚国积极争霸，在与中原诸国燕饮酬酢之际，难免暴露出其强悍、傲慢乃至粗鄙的“蛮夷”本色，不免遭到华夏贵族鄙夷。总之，楚国在政治、军事上的北伐争霸，与文化上的向中原看齐，构成了一时难以消解的矛盾，楚人学习并遵循了某些中原礼制，但当这些礼制与自身利益相冲突时，便曲解礼意甚至违礼。

附录一　楚简与楚文化

据学者统计，自从 1951 年以来，整个楚地出土的战国简牍累计已经有 30 多批次，规模总共 10 万字以上。[①] 在这些简牍当中，出土于湖北地区的应该说占据了大多数。出土楚简的内涵非常丰富，对于想要了解与研究荆楚文化的人们来说，几乎是一座取之不尽的宝藏。比如简牍中常见的卜筮祭祷记录，虽然文句古奥难懂，却可以借此了解古代的术数文化、祭祀活动中的礼制以及楚人的先祖传说。不少卜筮记录是贞问墓主人身体疾病的，这些内容也是医疗史的珍贵资料。楚简中还有一类占卜工具书"日书"，内容与后世之皇历颇多相似，对于了解楚人的民俗信仰非常重要。虽然日书在秦汉简牍中也出土多个批次，但楚简日书如今仍是时代最早的日书版本。楚墓中多有随葬品，墓主身份越高贵则随葬品越多，于是产生清点、记录随葬品的需求，"遣策"便是专门记录随葬物品的竹简，在楚墓中出土了很多批次，代表性的有曾侯乙墓竹简。遣策如实记载了随葬品的名称与数量——不仅食器、水器、兵器，连随葬车马以及车马上的一应用具都被详细记录，为我们了解当时的楚人如何称呼、使用这些器物提供了极大方便，今人进而可以了解当时的名物制度。古书典籍在出土楚简中也占据着重要地位。自从秦始皇颁布焚书令之后，许多古书失传，另有大量古书仅少数版本得以幸存。出土楚简让不少佚书重见天日，给传世文献提供了校勘订正的绝好机会。在这些简牍古书中，我们会看到大量儒家著作与道家著作，可以纠正对于战国时期儒、道之间关系的传统认知，还能改变楚地独崇道家的偏见。

① 陈伟：《曾侯乙墓竹简释文补正暨车马制度研究》序，萧圣中：《曾侯乙墓竹简释文补正暨车马制度研究》，科学出版社，2011 年，第 1 页。

简牍古书中的史书，可以弥补历史记载的不少缺环。其中的佚诗与辞赋等作品，又能丰富自《诗经》、楚辞传承而来的文学宝库。楚简中的档案文书，更是不可多得的先秦法律史与经济社会史资料，可以借此一窥楚国法律与社会运行之样貌。湖北出土楚简不仅承载了楚文化之精华，更为中国传统文化增添了别样光彩。对于中国古代社会与文化，我们虽不能至，然心向往之，出土楚简便是拉近古今距离的最好桥梁。

第一节　曾侯乙墓竹简

随州曾侯乙墓是世人所熟知的重要战国墓葬，其中出土的曾侯乙编钟是我国古代乐器与铸造工艺的高峰之作。人们只要提起编钟，必然会想到曾侯乙。但曾侯乙墓出土的不仅有编钟，还有大批竹简。

湖北随州曾侯乙墓被发现于 1977 年。当时，人们在城关镇郊擂鼓墩附近的山包扩建厂房的过程中，偶然发现了这个墓葬。1978 年湖北省博物馆等单位联合对墓葬进行发掘，将其编号为湖北省随县擂鼓墩一号墓。[①] 墓中出土有青铜礼器、乐器、兵器、车马器、金玉器、漆木器、简牍等共 15000 多件。其中青铜礼乐器、兵器上多铸有铭文，铭文中常有“曾侯乙”的名字，说明曾侯乙便是墓主人。其下葬年代在公元前 443 年或稍晚。

曾侯乙墓竹简放置于墓葬北室的西北部，编绳已经朽烂，室内积水导致竹简散乱无序，绝大部分分为两堆上下堆叠着，还有少量竹简漂浮到北室中间。北室总共出土竹简 240 枚，经拼接、编号，共整理出简 215 号。另外北室还出土签牌 3 枚。竹简长度一般为 70—75 厘米，宽度在 1 厘米左右。编绳虽然朽断，但从竹简上的绳痕、契口等判断，竹简一般用上下两道细绳编连成册。绳痕上下的文字，间距比其他字更大，且没有文字被编绳盖压，所以推测应该是先编连成册、后书写成文。

① 湖北省博物馆：《曾侯乙墓》，文物出版社，1989 年。

竹简的内容分为四个大类：（1）记录车马器与车上的兵器装备（简1—121）；（2）记录车上配备的人与马的甲胄（简122—141）；（3）记录驾车之马（简142—209）；（4）记录木俑等物品（简210—215）。总的说来，竹简内容均与葬仪有关，是关于所有收到或者自备车马兵甲的详细记录。这种记录古人一般称之为赗书遣策。刘国胜将两种丧葬文书进行区分：遣策是遣葬行为中的有关随葬物品的记录，赗书是助葬活动中针对赗赠物品的记录。①

一、兵车与战马记录

根据萧圣中对简文记载的统计，曾侯乙墓车马兵甲数量大致如下②：

1. 葬仪用车共79乘，其中自备车43乘，赗赠马车34乘，另有骡车等2乘。

2. 助葬马总共207匹，另有骡2匹。

3. 装备兵器有：弓36张，矢2650枚，箙78具，戟22套，戈44柄，殳7柄，晋殳9柄，盾38具。

4. 装备甲胄有：人甲64具，马甲86具。

另外根据发掘报告等，墓中出土器物大致如下：

1. 兵器：弓55张，矢4507枚，戟30套，戈66柄，殳7柄，晋殳14柄。

2. 车马器：车軎76件，马衔40件，马镳38对。

3. 甲胄：因残损严重，数目难详，只清理出人甲13件，马甲2件。

将简文与出土器物对比，我们不难发现，车马与甲胄已难以弄清对应关系，但随葬兵器几乎每一种都是出土数量多于简文记载的数量。

---

① 刘国胜：《楚丧葬简牍集释》，科学出版社，2011年，前言部分第Ⅶ页。

② 萧圣中：《曾侯乙墓竹简释文补正暨车马制度研究》，科学出版社，2011年，第5—6页。

虽然整理者将简文划分为四类，但我们会发现前三类简文的内容是有相互关联的。假如下葬一辆车，那么它的车马配件与车上的兵器、甲胄、驾车之马就会被分别记载在这三类简文上。因为当时只有兵车才会配备甲胄，多数兵车在这三类简中都有记载。

比如兵车中较为常见的广车，广在简文中写作“軖”丰。还有一种兵车称为“乘广”，主要见于42、167。广车中有一种名为“行广”，曾侯乙简中较为多见（简154、155、156、157、158）。整理者认为简文既有广车，又有“行广”，前者似乎指旆、殿等兵车，后者指其他性质的广车。广车并不一定是兵车，可能泛指大车。

除了广车之外，旆车也是很常见的兵车。旆，在简文中曾写作“軩”，表示其与车有关。此外，简文还记载有“右彤旆”“左穜（彤）旆”，大概是载有红色的军旗的军车。还有一类被称为“殿”的军车在简文中也很常见，殿通常写作“展”或者“輾”，指殿后兵车，种类有“大展”“左展”“右展”等。《左传·襄公二十三年》记载：“大殿，商子游御夏之御寇，崔如为右。”杜预注：“大殿，后军。”大殿大概指后军，而左殿、右殿、左彤殿、右彤殿是其左右翼。因曾侯乙的身份是一国诸侯，所以简文记载下葬车马中有天子与诸侯才能使用的路车，路车在简文中一律写作“迼”。《诗经·大雅·韩奕》曾记载：“其赠维何？乘马路车。”郑玄笺：“人君之车曰‘路车’，所驾之马曰乘马。”

以上谈到的是简文中记载的具有代表性的车名。既然有车，必然有与之配套驾车的马，简文中的马名也是非常丰富的。曾侯乙墓竹简总共记录有33种马名。[①]这些马的名称大多以马的毛色加以区分，辅以性别、品种等标准。

比如简146记载有“骐”，《说文》曰：“骐，马青骊文如綦也。”骐用来指有青黑色斑纹的马。简166有“騜”，《尔雅·释畜》：“骝白，驳；黄白，騜。”“騜”用来指黄白色的马。简164“生驳”，指未经过调

① 萧圣中：《曾侯乙墓竹简释文补正暨车马制度研究》，科学出版社，2011年，第174页。

教的毛色不纯的马。《说文》："驳，马色不纯。"《尔雅・释畜》："骝白，驳。"驳便是指杂毛的马。文献中的生马多用于指未经驯服的马。另外简文中有许多直接以马之毛色指代马的例子。比如简 174"黑"，简 143"黄"，简 145、176"白"，字形虽不从马，但显然分别指代黑马、黄马与白马。《诗经・小雅・大田》"以其骍黑"，郑玄注"黑，羊、豕也"。用法与之类似，皆以毛色指代动物。

二、车马器与兵器记录

曾侯乙墓楚简同时也是目前记录车马器数量最多的出土材料。那么，这些车马上都有哪些车马器以及兵器呢？我们就以简 1–4 所记录的"大旆"为例来一探究竟。

> 右令建所乘大旆：䑋轮，弼，鞎，琱䞐，画恬，敓韧。虎韔，貘聶。豻殉之箙，貍貘之聶。二悬箙，䄫紫鱼与绿鱼，二貍貘之聶；一悬箙，绿鱼，敽聶，屯纁组之绥。二韐，屯敓䩨，屯纁组之绥。二载扂，其一䄫紫黄纺之绷。二秦弓，紘䞐。矢，箙五秉。一戟，三戈，有栝，一翼翻。一杸，二旆，屯八翼之翻，旗䞐。二戟、戈，屯一翼之菅。鞲䩦，䑋绅䞐，豻首之霥，豻䪏，削鞹、鞅，紫黄纺之縶，鱐毯，豻尾之䍀。鏕䞐。

这几条简文是说，右令建驾御的"大旆"兵车上，车马具有红彩之轮、遮蔽车厢的竹席"弼"、遮蔽车厢的皮革"鞎"，车具两件（"二韐"），承载兵器等的木栏两件（"二载扂"），以及束马腹的皮带（"鞹"）、束马颈的皮带（"鞅"）、皮制的马鞍（"鱐毯"）等。兵器则装备有虎纹的弓囊，边缘有貘皮的装饰。矢箙用豻胸部的皮制成，其上有貘皮的装饰边。两件悬箙用紫鱼与绿鱼皮制作，上有貍貘皮的饰边。一件悬箙用绿鱼皮制作，上面有双重饰边。这些囊、箙都有染黑的绶带。秦弓两张，盛有 50 支箭的矢箙一件。装有三戈的戟一件（"一戟，三戈”），上有一对翼形的装饰物。刃杸一件，上面系有两旆，幅面两侧有八对翼形装饰物。戟与戈各有两件，上有翼形装饰物。

除了车名之外，简文还对车的许多部件作了记载。比如马车重要部件之一的辕，在简文中写作“趄”。另外一个基本构件车轮，简文中有红彩的“䐪轮”、羽毛装饰的“翟轮”、黑漆涂色的“漆论”等不同品种。遮蔽车厢的竹席在简文中写为“弼”，被认为是“茀”的本字。车厢上皮革制成的遮蔽物“鞎”，在简文中也多见。竹制的车具还有席，在简文中写作“䈷”。虽然席也可以用于平时坐卧，但车上有专门的车席。

根据简文所载，曾侯乙墓随葬的车用器具已经非常复杂，而马用器具也不简单。代表性的有韁与鞅，都是用来驾驭马的缰绳之类。此外还有木质的衡与軛。衡是马车的前横木，用来架在马颈之上。軛附着在衡之上，位于衡后方，与衡形成一个组合，方便驾马。马车上驭马的绳索称为辔，在简文中写作“䌈”。《说文》：“辔，马辔也。”《释名·释车》：“辔，咈也，牵引咈戾以制马也。”还有一种直接衔在马嘴中的控马器具“勒”，在简文中偶尔写作“𩊠”。

第二节　包山楚简

包山楚简出土自荆门包山二号楚墓，是墓主楚国左尹邵佗的随葬之物。邵佗是楚国的高级贵族，也是负责楚国中央司法事务的最高官员，他的随葬竹简自然与他人不同。除了较为常见的卜筮祭祷记录与遣策之外，还有大量的楚国司法文书，为我们了解战国中期楚国的司法与社会提供了第一手资料。另外，包山楚简记载的一批楚国纪年文字，使得学界对楚国历法问题有了更进一步的认识。

包山楚简于 1987 年由湖北省荆沙铁路考古队于荆门包山墓地中的二号墓中发现，位于荆门十里铺镇王场村的包山岗地之上，南距楚故都纪南城约 16 千米。包山墓地与纪南城北的纪山、望山、藤店等墓地，城西的八岭山、五山塚墓地，以及城东的孙家山、天星观墓地，共同构成了时代接近并且以纪南城为中心的高等级墓葬网络。

包山二号墓出土了大批竹简[①]，共计448枚，被分置于东、南、西、北四室之中，其中有字简278枚，总字数12472字。另外在南室出土竹牍1枚。整理者将竹简划分为文书简、卜筮祭祷记录简、遣策三个大类。遣策在东、南、西三室中都有出土，卜筮祭祷记录与文书简置于北室之中。

竹简出土时保存较为完好，呈黄褐色。卜筮祭祷与文书简制作相对精细，遣策制作略为粗糙。竹简厚度为0.1—0.15厘米，长宽因书写内容不同略有区别。竹简的编绳已经朽烂，竹简因墓葬进水而散漫。每支简字距疏密不一，最少者仅有2字，最多者有92字，一般有50—60字。

随葬遣策（267号简）记载："大司马悼滑救郙之岁，享月丁亥之日，左尹葬。"该简记录了"左尹"的下葬日期，由此推断"左尹"就是墓主人，"大司马悼滑救郙之岁"是下葬的年代。根据卜筮祭祷简中记载有"为左尹邵㝹贞"的文句，我们得以知晓墓主为邵氏、名佗，官居左尹之位。从包山简中包含大量的司法文书材料来看，左尹应该是主要负责处理中央司法事务的官职。

一、司法文书

包山楚简的文书简总共197枚，编号为1-196。整理者认为这是若干独立事件或案件的记录，属于地方官员向中央呈报的文书，大致分为七类。其中四类自署篇题，包括："集箸"，共13枚简，是关于查验名籍的案件记录；"集箸言"，共5枚简，是关于名籍纷争的告诉及呈报主管官员的记录；"受期"，共61枚简，是各种诉讼案件的受理时间与审

① 湖北省荆沙铁路考古队：《包山楚墓》，文物出版社，1991年；湖北省荆沙铁路考古队：《包山楚简》，文物出版社，1991年。

理时间及初步结论的摘要；“疋狱”，共23枚简，是关于起诉的简要记录。还有三类简没有篇题：第一类“贷金”简共17枚，是关于贷金的记录；第二类“案卷”简共42枚，是一些案情与审理情况的记录；第三类“所謯”简共35枚，是各级司法官员审理或复查诉讼案件的归档登记。

“集箸”类简的篇题原书写于1号简顶端。箸同“著”，集箸即集著，表示文书的汇编。从内容来看主要与名籍的查验有关，文书中将登记名籍的簿册称为“典”，包含住址与姓名等信息，在简文中将此类信息称为“居处名族”。“居处”即地址，而“名族”则指个人的名与宗族。“集箸言”主要记录的是关于名籍的案件的讼词。

“受期”类简文的篇题书写于33号简背面。期字原文从几从日，作“旮”，整理者认为是“期”字的异体。“受期”类简文格式较为统一，内容包括时间、受期之人、期日、当行之事、违令后果，简末为文书签署人姓名。受期之人大多是楚国地方上的司法主管官员司败。受期之人被要求在期日将某人带到“廷”，这类事务占到此类简所载内容的多数。如若没能做到，结果便是“升门又败”。“升门又败”的确切含义，目前还没有定论。

“疋狱”类简，大致一枚简记录一件事。“疋”同“疏”，记载、条录之意。“疋狱”便是对狱讼案情的简要记录，内容包括时间、原告、被告、案情、文书签署人等，格式比较统一。案情内容非常多样，包括了杀人伤人、夺妻夺子、田产争夺、藏匿逃亡之人、债务纠纷等，反映了战国中晚期楚国社会的生动面貌。

“贷金”类简，没有篇题，因简文内容而得名。简文可以分为两组，一组记录“大司马昭阳败晋师于襄陵之岁”享月，司马以王命命下属贷“越异之黄金”给10个楚国地方政区（推测为楚县），用以“籴种”，最后均逾期未能“赛金”。另一组记载同年“夏柰之月”，令尹、大师等命令为8个地方政区贷“越异之金”。

“案卷”类简无篇题，主要是对诉讼案件较为详细的记录。例如简

120至简123记载了一件杀人案：下蔡县荨里人余猬陈述，下蔡山阳里人邾拳偷窃马匹并杀死下蔡人余睪。下蔡执事人与阳城公下令拘捕了邾拳，邾拳经审讯自供确实杀死了余睪，但有同伙雇女返、场贾、竞不害等人一同作案，另外还否认了窃马的罪行。于是官府继续追捕其同伙，但诸人都已走脱。邾拳在看押期间未能等到结案就病死于拘留之所。后续案情如何，则没有记录。这是比较明确的杀人案的案情与口供记录。

“所誼”简可以分为7组，原本没有篇题，依据每组简文首句“所誼告于”“所誼于”命名。誼，指上级官员将案件批复给下级官员处理。简文格式比较简单，主要包括负责接收案件（“所誼”）的官员、日期与告诉提出人，相关案情则概不涉及。

二、卜筮祭祷记录与遣策

卜筮祭祷记录总共有54枚简，编号197–250。整理者将其分为卜筮简与祭祷简两类，共26组。其中简205、206、224、225四组简为祭祷简，其他属于卜筮简。[①] 简文内容包括大致每年进行一次的常规性贞问，以及根据疾病的发生与发展情况不定期举行的非常规性贞问。

遣策总共29枚，特点是分室放置，依照类别与用途记录随葬品。遣策所记载的物品往往与室中摆放的实物可以对应。整理者将其划分为四组：第一组8枚出土于东室，记录东室的食物与食器。第二组2枚出自南室，记录青铜礼器与漆器，实物见于东室。第三组11枚出土于南室，记载车马器与兵器，实物见于南室。第四组6枚出自西室，所记物品见于西室与北室。

---

① 彭浩：《包山二号楚墓卜筮和祭祷竹简的初步研究》，《包山楚墓》（上册）附录23，文物出版社，1991年，第560页。

第三节 郭店楚简

郭店楚简出土于荆门郭店一号楚墓，自出土以来便成为海内外学术界的一大热点。

郭店一号楚墓位于湖北省荆门市沙洋区四方乡郭店村一组。整个郭店墓地坐落在高出周围地面 3–5 米的土岗之上，岗上分布有十余座中小型楚冢，与郭家岗墓地等 22 处墓地连成一片，构成庞大的楚墓群。1993 年，郭店一号墓两次被盗，荆门市博物馆组织对其进行了抢救发掘。

郭店一号墓出土大量竹简。竹简出土时因编绳腐朽而散乱无序，总共有 804 枚。竹简大部分完整，少量残断，还有部分被盗。其中部分为无字的空白简，有字简经统计为 730 枚[①]，含 13000 余字。

发掘者根据墓葬形制与随葬器物对墓葬年代进行推断，认为郭店一号墓具有战国中期偏晚的特点，下葬时间在公元前 4 世纪中期至公元前 3 世纪初之间。墓主人身份等级根据葬制与文献记载推测为上士级别。[②]

郭店楚简内容包含了道家著作《老子》《太一生水》，儒家著作《缁衣》《性自命出》《尊德义》等多篇，不仅揭示了早期《老子》的样貌，还充实了儒家从孔子到孟子的发展链条，让学界在获得大量思想史资料的同时，对墓主人的身份愈加感到好奇。然而该墓中并没有能直接标明墓主身份的文物出土，于是围绕墓主究竟是谁，学界展开了一场异常热烈的讨论。

发掘整理者依据考古遗存得出一些结论：墓葬具有战国中期偏晚的特点，下葬年代应在公元前 4 世纪中期至公元前 3 世纪初。墓葬有墓道，无台阶，一棺一椁，随葬铜及仿铜陶礼器，由此推测墓主当属“上士”阶层。[③] 学界有人猜测墓主可能为楚国公族，甚至可能为“太子之师”，但现有条件下，郭店一号墓墓主身份仍是一个谜，我们已知的是，

---

① 荆门市博物馆：《郭店楚墓竹简》，文物出版社，1998 年，前言部分。

② 湖北省荆门市博物馆：《荆门郭店一号楚墓》，《文物》1997 年第 7 期。

③ 湖北省荆门市博物馆：《荆门郭店一号楚墓》，《文物》1997 年第 7 期。

他大约出于士级阶层，喜好儒道学说，或许与东宫有关系。至于其他种种猜测，尚缺乏有力之证据。

郭店楚简大致可以分为两个部分：一部分是道家著作，包含《老子》《太一生水》等；另一部分是儒家著作，共计 11 种 14 篇。

一、道家类著作

《老子》共出土三组简牍：甲组 39 枚，乙组 18 枚，丙组 14 枚，总共 2046 字，相当于今本的五分之二。章节的顺序与今本有很大差异，文字也有不少不同之处。

《老子》一书最迟在战国后期已经有了一定的传播，流传于世的通行本主要有河上公本、王弼本与傅奕本三个版本。1973 年长沙马王堆汉墓出土了帛书本《老子》。郭店竹简《老子》的出土为该书的形成与演变提供了重要的新材料。

关于《老子》的成书年代，学界一直有很多争论，有春秋末期、战国中期、战国末期等不同观点。不少学者依据今本《老子》中强烈批判仁义与圣贤的文字，认定该书的年代晚于孔子。现在简本《老子》的出土，使得这一说法面临了不少挑战。但从目前的信息来看，我们只能说《老子》的成书时间不晚于战国中期。

《太一生水》总共 14 枚简，其中 7 枚完整，7 枚残缺，现存 305 字。因为竹简形制、字体与《老子》丙组相同，所以整理者推测，它们可能原本合编为一册，但因内容相异，最后单独成篇。篇题是整理者根据简文所拟。正文以“太一生水，水反辅太一，是以成天”开篇，随后，地、神明、阴阳、四时、寒热、湿燥等都在对太一的反辅中产生。“太一藏于水，行于时，周而又始，以己为万物母”便是该篇的基本思想。“太一生水”论深受数术家的影响，应该与天文数术有直接关联，是后世“太一行九宫”数术的雏形。太一是北辰之神，“太一藏于水，行于时”乃太一周行，从五行属水的北方开始之意。[①]

二、儒家类著作

学者们对郭店楚简形成了较为一致的意见，即除了《老子》《太一生水》之外，其他14篇都应属于儒家简。这些儒家简牍，被认为填补了儒家学说史上的一段重大空白。孔子提出仁的学说之后，并未回答为何人的性情会变成仁的问题。孔子弟子有的从外部入手，推天及人，形成《易传》那种宇宙论学派。还有一派从内部出发，认为人心天生有善端，形成子思、孟轲的心性论学派。但从孔子到孟子的一百年间，儒家思想的演变情况一直未有资料。据郭店楚简资料，两者之间开始出现性自命出、命自天降、道始于情、情生于性、性一心殊等说法，为《中庸》等作了很充分的思想铺垫，从而补全了孔孟之间的理论缺环。[②]

《缁衣》篇用简47枚，保存完整。该篇内容与传世《礼记·缁衣》大体相合，只是章数、章序和用字不同，被认为是同一文献的不同传本，整理者因此拟定《缁衣》作为篇题。今本《礼记·缁衣》共25章，简本仅23章。

《鲁穆公问子思》共有8枚竹简，其中2枚残断。原本并无标题，整理者根据篇首文句拟定篇题。鲁穆公与子思都是战国初期之人，他们生活的时代距离郭店楚简的下葬年代仅有百年左右，所以学者推测该篇或许是子思或其弟子所记载。在《孟子》《韩非子》《礼记》《说苑》等传世文献中，都记载了子思与鲁穆公的对话，但内容与此篇并不相同。《鲁穆公问子思》显示了子思不追求禄爵、却敢于“恒称其君之恶”的批评精神，与《孟子》等书记载相符。

《穷达以时》全篇共15枚简，原文已残缺。原本没有篇题，篇题是整理者取篇末用语而拟。全篇的内容要点主要有两方面：其一，“时”

---

① 李学勤：《太一生水的数术解释》，陈鼓应主编：《道家文化研究》第十七辑，第297—300页。

② 庞朴：《古墓新知——漫读郭店楚简》，《中国哲学》第二十辑《郭店楚简研究》，辽宁教育出版社，1999年，第7页。

（时机、时运）对于人的“穷”（困厄）、“达”（显达）与否起到关键作用，正所谓“有其人，亡其世，虽贤弗行矣。苟有其世，何难之有哉”（简1—2），“穷达以时”（简15）。其二，君子修德非为名利，“笃于反己”（简15）。

《五行》篇共有竹简50枚，与马王堆汉墓帛书《老子甲本卷后古佚书》中的《五行》篇经部大体相同，只是个别文句或段落次序不同，也没有传文部分。这里的“五行”并非指阴阳五行，而是指仁、义、礼、智、圣。帛书本的整理者已经指出这就是《荀子·非十二子》所指斥的子思、孟轲的五行说。帛书本与简本最大的不同是，帛书有“经”（经文）有“说”（传文），简本有“经”（经文）无“说”（传文）。

《唐虞之道》共有29枚简。简有残损，整理者将全篇连缀成8个段落，各段之首尾或有缺文。该篇主要赞扬尧舜的禅让，叙述了舜知命修身及其具有的仁、义、孝、悌等品德。简文内容在《尚书·尧典》《史记·五帝本纪》《孟子·万章》《墨子·尚贤》里面都有详略不一的记载。该篇简文记载的孝于父方能忠于君、悌于弟方能慈于民，处理好家庭关系才能治理好天下的理论，正是儒家仁学的特色，因而学者认为该篇应是儒家内部某一学派的作品。

《忠信之道》全篇共9枚简，基本保存完整，竹简形制与字体与《唐虞之道》大体相同，所以两篇应该有很密切的关系。篇题为整理者所加，全篇主要谈论“忠”“信”问题，论述君子应该达到的“至忠”“大忠”“至信”“大信”的内涵，并且将忠、信联系起来，认为“忠，仁之实也；信，义之期也”，反映儒家对于君子道德的理想追求。

《成之闻之》全篇共存40枚简，略有残损。整理者将全篇文字编联成10段，该篇的论述重心在于“求己”在为君之道中的重要地位，阐述只有“求己”方能达到“至顺天常”。简文认为圣人之性与一般人生来本无不同，之后后天原因造成圣人与常人的区别，圣人不推崇性，而圣人之贵在于“求之于己”，这与孟子性善论明显不同。

《尊德义》篇存简39枚，保存完整，形制和字体与《成之闻之》较为一致。原无篇题，整理者根据内容拟加篇题。整理者将全篇文字编联为11段，其他学者对各段的编联与次序等有不少新看法。全篇主要内容是谈论治民之道，强调德教，特别是君上的亲身垂范。篇中提出“民可使道之，而不可使知之。民可导也，而不可强也”也就是要让百姓沿着“尊仁、亲忠、敬壮、归礼”之道路走下去，但须不让民众以为他们是被引导的；百姓可以引导，但不可强迫。这一思想与《论语·泰伯》“民可使由之，不可使知之”相同。篇中许多语句见于其他传世文献。

《性自命出》篇存简67枚。本篇内容又见于上海博物馆藏战国楚竹书，在上博简中被命名为《性情论》。上篇主要谈心性，下篇主要谈“情”。文中的心性之论，与《中庸》颇为相近，其中“四海之内，其性一也”之说，与“性相近”相同。“用心各异，教使然也”则与“习相远”相同。简文“性自命出，命自天降”也与《中庸》“天命之谓性”类同。相比之下，《中庸》文字更加简练。《性自命出》的心性论应该是从孔子论述到《中庸》的桥梁，对后来孟子、荀子的人性论也有影响。同时，《性自命出》展现了“天—命—性—情—道”的逻辑结构，将之用以讨论人性，主张命自天降、性自命出、情出于性、道始于情，属于自然人性论。

《六德》篇共49枚简，主要内容是讨论君臣、父子、夫妇之间的人伦道德关系及选贤任能原则。篇内有两个分章符号，所以全篇被分为三章。第一章论述六位、六职、六德等概念。夫、妇、父、子、君、臣为“六位”，此六者各有其职，称为“六职”；六者又有相应之德，称为“六德”。夫、妇等六位应各司其职，做到夫率人以智、妇从人以信、君使人以义、臣事人以忠、父教人以圣、子学人以仁。第二章讲仁内义外之别，提到六位也有内外之分：父子夫为内，君臣父为外。第三章有缺文，进一步正反论证“夫妇别，父子亲，君臣义”和“夫夫、妇妇、父父、子子、君君、臣臣”的重要性，强调以孝为本，指出“六德”之间的关系是“圣生仁，智率信，义使忠”，这也是后世“三纲”的源头。

最后还有4篇文献被整理者拟名为《语丛》，因整理者认为《语丛》

诸篇的内容与体例与《说苑·丛谈》《淮南子·说林》类似，故而以此命名。《语丛一》共有竹简112枚，内容主要是与儒学有关的格言短语，其中不少是概括《易》《诗》《春秋》等经籍的文句。《语丛二》存简54枚，主要讨论从“性”与“欲”衍生出来的各种情绪与行为等。《语丛三》共73枚，内容涉及君臣、父子、兄弟、朋友之道，还有相应的忠、孝、悌、仁、义等儒家伦理论述。《语丛四》共有27枚简。整理者认为全篇由类似格言的句子组成，其中提到君与士结交“巨雄”“谋友”的必要，同时也指出“窃邦者为诸侯”，直接反映了东周时期不同社会阶层对社会的看法。

第四节　江陵地区出土楚简

公元前278年秦将白起攻下楚国都城郢都之后，在当地设置江陵县，作为秦南郡治所，江陵之名便长期流传下来。江陵地区原本是战国时期楚国的都城，有多位楚王在此定都，今荆州城南约5千米便是楚都纪南故城遗址。当地在战国时代是无可质疑的楚国核心区域，大量楚人在此聚集、生活，生于斯、长于斯，死后也集中埋葬在附近地区。以纪南城遗址为中心，周围分布着众多战国时期大型古墓群，其中公布为各级文物保护单位的就有八岭山、雨台山、纪山、天星观、马山、拍马山等40多处古墓群。江陵地区的自然条件也适合文物长期保存，所以在江陵地区先后出土多个批次的楚简，内容包含遣策、卜筮祭祷记录、司法文书、日书等多种，其学术价值不可估量。

一、已公布全部内容的楚简

江陵地区出土的楚简已公开发表的有望山楚简、九店楚简（56、621号墓）、荆州望山桥楚简、江陵砖瓦厂楚简等。

望山竹简出土于距离江陵县城关镇西北12千米的楚故都纪南城以西的八岭山古墓区。1965年，湖北省文物考古研究所为配合漳河水库二干渠工程建设，对该墓区进行了考古勘探，并进行了首次发掘。在首次发掘的四座墓葬中，望山1、2号墓中均发现了竹简。

望山1号墓保存完整，未被盗掘，出土随葬物品丰富，共计约700件，包括著名的越王勾践剑。

望山1号墓中出土的竹简均为卜筮祭祷简，残断严重。经过专家拼接复原，得简207枚。契口上下的文字间距较大，推测简册是先编连而后书写的。简文均书于竹黄，不留天头，文字大部分较清晰，文字间距疏密不一，共计千余字，书写工整但笔法有别，可能为多手书写。

由于竹简散乱失序且残损严重，已无法恢复其原貌，但仍可确知简文主要内容为卜筮记录。根据简文可知，所有的卜筮都是为“悊（悼）固”举行的，说明悼固应就是墓主。根据简文内容，结合楚国贵族在战国中期流行祭祀五世先人的传统，可知悼固的五代先人分别为：柬大王（简王）、圣王（声王）、悊王（悼王，即墓主曾祖父）、东尾公（东宅公，墓主祖父）、王孙喿（墓主父亲，简文中“新父”应为对王孙喿的另一种称呼）。东宅公之名有时紧接在悼王之后出现，他应该是悼王之子，同时也是悼固这一支的始祖。所以悼固以悼为氏，这与楚庄王之后以庄为氏同例。根据祭祀对象推测，望山1号墓的年代约为战国中期晚段，即楚怀王前期。①

这组竹简记录了多次贞卜的卜筮之辞，格式比较清晰，通常先记录卜筮的时间、贞人姓名、贞卜工具以及为何人所卜，然后记录贞问的事项，最后是占卜结果和根据结果所判得的凶吉，占卜的次序为先筮后卜。简文中出现的贞人共有五位，其中范膢志曾出现在天星观楚简中。

简文中所录记的卜筮内容，主要可以分为三个方面：一是关于“出入侍王”的。二是关于墓主仕进的，如说“走趋事王、大夫，以其未有爵位，尚速得事”。墓主悼固与王室关系亲近，但其贞问卜筮的内容常有“出入侍王、爵位、志事”、能否“得事”，且其棺制为一椁二棺，等

① 湖北省文物考古研究所、北京大学中文系：《望山楚简》，中华书局，1995年，第136页附录。

级较低，专家推测这与其早逝未受封赏有关。另根据棺中齿骨鉴定，墓主为25—30岁男性，似可以印证这一点。三是关于疾病吉凶的。从简文看，墓主悼固当时患有心病，不能饮食，还有足骨病、首疾、胸疾等。简文中常有“既危”“不内食”“足骨疾”等记录病情的内容，以及“迟瘥”“速瘥”“不死”等预后的内容，且疾病贞在出土简文中所占比重最大，可知墓主身体状况较差，这似乎也是其早亡的原因。

江陵望山1号楚墓与荆门包山2号楚墓的年代大致都处于战国中段的后期。前者所出的竹简与后者所出的竹简的一部分——即整理小组所称“卜筮祷词记录”在格式、内容和用语上都非常接近。[①]所以两方简文可以互相补充，相互对照。这对简文的释读和整理有极大的帮助。

望山2号墓位于望山1号墓东北约500米，发掘于1966年。该墓虽曾被盗掘，但是出土的随葬物品仍比较丰富，共计约600件，大部分放置于头箱，其次为边箱，棺内随葬物最少。竹简位于边箱东部随葬物品的上层。由于编绳腐坏，竹简全部散乱且残损严重，甚至部分竹简掉落到了边箱底部。经过专家拼接整理，此批竹简共66枚（其中包括出土时保存较完整的5枚），简文均书于竹黄，不留天头，共计900余字，字迹工整且大部分较清晰，似乎也为多手书写。这组竹简主要为遣册，1—44号简记车马器，45、47号简主记漆木器，46号简记铜器，48—50号简记各类服饰、寝具及竹容器、木桶等，51—56号简记陶器，57—66号简为各类残简。

简文绝大多数是对随葬车马器的记录，其中“女乘”可以确定为古代妇女所乘之车，即妇女所乘的四周用围裳遮蔽的比较严密的车子。除“女乘”外，简文中还记有“田车”，即田猎所用之车。传世文献中多有“田车”，曾侯乙墓出土的竹简中也记有“田车”。简文在记录车的各个部件的同时，还提到不少丝织品的名称，这可能和随葬物品为“女乘”有关，但它们的具体含义尚难确定。

---

① 陈伟：《新出楚简研读》，武汉大学出版社，2010年，第41页。

望山楚简不仅对楚国历史文化的研究提供了重要的资料，更对楚国文字和古文字学的研究大有裨益。

九店楚简出土于距离纪南城东1.2—1.5千米的江陵县九店墓地。1981年5月至1989年底，湖北省文物考古研究所江陵工作站在该墓地发掘东周墓596座，其中56号墓、411号墓、621号墓出土竹简。经统计，残、整简共计334枚。

九店56号墓年代为战国晚期早段。葬具仅有一棺，可见墓主身份地位不高，据发掘者推测可能为庶人。随葬物品均出土于壁龛，保存较好。从其随葬的弓、剑等兵器以及竹简的简文“帝胃（谓）尔无事，命尔司兵死者”推测，墓主应为武士，而且很可能为“兵死者”，即死于战争的人。竹简出土于侧龛，共205枚，呈卷状，内部裹有装着墨块的墨盒和削刀。竹简整体保存状况较差，经整理，得有字竹简共146枚，其中完整和较完整的35枚，简文共计2700字，其中可辨识的字2332个。整简上有三道编连痕迹，文字书于竹黄，不留天头。

这批竹简可分两部分：第1—12号简主要记录“䎺”“梅”等物的数量，由“䎺”“梅”分别从“田”“米”来分析，这组简文应与农作物有关。第13—124号简记录数术方面的内容，与云梦秦简《日书》相同[①]，但九店《日书》是目前所见时代最早的《日书》，所以尤为珍贵。《日书》部分是九店简的主体。《日书》是一种古人常用的、以日占断吉凶祸福的数术书籍，这种占断之学在战国秦汉时盛极一时，但却并无相关文献存世。九店《日书》为目前仅见的战国楚数术文献，因此其价值不仅在于其本身的文献价值，更在于对楚国社会、楚国百姓思想价值观以及天文历法研究的价值。

发掘报告将九店《日书》分为七大类。九店《日书》中，建除和丛辰各自为篇，这与睡虎地《日书》将建除和丛辰合记的现象不同，有利于我们深入研究秦楚文化之间的关系。相宅部分主要记于简45—59号，

① 湖北省文物考古研究所：《江陵九店东周墓》，科学出版社，1995年，第339页。

讲述修筑房屋时应注意的事项，例如方位、朝向、地势、围墙高低等。其内容可以大致分为三部分：第一部分讲“盍（盖）遇（寓）”的方位凶吉，第二部分讲“宫垑”的凶吉，第三部分是对其他建筑物凶吉的说明。九店 56 号墓主很可能为庶人，墓中随葬的楚简全部为《日书》，可见日书在楚国百姓的日常生活中的重要作用。

九店 621 号墓位于九店墓地东北，根据棺制和出土器物推断，该墓墓主身份应为士，墓葬年代应为战国中期晚段。该墓出土竹简共 127 枚，包括有字简 88 枚和无字简 39 枚。竹简出土时均已残断，经整理发现，有字简中，字迹清晰的简共 37 枚，字迹不清的简共 51 枚，可辨识的字形 92 个。目前，88 枚有字简已全部刊布。其中 35—88 号简残损严重，字迹漫漶不清，已无法辨认，故释文将其省略。竹简简文中记有烹饪方式，34 号简末端简文为“季＝女训”即“季子女训”，疑为简册的篇题。《后汉书·蔡邕传》记有东汉蔡邕著《女训》一篇，《隋书·经籍志》记有《女训》十六篇。

望山桥楚简出土于望山桥楚墓 1 号墓。该墓葬位于湖北省荆州市荆州区川店镇望山村，距离越王勾践剑的出土地约 500 米。2013 年 9 月至 2015 年 1 月，荆州市博物馆对该墓地进行了抢救性挖掘。专家根据挖掘出土器物类型和竹简简文推测，该墓为楚宣王时期墓葬，墓主为宣王之孙。此墓虽然两次被盗，但是仍出土了一批重要的随葬器物。①

望山桥楚简 15 枚均出于椁室南室，有残断。发掘简报公布了其中的 8 枚竹简，包括 5 枚卜筮祭祷简和 3 枚遣册。1—5 号卜筮祭祷简记录了贞人“义怿”对墓主中厩尹进行占卜的事件。墓主分别对简王、声王、悼王、肃王和王子丙五代四王进行了譽祷，体现了战国晚期楚国等级分明的祭祀礼仪。根据卜筮祭祷简的简文内容可以知道占卜对象即墓主应该是当时楚国的中厩尹。中厩尹大概是当时楚国负责厩苑内吏民和政事的楚国中央官职。简报中公布的三枚遣册均为车马简，记录了随葬

① 贾汉青：《湖北荆州望山桥一号楚墓发掘简报》，《文物》2017 年第 2 期。

物品中的车马部分。

望山桥楚简的发现，为楚国祭祀制度、战国车名和车马器的研究提供了新的资料，对楚国的历史文化研究具有重要意义。

1992年荆州地区博物馆在荆州城西1.5千米处的江陵砖瓦厂370号战国楚墓中清理出竹简6枚。其中3枚简较长，3枚简较短，空简2枚，有字简4枚，简文中能辨识的字共95个。[①] 由于墓葬破坏严重、竹简残损严重，已不能知晓该墓葬中原本有多少枚竹简，但根据现在已知的简文内容推算，竹简数量应该不会太多。经专家辨识考证，其简文内容为一起司法案例，且其行文格式与包山简类似。

学界结合包山简、郭店简及传世文献，认为“视日”原指“视日影而察早晚”，后演变为官名，即最高司法长官或楚王（因为楚王具有最高司法权）。因该墓规格小等级低，所以滕壬生和黄锡全二位先生认为，墓主可能是一位从事司法工作的小官吏或者就是这起杀人案的处理人。

江陵砖瓦厂370号楚墓竹简是继包山简之后出土的第二批楚国司法文书，尽管残缺严重、内容较少，但其简文清晰且文意清楚，是研究楚国法律制度的重要材料。

二、已公布部分内容的楚简

江陵地区还有部分出土楚简尚未直接公开全部内容，但我们可以在一些相关著作中窥见其部分面貌。这些楚简主要有：天星观楚简、秦家咀楚简、严仓楚简。

天星观楚简出土于天星观1号楚墓，该墓位于湖北省江陵县观音垱公社五山大队境内，距离楚故都纪南城仅30千米。荆州市博物馆于1978年对该墓进行了发掘。

天星观1号楚墓有完整封土堆，是一座有墓道的长方形竖穴土坑木

---

① 滕壬生、黄锡全:《江陵砖瓦厂M370楚墓竹简》,《简帛研究二〇〇一》，广西师范大学出版社，2001年。

椁墓，据棺制可知墓主应为上卿。整理者根据编钟、编磬、圭等出土器物分析认为墓主官职在令尹、上柱国之列，具体身份为邸阳君番胜，邸阳为其封地。“番”通“潘”，应为楚成王时太子之师潘崇之“潘”，即楚国大族。由简文中记载“秦客公孙鞅”，可以大概推知墓葬形成年代“晚于公元前 361 年，而在公元前 340 年前后，即楚宣王或楚威王时期”[①]。椁内五大室，四室被盗，仅存北室。墓葬虽然被盗严重，但是仍有一批有重要价值的文物出土，其中包括一批有重要价值的竹简。

竹简置于西室，一部分夹在漆皮中，压在兵器杆下，被盗墓者踩断，一部分放在竹笥内，保存较完好。整简 70 余枚，其余均残断。简文共计 4500 余字，字迹清晰，书于竹黄，不留天头。本批竹简简文在保持楚国文字普遍特点的基础上，使用了一些通假字和别体字，并且存在一些极为少见的字形。

天星观楚墓竹简主要分为卜筮祭祷简和遣册两部分。

遣册部分主要记录了墓主的助丧之人和助丧之物。助丧之物以车辆为主，简文不仅详细记录了车上部件、饰物的名称和质地，还记录了为墓主送葬时的车辆、仪仗，并记有御车之人的官职、姓名，所御车辆在车队中的具体位置，以及车的名称、所载的仪仗、兵器、甲胄、饰件等。这份遣册的发现，极大地弥补了楚丧葬习俗记载不足的遗憾，有效地帮助我们深入了解当时的丧葬礼仪和丧葬制。

卜筮祭祷简的数量相对较多并且保存较好，简文共计 2700 余字。大多数是卜筮的记录，少部分是关于祭祀的内容。卜筮内容大体可以分为三类：一类是贞问“侍王”情况；一类是贞问忧患、疾病的凶吉；一类是贞问迁居新室是否“长居之”，前途如何等。由卜筮祭祷简中多次出现贞问“侍王”是否顺利的占卜记录，可知墓主邸阳君与楚王关系十分密切。

天星观 1 号楚墓卜筮祭祷简的发现，不仅为研究当时楚国的卜筮情

---

① 湖北省荆州地区博物馆:《江陵天星观 1 号楚墓》,《考古学报》1982 年第 1 期。

况、揭示楚国贵族们的意识形态提供了重要的资料，而且对我们研究楚国的封君制度、潘氏家族的历史具有重要价值。

秦家咀楚简出土于秦家咀楚墓之中。为配合荆沙铁路的修建，荆沙铁路考古队于1986年5月至1987年6月，在江陵庙湖渔场所辖的秦家嘴铁路线段发掘楚墓105座，其中3座楚墓出土竹简41支。简文内容多为卜筮祭祷简，但尚未完全正式刊布。①

秦家咀1号墓的竹简出土于边箱底层，共7枚，均残断，皆为卜筮祭祷简，其主要内容是祈福于王父、亲父等祈祷活动。

秦家咀13号墓的竹简出土于近头箱一端的底层，共18枚残简。竹简字迹不清，但经过专家拼接辨认，可知亦为卜筮祭祷简，简文多为占卜内容，清楚记录了贞人、贞具、占卜时间和占卜结果。“方秋三月，赛祷五……”的简文内容，与包山214号楚简相对照可知，楚人似乎有在秋天祭祀的习俗。

秦家咀99号墓中的竹简一部分位于边箱后端底层，一部分散放在棺室后端，均浸泡在水中，已残断，共计16枚，以卜筮祭祷简为主，简文多出现“疾”“速瘥”，可知其多为疾病占。除占卜内容之外，还有少量遣册。该墓出土的竹简中记有秦客公孙鞅聘于楚之事，与天星观一号墓竹简中所记公孙鞅聘于楚之事相同。这次发掘出简牍的三座楚墓均为中小型墓葬。中小型楚墓发现简牍，改变了以往认为楚简牍只存在于大型楚墓中的观点。②

严仓1号楚墓位于湖北省荆门市沙洋县后港镇松林村二组严仓墓地，是一座战国时期楚国大夫墓，俗称獾子冢。该墓地西距楚故都纪南城约8千米，与包山2号墓相去不远。湖北省文物考古研究所在2009年10月至2010年1月对该墓及车马坑进行了抢救性发掘。墓葬被盗严

① 晏昌贵:《秦家嘴“卜筮祭祷”简释文集校》,《湖北大学学报（哲学社会科学版）》2005年第1期。

② 荆沙铁路考古队:《江陵秦家咀楚墓发掘简报》,《江汉考古》1988年第2期。

重，所以所留遗物不多，但仍有重要发现。

在出土的遗物中，南椁室和西椁室出土的竹简具有十分高的历史文化价值。发掘的竹简共计 700 多枚，全部残断。其中南室竹简数量多，多为遣册；西室竹简数量少，编号的竹简仅 27 枚，为卜筮祭祷简。占卜祭祷简的内容虽少，对墓主和墓葬年代研究来说，却是最直接、关键的资料。[①] 竹简资料全文尚未正式公布。

严仓 1 号墓墓主为“大司马悼愲”，与楚王关系密切。悼愲其人曾经在包山简中出现过，简文记为“大司马悼愲逘楚邦之师徒以救郙之岁”。所谓“悼愲”，传世文献又写作召滑、昭滑、邵滑或者卓滑、淖滑等。下葬时间在公元前 344 年至公元前 286 年之间。

严仓楚简遣册最明显的特色是清楚记载了随葬物品的尺寸。[②] 正是因为对尺寸的详细记载，简文中存有大量的量词，例如“才”“圣”等。另外，遣册中至少有十三条简记录了陪葬物品中的“席”，通过对相关简文的释读，可以有效帮助我们进一步了解战国“席”的形制和使用方式。[③]

三、尚未刊布的楚简

目前江陵地区已经发掘出土但未曾刊布的楚简，主要有九店 411 号墓出土竹简、藤店竹简、鸡公山竹简、荆州夏家台楚简、荆州龙会河楚简等。

九店 411 号墓出土 2 枚竹简，字迹不清，一简完整，一简残缺。简文尚未公布。

藤店竹简出土于江陵藤店 1 号墓，该墓东南距离楚故都纪南城约 9 千米，距离荆州城约 23 千米，东北距离纪山寺约 4 千米。1973 年 3 月，

---

① 李天虹：《严仓 1 号墓墓主、墓葬年代考》，《历史研究》2014 年第 1 期。

② 李天虹：《由严仓楚简看战国文字资料中“才”、“圣”两字的释读》，《简帛》第 9 辑，上海古籍出版社，2014 年。

③ 李天虹、宋有志、蔡丹：《严仓一号楚墓遣册记载的家居用席》，《文物》2017 年第 9 期。

江陵藤店的农民在进行农田水利建设时发现该墓。随后，湖北省博物馆和荆州地区博物馆对该墓进行了联合发掘。藤店竹简位于边箱西部，出土时均已残断，总计 24 枚，47 字。简文书于竹黄。藤店竹简简文内容尚未正式公布。[①]

鸡公山墓地面积约 2 万平方米，经过探测发现古墓 1300 多座，1990 年冬至 1992 年 6 月，荆州地区博物馆为配合宜黄公路修建工程，在宜黄公路仙江段的鸡公山墓地发掘古代墓葬 994 座。鸡公山墓地具有埋葬年代早、延续时间长的特点，其墓葬的最早年代可以定到春秋中晚期，最晚年代则为明清时期，中间未有年代断层，但其中绝大多数墓葬的形成时间在六朝以前。[②] 鸡公山竹简出土于鸡公山 8 号墓，内容为遣册。出土位置在接近椁盖板的填土中。[③] 简文内容尚未正式公布。

夏家台楚简出土自荆州夏家台墓地。2014 年 8 月至 2015 年 8 月，荆州博物馆对位于荆州市荆州区郢城镇荆北村与郢南村交界处的刘家台与夏家台墓地进行了抢救性考古发掘。夏家台 M106 出土了战国楚简 400 余枚，内容包括《诗经·邶风》《尚书·吕刑》和《日书》等。[④] 其中楚简《诗经》和《尚书》系首次发现，可与传本进行补正，还可以推进大量相关史学问题的研究，详细考古报告未发布。

龙会河楚简出土于荆州龙会河北岸墓地。2018 年 6 月至 2019 年 4 月，荆州博物馆在秦家咀、龙会河北岸墓地发掘古墓葬 416 座，其中，龙会河北岸墓地 M324 出土战国楚简 324 枚。按照简牍形制和文字风格，可初步分为两类：较长一类简，整简长约 44 厘米，记载有文王、成王、穆王等 12 位楚王的谥号，基本与《史记·楚世家》所记载的楚世系吻

---

① 荆州地区博物馆：《湖北江陵藤店一号墓发掘简报》，《文物》1973 年第 9 期。

② 张绪球：《黄宜公路仙江段考古发掘工作取得重大收获》，《江汉考古》1992 年第 3 期。

③ 滕壬生、黄锡全：《江陵砖瓦厂 M370 楚墓竹简》，《简帛研究二〇〇一》，广西师范大学出版社，2001 年。

④ 田勇、王明钦：《湖北荆州刘家台与夏家台墓地发现大批战国墓葬》，《中国文物信息网》，2016 年 4 月 12 日。

合；稍短一类简，整简长约41厘米，记载了周武王、周公旦的相关事迹，行文、句式与《尚书·周书》类似，疑似与“周公辅政”有关。①目前本批简牍的具体内容尚未公布。

第五节　其他地区出土楚简

在江陵以外地区出土的战国楚简，批次与数量要少许多。其中今鄂东地区出土有武汉丁家咀、黄冈曹家岗两批楚简，内容主要为卜筮祭祷记录与遣策。数量虽然不多，却是该地区仅见的出土楚简。鄂西北地区出土有一批襄阳安岗楚墓竹简。另外，今湖南北部与河南南部地区，在春秋战国时期与楚国核心区交往非常密切，常德夕阳坡、慈利石板村、信阳长台关等地出土有三批楚简。夕阳坡楚简同时记录楚、越、舒三国之关系。慈利石板村楚简中有《国语·吴语》与《逸周书·大武》，这些篇目在此前的出土文献中从未见过。长台关楚简中的《申徒狄》篇，围绕其学派归属学者们曾长期争论。这些简牍对于研究荆楚文化相当重要，故而一并放入此节。

一、武汉丁家咀楚简

2009年5月，为配合武汉至咸宁城际高速铁路工程建设，武汉市文物考古研究所与江夏区博物馆在武汉市江夏区山坡乡星光村15组丁家咀发现了四座战国楚墓，工作人员对其中编号为M1、M2的两座墓葬进行了抢救性发掘，并出土了一批竹简。②

两座墓葬均为竖穴土坑墓椁木，其中M1由于早年被盗掘，随葬品仅剩漆木戈柄、数支铜箭镞、漆木几案、漆木豆及残断竹简一支。M2保存较好，未被盗掘，出土了包括漆木器、仿铜陶礼器、陶器、竹简在

① 海冰：《荆州龙会河北岸墓地出土战国楚简324枚》，《湖北日报》2019年5月7日。

② 李永康：《武汉江夏丁家咀发现战国楚墓并出土竹简》，《江汉考古》2009年第9期。

内的百余件重要随葬品，但是未发现青铜器和玉器。[①]

M1 竹简发现于棺室东部，残长约 10.5 厘米，仅存 7 字，内容为遣策。M2 的竹简分别发现在椁盖上和棺室内，虽然残断较严重，但字迹清晰。其中椁盖上的竹简为卜筮祭祷简，共编号 74 个，经缀合后存编号 54 个，共 490 字；棺室内竹简为遣策，共编号 25 个，经缀合后存编号 16 个，约 210 字。竹简文字大多书于竹黄，但卜筮祭祷简中有少量文字书于竹青面。

M2 卜筮祭祷简所记内容为疾病贞，由简文内容可知贞主即为墓主，名叫“娄君”，其贞人则可与天星观简、新蔡简、包山简中的贞人对照。竹简中有一根纪年简，采用楚之惯用的大事纪年法，记有“秦客虢戎迈（跖）楚之岁”，虽该枚竹简下部残断，不可确知其具体内容，但可以确定该墓葬的年代应与此纪年的年代相去不远。M2 的遣册所记内容主要与车器、乐器有关，也有小部分内容与礼器及丝织品等有关。

丁家咀楚简是武汉地区首次发现的战国竹简，其内容丰富且可与他地区竹简相互对读。为研究武汉地区的楚国历史文化提供了宝贵的资料。

二、黄冈曹家岗楚简

1992 年 12 月至 1993 年 4 月，为配合黄州区禹王办事处的基建工程，黄冈市博物馆与黄州区博物馆的考古人员在禹王城南的曹家岗墓地发掘了 9 座东周楚墓，其中 5 号墓出土竹简 7 枚。

曹家岗 5 号墓保存完好。墓主为女性，但具体年龄无法鉴定。[②] 有竹简出土于边箱，共 7 枚，均呈黑褐色。7 枚简均有文字，共计 40 字，其中可辨认者约 33 字。这 7 枚竹简全部为遣策，所记随葬品与出土遗物大致相符。其称随葬器物为“甏（葬）盨（器）”，为文献首见。

---

① 鲁家亮、李永康：《湖北武汉丁家咀 M1、M2 出土战国竹简》，《文物》2015 年第 6 期。

② 黄冈市博物馆、黄州区博物馆：《湖北黄冈两座中型楚墓》，《考古学报》2000 年第 2 期。

三、襄阳安岗楚墓竹简

1992 年 10 月至 1993 年 3 月，襄阳市博物馆和老河口市博物馆在对安岗墓地的 4 座墓葬进行抢救性发掘的过程中出土了一批简牍，均属遣册。[①] 部分简书有纪年，记述有“周客南公痌跖楚之岁”，整理者认为系楚国以事纪年。[②] 目前该批竹简的考古学报告已经出版，由刘国胜、胡雅丽等进行了初步的整理。[③]

四、常德夕阳坡楚简

1983 年冬，湖南常德夕阳坡 2 号战国楚墓出土竹简两枚。一枚简首略有残损，长 67.5 厘米，另一枚完整，长 68 厘米；各宽 1.1 厘米。一枚书 32 字，另一枚书 22 字，共计 54 字。[④]

夕阳坡竹简数量虽少，但是保存完好，简文内容有“越甬君”“王”“舒方”这些具有特殊性的名词，可以与传世文献中所记载的关于楚、越、舒三国的内容相印证，对历史研究具有重要价值。

五、慈利石板村楚简

慈利竹简出土于距离慈利县石板村 3.5 千米的战国、西汉墓。1987 年，湖南省文物考古研究所与慈利县文管所对该墓葬群进行了发掘。其中 M36 的规模最大，年代为战国中期前段。[⑤]

M36 共出土随葬物品 50 余件。从棺制、墓葬形制和随葬物品来看，该墓可能为战国中期前段的下大夫一级墓。张春龙则根据历年楚墓的发

---

① 襄阳市博物馆、老河口博物馆：《湖北老河口安岗一号楚墓发掘简报》，《文物》2017 年第 7 期。

② 刘国胜、胡雅丽：《湖北老河口安岗楚墓竹简概述》，《文物》2017 年第 7 期。

③ 王先福：《老河口安岗楚墓》，北京，科学出版社，2018 年，第 144—157 页。

④ 杨启乾：《常德市夕阳坡二号楚墓竹简初探》，《求索》增刊《楚史与楚文化研究》，1987 年。

⑤ 湖南省文物考古研究所、慈利县文物保护管理研究所：《湖南慈利石板村 36 号战国墓发掘简报》，《文物》1990 年第 10 期；湖南省文物考古研究所、慈利县文物保护管理研究所：《湖南慈利县石板村战国墓》，《考古学报》1995 年第 2 期。

掘和研究情况以及《礼记》等记载，认为墓主人身份为士一级。[①]

M36中的竹简出土于头箱北侧的陶壶和漆樽之间的淤泥中，竹简全部残断，共4557枚。推测完整竹简长度约为45厘米，总数量为800—1000枚，共计2万余字。其文字风格与河南信阳长台关、湖北江陵望山出土竹简相似，少部分竹简背后标有数字。简文内容多与吴、越两国的史事有关，其中包括吴越争霸、黄池之盟等重大历史事件。

《大武》为先秦兵家重要的代表作之一。慈利竹简中的《大武》部分有两种书写本，一种字体工整方正，像后来的古隶；一种结构随意，略显潦草。

M36所出的竹简为当时湖南时代最早、数量最多的一批竹简，无论是从历史还是从文字学角度，都是不可多得的资料。

六、信阳长台关楚简

信阳长台关楚墓位于河南省信阳市北20千米处的长台关小刘庄，据传该村附近有战国时代的楚王城和太子城。信阳长台关楚墓包括1957年发掘的一号墓和距离一号墓仅10米的二号墓（1958年发掘），两墓出土器物丰富，不仅包括成套的乐器、车马器、铜铁器、玉器、陶器、漆木器，还包括精致的竹器、丝织物等，这些出土器物为我们了解楚人生活方式、礼仪制度、物质文化提供了最直接的信息。因两墓年代相近且形制相同，所以学界多将其并列讨论。为学界所重视的信阳楚简则出土于长台关一号墓中。1956年春，当地农民在小刘庄后岗西北20米处打井时，误将一号墓的椁板掘出并进入墓葬的前室和主室及右侧室，取出了一部分铜器和木器漆。1957年3月至5月，河南省文化局文物工作队会同当地工作人员对该墓进行了发掘。[②]

一号墓虽遭到破坏，但出土随葬物品十分丰富，共计900余件。

---

① 张春龙：《慈利楚简概述》，《新出简帛研究》，文物出版社，2004年。

② 河南省文物研究所：《信阳楚墓》，文物出版社，1986年，第3页。

在该墓出土的编钟铭文中记有“隹𨟭篙屈柰晋人救戎于楚兢（境）”一事。此事发生在春秋末期，即鲁昭公十七年（前 525 年），由此可知该墓葬的年代最早不超过公元前 525 年。整理者从墓葬形制、器物类型、竹简风格等多方面入手进行分析，认为该墓葬为战国早期墓葬，并指出信阳楚墓的年代应早于望山楚墓，晚于寿县蔡侯墓。长台关一号墓是目前较为确定的楚国封君墓。

一号墓共出土竹简 148 支，可分为两组。其中第一组均为残断简，共 119 支。第二组多为整简，共 29 支。

第一组简出于前室东部。简文书于竹黄一面，上下均有 1 厘米左右的空白，而编绳痕迹处的空白大于 1 厘米，因此专家推断该批竹简应该是先书写后编连。其文字风格与战国中晚期楚国的《鄂君启节》《帛书》以及江陵望山 1、2 号墓出土的竹简近似，可能是战国中晚期的作品。

第二组竹简出土于左后室，保存较完整。共残存 957 字，原简应当有千余字。部分竹简出土时每两枚为一组，竹黄相对，每两组为一束，用布帛包裹放置，此种情况较为罕见。简文为分段书写，均不留天头。每句句末用粗横线加以区分，但时有遗漏。部分竹简上有刀削痕，有的中间削去几个字，有的削去下半简。该组竹简为遣策，所记载的随葬物品与出土遗物大多可以相互对应。该遣策依照侍府或侍人的不同职属分门别类记录葬器，共分为 7 部分。当中部分内容在以往出土文献中出现过。遣策中除了对随葬礼器、乐器、车马器等的记载外，还有对衣物、鞋子、席的详细记载。

第六节　非科学发掘的楚简

随着出土简牍批次增多，简牍研究成为学界的热门领域，简牍的独特价值也逐渐为世人所知，海外古玩市场上开始出现一些经盗掘流出的战国竹简。国内的学术机构从市场上购回这些竹简，一方面有利于对其进行科学保护，另一方面有助于整理研究。上海博物馆藏战国楚竹书与清华大学藏战国竹书都属于这种非科学发掘的竹简。两个批次的竹简共同特点是简支数量大，而且保存较为完整，这在以往出土楚简中是非常罕见的。上海博物馆藏的楚竹书内容以儒家文献为主，这与郭店楚简类似，同时，其中还包含了一些楚国历史故事的记载，显示出公共性与地方性知识并存的局面。但这类非科学发掘出土的楚简，其出土信息几乎全部丢失，造成对于竹简研究的不少制约。我们无法借助墓主身份对这批简的相关背景作进一步的研究，这是非科学发掘简牍的通病。清华大学藏战国竹书内容以经、史类古籍为主，其中历史类著作在以往简牍中罕见，学术价值更高。虽然整理者并未肯定它是楚地简牍，但从文字书写风格、竹简形制与涉及楚国历史的著作来判断，多数学者仍将其视为楚简。

一、上海博物馆藏战国楚竹书

上海博物馆于 1994 年春夏之交从香港古玩市场购回一批战国竹简，完、残简总共 1200 余支。其后不久，又收到相关人士捐赠的一批竹简，共计 497 支，从文字内容上看与前一批次有密切关联，并且可与之缀合。因为这些竹简是盗掘出土之物，所以出土时间与地点已不可考，只是有传闻说源自湖北地区。因其中有《缁衣》与《性自命出》两篇与郭店楚墓竹简内容上有重合，且郭店一号楚墓被盗掘于 1993 年冬，郭店竹简于 1994 年春流散于市面，刚好与上海博物馆购买的两批简出现的时间接近，所以整理者猜测上海博物馆的竹简或许就出自郭店墓地。

上海博物馆收藏的竹简，有多种不同尺寸的版本。最短者 23.8 厘米，最长者 57.2 厘米。竹简宽约 0.6 厘米，厚 0.1—0.14 厘米。编绳有两道或三道，竹简右侧加工有契口用以固定编绳。整理者与科学工作者合作，测得竹简标本应属于战国晚期。从简文内容来看，其中一些篇目与楚国有很密切的关系，比如其中有传世文献中未曾见过的赋体文，显然是楚国文学作品。简文的书写字体，也是常见的楚国文字字体。故整理者以《上海博物馆藏战国楚竹书》为题（以下将简称为“上博简”），将竹简分批出版。

竹简的总字数3万余，内容非常丰富，哲学、文学、历史、政论等方面都有记载，堪称先秦古籍非同寻常的一次大发现。大致以儒家文献为主，辅以道家、兵家、阴阳家等。其中只有不到10种文献是有传世本可以对勘的，比如《周易》《缁衣》等，绝大多数篇章都是前所未见的文献。2000年10月在北京大学召开的“新出简帛国际学术研讨会”上，整理者展出了部分竹简。这立刻引起了学界的极大兴趣与热烈讨论。从2001年开始，上博简陆续公布出版。因上博简收录了约百种文献，篇幅很大，故而只能选择部分重要篇目加以介绍。

《孔子诗论》存简共29支，长约55厘米，满简书写54—57字。全篇残简较多，共计1006字。因为残断简较多，所以整理者马承源根据文义进行了排列，将简文内容分为四类：第一类为留白者，简的形制不同于其他简，主要概述《讼》《大夏》《少夏》《邦风》；第二类论述各篇《诗》的具体内容；第三类是单简上篇名纯粹为《邦风》者；第四类为《邦风》《少夏》并存者。关于《孔子诗论》的作者，目前在学界还存在多种意见。整理者马承源认为作者是孔子，主要依据文中出现的论诗者为“孔子”合文。但文中还有一位并非孔子的发言者，其身份应该是孔门弟子。

《子羔》篇共有14枚简，没有一支完简，仅残存395字，书写笔迹和简的形制与《孔子诗论》相同。简文内容主要是孔子回答子羔所问尧、夋（俊、舜）和禹、契、后稷之事迹。因为竹简残断严重，无法连读，整理者根据篇末空白段与墨节符号，按照尧、舜、禹、契、后稷等传世文献记载的帝系世次进行排列。简文载禹“划于背而生”，与今本《竹书纪年》说法类似。简文载契之母吞燕鸟之卵而生契的传说，与《诗·商颂·玄鸟》《楚辞·天问》等多种文献相同。简文载后稷之母履大人之迹而有孕生下后稷的传说，也与《诗·大雅·生民》今本《竹书纪年》等文献相同。《子羔》篇载孔子所述禹、契、后稷出生的神话，于文献检验后，都是信而有征的。[①]

《容成氏》篇共存简53支，每简抄写42—45字不等。原有篇题“讼成氏”，书写于第53简背面。整理者李零认为他便是《庄子·胠箧》中记载的上古帝王第一人“容成氏”。简文主要记述上古帝王的传说，内容大致分为7个部分。第一部分记容成氏等最古的帝王的事迹，整理者估计有21位帝王，可惜因第一支简佚失，正文未能见到容成氏的记载。第二部分讲尧之前的一位古帝，简文残缺不知其名，整理者推测是高辛氏。第三、四、五、六部分，分别讲述帝尧、帝舜、夏禹、商汤的事迹。第七部分讲周文王与周武王之事。末尾有脱简，但内容应该记述至武王克商。简文叙述三代以上的古帝皆授贤不传子，天下艾安；三代以下从夏启攻益、商汤伐桀开始，到周武克商，禅让制度崩溃而革命之说兴起。三代前后形成鲜明对比，有明显提倡禅让之说的意图。另外，《容成氏》简文记述禹分九州，九州之名为夹、涻、竞、簷、蓏、郘、鄸、敍、虘，与经典文献《尚书·禹贡》等记载大不相同。简文还记录了文王平九邦之事，虽然《礼记·文王世子》也曾记此事，但九邦之名从未记载，凭借简文方知是丰、镐等国。

《周易》篇共58支简，涉及34卦内容，总共1806字，只有经而没有传。另外香港中文大学收藏的一段残简也属于该篇，可以与第32简完全缀合。在此前的考古发现中也曾出土过一些《周易》版本，比如马王堆汉墓帛书、阜阳汉简、王家台秦简都有《周易》，但上海博物馆藏战国竹简《周易》是迄今发现最早的一部。竹书《周易》用三种形式表示易卦：第一种是卦画，用两个分别独立的经卦组合成别卦，用“—”表示阳爻，用“八”表示阴爻。第二种用文字表示，由卦名、卦辞、爻位、爻辞等部分组成。第三种以符号表示，用■、匸等符号单独或组合表示，并兼以红、黑两种颜色，标于每卦的首简与末简。每卦末简后留

① 廖名春：《上博简〈子羔〉篇感生神话试探》，《福建师范大学学报》（哲学社会科学版）2003年第6期。

白，不再接续下一卦内容，以明示每一卦的独立性。竹书《周易》的用字与传世本有很多不同，与其他出土简帛版本也有不少相异之处，为易学研究提供了相当多的新认识。

《恒先》篇共13支简，仅500余字，大多保存完好，是一篇首尾完具的道家著作。第3简背面写有篇题“亙先”。整理者李零认为“亙先”即“恒先”，是“道”的别名。《老子》第25章云：“有物混成，先天地生，寂兮寥兮，独立不改，周行而不殆，可以为天下母。吾不知其名，字之曰道，强为之名曰大。”所谓“恒先”便是这先天地而生，周行而不殆，为天下之母的“道”。另外马王堆帛书《道原》记载有“恒先之初，迵同大虚，虚同为一，恒一而止”，同样以“恒先”表示道。此篇虽然竹简保持完整，篇幅也不长，但句读、释读却颇有争议，几乎每一句都会产生不同的解读，由此所作阐发更是千差万别。这在其他简帛文献中相当少见。

《曹沫之阵》篇包含整简45支，残简20支。第2简背面书有篇题“曹沫之阵”。因残简较多，且往往从中间折断，整理者李零将所有竹简分为17个拼联组。此后陈剑、陈斯鹏、李锐、单育辰等多位学者都对简文进行了重新编联。简文主要是记录鲁庄公与曹沫进行的问对，开头主要是曹沫劝谏鲁庄公毁钟型而听邦政，后面主要是鲁庄公与曹沫以齐国为假想敌进行的军事问答。

《凡物流形》有甲、乙两本。甲本完整，共30支简，每简书写27—30字，少数简略有缺字，可据乙本补完，全篇共存846字。乙本有残缺，存简21支，共存601字。甲、乙两本为不同书手抄录。整理者将《凡物流形》分为九章，大多以“问之曰”起首，每章都是问句。特别是前四章，几乎都是由若干问句组成。诸多连续提问，又问而不答，这种体裁非常独特，所以有学者将屈原《天问》与之对比研究，整理者也将该篇归入楚人创作的楚辞类作品。从内容上看，全篇可分为两部分，前四章为第一部分，主要涉及自然规律；后五章为第二部分，主要讲人事与社会。这种“自天地山川，次及人事”的内容安排，也与

《天问》非常相似。

《颜渊问于孔子》共14支简，每简书写31字左右，共存313字。原无篇题，整理者取篇首“颜渊问于孔子”为题。该篇为儒家佚文，记录了孔门弟子颜渊向孔子请教三个问题——“内事”“内教”“至明”，孔子作了解答的故事。

上博简中还有十多篇记录楚国人物与事件的故事文献，有学者称之为“语”或者“事语”类文献。此种楚国故事类文献为研究战国时期楚人心目中的楚国历史人物与事件提供了资料，显得异常珍贵。传世文献中记录的楚简王，除了即位、去世等大事，只有《史记》中简略提及他灭莒之事。上博简《简大王泊旱》篇详细记录了楚简王因天旱无雨而向上天祈雨，君臣围绕祈雨、治国等主题进行讨论，最终天降大雨的故事，从中不仅可以了解楚简王的个人事迹与历史形象，更能一窥当时楚人的鬼神观念与政治理念。有学者将这类楚国故事文献大致分为两类：一类在篇首交代背景，之后引出对话，对话结束全篇便随之结束；另一类与前者不同之处在于对话结束后，明确交代事情的结果。从总体上来说，故事结局若对于楚人是良性的，往往会在简文中说明。从楚国故事简文中对于楚国君、楚王子的称呼皆不称“楚”来看，其作者似乎应该是楚人。这一点类似鲁国史书《春秋》不称其国为“鲁”，以及《周书》不称其君上为“周王”。[①]

二、清华大学藏战国竹简

除了上海博物馆藏的战国楚竹书之外，21世纪还有一批清华大学收藏的战国竹简公布，在学界又引起新一波研究热潮。2008年校友向清华大学捐赠了一批从香港古玩市场收购来的战国竹简，经过专家鉴定，根据竹简形制与字体特征，整理者判断竹简的年代为战国中晚期，与郭

① 曹方向：《上博简所见楚国故事类文献校释与研究》，武汉大学博士学位论文，2013年，第43—47页。

店楚简、上博楚简时间相近似。根据碳十四年代测定，经树轮校正的数据为公元前 305 ± 30 年，与之前专家鉴定结果一致。竹简的内涵非常丰富，以书籍为主，数量在 60 篇以上，其中有非常重要的“经”“史”类书籍，这在多数已发现的先秦简牍中是未曾见到的，故而学术价值相当高。自 2010 年开始，清华大学出土文献研究与保护中心以《清华大学藏战国竹简》为名逐步出版公布该批竹简的内容（为行文方便，以下将该批竹书简称为“清华简”）。或许是因为它是从香港古玩市场上收购得来，出土地点与相关情况并不清楚，文字书写风格也带有多系文字之特点，整理者并未以“楚简”或“楚竹书”称呼清华简。但是多数研究者根据竹简形制与书体，仍将清华简看作楚国竹书。所以我们也会对这批简牍选择若干重要篇目作一介绍。

《保训》是最早整理并公布的篇目。① 全篇共 11 支简，每支简书写 22—24 字，其中简 2 上半残缺。该篇没有篇题，整理者根据全文主旨而命名。简文主要是记录周文王五十年文王对太子姬发的遗训，其中讲到两个上古的传说，以传说来论述要求太子遵从的一个重要观念“中”，大致相当于后世所说的中道。关于《保训》的篇名，整理者认为“保”通“宝”，保训即宝训，指珍贵的训诫。

《楚居》篇共有 16 支简，其中 4 支下部残去 3—4 字，其他简文皆保持完整，无缺简。完整简书写 37—48 字不等，篇中主要记录了从季连开始到楚悼王共 23 位楚先公、楚王所居之地与迁徙之事。其中关于楚族居地的记载尤为珍贵，以往传世与出土文献记载都不及其详细。例如自楚武王至楚悼王，以“郢”命名的王居多达 14 个，远远超出以往之记载。另外，篇首的三段分别叙述楚国历史传说中的三位人物季连、鬻熊与熊绎，篇中记录的从季连以来完整的楚公世系，能帮助勘正传统史书记载。

---

① 清华大学出土文献研究与保护中心：《清华大学藏战国竹简〈保训〉释文》，《文物》2009 年第 6 期。

《系年》共138支竹简，保存较好，仅有个别残损之处。简背原有排序编号，方便了整理排序。原本没有篇题，整理者因篇中多有纪年，而且文字体例接近于西晋汲冢《竹书纪年》，因此拟题为《系年》。全篇共有23个段落，整理者划分为23章。《系年》记事始于周初，第一至四章叙述西周事迹，第五章后叙述春秋至战国前期历史，其中许多史事未见于传世文献，对于传统典籍有重要的订正作用。其中春秋后期、战国前期各章，填补了古史记载的空白，因而十分珍贵。自从西晋汲冢竹书发现以来，这是第二次发现秦以前的竹简史书。而与已经亡佚的《竹书纪年》相比，《系年》体例完整，内容翔实，是我国现存最早、最完整的竹简史书。因此，学术界对其篇题与性质有着热烈的讨论。

《筮法》简保存良好，没有明显缺损，入藏时全篇大部分仍维持原来成卷的状态，只有外层小部分简游离散乱。简长35厘米，共63支，原无篇题，每支简尾正面由简序编号。简上除编绳外，背面还有用丝带粘贴加固的痕迹。简文详细记述占筮的原理和方法，包括大量以数字卦表现的占例。[①] 或可以认为清华简《筮法》是在以举例的方式讲解“占筮的原理和方法”，其所记述的筮例都具较强的选择性和针对性，统计学研究的结果并不能展现实占概率的真实性。从象数角度进行的研究虽略显晦涩，但推动了我们对于当中的字词文句、卦例性质，以及彖辞与爻象之间关系的研究。

《厚父》共13支简。简长约44厘米，宽约0.6厘米，除却第一支简首尾两端残缺以外，其余皆为完简。经整理小组整理，其大意基本已经探明。学界普遍认为《厚父》篇属于失传已久的《尚书》文献，其语句可以与《孟子》中所引《尚书》内容对读，文中所涉多为儒家政治理念，但也吸取了道家、墨家的大量思想成就，内容丰富，包含君王与臣民、司民与民的关系问题。

《越公其事》共75支竹简，在篇尾有篇题“越公其事”。《越公其

① 李学勤:《清华大学藏战国竹简》，中西书局，2013年，第75页。

事》全文共 11 章，全篇由 75 支竹简组成，长约 41.6 厘米，宽约 0.5 厘米，简背有划痕。简文所述内容为越王勾践被迫向吴国求和之后励精图治、最终消灭吴国的史事。传世文献对于这一史事的记载表述各异，但基本过程相同，《越公其事》的公布为该事件提供了新的证据。

《治邦之道》现存简 27 支，简长约 44.6 厘米，三道编。原无篇名，无序号，其中第 22 支简上有“此治邦之道，智者智（知）之”，整理者遂取此句命名此篇。从现存简文来看，《治邦之道》应是内容连贯的一篇政论，全文围绕着如何治国安邦展开，对国家的长治久安提出了很多中肯的建议。①

《成人》共 30 支简，简长约 45.2 厘米，文字保存基本完好，仅简 10 最末一字残半，全文共计 896 字。此篇原无篇题，主要记述了“成人”关于典狱刑法等内容的论说，故整理者拟题为《成人》。② 该篇以“惟部中秋，方才胶黄，司正失刑，土多见妖，流而淫行”开篇，是出土文献中目前所见唯一一篇珍贵的先秦法制史文献，对先秦法制史研究有着重要意义。③ 因其公布时间尚短，故学界对该篇的认识还刚起步。

荆楚地区出土楚简批次表

楚简名称	出土时间	出土墓葬
曾侯乙墓竹简	1977 年	随州曾侯乙墓
包山楚简	1987 年	荆门包山 2 号墓
郭店楚简	1993 年	荆门郭店 1 号墓
望山楚简	1965 年	江陵望山 1 号、2 号墓
九店楚简	1981 至 1989 年	江陵九店 56 号、621 号、411 号墓

① 李学勤：《清华大学藏战国竹简（八）》，中西书局，2018 年，第 135 页。

② 黄德宽：《清华大学藏战国竹简（九）》，中西书局，2019 年，第 153 页。

③ 黄德宽：《〈清华大学藏战国竹简（九）〉公布一批珍稀文献》，《中国社会科学报》2019 年 11 月 28 日。

续表

楚简名称	出土时间	出土墓葬
望山桥楚简	2013 至 2015 年	荆州望山桥 1 号墓
江陵砖瓦厂楚简	1992 年	荆州江陵砖瓦厂 370 号墓
天星观楚简	1978 年	江陵天星观 1 号墓
秦家咀楚简	1986 至 1987 年	江陵秦家咀 1 号、13 号、99 号楚墓
严仓楚简	2009 至 2010 年	荆门沙洋严仓 1 号墓
江陵藤店楚简	1973 年	江陵藤店 1 号墓
鸡公山楚简	1990 至 1992 年	荆州鸡公山 8 号墓地
夏家台楚简	2014 至 2015 年	荆州夏家台 M106
龙会河楚简	2018 至 2019 年	荆州龙会河北岸墓地 M324
江陵马山砖厂楚简	1982 年	江陵马山砖厂 M1
荆州红光砖瓦厂楚简	1995 年	荆州红光砖瓦厂 M27
荆州高台古井楚简	2012 年	荆州高台古井 J66
荆州枣林铺楚简	2020 年	荆州枣林铺唐维寺 M126、熊家湾 M43、彭家湾 M183 与 M264、造纸厂 M46
荆州王家咀楚简	2021 年	荆州王家咀 M798
荆州秦家咀楚简	2023 年	荆州秦家咀 M1093
丁家咀楚简	2009 年	武汉丁家咀 M1、M2
曹家岗楚简	1992 至 1993 年	黄冈曹家岗 5 号墓
安岗楚墓竹简	1992 至 1993 年	襄阳老河口安岗 1 号、2 号墓
夕阳坡楚简	1983 年	湖南常德夕阳坡 2 号楚墓
石板村楚简	1987 年	湖南慈利石板村墓地 M36
长台关楚简	1957 年	河南信阳长台观 1 号墓
上海博物馆藏战国楚竹书	不详（盗掘出土）	不详（盗掘出土）
清华大学藏战国竹简	不详（盗掘出土）	不详（盗掘出土）

附录二　楚国世系表

世代	《楚居》	《楚世家》	年代	备注
1	酓羿（绎）	熊绎	周成王	楚始封君
2	酓只	熊艾	西周	《楚世家》作熊艾
3	酓䵣（䑽）	熊䵣	西周	—
4	酓䕷（樊）	熊胜	西周	—
5	酓鶍（锡）	熊杨	西周	亦作熊锡、熊煬
6	酓逅（渠）	熊渠	周夷王	—
7	酓䎗（康、翔）	［熊毋康］	西周晚期	《楚世家》谓熊毋康早死，继位者为熊挚红，《三代世表》则作熊翔
8	酓埶（挚）	熊挚红	西周晚期	《楚世家》作熊渠子
9	酓繟（延）	熊延	西周晚期	熊挚红弟
10	酓甬（勇）	熊勇	周厉王、共和	熊延子
11	酓嚴（严）	熊严	西周晚期	熊勇弟
12	酓相（霜）	熊霜	周宣王	熊严长子，又名伯霜
13	酓霰（雪）	［仲雪］	西周末年	《楚世家》无熊雪一代
14	酓训（徇）	熊徇	西周末年	熊霜少弟，又名季徇
15	酓咢	熊咢	西周末年	熊徇子
16	若嚣酓義（若敖熊儀）	熊仪（若敖）	两周之际	熊咢子
—	—	熊坎（霄敖）	—	《楚居》作宵嚣，见世代18

续表

世代	《楚居》	《楚世家》	年代	备注
17	焚冒酓帀	熊眴（蚡冒）	春秋初	—
18	宵嚣酓鹿	—	春秋初	《楚世家》霄敖、蚡冒错置
19	武王酓䶮	熊通（武王）	春秋	蚡冒弟，始称王
20	文王	熊赀（文王）	春秋	—
21	𡉚嚣（莊敖）	熊囏（庄敖）	春秋	—
22	成王	熊恽（成王）	春秋	庄敖弟
23	穆王	熊商臣（穆王）	春秋	—
24	臧王（莊王）	熊侣（庄王）	春秋	—
25	龏王（共王）	熊审（共王）	春秋	—
26	康王	熊招（康王）	春秋	—
27	嗣子王	熊员（郏敖）	春秋	—
28	霝王（灵王）	熊围（灵王）	春秋	共王子、康王弟
29	競坪王 （景平王）	熊居（平王）	春秋	弃疾，康王弟
30	卲王（昭王）	熊珍（昭王）	春秋	—
31	獻惠王	熊章（惠王）	春战之际	—
32	柬大王	熊中（简王）	战国	—
33	聖桓王	熊当（声王）	战国	望山简作聖𧻚王，即声王；聖、聲、聽三字同源，后世改聖为圣
34	�折王 （悼哲王）	熊疑（悼王）	战国	—
35	［肃王］	熊臧（肃王）	战国	—
36	［宣王］	熊良夫（宣王）	战国	肃王弟
37	［威王］	熊商（威王）	战国	《诅楚文》作熊相

续表

世代	《楚居》	《楚世家》	年代	备注
38	[怀王]	熊槐（怀王）	战国	—
39	[顷襄王]	熊横（顷襄王）	战国	楚东迁
40	[考烈王]	熊元（考烈王）	战国	一作熊完
41	[幽王]	熊悍（幽王）	战国	—
42	[哀王]	熊犹（哀王）	战国	幽王同母弟
43	[负刍]	熊负刍	战国	哀王庶兄

后记（一）

《荆楚文化史》为湖北省荆楚文化研究会组织编撰的大型丛书，列入湖北省社会科学基金重点项目“荆楚文化八千年”（项目编号：2014ZD015)。该套丛书要求以文化史为主线，突出荆楚文化在中国文明中的地位，以“充实内容、填补空白、纠正误差、还原真实”为写作主旨。承蒙王生铁、李佑才、武清海、杜建国、李德华、陈昆满等研究会领导的关怀，在刘玉堂院长的领导下，我虽然才疏学浅，资历浅薄，但仍得以主持《荆楚文化史·先秦卷》的编写工作。经过研究会组织的多次专家讨论后，最终决定《荆楚文化史》采用文化志体例。

本书的编撰体例及写作主旨对编写工作提出了很高要求，各章均极为专业，这远远超出了我个人的学识能力与研究范围。为保证本书的编写质量，达到研究会领导对本书的殷切希望和要求，更因为我个人能力实在有限，因此本书的编写广泛邀请了武汉大学、郑州轻工业大学、湖北省文物考古研究院、武汉市博物馆、湖北省社科院等单位在各专业研究领域学有专长的中青年学者担任本卷各章主笔。本卷作者中，薛梦潇副教授在先秦秦汉礼制研究，陈绍辉副研究员在楚国政治与法律研究，贾海燕副研究员在楚国宗教、信仰与医学研究，王准副研究员在出土文献与楚文化研究，陈朝霞研究馆员在楚国历史文化研究，吕传益副研究员在楚国天文历法与科技研究，张启彬副教授在楚国艺术史研究，王琢玺馆员在两周城邑地理研究领域，均有深厚造诣。能得到他们的帮助顺利完成本卷的撰写，在此表示诚挚的感谢。

各章撰写情形如下：

第一章由湖北省社科院尹弘兵研究员撰写。

第二章主要由湖北省文物考古研究所王琢玺馆员撰写，其中第二节

第一小节《关于楚都探索》由湖北省社科院尹弘兵研究员撰写，第五节第五小节之第一部分由吕传益副研究员撰写。

第三章由湖北省社科院陈绍辉副研究员撰写。

第四章由湖北省社科院吕传益副研究员撰写。

第五章由湖北省社科院贾海燕副研究员和武汉交通职业技术学院黄凡耘讲师共同撰写，研究生王秦江、杨珊参与了写作工作。

第六章由武汉市图书馆副馆长、研究馆员陈朝霞和郑州轻工业大学艺术设计学院张启彬副教授撰写，陈朝霞研究馆员撰写了第一节文学部分，张启彬副教授撰写了第二至第七节艺术部分。

第七章由湖北省社科院贾海燕副研究员和武汉大学杨华教授、薛梦潇副教授共同撰写，贾海燕副研究员撰写了第一、二节风俗部分，杨华教授、薛梦潇副教授撰写了第三至第八节礼仪部分。

附录一由湖北省社科院王准副研究员负责撰写，研究生徐丹、叶金辉参与了写作。

绪论及后记、附录二由尹弘兵撰写。全书由尹弘兵统稿。

刘玉堂院长领导了编撰工作并审核全书，罗运环、张万高、院文清、夏日新、黄尚明、王先福、黄朴民等学者对全书的写作提出了宝贵的修改意见，谨此致谢。

由于我们的能力有限，本书存在太多的不足与缺憾，敬请各位专家学者批评指正。

2022 年 9 月 26 日于东湖之滨

后记（二）

组织撰写《荆楚文化史》是湖北省荆楚文化研究会近十年来最重要的工作之一。研究会自成立以来，一直致力于荆楚文化的研究、宣传和普及工作，每年召开学术年会和青年学者论坛，先后出版了“荆楚八个一百”、《楚文化概要》等荆楚文化普及丛书、学术专著和一大批研讨会论文集，并且与中央新影集团联合拍摄《凤舞神州》电视纪录片（十集），纪录片经中央电视台播出后在国内外产生良好反响。在此基础上，有些专家建议应当撰写一部全面阐述荆楚文化的专著。时任省九届政协主席、省荆楚文化研究会名誉会长王生铁同志高度重视这一建议，在同荆州博物馆原馆长滕壬生等几位资深专家进行深入讨论后，考虑到湖北发现年代最早的新石器时代文化——宜都城背溪文化距今八千年左右，故暂定书名为《荆楚文化八千年》。

王生铁同志一贯关心、支持荆楚文化的研究与普及工作。他在任荆州地委书记时紧抓不放建成了以楚文化藏品为镇馆之宝而闻名的荆州博物馆，并在全省成立了第一个荆楚文化研究所；他任省委常委、副省长、省委副书记和省九届政协主席时，依然将考古发掘、遗址保护等荆楚文化工作时刻挂在心头，并经常关心和请益于张正明、魏昌等一批楚文化研究专家。2010 年 3 月 23 日，他与时任会长武清海同志研究工作时，正式提出研究会要尽快组织专家学者撰写《荆楚文化八千年》，并强调，本书的写作原则是“无据不入书”，其核心要义是为中华文化“充实内容，填补空白，纠正误差，还原真实”，要在对长江文明集中梳理研究的基础上，充分展现荆楚大地辉煌灿烂的历史文化。武清海会长在随后的会长办公会上要求秘书处对此展开调查研究和意见征询。经过一年多的筹备，2012 年 1 月 11 日，会长办公会正式确定，将成立写作班子和拟定写作提纲列入研究会的主要工作日程。此后武清海会长多次召开调研会反复讨论，密切关注工作进展。

2014年2月22日，我会将本书列为第三届理事会工作的重中之重，并于同年3月8日召开了《荆楚文化八千年》项目启动会，武清海会长代表研究会作了动员讲话，围绕“提高认识、统一思想，把握原则、深入发掘，广集史料、科学利用，明确体例、严格要求，组织专班、精心运作”五个方面提出了具体要求。会议确定由张硕、尹弘兵、叶植、吴成国、任放、严昌洪、袁北星等7位专家担任分卷主编，组织各分卷撰写团队，拟定写作提纲和安排写作进度，《荆楚文化八千年》一书的撰写工作正式拉开帷幕。工作一段时间后，张硕研究员因任务分工、严昌洪教授因健康原因辞去分卷主编一职，并推荐宋海超副教授、张继才教授分别担任史前卷、近代卷主编，继续编撰工作。

为争取有关方面的重视和支持，武清海会长率相关同志两次向省委宣传部主要领导汇报《荆楚文化八千年》的工作进度，并积极争取省新闻出版局的支持。2014年11月，本书被湖北省社科工作领导小组列入湖北省社科基金重点项目。为加快写作进度和提高书稿质量，研究会确定由七位时任副会长陈昆满、柳菊兴、刘玉堂、邱久钦、李德华、张武、杜建国分别担任七个分卷的联系人，以利工作推进。

在中共中央组织部作出有关离退休领导干部在群团任职一般不得超过70岁的规定以后，王生铁同志和武清海同志先后辞去了名誉会长和会长职务。2017年9月23日，研究会召开三届三次理事会，选举省十届政协常务副主席李佑才同志为会长。李佑才会长强调要一以贯之地继续抓好《荆楚文化八千年》的编撰工作，并聘请了一批热衷于荆楚文化研究的老领导和老专家担任研究会的特邀研究员，按原定计划不断推进《荆楚文化八千年》的编撰工作。

为更好地开展相关工作，研究会成立《荆楚文化八千年》编辑出版委员会，王生铁同志担任主任，武清海、李佑才同志担任副主任；聘请省社科院原副院长、知名荆楚文化研究专家刘玉堂研究员担任主编，省委宣传部原常务副部长李德华、省社科联原党组书记陈昆满、原省文化厅厅长杜建国担任副主编。

为保证书稿质量，编委会聘请省内相关领域的知名学者担任各分卷一审、二审的评审专家，并且委托有相当理论素养和工作经验的武清海、李德华、陈昆满3位特邀研究员再次对各分卷进行详细审读。

2018年8月，研究会在《荆楚文化八千年》申请湖北省学术著作出版专项资金资助项目过程中，经编辑出版委员会研究，决定将本书更名为《荆楚文化史》，并成功申报2018年省级和2019年国家级出版基金资助项目。2018年11月19日省委办公厅、省政府办公厅印发《关于传承发展中华优秀传统文化的实施意见》（鄂办发［2018］44号文）确定《荆楚文化史》为湖北传承发展优秀传统文化重点项目中的优秀传统文化出版项目，由省委宣传部牵头负责。

为切实提高《荆楚文化史》一书的质量，根据王生铁同志的提议，2019年6月，研究会副会长兼秘书长杜建国、主编刘玉堂及特邀研究员陈昆满代表编委会专程赴京，聘请中国社会科学院荣誉学部委员、中国历史学会原会长张海鹏教授担任北京专家审稿组组长，邀请北京大学、中国社科院等单位的知名专家分别对各卷进行终审。

在多方力量的支持下，7个分卷写作团队的专家们废寝忘食、呕心沥血地开展工作。经过数载披阅增删，各卷初审稿、二审稿、终审稿次第送审，最后由主编刘玉堂研究员精心修改、定稿并撰写总序。惜在明清卷即将定稿之际，该卷主编任放教授不幸英年早逝。经武汉大学陈锋教授推荐，武汉大学历史学院杨国安教授不顾工作任务繁重，毅然承担了明清卷的修改完善工作。

近十年来，王生铁、武清海、李佑才等几位老领导高度重视《荆楚文化史》的编撰出版工作，先后17次带领相关专家学者前往省内外进行考察调研，搜集第一手材料；前后20余次主持召开编撰工作会议，从确定写作提纲、选定分卷主编、召集全体写作人员进行动员，到了解各阶段研究进展情况、解决所遇到的各类难题，以及参与每卷的多次审稿会，每个环节都浸透着他们的心血。

此外，还有一大批领导、专家、工作人员密切关注着书稿的进展。如：研究会特邀研究员胡嘉猷，时任副秘书长古红英、刘胜瑜，荆楚文化研究中心原主任劳志强、副主任张艳鸽和工作人员陈波、肖幼琴、吴胡珂曜、段帅等，都为本书的出版做了大量具体工作。

在本书撰写、修改和审定过程中，还得到了省委宣传部、省政协办公厅、省政协文史和学习委员会、省财政厅、省新闻出版局、省社科联、省社科院、湖北教育出版社等单位的大力支持和帮助，在此，谨一并表示衷心感谢！

由于研究团队水平所限，本书不足之处在所难免，敬请读者批评指正。

湖北省荆楚文化研究会

2021 年 11 月 8 日